Dil ve Tarih-Coğraıy.
tirdi. İlkin çeşitli dergi və gu
riyle görünen yazarın ilk kitabı 1980'de yayımlanan
Mahmud ile Yezida'dır. Daha çok şiirleri, hikâyeleri ve
oyunlarıyla tanınan Murathan Mungan aynı zamanda
radyo oyunu, film senaryosu, şarkı sözü ve kültür ede-
biyat konulu denemeler yazdı. Birçok yapıtı çeşitli dil-
lere çevrildi, oyunları yurtiçinde ve dışında sahnelendi.
Farklı alanlara dağılmış yirmi yıllık çalışmalarından
yaptığı özel bir seçmeyi *Murathan '95*'te topladı. Şiirle-
rinden yapılan bir seçme Kürtçe'ye çevrildi: *Li Rojhila-
tê Dilê Min* ("Kalbimin Doğusunda"). Dünya edebiya-
tından öyküleri bir araya getirdiği seçkileri (*Ressamın
Sözleşmesi, Çocuklar ve Büyükleri*) yayımlandı. Çeşitli
yazılarını ve denemelerini *Meskalin 60 Draje* ve *Soğuk
Büfe*'de topladı. 2000 öncesinde çıkardığı tüm şiir kitap-
larını bir araya getiren *13+1* toplamından sonra 2001'de
çıkan son şiir kitabı *Erkekler için Divan*.

Metis Yayınları, yazarın kitaplaştırdığı bütün çalış-
maları bir külliyat olarak yayımlıyor.

Metis Yayınları
İpek Sokak No. 9, 80060 Beyoğlu, İstanbul

Metis Edebiyat
YÜKSEK TOPUKLAR
Murathan Mungan

İlk Basım: Mayıs 2002

Yayın Yönetmeni:
Müge Gürsoy Sökmen

Kapak Tasarım: Kezban Arca Batıbeki, 2002
Kapakta kullanılan ayakkabı tasarımı Linda O'Keeffe'nin
*A Celebration of Pumps, Sandals, Slippers and More;
Shoes* (1996) başlıklı kitabından alınmıştır.

Dizgi ve Baskı Öncesi Hazırlık: Metis Yayıncılık Ltd.
Kapak ve İç Baskı: Yaylacık Matbaası
Cilt: Sistem Mücellithanesi

ISBN 975-342-361-6

Murathan Mungan
Yüksek Topuklar

METİS YAYINLARI

Metis Edebiyat
Murathan Mungan'ın Yapıtları

Şiir Kitapları: OSMANLIYA DAİR HİKÂYAT, 1981, 6. Basım ▪ KUM SAATİ, 1984, 8. Basım ▪ SAHTİYAN, 1985, 8. Basım ▪ YAZ SİNEMALARI, 1989, 7. Basım ▪ ESKİ 45'LİKLER, 1989, 7. Basım ▪ MIRILDANDIKLARIM, 1990, 10. Basım ▪ YAZ GEÇER, 1992, 12. Basım ▪ ODA, POSTER VE ŞEYLERİN KEDERİ, 1993, 5. Basım ▪ OMAYRA, 1993, 4. Basım ▪ METAL, 1994, 4. Basım ▪ OYUNLAR İNTİHARLAR ŞARKILAR, 1997, 3. Basım ▪ MÜREKKEP BALIĞI, 1997, 3. Basım ▪ BAŞKALARININ GECESİ, 1997, 3. Basım ▪ ERKEKLER İÇİN DİVAN, 2001, 2. Basım.

Hikâye Kitapları: SON ISTANBUL, 1985, 9. Basım ▪ CENK HİKÂYELERİ, 1986, 7. Basım ▪ KIRK ODA, 1987, 11. Basım ▪ LAL MASALLAR, 1989, 8. Basım ▪ KAF DAĞININ ÖNÜ, 1994, 5. Basım ▪ ÜÇ AYNALI KIRK ODA, 1999, 3. Basım.

Oyunları: *Mezopotamya Üçlemesi:* MAHMUD İLE YEZİDA, 1980, 4. Basım ▪ TAZİYE, 1982, 4. Basım ▪ GEYİKLER LANETLER, 1997, 3. Basım ▪ BİR GARİP ORHAN VELİ, 1997, 3. Basım.

Senaryoları: DÖRT KİŞİLİK BAHÇE, 1997 ▪ DAĞINIK YATAK, 1997 ▪ BAŞKASININ HAYATI, 1997.

Diğer Kitapları: MURATHAN '95, 1995, Özel Tek Basım ▪ LI ROJHILATÊ DILÊ MIN, 1996 ▪ PARANIN CİNLERİ, 1997, 5. Basım ▪ METİNLER KİTABI, 1998, 2. Basım ▪ DOĞDUĞUM YÜZYILA VEDA, 2000, Özel Tek Basım ▪ MESKALİN 60 DRAJE, 2000 ▪ 13+1 FAZLADAN BİR KİTAP, 2000, Özel Basım ▪ SOĞUK BÜFE, 2001.

Yıllardır bu kitabı bitirmemi bekleyen
çevremdeki bütün kadınlar,
en çok da

Zeynep Zeytinoğlu için

Hayatım içimden geçen cümleler içinde geçti.

BİRİNCİ BÖLÜM

I

İçimdeki bir his

BUNDAN birkaç yıl önce yazmaya karar vermiştim bu öyküyü. Güzel ve uzun bir öykü olsun istemiştim. Her zamanki gibi onca iş, onca uğraş girdi araya; gündeliğin hayhuyunda başka öyküler, başka öykücükler; yalnızca yazılan, yazılmayı bekleyenler değil, yaşananlar da geçit vermedi... Sonunda, "Bir gün yazarım, nasıl olsa bir gün yazarım," diye beklettiklerimden biri olup çıktı bu da... Kimi zaman, yazdığımda, kim bilir nasıl müthiş bir kitap olacağını düşleyip, heyecanlandıklarımdan biri olarak geliyordu aklıma; kimi zaman da yazamadıklarımın yüreğimi daraltan ağır çeki taşlarından biri olarak... Bu tür "muhasebeler" içinde bulunduğum ruh haline göre değişiyordu; belki yazacağı onca şeyi üst üste yığıp yıllar boyu onlarla birlikte gezen bütün yazarlarda böyle oluyordur. Artık onları bilemem. Ama her zaman söylerim, yazıp da, düşlediklerinizin ne kadarını yazabildiğinizi görmektense, "bir gün yazdığımda nasıl müthiş bir şey olacak kim bilir!" diyerek kendinizi geleceğe ertelemeniz daha heyecan vericidir.

Bilirsiniz, insanları heyecanları yaşatır.

Buraya kadar söylediklerimden benim bir yazar olduğumu düşünmüş olmalısınız; hayır, değilim, ama öyle zannedilmek hoşuma gidiyor. Aslında yazıya gönül vermiş olduğumu, boş zamanlarımda, nasıl derler, "kendi çapımda" öyküler, öykücükler, çeşitli denemeler yazdığımı, ne yazık ki, ancak birkaç yakınım biliyor. Onların da pek ciddiye aldığını sanmıyorum. Başarılı bir grafikerim, işime çok asılmamakla birlikte fena para kazanmıyorum; bunların bana yettiğini düşünüyor olmalılar. Yazdıklarımdan, yaz-

11

maya çalıştıklarımdan kimselere pek söz etmem; hem kendimi sahiden bir yazar olarak görmeyişimden kaynaklanıyor bu –insan kendini bir yazar gibi hissetmezse, başkaları için nasıl ikna edici olabilir?–; hem de heyecanlarıma kapılıp birkaç kez anlatacak gibi olduğumda, karşılaştığım genel bir kayıtsızlık, umursamaz tavırlar ya da anlattıklarımın başkaları tarafından inançsız gözlerle dinlenmesi, beni bu konuda iyice ürkek yaptı. Ben de bu arzumu kendime saklamaya karar verdim. Eğer günün birinde iyi bir kitap yazabilirsem, hepsinden öcümü almış olacağım.

Kimlik kartımı gösterip, izninizle öyküme geçmek istiyorum. Adım Nermin, değişen durumlara göre bazen çok iyi, bazen çok kötü bulduğum bir medeni halim var: Bekârım. Yalnız yaşıyorum. Istanbul'da yalnız yaşayan bir kadın olmanın ne anlama geldiğini anlatacak değilim. Bazı şeyleri okurun hayal gücüne bırakmak gerektiğine inanırım. Evet, kendimi güzel buluyorum. Sokaktaki adam için çarpıcı biri değilsem bile, eğitimli gözler beni fark ediyor. Sosyalizm, feminizm, anarşizm, yoga, uzakdoğu felsefesi, taocu seks, ikebana kursları, parapsikoloji, sağlıklı beslenme, çevre duyarlığı, yeşil politika gibi çok çeşitli şeylere bulaştıktan sonra, şimdi evimde nihilist nihilist oturuyor ve "Bu memleket adam olmaz kardeşim," diyorum. Hepimizin, bütün gençliğimiz boyunca büyüklerimizden hemen her Allahın günü duyduğu bu yavan sözü söyleyebilmek için, niye bu kadar zaman kaybettiğimi, bu sıradan gerçeğe ulaşmak için, niye bu kadar gezip dolaştığımı sormayın bana. Bilmiyorum. Sanırım siz de bilmiyorsunuzdur.

Gelelim öyküme: Temel bir görüntüden kıvılcım almıştı bu öykü, benim için hayli temel olan bir görüntüden:

Esas Oğlan, kötü adamlar tarafından kovalanırken, münasebetsiz bir biçimde ortaya çıkan Esas "olacak" Kız, bütün işleri altüst eder. Oğlan kaçarken ona adım uyduramaz, onunla birlikte koşamaz, koşmaya çalıştığında da kendi kadar münasebetsiz ayakkabılarının yüksek topuklarından biri kırılır; ya bir mazgala sıkışarak, ya basamakların birine takılarak duralayıp vakit kaybetmelerine, dahası az kalsın yakalanmalarına neden olur. O musibet topuğu sıkıştığı yerden kurtaralım derken, kötü adamın bir sürü bir sürü olan adamları yetişirler, yetişemeseler bile şu ahmak kızın beceriksizliği yüzünden sizin yüreğiniz ağzınıza gelir. Hanım kızımız, hiç bulunmaması gereken bir yerde ansızın bitivererek bir dolu budalaca gerilime, nedensiz belaya yol açtığı yetmiyormuş gibi, yaptığı ikinci bir yanlış hareket sonucu, Başkötü Adam tarafından rehin alınır. Başkötü Adam'ın, "Elindeki silahı bırak yoksa kızı vururum," tehdidi yüzünden Esas Oğlan elindeki silahı atmak zorunda kalır. O eksik akıllıyı kurtaracağım diye canını yok yere tehlikeye atan Esas Oğlan, kızın yüreğindeki sevgi ve fedakârlık sandığı küçük-minik entrika ve merak kurdu yüzünden başına yeni yeni belalar alır. Mazgala sıkışmasa, basamaklarda düşmese bile düz yolda kırılabilen o yüksek topuğu, aklı kadar narin olduğu için çabuk incinen bileğinin de burkulmasına neden olur. Yetmiyormuş gibi bir de o koca kıçlı kızı taşımak ya da omuzlayıp yüklenmek zorunda kalan Esas Oğlan'ın çilesi bitmez. Bana kalırsa, yanında sürüdüğü o kızın, peşindeki bir sürü bir sürü adamdan daha tehlikeli olduğunu anlayana kadar da bitmeyecektir.

Benim için, her durumda erkeğin başına bela olan bu kadın tipinin simgesi işte o yüksek topuklar olmuştu; bir biçimde o topukları, o topukların üzerinde yükselen kadınları yazacaktım. Bu bir duruştu çünkü. Bu kadınların hayattaki iddialarına ait bir duruştu. Her yerde, her durumda, her şeye karşı gösterdikleri bir iddianın duruşuydu. Yalnızca erkeği kahraman, kadını himayeye muhtaç gösteren erkek egemen senaristlerin hayat görüşleriyle açıklayamıyordum bu durumu; sanırım bu konuya yeniden dönceceğim. En azından, bu kadar sözden sonra dönmem şart oldu.

Geçen yıl, Pedro Almodovar'ın o güzelim *Yüksek Topuklar* filmini hep bu duygular eşliğinde seyrettikten sonra, öyküme de bu adı vermeyi kararlaştırdım. Birdenbire çoğalan televizyon kanallarında sürekli olarak döndüre döndüre gösterilen şu eski siyah-beyaz filmler, yüksek topuklara karşı hiç eksilmeyen nefretimi ve öfkemi depreştirmiş, beni bu temel görüntüye ve bu öyküye geri döndürmüştü. Artık yazmalıydım.

Beni, kırılan o topuğun simgelediği kadın tipi çok ilgilendiriyordu. İki ters bir düz kadar basit bir örgü tekniği gibiydi bu kadın tipi; hangi filmin neresine koysan gidiyordu. Bence bu tipin ilk örneği Külkedisi'dir. Masalının bütün varlık nedeni olan saate bakmayı bile akıl edemeyen Külkedisi, ayakkabı tekini merdiven basamaklarına bırakarak, kıçını zor toplayıp apar topar kaçabilmişti gece'sinden... Bütün mutluluğunu, küçük numara ayakkabı giymesine borçlu olan bu basiretsiz masal kahramanına hiçbir zaman yakınlık duymamışımdır. Allahtan, sevdiğim, değerli bir yazar arkadaşım, bu masalı ve kahramanını yeniden yorumlayan öyküsünde, Külkedisi'nin basamaklarda düşürdüğü ayakkabı tekini, ertesi gün, ülkedeki bütün genç kızlar gibi Külkedisi'nin de ayağına oldurmayarak, en azından benim intikamımı almış, adalet duygumu yatıştırmıştır.

İşte bütün o filmlerde, kaçmakta olan Esas Oğlan'ın ayağına dolanan o hırslı ve sarsak kadınlarda Külkedisi'nin çeşitlemelerini görürüz.

Her neyse, gene de bana bu öyküyü yazdıran şey bunlar değildi. Yalnızca bunlarla kalmış olsaydı, ben gene bir dolu entelektüel gevezelikle, şahane tembelliğime yaslanarak, bu öyküyü yazmayı erteler dururdum. Şunu itiraf etmeliyim ki, bana bu öyküyü yazdıran aslında o Allahın belası kız çocuğu oldu. Onu tanıdıktan sonra hayatım değişti. Aslında hayatım karardı demek daha doğru olur. Söze nasıl başlayacağımı bilemiyorum; başta kendime olmak üzere, kimseye haksızlık etmeden bu öyküyü anlatmayı becerebilirsem, kendimi mutlu sayacağım.

Geçen ay bir arkadaşım, beş gün için beş yaşındaki kızına bakıp bakamayacağımı sordu bana. Bir yerlere gideceklermiş, buna çok ihtiyaçları varmış. Bunu biraz da evliliğini kurtarmak için yaptığı yollu imalarda bulundu. Bir çeşit hayat-memat meselesi yani. Beş günlük tatillerle hiçbir evliliğin kurtarılamayacağını bildiğim halde hiç sesimi çıkarmadım. Kimsenin hayatı hakkında iri laflar etmeyeli epey olmuştu. Her zaman çocuğa bakan annesi hastanedeymiş –hoş hâlâ hastanede, ve onun o hastaneden sağ çıkmaması, birdenbire hayatımın belli başlı "temennilerinden" biri oldu– (siz sevmemiş olabilirsiniz ama, duygumu en iyi "temenni" sözcüğü açıklıyor); kız kardeşi ise kazandığı burs nedeniyle Kanada'ya gidiyormuş. Ben, iş gezilerinin dışında bunca yıldır kendi keyfime Antalya'ya bile gidemezken, topu topu üç beş kez gördüğüm şu çokbilmiş suratlı dişlek kız, gece geç saatlere kadar Toronto sokaklarında gezsin ve taze turist hayranlığıyla alık alık kar küreyen makineleri seyretsin diye neler çektim. Yok, hayır, yine de o makinelerin kürediği karlar altında şaşkın bir ölüm dileyemem ona; o kadar kalpsiz değilim.

Aslında bütün kabahat bende. Kimsenin suçu yok. Kabul etmemeliydim. Peki niye kabul ettim? Zaten izinliydim o sıralar; çalışmıyor, bütün gün evde oturup duvarlara bakmak istiyordum. Çaresiz durumda olan arkadaşımsa, ilk kez bir şey istiyordu benden. Az görüşmemize, pek yakın olmamamıza karşın, özellikle parasız zamanlarımda borç alabildiğim biriydi. (Ki, her ne kadar fena kazanmıyorum desem de, parasız zamanlarım hayatımın önemli bir bölümünü kapsar.) Ama bu da bir neden değildi. Ne bileyim, belki de canım iyilik yapmak ve cennete gitmek istiyordu. Bütün bunlar gene de ikna etmediyse sizi, basiretsizlik deyin. Kısacası bir gaflet ânında evet demiş oldum. Ama hiçbir gaflet ânının bedeli bu kadar yüksek olmamalı.

Düşünün: Beş yaşındaki bir kız çocuğuyla beş gün! Beş tam gün!

Sonuçta, Barbie bebeğini alır gelir, önüne çocukluğumdan kalma Tina ciltlerimi koyarım; iki Fatoş, bir Ayşegül, biraz çizgi film seyreder, biraz da şekerlemelerle oyalanır, olur biter sanıyordum. Ne gaflet!

Kapı açılıp da salona girdikleri anda, başıma gelecek olan felaketi anlamıştım. Aynı erkeği çılgınca seven iki gözükara rakibenin, en kanlı zamanlarında yüz yüze gelmesi gibiydi ilk karşılaşmamız. Sanki benimle hesaplaşmaya gelmişti. Bana günümü gösterecekti. Kana kandı. Ya o, ya bendi. Salonun ortasında çaresiz kalakalmıştım. Karşımda beş yaşında bir kız çocuğu değil, fettan,

15

şuh ve kindar bir kadın vardı. Ben öyle başıma gelecek felaketleri sezmiş olmanın şaşkınlığıyla aval aval bakınırken, annesinin yanından kopup, zarif olduğunu sandığı gösterişli adımlarla yanıma geldi. Yüzünde, pembe dizilerdeki zengin, iyi eğitim görmüş, kötü kalpli genç kızlara özgü çarpık bir gülümsemeyle, manalı bir şekilde elini uzatarak:

"Merhaba, ben Tuğde," dedi.

Ben, eyvah, bütün 15.00'lerde ve bütün 18.00'lerde bütün televizyon kanalları açılacak, bütün o pembe diziler seyredilecek ve ben hafif hafif delireceğim, diye düşünürken, annesi –ki, artık o da bir düşmandı– en şirin sesiyle:

"Merak etme ablası, çok usludur, seni hiç üzmez, bütün gün sessiz sedasız oturur televizyon seyreder," dedi.

Gözucuyla televizyona baktım, kararmış ekranıyla her şeyden habersiz öylece duruyordu; yok, hayır, daha taksitleri bitmemiş o masum alete hiçbir şey yapamazdım.

Onu görür görmez, birdenbire aslında çocuk sevmediğimi düşündüm. Evet, ben aslında çocuk sevmiyordum. Düşünecek olursam, yarım saatten fazla dayanabildiğim tek bir çocuk yoktu. Ya da henüz icat edilmemişti. Böyle olduğu halde, hep onlarla iyi geçiniyormuş gibi yapmış, yakınlarımın da, arkadaşlarımın da çocuklarına hep öyle davranmıştım. Çoğunun doğum gününü unutmaz, hoşlarına gidebilecek armağanları almakta hep doğru seçimler yapardım. Çocukları yarım saat için sahiden çok seviyor, sahiden onlarla olmaktan hoşnutluk duyuyor, yarım saat sonra ise mümkünse ses geçirmeyen bir dolaba kaldırılmalarını istiyordum. Eğer bu süre bir saati geçmişse, bu dolap, bir buzdolabı bile olabilirdi.

Onların sürekli ortalıklarda dolanıp hep bir şey istemeleri, sürekli bir şeyler sormaları, bizim çoktan sıkıldığımız bu dünyanın onlara yeniden ve yeniden açıklanması sinirime dokunuyor; güzel bir öğleden sonra ya da hoş bir akşamüzeri geçirmek için gittiğim yerlerden onlar yüzünden bitkin dönüyordum. Oysa hemen herkes nedense beni, çocuk seviyor, diye biliyordu. Aman Allahım, ben bir sahtekârdım! Bu yaşta bir kadın olarak niye hâlâ çocuk sahibi olmadığım yolundaki bütün soruları sahtekârca yanıtlamıştım demek. Bunu şimdi anlıyordum; ne hiç evlenmemiş olmam bir nedendi, ne de karşıma bu iş için uygun biri çıkmamış olması... İşim gereği sık seyahat edişimi neden göstererek kedim olmayışını açıklamam da bir sahtekârlıktı. Bunu da şimdi anlıyordum. Kedilerin de mitolojisini seviyordum olsa olsa; ne beslemeyi biliyordum, ne de bakımlarını üstlenmeye yanaşıyordum. Mini mini kedili kutular, şirin kedi kartlarıyla, orda burda gördüğüm kedilere gösterdiğim yakınlık numaralarıyla idare ediyordum.

Şu lanet olası kız yüzünden, çocuklar ve kedilerden sonra aslında kadınları da hiç sevmediğim çıkacaktı ortaya. Aman Allahım, yoksa ben yalnızca erkekleri mi seviyordum? Onların da magandalarını, zontalarını, sonradan görmelerini, yere tükürenlerini, burnunu karıştıranlarını, yuppielerini, arabalarında çıs-tak çalanlarını, "altın kolye-pırlanta yüzük-zincirli künye" üçgeni içinde yaşayanlarını çıkarırsan aradan, dünya bir avuç kalıyordu. Benim için dünya birdenbire çok ıssızlaşmıştı.

Annesine pencereden birlikte el sallayıp uğurladıktan sonra, derin bir sessizlik oldu aramızda, ikimiz de birkaç dakika ne yapacağımızı bilemedik. Daha çok fırtına öncesi bir sessizliğe benziyordu bu, sanki daha çok birbirimizi tartıyor, strateji ve taktik hesapları yapıyorduk. Sonra birden kendimi ayıpladım: Koskoca kadınsın ayol, alt tarafı beş yaşında bir çocuk! Utanmıyorsun kendini onunla bir tutmaya!

Böyle düşünmek o an bana iyi geldiyse de, onun alt tarafı beş yaşında bir çocuk olmadığını anlamam uzun sürmeyecekti. Alt tarafı beş yaşında olmadığı gibi, ust tarafında da, yıllarla açıklayamayacağım kadar yoğunlaştırılmış bir kadınlık vardı.

Kalktım, mutfağa gittim. Hayattaki onca şeyi eledikten sonra elimde kalan şu bir avuç dünyanın üzerine bir bardak su içtim. İçimdeki bir his, beni zor günlerin beklediğini söylüyordu. Zaten o içimdeki hissin bana bugüne kadar hoş bir şey söylediğini hiç hatırlamıyorum.

Eminim, o gece ev de, yattığımız odalar da, uyuduğumuz yataklar da ikimiz için aynı derecede yabancıydı. Bütün gece duvarlara baktım.

Onu, büyük bir şirinlikle yaptığım yatağına yatırdıktan sonra, "Işığı açık bırakmamı ister misin Tuğde?" diye sevecenlikle soracak olduğumda, hak etmediği bir muameleye maruz kalmış, ama gene de sezdirmemeye çalışıyormuş gibi sitemle yüzüme baktı ve "Ben karanlıktan korkmam," dedi.

Ben, "Hayır belki tuvalete falan kalkman gerekir, diye düşündüm de..." diye geveleyecek oldum; başını bile çevirmeden, gözlerini benden ayırmaksızın bir tek ufak hareketle elini uzatıp, "Burada gece lambası var ya," diyerek lambanın düğmesine bastı. Ki, o kahrolası düğmeyi hiçbir aradığımda yerinde bulamamışımdır.

"O halde mesele yok," dedim acı acı gülümseyerek...

Kabul edin, acı acı gülümseyerek lafı buraya çok yakıştı.

II

Eflatun saç bağı

SABAH her şey başka türlü olur, diye dilemiştim uykuya dalmadan önce. Bu duygumu uyandığımda aynı yerde buldum. Bu duyguyla kalktım yataktan. Ona güzel bir kahvaltı hazırlar, sonra uyandırır, güzel bir güne başlarız, diye iyimser duygular yeşertmeye çalışıyordum içimde. Oysa uykusuz bir gece geçirmiş, uzun kâbuslar görmüştüm ve bu sabah kendimi tam bir paçavra gibi hissediyordum. Benimle ancak yer silinebilirdi. Böyle zamanlarda yüzümün bütün defoları çok daha büyüyerek görünür gözüme; nitekim yüzümü yıkarken, sonsuza dek kendime küsecekmişim gibi geldi bana.

"Ya gözler altındaki mor halkalar"!.. Sırf bu dizeyi yazdı diye, kendimi sabah sabah Cahit Sıtkı Tarancı'ya benzettim. Kabul edersiniz ki, bir kadın olarak Cahit Sıtkı Tarancı'ya benzemek pek hoş bir şey değildir. Bu halde hazırladığım kahvaltıdan ne hayır gelecekti?

Salona çıktığımda, Tuğde'yi giyinmiş, süslenmiş, hatta biraz fazla süslenmiş, büyük bir ciddiyetle kadın dergilerinden birini karıştırırken buldum. Yaşına bakmasam, "etüt ediyor" diyecektim. Sayfaların rüyasına öyle kaptırmıştı ki kendini, beni fark etmedi bile.

"Günaydın Tuğde," dedim, "İyi uyudun mu?" Sesim de saçlarım gibi taraz tarazdı. Nicedir yüzünü görmediğim Aranjman Aysel'in bu tür sesler için söylediği bir söz geldi aklıma: "Ayazda kalmış nefer orospusu sesi!" Tam öyleydi sesim.

"Günaydın," dedi cikcik bir sesle. "Gayet iyi uyudum, ayrıca kahve de sıcak."

Ben, bu saatte nasıl uyanıp hazırlandığını bile akıl edemezken, o kahvaltısını bile etmişti anlaşılan. Üstelik daha önce hiç bilmediği bir mutfakta!

"Kahve makinesini kullanabildiğine sevindim," dedim anlayabileceğini sanmadığım bir imayla.

"Bizim evde bütün modern aletleri ben kullanırım," dedi.

"Bak bunu duyduğuma da sevindim," dedim. Sinirlerimin tepeme çıkmış olmasına karşın, ben de sesime cikirtili bir hava verebilmiştim. O da sahi sandı.

"Bu arada anneannemin de size çok selamı var," dedi.

İlkin anlamadım, dünden kalan, çok da gerekmeyen bir selamı iletiyor sandım.

"Daha iyiymiş," diye ekledi.

Anlamamış gözlerle baktım: "Anneannen nereden çıktı şimdi?"

"Bu sabah konuştum onunla. Sağlığını çok merak ediyorum da... Biliyorsunuz ağır hasta... oksijen çadırında."

Konuşmaktan çok dublaj yapıyor gibiydi. Sesindeki ve yüzündeki yapmacığa bakılırsa çok fazla çocuk filmi seyretmiş olduğu sonucunu çıkarabilirdiniz. Sanki "Ayşecik" zamanlarına yetişmişti.

"Anneannem hastabakıcılardan yakındı. Sanki bedava bakıyorlar. Herkesin bir vazifesi var hayatta, değil mi? Üstelik yaşlı bir kadına karşı daha saygılı olmaları gerekmez mi?"

Yoo, bu kadarı fazlaydı. Bu tür sözler duymamak için neredeyse evimden çıkmaz, kimselerle görüşmez olmuştum. O ise, derslerini nasıl da iyi çalışmış olduğunu gösterir gibi gözlerini süzüyor, gözlerimin içine manalı manalı bakarak benden aferin bekliyordu. O yaşlı bunağın, sabahın köründe oksijen çadırından fırlayıp ta buralara kadar uzanan kırılası eli yetmiyormuş gibi, bir de şu bacaksız kızın çokbilmişliklerini dinliyordum.

O sabah kahvaltıda diyet ölçümü kaçırıp biraz fazla yedim. Bunu fark ettiğimde iş işten geçmişti tabii. Zaten hep böyle olur.

Yeniden salona çıktığımda, telefonun yanında kargacık burgacık yazılarla karalanmış bir kâğıt parçası buldum. Belli ki, hanım kızımızın marifetiydi.

"Bu nedir Tuğde?"

"Sizi arayanları not ettim," dedi. "Arkadaşınız Erhan Bey, cuma günkü akşam yemeğine çıkamayacağınızı söyledi." Yüzüne mahcup bir yosma ifadesi vererek, "Belki önemlidir diye kahvaltıdan sonra söylemek istedim," dedi.

"Bak Tuğde, istersen telefonlara telesekreter cevap versin, çünkü konuşmak istemediğim insanlar oluyor."

"Haklısınız efendim ama, anneannem arıyor sandım."

"Canım, anneannen kaç kere arayabilir ki?"

"Duruma göre değişiyor. Bu sabah üç kere aradı."

Bir elim havada kalakaldım.

"Oksijen çadırındaki bir kadının, bu kadar çok çadır dışına çıkması sence doğru bir şey mi Tuğde?"

"O kadarını bilemeyeceğim."

Neyse bu çokbilmiş kızın hayatta bilemediği bir şeyin de olabileceğini görmek sabahın tek sevindirici yanıydı.

Yazdığı kâğıtta iki not daha vardı. Biri mobilyacım, diğeri de su tesisatçısıydı. Bir de Erhan. Yani sabah saat daha 9 olmadan arayabilecek üç kişi! Arkadaşlarım bir de bana kızıyorlar Erhan'a niye yüz vermiyorum diye!

Kâğıdı buruşturup çöpe atarken, "Okuma yazma bildiğini bilmiyordum Tuğde," dedim.

"Yavaş yavaş öğreniyorum," dedi. "Teyzeme çok imreniyordum, ne güzel fotoromanlar okuyor, diye. Sonra ben de herkes gibi şu kadın dergilerini okumak istiyordum. Annemle kuaföre falan gittiğimizde çok özeniyordum da..."

Şimdi Kanada'larda sosyalbilimci sosyalbilimci sürten, aşk ve erkekler hiç önemli değilmiş gibi yapan; başkalarının yaşadığı duygusal sarsıntılara, hep bir böcek inceliyormuş gibi nesnel ve kuru gözlerle, hafif de küçümseyerek bakan o çirkin, dişlek, çokbilmiş kızın, boş zamanlarında gizli gizli fotoromanlar okuyan biri olduğunu öğrenmek doğrusu sevindirmişti beni. Kar makinelerinin altında kalmazsa eğer, elbet bir gün Kanada'dan dönecekti! Onu, bu konuda kimi açıklamalar yapmakta zorlanırken seyretmek hoş olacaktı doğrusu.

"Şu kadın dergileri içinde en kalitelisi sizce hangisi Nermin ablacığım?" Yeniden kanepeye serilmiş, önüne çektiği, sürekli birbirinin üzerinden kayan bir kucak dergiyle cebelleşiyordu. "Ben daha çok işim gereği izliyorum bu dergileri Tuğde. Biliyorsun grafikerim." Bana ilişkin yanlış bir imaj edinmesini istemiyordum. Hatta benimle kurabileceğini sandığı tüm ortaklıkları hepten ortadan kaldırabilmek için, yeniden kirli parkalı, pasaklı bir komünist bile olabilirdim! Birden kafasındaki eflatun saç bağı dikkatimi çekti. Saçlarının bir tutamını bu bağla tutturmuş, geri kalanını köpürterek omuzlarına dökmüştü. Konuşmalarının uygun olduğunu düşündüğü yerlerinde şampuan reklamı hareketleriyle saç savurmayı şimdiden öğrenmişti. Bu saç bağı bir yerden tanıdık geldi. Birinden değil de, daha çok bir anıdan. Bu ayrımı her seferinde, neredeyse benden habersiz, daha olayı hatırlamadan önce yapar belleğim. Nitekim bu sefer de öyle oldu.

Üniversite yıllarımda bir dönem sık görüştüğüm, evlerine girip çıktığım iki kız kardeş arkadaşım vardı. Onlara gittiğim günlerde sıkça karşılaştığım yakın akrabaları olan bir kız, o zamanlar böyle yaygın kullanılmayan, her yerde bulunmayan bu saç bağlarından renk renk, çeşit çeşit takardı. Giydiği bluzun ya da ayakkabının rengine göre kimi zaman günde üç kez değiştirirdi saç bağını. Kızla azıcık da dalga geçerdik. Hemen herkesin solcu olduğu, en azından politik bir dikkat gösterdiği o dönemde, neredeyse uzayda yaşıyormuş gibi, hiçbir şeyle ilgilenmeden, hiçbir şeyden etkilenmeden, kendine seçtiği hayallerin, kendine yazdığı fotoromanların çevresinde mutlu-mesut bir yaşam sürdürüyordu. Bir masal kahramanı kadar uzaktı her şeye. Kendine dert edindiği şeyler başkalarını güldürebilecek ölçüde ahmakçaydı. Kahkahalarla güldüğü şeyler başkalarını gülümsetmez, sarsıla sarsıla ağladıkları için kılınız bile kıpırdamazdı. "Ayy dün gece neler oldu biliyor musunuz?" diye gözlerini iri iri açarak, büyük bir şaşkınlıkla anlattığı hikâyeler bizi esnetir; bizim anlattığımız en ağır, en trajik olay karşısındaki duyarsızlığı her seferinde bizi hayretlere düşürürdü. Bu kadar bezelye tanesi beyinli olduğuna bir türlü inanamaz, ancak o günlere özgü devrimci bir iman ve azimle, o kalın kabuğunu kırabilmeye, dünyayla arasında ördüğü duvarın ufacık bir çatlağından sızıp ona ulaşmaya çalışırdık. Ne beyhude gayret! Hayatın çelişkilerinin çok fazla altında kaldığımızı hissettiğimiz, anlamanın acılarıyla başedemediğimiz zamanlar, "Keşke onun gibi olsaydık," derdik. "Keşke onun gibi olsaydık!"

O evde, ona tek anlayış gösteren insan, evin baş kadını, aynı zamanda arkadaşlarımın da annesi olan Kızılcık Sopalı Sulhiye'ydi. Adından da anlaşılacağı gibi pek "sevecen" bir insan değildi ama kendi ölçülerinde bu kıza kucak açıyor, yakınlık gösteriyordu. Üstelik bunun nedeni, yalnızca kızın akraba olması da değildi. Sahiden ona bir çeşit merhamet duyuyordu. Bunda belki kızın bizim gibi cadıların arasına düşmüş olmasının payı vardı.

Kızılcık Sopalı Sulhiye, tam bir paşa karısıydı. Uzun yıllar doğu ve güneydoğuyu kocasıyla birlikte gezmiş, gittikleri her yerde kocasından daha çok albaylık yapmış, askerlere kök söktürmüş, orduevlerine duman attırmış, eskilerin deyimiyle, hükümet gibi bir kadındı. Kendi anlatmazdı pek marifetlerini, başkalarından duyardık. Tayin oldukları her yeni yere varır varmaz yaptığı ilk iş, erlere çeşitli boylarda kızılcık sopaları yaptırmakmış. Yaptıkları kızılcık sopalarının daha sonra oralarında buralarında şaklayacağını bilmeyen erler, götürür kapısına, biraz da yaranmak amacıyla, kucak kucak kızılcık sopası yığarlarmış. İnsanların ancak dayakla terbiye edilebileceklerine inanan Kızılcık Sopalı Sulhiye, kendi evinin içindeyse, kızlarına bir gün olsun el kaldırmamış.

Kürtlerden ziyadesiyle nefret eden Kızılcık Sopalı Sulhiye, bütün yolunda gitmeyen şeylerden; suyu akmayan musluklardan, kazılmış da kapanmamış çukurlardan, çürük sebze ve meyveden, arandığında yerinde bulunamayan kapıcılardan, her şeyden her şeyden Kürtleri mesul tutardı. Kürtlerin tümünün Irak'a sürülmesi gerektiğini savunurdu. Ona kalırsa, bu yapılmadığı sürece, memlekette hiçbir zaman bir ilerleme kaydedilemeyecekti. İşledikleri kabahat aynı da olsa, Kürtlere her zaman yirmi sopa fazla attığından söz ederdi. Kürtlerin daha fazlasını hak ettikleri tek şey, "dayaktı" ona göre. Sulhiye hikâyeleri dinledikçe, Kürtlerin, yalnızca Kızılcık Sopalı Sulhiye yüzünden bile, dağlara çıkmaya hakları olduğunu düşünürdünüz.

Paşa kocası öldükten sonra iktidarını yitirmiş olan Kızılcık Sopalı Sulhiye, birkaç kez kapıcı dövmeye kalkışmışsa da, sopaları elinden alınmış, kapıcılar tarafından mahkemeye verilmiş, artık eski günlerin geçmişte kaldığını acı bir biçimde anlamış. Kocasından kalan emekli maaşından başka ona geçmişi hatırlatan hiçbir şey kalmamış elinde. İkbalden düştüğünü anlayan Kızılcık Sopalı Sulhiye, eskinin ihtişamını bulmak ümidiyle bir dönem sık gittiği orduevlerine de, kendine gösterilen ihtimamı yetersiz bulduğundan eskisi gibi gitmez olmuş. Şimdiki zamanların şartlarını bütünüyle kabullenmeye başlamış görünüyordu ben onu tanıdığımda.

Tuhaftır, bu despot kadın, kızlarının kan kızılı komünist oldukları günlerde hiç oralı olmuyor, başlarına bir şey gelmesin, tutuklanıp etmesinler de ne yaparlarsa yapsınlar, diyerek, başta kızları olmak üzere herkesi hayretlere düşürüyordu. Bu kayıtsız görünüşünün nedenlerini soranlara da, "Bütün bunlar modadır geçer," diyordu. "Ben kızlarımı bilirim, rahatlarına pek düşkündürler, başkalarının sunduğu nimetlerden istifade etmeye bayılırlar. Onlar için bütün dünya, bahçesinde oynadıkları, nazlarının çekildiği büyük bir orduevi hâlâ. Fazla sıkıntıya gelemezler, başları sıkıştı mı sıvışırlar, zora geldiler mi bütün işleri birinin sırtına yükleyiverirler. Bunların devrimciliklerinden ne olacak Allahaşkına, ben kızlarımı bilmez miyim? Evde kendi çayını koymayan kızlar, öğrenci derneklerinde mutfak nöbeti tutuyorlarmış. Ay sevsinler sizi! Bundan da heveslerini alır geçerler, hepsinin sonu bir kocaya bakar. Ablaları da zamanında başka abukluklar tutturmuştu, bilmez miyim? Bu memlekette devrim mevrim olmayacağını anladıklarında, bizden beter kapanırlar evlerine, ailelerine. Nasıl olsa dönüp dolaşıp sonunda varacağımız yer burası, şimdiden kendimi ne diye üzeyim?"

Bunun üzerine, kızları büyük bir hırsla, damar damar olmuş

boyunlarıyla soluk yetiştiremedikleri uzun nutuklarla girişirlerdi annelerine: Ne yazık ki kızlarını hiç mi hiç tanımadığından, devrimin geçici bir heves olmayıp hayati bir seçim olduğundan, ayrıca yalnızca bu memlekette değil, bütün dünyada devrim olacağından, belki kendilerinin göremeyeceğini ama çocuklarının bir gün mutlaka devrimin şafağında omuz omuza gelecek aydınlık günlere bakacağından dem vururlardı.

Yarısı kapanmış göz kapaklarıyla, kurşun işlemez bir kayıtsızlıkla uzun uzun kızlarını dinlemek zorunda kalan Kızılcık Sopalı Sulhiye'nin sonunda sabrı tükenirdi: "Susun ayol! Yeter içimi şişirdiniz! Ay fenalıklar geldi sizin gülkurusu şafak rengi devriminizden! Omuz omuzaymış! Ben istemem öyle omuz omuzalık felan, belediye otobüsü mü bu ayol?"

Genellikle anneyle kızlarının bu tür beyhude tartışmalarını, "Yok yere evde tatsızlık çıkıyor tüh!" gibi evcimen ve uzlaştırıcı duygularla üzülerek izleyen bizim saçı eflatun bağlı kızımız, bezelye tanesi aklınca ortalığı yatıştırmak için, "Bırakın şimdi bunları da," diyerek ortalığa konuşulacak başka bir konu atmaya kalkar; bütün bu tartışmalara benim hiç katılmıyor oluşumdan kendince biçtiği ortaklıkla bana dönüp, dudaklarını manidar bir biçimde büzerek, "Değil mi, Nermin?" derdi. Ya da söz konusu kavga, yatıştıramayacağını sandığı kadar tırmanmışsa eğer, "En iyisi ben size çayın yanına bir şeyler yapayım," diye mutfağa kapanır, mutlaka her seferinde yeni öğrendiği bir tarifle hepimizin beğendiği yeni bir şey hazırlardı. Bu ahmak kızın her hafta yeni bir tarifi nasıl aklında tuttuğuna, şaşırmadan yaptığına hayret ederdik.

Günün birinde bu kızımız aniden evlendi. Kızılcık Sopalı Sulhiye'nin çok tasvip ettiği bir evlilikti bu. Bilmem neredeyken birlikte askerlik yaptıkları bilmem ne paşanın gayet zengin, yakışıklı, terbiyeli, tahsilli torunuyla iki ay içinde eveniverdi. İlk iki kızının evliliklerinden son derece memnun görünen Sulhiye Hanım, "Üçüncü kaynanalığım bu! İnanın kendi kızım evlenmiş gibi hissediyorum," diyordu. "Darısı bizim haylaz kızların başına!"

Haylaz kızlar en domuz suratlarıyla öfkeli öfkeli bakıyorlardı annelerine. Ama hayat, haylaz kızların haylazlıklarını değil, annelerini haklı çıkardı. Devrimcilikten çabuk sıkıldılar. Biraz paçaları sıkıştığında bildikleri, rahat ettikleri hayatlarına döndüler. Ondan sonra da bir daha hiç görüşmedik. Geçen yıl Reklamcılar Derneği'nin bir gecesinde onlardan birini gördüm. Kocasıyla birliktc gclmiş, kocası büyük bir reklam şirketinde çalışıyormuş. Tıpkı yıllar önce o katır inatlı annesini ikna etmeye uğraşırken olduğu gibi, boğula boğula konuşuyor, heyecanla bir şeyler anlatmaya çalışıyordu bana. "Ben kültürel Müslüman bir çizgiyi seçtim," diyordu. "İslamın geleneksel çizgisinden elbette çok farklı, hem çağdaş teknolojik ve sosyal gelişmeyi göz ardı etmeyen, hem de İslamın özündeki eşitliği öne çıkarıcı reformları amaçlayan..."

Ona bıraksam, çok daha uzun konuşacaktı elbet, ama geçen bunca yıl, bende, kimsenin varlık problemini nasıl giderdiğine dair bir merak bırakmamıştı. Tam lafının ortasında, "Biliyor musun?" dedim, "Bütün bu anlattığın saçma sapan şeyler beni hiç ilgilendirmiyor. Ben sana, şimdi neye inanıyorsun, ne yapıyorsun, diye sordum mu? Züppe sosyete karılarının her gün değişen meraklarını takip etmek istemiyorum."

Böyle bir şeyi hiç beklemiyordu tabii. Bir anda allak bullak olmuş, bütün ifadesi kaybolmuş, yüzüne adeta beton dökülmüştü. Yalnızca bunun için bile değerdi doğrusu. İnsana zamanla böyle küçük zevkler kalıyor işte.

Eflatun bağlı kızımız, evlendikten tam dokuz ay sonra kendisinin tıpkısı olan bir kız çocuğu doğurdu. "Madem kendinden bir tane daha yapacaktın, kocaya ne gerek vardı Allahaşkına, bu kadarını kendi başına da yapabilirdin," diye takılıyorduk. Çocuk, iki üç yaşına geldiğinde ise, annesine benzerliği fazlasıyla rahatsız edici olmaya başlamıştı. Kötü bir şaka gibiydiler. Bu kadarı çizgi filmlerde olurdu ancak. Yan yana konmuş en büyük boy Rus bebeğiyle, içinden çıkmış en küçük boy Rus bebeğini andırıyorlardı. Üstelik, bu genç annenin gayretleriyle, benzerlik salt fiziki bir benzerlik olmaktan çıkmış, zorlanan bir ikizliğe dönüşmüştü. Kendi ne giyiyor, ne takıyorsa kızına da onları giydiriyor, onlardan takıyordu. Elbette kızının saçlarında da aynı eflatun saç bağı vardı. Üstünde dönemin moda spor giysilerini hatırlıyorum, kızını da öyle giydiriyordu. Kızılcık Sopalı Sulhiye'nin evinde kaç kez rastladıysam ona, –evlenmiş olması hiçbir alışkanlığını değiştirmemişti, gene o evden çıkmıyordu– hep aynı morlar, pembeler, fuşyalar, eşofmanlar, anoraklarla gördüm onları. Beş yaşına kalmadan kızını boyamaya başlar, on üç yaşında da kız muhtemelen annesinden nefret ederdi. Gerçi aklı da annesine benzediyse, böyle bir ihtimal hayli uzaktı.

Bunca yıl sonra Tuğde'nin eflatun saç bağı birdenbire beni o günlere, o insanlara savurmuştu. Mutfakta kahvaltı sofrasını toplarken kalakalmıştım. Bu kız bana hiç güzel şey hatırlatmayacaktı galiba.

Daha sonraki yıllarda sadece onun değil, birçok annenin aslında böyle olduğunu görmemiş miydim? Dünyada başka hiçbir şey yapamadıklarından ancak çocuk yapmayı becerebilen, bunu da çok büyük bir marifetmiş gibi etrafa sıvaştıran kadınlardan her zaman nefret ettim. Bunlar bulundukları her yerde, çocukları aracılığıyla kendi egolarını yayarlar etrafa. "Erol buraya gel, Ali oraya çıkma, Ayşe orayı elleme, yemeğini yemezsen seni götürür çöplüğe atarlar, değil mi teyzesi?" gibi gürültülerle kendi zavallı var oluşlarına dünyada bir yer açmaya çalışırlar. Dertleri kesinlikle çocukları değildir; çocukları aracılığıyla dünyanın dikkatini çekmek isterler yalnızca. Hayatta yapabildikleri tek marifet olan çocuklarını oraya buraya ittire kaktıra kendi zavallı varlıklarını duymaya, hissetmeye çalışırlar. Umumi yerlerde çocuklarına gösterdikleri ilgide her zamankinden fazla bir şey vardır. Hem çevreye ne kadar iyi bir anne olduklarını gösterme fırsatını kullanmak isterler, hem de bulundukları yeri yalnızca kendi egolarıyla işgal etmeye uğraşırlar. Çocuklarına ilişkin her şey; yemek yemeleri, uyumaları, çiş yapmaları abartılı bir seremoniye, çirkin bir teşhirciliğe dönüşür. Çocuklarından başka hiçbir şey konuşulmasın isterler. Birçok alanda dışına sürüldükleri toplumdan alabilecekleri tek aferinleri de, tek intikamları da anne olmalarıdır. Kendi beceriksizliklerinin, çocuklarını kötü eğittiklerinin, aslında çocuk büyütmeyi hiç mi hiç bilmediklerinin asla farkında olmayıp, çocuklarının her tür taşkınlığının, edepsizliğinin, isterisinin genel bir çocuk olma hali olduğunu sanır, bu yüzden de, bulundukları her yerde, her tür anlayış ve hoşgörünün en doğal hakları olduğunu düşünürler. Otobüste, trende, uçakta daha oturdukları andan itibaren, varlığıyla çevreyi kirleten çocuklarının başlarını göğüslerine bastırarak, "Teyzeyi rahatsız etme çocuğum," diyerek yan koltukta oturandan sözde anlayış beklerler. Bu yaştaki çocuklar söz konusu olduğunda, daha düne kadar kendisinden, "abla" diye söz edilen yan koltuktaki kişi ise, birdenbire şu münasebetsiz kadının uğursuz ağzında, "teyze" oluvermenin intikamını ilk fırsatta alır. Ama o salak kadınlar bunu bile akıl edemezler. İşin kötüsü toplum da zaten bu kadınların doğurup büyüttükleri çocuklardan oluştuğu için, ne kadar boktan anneler oldukları hiçbir zaman anlaşılmaz. Sonrakiler de, en az kendileri gibi boktan çocuklar yetiştirmeyi sürdürürler.

Araba kullanmak için ehliyet alınıyor, doktorluk, avukatlık yapmak için diploma isteniyor, herhangi bir işyeri için ruhsat belgesi şart koşuluyor, berber falan olmak için kalfalık, ustalık belgesi gerekiyor da, ana baba olabilmek için neden hiçbir yeterlilik belgesine gerek duyulmuyor?

Bu tür tartışmalarda çocuk sahibi olmanın tabiat gereğiyle açıklanmasına da bayılırım; günümüzde bu anlayışın herhangi bir geçerliliği kalmış gibi. Yüzyıllardır bütün dünyayı tabiata karşı giydirdikleri halde bir tek çocuk yapma konusundaki bu tabiatçılık sinirime dokunuyor doğrusu. Beşinci sınıf kooperatif evleri yapacağız, balkonunda mangal çevirip geğireceğiz, diye beş yüz yıllık ağaçları hart hart doğrarlarken tabiat akıllarına gelmez; kanalizasyon borularını su kaynaklarının tam ortasından geçirirken de tabiat hatırlanmaz. Cinsellik ve türevleri söz konusu olduğunda ise bir tabiatçılık bir tabiatçılık! Üstelik hiç kimse cinselliğini sahiden tabiatına göre yaşayamazken...

Durup durup, Malthus haklı, diyordum son zamanlarda. *Nüfus Sorunu*'nu yeniden, şimdiki gözlerimle okumalıyım. Mutlaka o zamanlar gözümden kaçmış bir şeyler olmalı adamın dediklerinde.

Eflatun bir saç bağından nerelere geldim. Kimi şeyler zaman içinde böyle bir simge değer kazanarak insanın hayatına siniyor. Demek ki, o eflatun saç bağı, benim için, o sözde modern anne-kız ilişkisinin bir çeşit simgesi olmuş zaman içinde. Galiba ben annelerden de nefret ediyordum. Bütün Anneler Derneği, Anne-ler Vakfı gibi dernek ve kuruluşlardan ve orada çalışarak sözde "vatan menfaati yapan" kadınlardan da nefret etmemiş miydim? "Anne, bütün kötülüklerin anasıdır," diyordu yazar olan arkada-şım. Başka çokbilmiş bir kadın arkadaşımsa, onun eşcinsel oldu-ğunu ima ederek, "Kendi çocuk doğuramadığı için böyle tavır alı-yor," diyordu en sosyal eğitmen ağzıyla. "Eşcinsellerde görülen yaygın bir davranış örneği bu. Ya annelerine taparlar, ya da ondan nefret ederler."

"İyi ya, eğer böyleyse bile anneleri yüzündendir," demiştim ben de.

Kapıldığım çağrışım rüzgârları azıcık diner gibi olmuş, mut-fağı, yatak odamı toparlamış, güne hazır hissediyordum kendimi artık. Acaba bugün Tuğde ile nasıl bir program yapmalıydık? So-nuçta bu beş günü böyle iç monologla geçirmeyecektim herhalde. Gittiği yuvanın kızamık salgınından kapatılmış olması bana iş çı-karmıştı.

"Ne dersin Tuğde, nasıl bir program yapmak istersin bugün?"

Bütün hayatı boyunca bu soruyu bekliyormuş gibi gösterişli bir sevinçle ışıdı. Papatya toplayan prenses kız sekişiyle yanıma geldi. Sanki bunu konuşmadan önce aramızda halledilmesi gere-ken küçük bir pürüzü ortadan kaldırmak ister gibi, biraz da ağzı-mı arayarak, "Cuma akşamki yemeğin iptali sizi çok üzmedi de-ğil mi? İnanın böyle bır haber vermek istemezdim size," dedi.

Onun, sinirime dokunan bu çirkin merakını karşılıksız bırak-mak için, hiçbir sonuç çıkaramayacağı son derece tarafsız ve ku-ru bir sesle, "Hayır," dedim yalnızca.

Biliyorum, bu ona yetmedi. Ben de öyle olsun istiyordum za-ten.

III

Akmerkez

EV BİRDENBİRE bir kapan olmuştu benim için. Dışarının, açık havanın, en azından tahammül gücümü artırabileceği düşüncesiyle bir an önce evden çıkmak istedim. Tam çıkarken, üzerine alması gereken hırka mı olsun, mont mu olsun konusunda karar veremediği için, biraz daha oyalandık ama, ben bu kadarına razı olmaya başlamıştım bile.

Tanışmamızın buraya kadar olan bölümünden, çocuk parkına gitmemizin pek de uygun olmayacağını anlamış bulunuyordum tabii. En azından bunun, onun için ilk seçenek olamayacağını... Benim de aklıma başka bir yer gelmiyordu doğrusu. Çocuk gezdirmek için çok fazla yer bilmiyordum. Filmlerde, böyle durumlarda, yanında mısır gevreyen sarışın, geniş omuzlu ve yakışıklı bir adamla gidilen sirkler vardır. Kaldı ki, sirklerden de, konusu sirkte geçen filmlerden de hiç hoşlanmam. Her yanımız sirkle dolu olsa bile, bu bir çözüm olamazdı.

Sarışın, geniş omuzlu bir adam? Belki...

Bir yandan da, Tuğde'nin oynayabileceği yaşta çocuğu olan arkadaşlarım hızla geçiyordu aklımdan. Onlardan birinin evine gitmesek bile bir yerde buluşabilirdik. Çocuklar kendi aralarında oynar, ben de biraz laflardım. Aslında canım da kimseyi çekmiyordu.

En doğrusu ona sormaktı:

"Ne dersin Tuğde? Nereye gidelim seninle?"

"Size uzak gelmezse Galleria'ya gidebiliriz. Ya da Akmerkez'e. Açıldığından beri tam gezemedim doğrusu. En son anneannemle gitmiştim, hasta olduğu için fazla kalamadı tabii..."

Fazla kalamamak? Galleria? Ataköy! Akmerkez! Çarşı! Allah!

Gezmek için ilk aklıma gelen yer, bir alışveriş merkezi olmazdı doğrusu. Bir kere sormuş bulunmuştum. Geri alamazdım. Sonunda kendime de mazur gösterebileceğim gerekçeler bularak Akmerkez'e yollandık. Epeydir hiç çarşı gezmemiş, vitrin bakmamıştım; benim için de bir değişiklik olurdu. Birçok kadının aksine alışveriş yapmaktan nefret ederim. (Ne yazık ki, huylarımın büyük çoğunluğu, birçok kadının aksinedir.) Her seferinde, ilk girdiğim dükkândan, tam da aradığım şeyi bir kerede bulup çıkmak isterim ama, o körolasıca talihim, hemen her konuda olduğu gibi, bu konuda da bana hiç yardım etmez. Çoğu kez sıkılır, bunalır, terler; biraz da, tezgâhtar kıza çok ayıp oldu, diyerek tezgâhın üstünde oluşturduğum yığıntıdan en makul olabilecek şeyi alır çıkarım. Alışveriş gezilerimin çoğu bunun gibi şanlı yenilgilerle doludur. Bluz, gömlek, eşarp neyse ne de, elbise, etek, pantolon alışverişi iyice canımı sıkar. Soyun giyini vardır; perdenin ya da bir ahşap bölmenin arkasına geçmen, perdeyi çekmen ya da kapıyı kapatman gerekir. O havasız daracık yerde terleye terleye soyunup giyinmeye çalışırsın; kolyen, bluzunun yakasına takılır; küpen düşer; çorabın kaçar; üstünden çıkanları, amacının tersine hiç de kullanışlı olmayan kimi çıkıntılara asmaya çalışırsın. Tezgâhtar kıza en ufak bir kuşku bile duymadan, gerine gerine söylediğin beden numarasındaki şeyin içine sığamadığını dehşetle fark eder, epeydir görmezden gelmeye çalıştığın kilolarınla, kıstırıldığın bu delikte kaçınılmaz bir biçimde yüzleşirsin. Üstelik kendine bir hoşluk yapmak için geldiğin böyle bir yerde, böyle bir vesileyle bu acı gerçeği kabullenmek zorunda kalmak ağır gelir. Üzerine olmayan bedenleri, "Bu biraz dar geldi galiba," gibi aptalca cümlelerle dışarı uzatırken, kendini küçük düşmüş hissedersin. Daha kötüsü, verilen yeni bedenin de sana olmamasıdır ki, bu işin hiç şakasının kalmadığını gösterir. Sen öyle beden beden şeylerin arasında soluyarak cebelleşirken, seslendiğin tezgâhtar kız da artık orada değildir. Seni kilolarınla baş başa bırakmış, belki de beden numarasını bir kerede söyleyebilen

31

başka birine gitmiştir. Seslenip cevap alamadığın böyle durumlarda, perdenin aralığından başını uzatıp, o ağzı açık tezgâhtar kızı araman da gerekebilir. Sen, kötü vodvillerdeki laf dinleyen hizmetçi kızlar gibi, başın öyle perdenin arasında onu aranırken, gençliğini buralarda heder etmeye hiç de niyetli olmayan tezgâhtar kızımız, seni tamamıyla unutmuş olarak, gözü vitrinden dışarı dalmış, onu buradan kurtaracak prensin hayalini kurmaktadır. Sen öyle, etrafa dökülmüş saçılmış şeylerin arasında perdeye dolanmış olarak dururken, başka bir tezgâhtar, yanında müşterisiyle senin soyunma kabinini boşaltmanı manalı ve ısrarlı gözlerle beklemektedir.

Bütün bunların sonunda yalnızca bir tek duygu kalır içinde: Bir an önce buralardan kaçmak, en uzaklara kaçmak, seni kimsenin bulamayacağı yerlere kaçmak... Alışveriş benim için böyle bir kâbustur işte.

Akmerkezmiş!

Sokağa çıktığımızda biraz yürüyelim istedim. Hava güzeldi. Ilık bir güneş vardı. Hafif de bir esinti. Tam da benim sevdiğim, İstanbul'da artık az rastlanır bir hava. Evden çıkar çıkmaz, kendimi birdenbire o alışveriş merkezinin ortasında, onca insan arasında bulmak istemedim. Yukarı doğru yürümeye başladık. Işıklarda durduk. Karşıda, yanında küçük bir kız çocuğu olan, ben yaşlarda bir kadın da bu tarafa geçmek için bekliyordu. Karşılıklı birbirimizi süzdük. Yeşil yandı, yol ortasında yan yana geldiğimizde, yüzünde onaylayıcı bir ifade ve anlayışlı gözlerle, nedenini başta anlamadığım bir biçimde gülümseyerek geçti. Bizi anne kız sanmış ve kendilerine benzettiği için de, kendince aramızda bir ittifak kurmuş, bizi onaylamıştı. Bizim varlığımızda kendi hayatını da onaylamıştı. O gülümseme, bir "aferin" gülümsemesiydi. Biz doğru yapan insanlardık. Modern görünüşlü bir anne ve çokbilmiş şirin kızı! Bizler birbirimizi nerde görsek tanırdık! Eflatun bir saç bağı bizi birbirimize bağlıyordu. Dışarıdan böyle görünüyorduk demek! Ben bu hayatı seçmemek için neler yapmıştım oysa! Nelerden vazgeçmiştim! Kendimi haksızlığa uğramış hissediyordum. Daha fazla yürüyemezdim! Karşıya geçer geçmez bir taksi çevirdim. Taksici, "Karşıdan binseniz daha kolay olur abla," dedi. "İleriden U dönüşü yaparsın," dedim. Geri dönüp, yeniden ışıklarda duracak, yeniden ana-kız sanılacak halim yoktu. Doğru Akmerkez'e!

Taksideki radyo elbette açıktı ve belli ergenlikten yeni çıkmış bir delikanlı, sıfır oktav sesiyle ve şurupsu bir yıvışıklıkla Türk Pop Müziği söylüyordu. Tuğde, arabaya biner binmez çalan şarkıya büyük bir aşkla eşlik etmeye başladığı için, radyoyu kapattırma gibi bir şansım olmadı. Akmerkez'e kadar kulaklarıma öksürük şurubu aktı.

Akmerkez'e adım atar atmaz Tuğde'ye bambaşka bir hava gelmiş, sanki birkaç yaş birden büyümüştü. Yüzünde ampul yanmıştı, gözleri ışıyordu. Mutluluk hapı yutmuş gibiydi. Dışarıdan bizi görenler sanki kutsal yerleri geziyoruz sanırdı. Bir huşu! Bir huşu! Hemen her vitrinin önünde duruyor, güzel bulduğu her şey için ağlamaklı bir ses kullanan bütün o nefret ettiğim kadınlar gibi göğüs geçirerek aynı sesle bana, "Ayy ne güzel diğğ mi?" diye içli içli soruyordu. Ben, üç vitrin baktıktan sonra pes etmiş, daha şimdiden oturabileceğimiz bir kafe gözüme kestirmeye çalışırken, o elimden tutmuş, beni o dükkândan bu dükkâna sürüklüyordu. Kapıldığı heyecan, taşıdığı enerji gözümü korkutmuştu; bu geziyi kısa kesmenin, onu engellemenin imkânsızlığını anlamış bulunuyordum. Yanlış yerde kullanacağım bir davranış kararlılığıyla otoritemi sarsmaktansa, ben de çaresiz ilgilenmiş gibi yaparak ardı sıra sürükleniyordum. Ne de olsa bugün onun günüydü. Biraz dışımı sıkmalıydım canım. Oysa önümüzde milyonlarca vitrin uzanıyordu. Çok ampullü, çok camlı ışıktan bir karanlık...

Erken kadınlaştırılmış şu küçük kızın yüzünde, alışveriş krizinin bütün hummasını görmek mümkündü. Defalarca tanık olduğum onca örneğe karşın, "Tüketim Toplumu" kavramı, benim için neredeyse ilk kez, okuduğum teorik kitaplardaki kuru tanımının, akademik içeriğinin dışına çıkmış, canlanıp hayat bularak, karşımda soluk alıp veren bir figüre, kanırtıcı bir gerçekliğe dönüşmüştü. İyi ambalajlanmış olmasının bütün yanıltıcı olanaklarını kullanan bu dünya, tüketim sarhoşluğunun, alışveriş krizinin yaralayıcılığını, öldürücülüğünü perdeliyordu. Yaptığım iş, bu ambalajın bir parçasıydı. Bunu görmezden gelemezdim. Bu konuda kıvırtamazdım. Tuhaf bir biçimde yarılmış, ikiye bölünmüş, işimin yalnızca bir bölümünü düşünerek, kendimi işin geri kalanından soyutlayarak, ambalajına çalıştığım sistemin bir dişlisi olarak yaşıyordum. Reklamcılık yapmak zorunda kalmış her solcu eskisi gibi, ben de üstesinden gelemediğim bir suçluluğun pençesindeydim. Bu suçlu gerçekliğim, şimdi, bir kadının bütün yaşlarını yaşayan beş yaşında bir "figür" olarak karşımda duruyor, alışkanlıkların zamanla körelttiği çelişkilerimi yeniden parlatıyordu. Görmezden gelemediğiniz çelişkiler, gözünüzü daha fazla kamaştırır. Onun gözünü boyayan ambalaja çalışıyordum, bu sahte dünyanın yaratılmasına uğraşıyordum. Yazılar, görüntüler, imajlar bizim imzamızdan geçiyordu. Bütün bunların altında bizim imzamız duruyordu; dünyanın kandırılmasına yardım ediyorduk. Birden Tuğde'ye karşı bir şefkat duydum. İlk kez bir şefkat. Bunu onun hak edip etmediği önemli değil. Hem benim şefkat sandığım duygunun suçluluk olma ihtimalini de unutmamalı. Nitekim bir süre sonra, döne döne vitrinlerini ezber ettiğimiz o dükkânların birinden ona herhangi bir hediye almam gerekir, diye kaygılı bir telaşa kapıldım. Bir yanıyla, istemeden de olsa işlediğim bir kusura karşılık gönül alma gibi olacaktı bu hediye. Elbette buna çok memnun oldu. Saklanamayacak ölçüde bir sahtekârlık göstererek, aynı ağlamaklı sesle, "Ama çok pahalı bir şey olmasın olur mu, lüttfenn," dedi. "Bugünün hatırası olarak saklayacağım ufak bir şey olsun!"

Bu edebi cümleyi bir kerede kurdu! Görüyorsunuz ya, bu kıza karşı şefkatinizi uzun süre koruyamıyordunuz. Sonuçta bugünün hatırası olabilecek o ufak şey için, o günün parasıyla iki milyon lira ödedim. Artık üzerine bir kahve içmenin zamanı gelmişti. Oturacağımız kafeyi seçmenin de, haliyle biraz zamanımızı aldığını söylemeliyim. Her kafenin ayrı bir yanını sevmiş, bir türlü karar veremiyormuş. Sonuçta çoluk-çombalağın fazla olduğu, bol oğlanlı "fast-food"lardan birine oturduk. Benim salaklığım tabii, bu kadar erken gelişmiş kızımızın, çapkınlığa eğilimli olduğunu tahmin etmeliydim! Ben, kahve demenin ne derece doğru olabileceğini bilemediğim koyu renkli yıvışık bir sıvıyı, üstelik karton bardaktan içer gibi yaparken, o hamburger, kızarmış patates ve kola söylemişti. Yemeğini küçük lokmalarla yiyor, bardağındaki kamışla kolasından küçük ve zarif yudumlar çekiyor ve hiç kimseyi atlamadan ve hiç yorulmaksızın gelen gidenler hakkında kötücül yorumlarda bulunuyordu. Birdenbire erkeklere bakarken kullandığı yüzüyle, kızlara bakarkenki yüzünün aynı olmadığını fark ettim. Yo, hayır, bu kadarını öğrenmiş olamazdı. Yoksa feminist teoriler yanılıyor muydu? "İnsanın değişmez tabiatı" diye bir şey mi vardı? Kızlara karşı, didiklercesine bir merakla, haset, kıskançlık, rekabet diye tanımlanabilecek duygularla, her an, her türlü yarışa hazır olduğunu bildirir gibi, meydan okuyucu bir tavır takınıyor; erkeklereyse, ilgi ve şefkate muhtaç, esirgenmesi ve korunması gereken melek yüzlü; kendine sahip çıkacak olan kişiye, dünyanın gizli nimetlerini ödül olarak sunmaya hazır, küçük, cazip, seksi kız olarak süzülüyordu. Kadınlığın bu kadar erken öğrenildiğini unutmuşum. Biraz şaşkınlık, biraz merakla izlemeye başladım onu. Nitekim on dakika sonra ilk kurbanları göründü ufukta. Kalkıp giden on üç-on dört yaşlarındaki bir delikanlı grubundan tongaya düştüğünün farkında olmayan ikisi, yanımızdan geçerken hanım kızımızdan makas almadan edemediler. Bizimki de kızarmış yanaklar, hafif ıslak dudaklar ve mahcup gözlerle bana bakarak, başarısını paylaşmamı bekledi. Yüzünde çok tanıdık bir ifade gördüm. Birden aklım eskilere gitti. Üniversite yıllarımda tanıdığım kimi kızlara... Kazık kadar olmuş o koca koca kızlar, cilve olsun diye hep küçük kız sesiyle konuşurlardı. Boyun bükerler, parmak çıtırdatırlar, yerli yersiz başlarını omuzlarına koyarak, "Ama biliyor musun, ben sana çok küstüm," gibi sözlerle manasız sitemlerde bulunurlardı. Bıcır bıcırdırlar; seslerine ergenlik boğukluğu verir, soluğu tıkanmış çocuklar gibi kesik kesik konuşur, nağmeli nağmeli cilveleşir, oranıza buranıza sokulur, çok küsmüş gibi yaparak dudak büzer, akıllarında kalan bütün çocuksuluk numaralarıyla ne kadar şirin ve sevimli olduklarını göstermeye çalışırlardı. Ne zaman onlardan biri yanıma gelse, hep yaradana sığınıp bir tane patlatmak gelirdi içimden. Çok sevimli olduklarını sanırlardı. Haksız da sayılmazlardı, çünkü bunları sevimli bulanlar çoktu. İşin acıklısı, birçoğu kısa boylu olduğu için, bu sesle konuşmaya hem haklarının olduğunu sanır, hem de sanki böyle yaparak, daha büyümelerini tamamlamadıklarını, henüz küçük bir kız çocuğu olduklarını söylemeye çalışırlardı. Ya da biraz daha kötü niyetli bir söyleyişle, hayatları boyunca artık bu boyda kalacaklarını unutmaya ve unutturmaya çalışıyorlardı, diyelim. (Yardıma muhtaç küçük kız çocuğu numarası! Cüce Lolitalar! Demek yine de her zaman sonuç veriyordu bu numaralar. Ne de olsa klasikler ölmez! Elbet o kadar kızın bir bildiği vardı canım. Şu yaşımda hâlâ bekâr olduğuma bakılırsa, fazla ileri geri konuşmamamda yarar var.)

Nitekim ilerki yıllarda da rastladım böylelerine, bir aralar bir moda gibi yaygınlaşmıştı bu –bilirsiniz, moda kadınlar içindir–; etraf çocuk gibi bıcır bıcır konuşan kazık kadar kadınlardan geçilmiyordu.

Bir tarihte, o zamanki sevgilimle gittiğimiz bir tatil yerinde, yıllardır görmediğim eski bir arkadaşıma rastlamıştım. Ailecek gelmişlerdi. Yanında kocası ve kız kardeşi vardı. Onun kız kardeşi de aynı böyleydi. Kısacık kesilmiş parlak kızıl saçları, kendinden kırmızı hokka dudağı, koca koca açılmış gözleri, iri puantiye mini mini bikinisiyle dünyaya ilk kez adım atıyormuş gibi masum bir hayretle geziyor, her şeye şaşırıyor, her şeyden çabuk heyecanlanıyor, her şeye çarçabuk seviniyor; böylelikle ona, ay tutulmasının nedenlerini anlatan herhangi bir erkek, kendini onun yanında bir dâhi sanabiliyordu. Kısa zamanda oradaki bütün erkekler kızın peşine düştüler tabii. O ise hiçbir şeyden haberi yokmuş gibi, ormanda kaybolmuş küçük kız şaşkınlığıyla seke seke geziyordu. "Küçük, cazip, seksi kız!" diye ardından hafifçe gülüşüyorduk kendi aramızda... Benim o kadar gülmemem gerekiyormuş meğer. Çünkü, bir hafta sonraydı ki, ansızın rahatsızlanarak denizden erken döndüğüm bir öğle sonrasında, onu yatağımda sevgilimle yakaladım. Hayatta en zor topladığım valizlerden biridir. Öldürücü bir yazdı! Nereden de hatırladım şimdi? Üstelik unutmaya çalışmak, onca yılımı almışken... Ben söylemiştim, bu kızın bana hiç iyi şeyler hatırlatmayacağını!

Yemeği bitince yeniden ayaklandık; oturmadan önce söz verdiğim gibi, diğer katları da gezecektik. Birden akşamdan önce eve dönemeyecekmişiz, hatta artık hiç dönemeyecekmişiz, buradan hiç çıkamayacakmışız gibi, hayatımın geri kalanını burada geçirecekmişim gibi derin bir yeise kapıldım. Bakın, "Yeis" sözcüğünü de yıllardır kullanmıyordum. Kısmet bugüneymiş! Elimden tutmuş, reveransa benzer adımlarla biraz önümden yürüyordu. Çok mutluydu. Çocukluğa ait bir mutluluk değildi bu. Belli ki, bütün hayatı boyunca mutlu kalacaktı.

Daha yeni gezmeye başlamıştık, ikinci mağazanın önündeydik ki, Tuğde çekingen bir sesle, "Galiba tuvaletim geldi," dedi. "Çişin mi?" dedim. Evet anlamına başını salladı. "Evden çıkarken iki defa yapmıştım ama, kola içtim ya ondan oldu galiba." Biraz mahcup olmuş bir tonda söyledi bunları. Belli ki, çişi-kakayı kendi kutu bebeği bedenine hiç yakıştıramayan cici çocuklardandı. Huzursuz olmasın diye, "Bu çok doğal bir şey Tuğdeciğim, tuvaleti arayalım," dedim. "Ben biliyorum," dedi. "Şu önünde mavi gömlekli oğlanın durduğu ayakkabıcının hemen yanında." "Ben burada mavi gömlekli oğlan da, ayakkabıcı da göremiyorum," dedim. "Buradan görünmüyor zaten," dedi. "Şu köşeyi dönünce, ben gelirken görmüştüm." Duraladım. Gelirken görülen mavi gömlekli oğlan! Hanım kızımızın tuhaf bir dikkati vardı doğrusu. "Mavi gömlekli oğlan şimdiye gitmiştir herhalde Tuğde," dedim. "Bir dahaki sefere başka bir işaret noktası bulmalısın kendine." Çocuk için biraz fazla manidar kaçtığını düşünüyordum söylediklerimin. Oysa oralı bile olmadı. "Yo, hayır sanki o mağazada çalışan biriymiş gibi duruyordu," dedi.

Şaşırma sırası hiç ona geçmiyordu. Şimdi şu yaşıma geldim,

"o mağazanın önünde orada çalışan biri gibi durmanın" nasıl bir şey olduğunu hâlâ bilmem. "Demek bu tür dikkatler bu yaşta gelişiyor," dedim içimden. Ben boşuna evde kalmamışım. Tuğde'nin kılavuzluğunda tuvaleti bulduk, yanındaki ayakkabıcı dükkânını da tabii. Tuğde, söylediklerini doğrulamak için, vitrinden içeri bakıp tezgâhın ardında duran mavi gömlekli oğlanı gösterdi bana. "Bakın orada işte, ben dememiş miydim?" Vitrinin önünde lüzumundan fazla kaldı ve tabii baktığı ayakkabılar değildi. Kollarımı kavuşturmuş yüzüne bakıyordum. Onu kışkırtmak için, "Güzel çocukmuş," dedim. "Evet," dedi. "İntikam Ateşi'ndeki Juan'a benziyor." (Gelişmemiş Güney Amerika entrikalarını, gelişmemiş oturma odalarımıza taşıyan o manasız ve maraz pembe dizilerin birinden söz ediyor olmalıydı.) "İnanın sahiden çok benziyor," dedi. "Bunu daha önce ona söyleyen bir kız olmuş mudur acaba?" Aynı kışkırtıcılıkla, "Zannetmem," dedim. "Ama istersen ilk sen olabilirsin." "Bilmem ki," dedi. "Doğru olur mu ki, hem çekinirim ben." İyice sinirlenmiştim artık, bu kadar fedakârlığımın üzerine, bir de vitrin önlerinde dikelip, kızımızın platonik cilveleşmesini seyredemezdim. Şu an içinde bulunduğu ulvi duygulara biraz hürmetsizlik olacaktı ama, sormadan edemedim, "Senin çişin yok muydu Tuğde?" İncinmiş nazarlarla yüzüme baktıktan sonra, boynunu bükerek önüme düştü. Tuvalete girdik.

Tabii bilemezdim, başlangıçta bana doğal, sıradan bir beden ihtiyacı gibi gözüken bu tuvalet ihtiyacının başıma nasıl bela olacağını; Tuğde'nin benim ömür boyu sinir olduğum, o on beş dakikada bir çişi gelen sidikli kızlardan biri çıkacağını ve bende kaldığı o beş gün içinde, en az beş bin kere, çok çeşitli yerlerde, çok çeşitli tuvaletleri ziyaret etmek durumunda kalarak, sayesinde İstanbul'un bütün tuvaletleriyle tanışacağımı elbette bilemezdim... Şu ufacık kızın nasıl olup da bu kadar işeyebildiğine her seferinde hayret etmeden geçemedim.

Okulda ifrit olduğum böyle kızlar vardı. Genellikle hep ikili olarak gezer, her teneffüste kol kola girerek, büyük bir iş yapıyormuş edasıyla işemeye giderlerdi. Giderken, ya aralarının açık olduğu ya da küs oldukları bir diğer ikilinin tam yanından geçerken de yüksek sesle laf çarpar, nispet yapar, omuz silker, saç atar, arkalarından da manalı bir biçimde gülüşürlerdi. İleride kopacak bir büyük kavgada tek tek hesapları sorulacak ayrıntılardı bunlar. Hepsinin defterini büyük bir titizlikle tutar; sürekli diğerlerini bozum etmek, mosmor etmek, ağzının payını vermek üzerine bir hayat kurarlardı. O zaman da bütün bunları pek zavallıca bulur, bütün bu numaralara tenezzül etmez, bu yüzden de pek sevilmez ve yalnızlık çekerdim. Ukala ve kendini beğenmiş bulurlardı beni. Hiç dedikodu yapmadığım ve iyi sır sakladığım için, güvenilirliğim keşfedilir, birbirleriyle küstükleri, mutsuz ve kötü günlerinin dostu olurdum. Diğer zamanlarda zaten gene birbirleriyle uğraşır, bana gerek duymazlardı. Tanrım, düşünüyorum da, ne çok işlerdi!

Flört etmenin bu kadar uluorta olmadığı benim gençlik yıllarımda, sevgililerin gözlerden uzak pastanelerde buluşma modası vardı; kıyı bucak masalarda birbirlerinin ağzının içine düşerek, fısır fısır konuşurlardı. Kız, ikide bir çantasını büyük bir çalımla omuzuna atar, tuvalete giderdi. Hep düşünürdüm, yanlarındaki erkek, bu kızların bu kadar işemesinden hiç mi kuşkulanmaz, diye. Beni en çok, o çantanın omuza atılmasındaki çalım sinirlendiriyordu galiba. Yapılan işe yersiz bir üslup kazandırma gayreti görüyordum bu harekette. Bedenin pek romantik bulmadıkları doğal işlevlerini, akılları sıra kadınsı bir zarafetle unutturmaya, mazur göstermeye çalışıyorlardı. Düpedüz sahtekârlıktı yaptıkları canım.

Saat 15.00 olduğunda önceden konuşup kararlaştırdığımız gibi, televizyonu olan bir kafede oturduk. Tuğde, her gün sürekli seyrettiği Brezilya mı, Meksika mı, her neyse işte o okyanus aşıp birdenbire hayatımıza giriveren ülke dizilerinden birini seyredecekti. O dizisini seyrederken, ben mümkün olduğu kadar televizyondan uzak bir masada biraz olsun yalnız kalacak, gelen geçene bakacaktım. Televizyona yakın bir masa bakınıp, bulup oturduktan ve ardından kolasını ve kızarmış patatesini söyledikten sonra, tam kendime kıyıda köşede bir yer bakınıyordum ki, televizyonun çevresini sarmış bol kadınlı masaların birinde, kızıyla birlikte mahzun

39

mahzun oturan, gözleri televizyona dikili Berrin'i gördüm. O beni görmemişti, bense onu yandan görüyordum. Birdenbire içim cızz etti. Ona seslenip seslenmemek arasında gittim geldim. Sonra vazgeçtim. Çekindim. O beni görsün, eğer konuşmak istiyorsa, o konuşsun istedim. Masa değiştirmekten –en azından bir süre için– vazgeçtim. Tuğde'nin yanına yerleşip, kendime bir kahve söyledim. Hiç olmazsa burada fincanla veriyorlardı kahveyi.

Az sonra dizi başlamış, Tuğde beni ve dünyayı unutmuştu. Diğer masalarda kendinden geçmiş bir halde televizyon seyreden kadınlarla birlikte bambaşka bir halkanın, ekranın merkezde olduğu apayrı bir gezegenin parçası oluvermişti bir anda. Birden bu dairenin dışında bırakılmış hissettim kendimi, herkesin ortasında bir yabancı gibiydim. Buranın da dışına sürülmüştüm, burada da yerim yoktu benim. Allahtan yabancısı olmadığım bir duyguydu bu. Bununla nasıl başetmem gerektiğini yıllar öğretmişti bana. Yalnızlığı öğrenmiştim. Berrin de diğer kadınlar gibi kendini ekrana kaptırmıştı. Çevresine bakmıyordu bile. Yanındaki kızı olmalıydı. Daha çok mahzunluğuyla andırıyordu annesini. Kaç yıl olmuştu görmeyeli. Koca kız olmuş. İçime hüzün çöktü. Boğazım düğümlendi. Berrin, ortaokul ve lisede sınıf arkadaşımdı benim. Sonraki yıllarda da sürdü arkadaşlığımız. Aşağı yukarı aynı yaşlardaydık. En fazla bir ya da iki yaş büyüktü benden. Ama şimdi karşımda koca kadın gibi duruyordu. Onu görür görmez, neredeyse hayvani bir içgüdüyle bu kıyaslamayı yapmış; duyguların yönlendirilmeden en ham halleriyle yaşandığı o kısacık zaman parçası içinde, ondan daha genç kalmış olmanın içimde parlayan sevincini duymuş, kendimi yakalamıştım. Oysa çok üzüntülü günler yaşamıştı Berrin. Yıllar ona insaflı davranmamış, ağır acılar yaşamış, yaralar almış, hasar görmüştü.

Berrin de her teneffüs çişe giden kızlardandı. Sıra arkadaşı Şuşu Selma'yla kol kola girer, bacaklarını bitiştire bitiştire merdiven basamaklarını hızla inerek, her teneffüs bir gayret tuvalete koştururlardı. Biz her seferinde bilmiyormuş gibi önlerini keser, lafa tutmaya çalışır, "Nereye gidiyorsunuz?" falan diye onları oyalamayı denerdik. Telaşlarını saklamaya bile çalışmadan, "Şu-

şuya gidiyoruz," diye bizi hışımla yararak yollarına devam ederlerdi. Şuşu Selma adı da oradan kalmadır. Şakanın ölçüsünü biraz fazla kaçırdığımız bir gün, "Beş yıldır karpuz bile yiyemiyorum, daha ne istiyorsunuz benden?" diye hüngür hüngür ağlamaya başlayınca, onun için üzüldük ve o günden sonra kimse Şuşu Selma'ya, "şuşusundan" ötürü takılmayı pek göze alamadı.

Berrin, şanssızlığıyla ünlüydü. Daha o sıralarda, hemen her gün şanssızlığını kanıtlayacak olayları bir bir gözlerimizin önüne sermeyi kendine vazife bellemişti. Sürekli olarak kendi şanssızlığının deneylerine, bizi de gözlemci olarak katılmaya zorlardı. Kimsenin kendinden daha şanssız olduğunu kabul edemezdi Berrin. Buna hakları yoktu. Böyle bir şey iddia etmek, düpedüz ona karşı ayıp etmek demekti. Çünkü ne anlatırsanız anlatın, o her seferinde, "O da bir şey mi," diyerek, kendi başına gelmiş çok daha büyük bir şanssızlık olayı anlatırdı. Yazılı sınavlarda, kimse kopya çekmesin diye, yan yana oturanları A, B, C diye üç gruba ayırırdı hocalarımız. Berrin, şansını denemek için –daha doğrusu şanssızlığını kanıtlamak için– yanındaki arkadaşlarıyla her seferinde yer değiştirir, ve önceden duyurduğu koca kitapta çalışmadığı tek yer olan bölüme ilişkin sorular, hiç sekmeden her seferinde onun grubuna çıkardı. Sınavdan sonra sınıfın kapısında bekler, gözlerini koca koca açarak, içeriden her çıkana, "Gördünüz mü?" derdi. "Gördünüz mü? Ben size söylemiştim. Bendeki şansı gördünüz, değil mi?" Bizden tek bir şey istiyordu Berrin, onun ne kadar şanssız bir insan olduğunu artık kabullenmemizi... Ama kabul edin ki, kadınlar böyle bir şeyi kolay kolay başkalarına kaptırmak istemezler. Bu yüzden hâlâ Berrin'in şanssızlık rekorlarına inatla direnenler çıkıyordu aramızda.

Edebiyat dersinde sözlü sınavına kaldırıldığı bir gün hoca, Berrin'den "Bibaht olanın bağına bir katresi düşmez / Baran yerine dürr-ü güher yağsa semadan" mısralarını açıklamasını isteyince Berrin, "Açıklamaya ne gerek var hocam, bu sözlerin canlı bir örneği karşınızda duruyor," dediği için hocayı çok güldürmüş ve "10" almıştı. Belki de şanssızlığından ötürü aldığı tek ödül buydu. O günden sonra edebiyat hocası, sürekli olarak kimsenin bilemediği soruları, "Şimdi de sen söyle bakalım Bibaht Berrin," diye Berrin'e sorar olmuş, verdiği o "10"u kızın burnundan fitil fitil getirdiği yetmiyormuş gibi, bir de kızın adını Bibaht Berrin'e çıkarmıştı. Ki, Berrin'in bundan yana pek bir şikâyeti olduğu söylenemezdi. Sonuçta, bunca zamandır yapmak istediğini, yetkili bir ağızdan onaylatmış oluyordu en azından. Ben de, şiirdeki "baran" sözcüğünden yola çıkarak, artist adına benzesin diye, kızın adını Berrin Baran'a çıkarmıştım. Şimdi bile gerçek soyadını değil, Baran'ı hatırlıyorum. Ne ayıp! Berrin'in şanssızlıkları bununla bitmiyordu. Keşke bitseydi. Hemen her flört ettiği erkek, bir süre sonra Berrin'i bırakıyor, Berrin'in yakın bir arkadaşıyla çıkmaya başlıyordu. Berrin, her seferinde dantelli mendillere kanlı gözyaşları döküyordu. Üstelik Berrin, bu kızların birçoğundan çok daha güzeldi, daha akıllıydı, daha espriliydi. Ama kim, erkeklerin ne istediğini tam olarak bilebilir ki? İlk sevgilisini Şuşu Selma almıştı elinden. Artık çişe beraber gitmiyorlardı. Ben o yakın arkadaşlardan biri olmamak konusunda kararlıydım. Ve öyle kaldım.

Berrin, liseden sonra çok daha hoş bir insan oldu. Lise sıralarında başına bela olan ve her önüne gelene sıktırdığı sivilcelerinden de kurtulmuştu. Başkalaştı. Olgunlaştı. Sokakta gördüğünüz zaman, "Aman ne güzel kadın!" demezsiniz belki, ama baktıkça güzelliği ortaya çıkan kadınlar vardır. Daha çok saklı güzellikleri olan, güzellikleri çalışılmış kadınlardır bunlar. Sizden zaman ve dikkat isterler. Bir kerede çarpmazlar, ama demlendikçe görülürler. Berrin de bu kadınlardandı. Biraz kendimi de öyle bulurum. Belki bu yüzden yakınlık duyarım onun bu yanına. Erken evlendi. Daha üniversitede öğrenciydik. Çılgın gibi âşık olmuştu kocasına. Üniversiteyi bitirdiğindeyse anne olmuştu.

Kocasından ayrılmak üzere olan, evsiz ve işsiz kalmış bir arkadaşı, geçici bir süre için, iş ve ev bulana kadar Berrin'in evine sığındı. Kocasından ayrılmakta kararlı olduğu için, ailesi kabul etmemişti kızı, çaresiz kalsın ve sonunda kocasına dönsün istiyorlardı... Berrin ise bir anne gibi baktı ona, zor günlerde yaralarını sardı, omuz verdi, sahip çıktı. O "geçici bir süre" sona erdiğinde, kız sahiden kendi evine çıktı ama, beraberinde Berrin'in kocasını da götürmüştü. Aralarında karşı koyamadıkları bir tutku olduğunu söylüyor ve Berrin'den anlayış bekliyorlardı. Arkalarında bıraktıkları mektubu birlikte imzalamışlardı. Uğradığı bu ağır ihanetin hasarı kolay giderilemezdi. Berrin'in kendini toplaması çok zaman aldı. Kahrolmuştu. Ölecek kadar acı çekiyordu. Canı yanıyordu. Kavruluyordu. Acıya tanıklık etmenin el kol bağlayan, kahır veren çaresizliğini duyuyorduk ona baktıkça. Onu oyalayamıyorduk. Nitekim günün birinde onu bizden çok daha iyi oyalayacak, kendinden yedi-sekiz yaş küçük bir delikanlıya yıldırım aşkıyla tutulunca hepimiz sevinç çığlıkları atmıştık. Hayat kazanmıştı! Bir kere daha hayat kazanmıştı! Birkaç ay sonra yıldırım nikâhıyla evlendiler. Oğlanın yedi-sekiz yaş daha küçük olmasından ötürü huzursuzluk duyan Berrin'in ailesine çıkışıyordum: "Oğlanın ailesi bir şey demiyor da, size ne oluyor?" diyordum. Gülüşüyorduk. Berrin mutluydu. Çok mutluydu. Berrin'in kızına gerçek babasından bile çok daha iyi bakıyordu oğlan. Berrin'e sahiden çok âşıktı. "Bu kızı çok üzmüşler, yaralarını ben saracağım," diyordu. Gözlerimiz yaşarıyor; Berrin, yılların şanssızlığını nihayet yeniyor, diye seviniyorduk.

Bu ikinci kocanın günün birinde, Berrin'in kendinden yedi-sekiz yaş küçük olup, onun kadar şanssız olmayan kız kardeşi Zerrin'le büyük bir aşk yaşamaya başlamasıyla her şey sona erdi. Bu kez sahiden sona erdi, geri gelmemecesine, sonsuza kadar... Berrin hem kız kardeşinden, hem kocasından oldu. Berrin'den boşanan damat, alelacele Zerrin'le evlendi ve birlikte İngiltere'ye giderek oraya yerleştiler. Yani Berrin'in yıllardır en çok gitmek istediği yere... Berrin, o günlerde intihar etmediyse eğer, kızı yüzündendi. Bunu herkes biliyordu. Sürekli ilaçlarla uyutuluyordu. İki ilaç arasındaki berraklık zamanlarındaysa, çıplak bir yara gibi geziyordu. Artık okul sıralarında gülüştüğümüz bir şaka olmaktan çıkmıştı kızın şanssızlığı... Başına gelenlerden utanıyordu, daha kötüsü kendini suçluyordu, lanetli biri gibi hissediyordu kendini ve ona kimse yardım edemiyordu, belki de o günlerde kimse edemezdi. Bizim de kelimelerimiz tükenmişti. Böyle bir durumda ne söylenebilirdi ki zaten? Hepimizle ilişkisini kesti, kendine kapandı, kabuğuna çekildi. İlk zamanlar yalnızlığa ihtiyacı var belki, diye düşünüyorduk. Sonra sonra anladık ki, kendine yeni bir hayat kurmak istiyor, bizim olmadığımız bir hayat. Tanıksız bir hayat, başına gelen felaketlere tanık olmuş insanların olmadığı uzak bir hayat... Herkes sessiz bir saygı gösterdi bu kapalı kararına. Sonraları birkaç kez telefon ettim, ama anlamıştım, beni de istemiyordu artık. Dolayısıyla şimdi bir rastlantı sonucu burada karşılaştık diye kalkıp yanına gidemezdim. Hem galiba buna gücüm de yoktu benim. Hayat, okul şakaları kadar eğlenceli değildi.

Gözucuyla onu izliyordum. Çok çökmüştü Berrin, olduğundan yaşlı gösteriyordu, canlılığını yitirmişti, ışıkları sönmüş, mat bir kadın olmuştu. Belli, kendinden caymıştı, bırakmıştı kendini. Yüzünde derin bir keder duygusuyla seyrediyordu aptal bir aşkın anlatıldığı o vıcık vıcık diziyi. Yüreğimi burktu bu. Bütün öyküsünü bildiğim için, kendini kaptırdığı o ahmak kutusunun ekranında kurabileceği hülyaları tahmin etmek acı verdi bana. Birdenbire, kendimi gizlice onu gözetliyormuşum, hakkım olmayan bir biçimde mahremiyetine giriyormuşum gibi hissettim. Hepimize hikâyesini bırakarak kaçmıştı. Her davranışı bizde bıraktığı hikâyesiyle anlamlanıyordu elbet. Bu yüzden belki de kaçmakta haklıydı. O pırıl pırıl, zeki, esprili, hoş kıza ne olmuştu böyle? Erkekler yalnızca beraber olduklarında değil, ayrıldıklarında da eksiltiyorlardı kadınları. Belki de şu ahmak dizide, bizim aptalca bulduğumuz, o ucuz ihanetlerin, sıradan entrikaların, gözü kara aşkların ve intikamların dünyasında, bizden çok daha derin bir gerçekliğin ayırdına varıyordu yaşadığı pahalı deneyimlerle... Belki de bütün bu kadınlar, bizim gibi okumuş ve bilmiş kadınların hiçbir zaman bilemediği bir başka boyutunu paylaşıyorlardı gündelik hayatın.

Erkekler de, aşk da, evlilik de ne zordu Allahım! Birdenbire, evde kalmış olmanın o kadar da kötü bir şey olmadığını bencil bir sevinçle bir kez daha içimde duydum. Evlenmeyince hayatında hiç erkek olmuyor değildi tabii; bu acı gerçeği anımsar anımsamaz, duyduğum sevinç de yarım kaldı.

Belki ben de hazır değildim Berrin'i görmeye. İster istemez bütün geçmiş yeniden dirilecek, ikimizin de üstüne gelecekti. Onun yanında iyice ağırlaşacaktım. Hayat yeniden zor gelecekti bana. Herkes kendi sorunlarının altında yeterince boğuluyordu zaten. Tuğde'nin sesiyle daldığım derinliklerden uyandım: "Ay, en heyecanlı yerinde bıraktılar, görüyor musun?" "Kalkalım mı," dedim Tuğde'ye. Ne anlama geldiğini bilemediğim bir biçimde içini çekti. Berrin'le kızı, dizi biter bitmez, bizden önce davranmış, ayaklanmış, gitmeye hazırlanıyorlardı. Beni görmemişti. Arkalarından içimde ince bir sızıyla bakakaldım, omuzları çökmüş, ufalmıştı sanki, yürürken bir ayağı aksıyor muydu, yoksa bana mı öyle geldi? Tanrım yoksa böyle bir şey de mi geldi bu kızın başına? Bir kaza falan geçirdi de, sakat mı kaldı acaba? Keşke konuşsaydım! Ama çoktan uzaklaşıp gittiler. Onların ardından biz de toparlanıp kalktık.

Yürürken dönüp Tuğde'ye baktım. Büyüdüğünde bir Berrin olmayacağına şimdiden kesin gözüyle bakılabilirdi, ama bir Zerrin olmayacağına kim garanti verirdi? O hırsla kızın elini azıcık sert çekivermişim.

IV

Bir anarşist, bir aristokrat,
bir küçükburjuva gibi

YENİDEN vitrinlere bakmaya başladık. Yalnız öncesinde, bir başka kattaki tuvaleti ziyaret ettiğimizi söylemeliyim. Kola içmişti de...
Benim ilgimi, yalnızca ayakkabı ve iç çamaşırı satan mağazalar çekiyordu; Tuğde'nin ilgisini ise hepsi... Bir süre sonra, bütün mağazalar birbirine benzemeye başlıyordu; ilgi çekmek için ne yapmış olurlarsa olsunlar, bütün vitrinler kısa zamanda sıkıcı bir tekdüzeliğe düşerek, artık görülmez hale geliyordu. En azından benim için öyle. Örneğin, erkeklerin porno merakını hiç anlamamışımdır. Hep aynı şeyi kayıtsızlaşana kadar seyretmek... Dünyada kendini en çabuk tekrar eden şey olduğu halde, koca bir porno endüstrisi, varlığını sürdürebildiğine göre erkeklerin merakında benim kafamın almadığı bir şey olmalı. Bunu, yalnızca bir kadın olarak değil, bir reklamcı olarak da merak ederim. Reklam gurusu bir arkadaşım, "klasik ögelerin sürekliliği" teorisiyle açıklar bu durumu. "Dünyaya sürekliliğini sağlayan şeyler, kendiliğinden klasiktir ve satıyor olmanın anahtarıdır," der. Bu teoriye göre, bir çeşit porno sayılabilecek vitrinler de öyle olmalı.

Yürüyen merdivenlerle katları iniyor, katları çıkıyorduk, katlar arasında iyice serseme dönmüştüm, üç ayrı yapıdan oluşan bu alışveriş merkezi, iki yanında çeşitli mağazaların sıralı olduğu geniş koridorlarla birbirine bağlanıyor ve böylelikle mekân bütünleniyordu. Kimi katlarda yürüyen merdivenlerin bitimine metal oturma grupları yerleştirmişlerdi. Mektep çıkışlarını buralarda geçiren gürültücü bir öğrenci kalabalığı, iyice çekilmez hale getiriyordu ortalığı. Bütün bu birbirine benzeyen mağazalar, birbirinin eşi katlar ve koridorlar arasında iyice bunalmıştım; her kata bir başka noktadaki yürüyen merdivenle çıktığımızdan sık sık aynı yerden bir daha geçmek zorunda kalıyorduk. Yönlendirici olmaktan çoktan caymış, kendimi tamamıyla Tuğde'nin maharetli ellerine teslim etmiştim.

"Biz daha önce buradan geçmemiş miydik Tuğde?" diyordum.

Son derece kendinden emin, "Hayır," diyordu.

İçimden, Bütün bu mağazalar birbirine çok benziyor, karıştırıyorum herhalde, diyordum. Ama bir süre sonra, aynı yerlerde döndüğümüzden emin olmaya başlayınca, onun, benim şaşkınlığımdan kurnazca istifade ettiğini, yanlışlıkla girdiğimiz bir sırayı, bir kere daha katetmekte kendince hiçbir sakınca görmediğini anladım.

Çocuk mağazalarının bulunduğu en alt katta, başım iyice dönmeye başladı. Çünkü bu mağazalarda, Tuğde yalnızca çocuk giysilerini ya da oyuncakları değil, aynı zamanda diğer çocukları da canalıcı bir biçimde gözlüyor; tek tek her nesneyi inceliyor, her pembeliğe hayran oluyor, her simli şeyden büyüleniyor, her oyuncağın künyesini çıkarıyor ve mağazaya giren her çocuk hakkında pek de iyi olmayan düşüncelerini dile getiriyordu. Özellikle kız çocuklarına yönelik kıyıcı gözlemleri, hain saptamaları vardı. Doğrusunu söylemek gerekirse, yaşından beklenmeyecek parlaklıktaki kimi hain saptamaları, eğlendirici olabiliyor ve bu yüzden aramızda benim pek tercih etmediğim bir ittifak kendiliğinden kurulmuş oluyordu. Ne yazık ki, kadınlar arasında kurulan ittifakların çoğu, ancak başka kadınlar söz konusu olduğunda mümkündür.

Yalnızca bir oyuncakçı dükkânında değil, sanki bugüne kadar okuduğum kitapların sayfaları arasında da geziniyordum. Tüketim toplumu üzerine, kapitalizmin vahşi doğası üzerine, çocuk psikolojisi üzerine, ya da kadın hakları üzerine, cinsiyet ayrımcılığı üzerine yazan bütün o solcu araştırmacıların, feminist teorisyenlerin, pedagogların, sosyologların yazdıkları her satır bir bir karşımda dirilmişti sanki. Gerçek olamayacak kadar kaba bir ayrım, kalın bir çizgi, müstehcenlik ölçüsünde apaçık bir çelişki sergileniyordu, kız çocuklarla erkek çocuklarının ayrılmış dünyasında. Kızlar için ayrılan köşelerde kusturacak kadar pembe, cicili bicili, kalpli, çiçekli-böcekli bebekler, simli-pullu mini mini şeycikler, ev eşyaları, giysiler, ya da bebekler için yapılmış minyatür eşyalar, yani çocukları daha sonraki çekirdek ailenin kutu evlerine hazırlayacak her çeşit nesnenin küçük bir minyatürü... Erkek çocuklar içinse toplar, tüfekler, tabancalar, savaş baltaları, birbirini öldürmeye yeminli çeşitli savaş kahramanları, rambolar, ninjalar, uzay yaratıkları... Bütün erkeklerde askeri bir kamuflaj yeşili... Göz çıkaracak kadar kaba bu çelişkiyi, güya çok derin bir şey fark etmiş gibi yazmaya bile utanıyor insan... Ama bütün dünya bu kadar kaba, kalın ve vahşi çelişkiler üzerine kurulmuştu. Oğluna tabanca beğenen bir anneye hain hain diktim gözlerimi. Şimdi tabanca beğendiği oğlu, katıldığı ilk savaşta ölse ne olurdu? Bunu kendisine şimdiden söylemek geldi içimden, her neyse cenazesine çiçek yollarım artık... Kadınları doğuştan barışçıl canlılar diye göstermenin bir âlemi yok. Ölen, kendi oğlu, kocası, kardeşi olmadığı sürece, hiçbir kadının savaş karşıtı olmadığını, en çok böyle dükkânlarda anlıyor insan. Yoksa, "Cumartesi Anneleri"nin yanı çok kalabalık olurdu.

Bu arada Tuğde, uzun uzun Barbie bebeğinin eksik, noksan listesini çıkardı. Barbie için bir sürü yeni şey çıkmıştı ve Tuğde'nin bunların hiçbirinden haberi yoktu. Büyük bir haksızlığa uğramış gibi alt dudağını titrete titrete bunları anlattı bana. Görünüşe bakılırsa, Barbie ailesinin eksikleri noksanları kolay kolay biteceğe de benzemiyordu, aileye yeni katılanlar olmuştu ve oldukça masraflı bir hayat sürüyorlardı. Türkiye'deki hayat pahalılığı, Barbie ailesini de dolar bazında epey etkiliyordu tabii! Bu arada, bir gittiğimde mutlaka Tuğde'nin odasındaki Barbie evini ziyaret edeceğime söz verdim; çünkü artık bir an önce o dükkândan çıkmak istiyordum. Üstüm başım pembe pembe kusmuk olmuştu...

Tahmin edersiniz ki, o dükkândan çıkmamız kolay olmadı. Çıktıktan sonraysa, bütün gayretlerime karşın hızlanmamız pek mümkün olmadı. Tuğde'nin diğer vitrinlerin hakkını yememek gibi şaşmaz bir adalet anlayışı vardı. O sıra boyunca bütün vitrinlerin tek tek hakkını verdik. Doğrusunu söylemek gerekirse hafif uyuşmuş gibiydim. Vitrin narkozu altındaydım. O tombalak kızı görene kadar da bu narkoz altındaki kayıtsızlığım sürdü. Karşıdan bir kız geliyordu. Tipine bakılacak olursa, Orta Anadolu yöresinden bir türkü, hatta bir bozlak... Kısa boylu, toparlak, değirmi suratlı, asla hoşlanmadığım ama tanımlama gücü nedeniyle kullanmak zorunda kaldığım bir deyişle: "Götten bacak". Yüzünde, "hayatta hiçbir şey artık benim sırtımı yere getiremez," diyen ödün vermez bir ifade var. Bu cümledeki o "artık", hangi zorlu deneyimlerle kazanılmıştır kim bilir? Öyledir de, birçoğu yatılı kız okullarında, ya da erken atıldıkları hayatta verdikleri mücadeleyle edinirler bu ifadeyi. Bir daha da kimse silemez yüzlerinden. Hayatta kalmanın zalim sırrını çözmüş olmanın güveniyle davranırlar, mangal yüreklidirler, kızdılar mı erkek gibi küfrederler, ellerinde avuçlarındakini kimseye kaptıracak göz yoktur onlarda, haklarını kimseye yedirmemeye yeminlidirler, onlar neler görmüş geçirmiştir! Beceriklidirler, dayanıklıdırlar, her durumda ayakta kalabilecek şekilde dünyayla başetmenin pratik yollarını öğrenmişlerdir. Dobra konuşmakla övünürler; dünyanın kıran kırana bir yer olduğunu, bu dünyanın böyle gelip böyle gittiğini, büyük balığın küçük balığı yuttuğunu, kurunun yanında yaşın da yandığını, ezilmemek için ezmek gerektiğini bir biçimde öğrenmişlerdir ve artık bütün davranışları buna göredir. Nitekim bize doğru gelirken katettiği o kısa mesafede bile, yürüyüşünden, davranışından, vitrinlere bakışından, bana bütün bunları düşündürdüğüne göre, dünya bu alımladığı biçimiyle iyice içine işlemiş olmalı.

Ayağında bir blue-jean, üstünde beyaz bir tişört, ama tişörtün üzeri boydan boya siyah-beyaz bir baskı fotoğraf... Kızımız biraz da bodur olduğundan tişört iyice dizlerine kadar iniyor. Yaklaştıkça tişörtteki fotoğraf dikkatimi daha çok çekiyor. Yakınımıza vardığındaysa, büsbütün dehşete kapılıyorum. Fotoğrafta dal gibi, incecik bir manken, büyük olasılıkla Amerikalı, uzun boylu, sarışın, ince belli, dolgun dudaklı, vaşak bakışlı bir kız, şuh bir halde bir eliyle saçlarını karıştırırken, diğer eliyle de yaslandığı pencerenin pervazını tutuyor. Mankenin üzerinde de, bu resmin basılı olduğu aynı tişört var. Belli ki tasarımdan, karşılıklı duran aynalardaki görüntünün, sonsuza kadar çoğalması esprisi amaçlanmış... Bizim bu aksi, nobran Orta Anadolulu bodur dilber, besbelli, hayallerinde üzerinde resmini taşıdığı o kız gibi olmak istiyor. Ve bunu topluma böyle ifade ediyor. Onu üzerine giyince, öyle olacağını mı sanıyor? Belli ki, "alter-egosu" olan böyle bir figürün resmini o koca bedenine geçirip, hiçbir şey olmamış gibi sokağa çıkıp çarşı pazar gezebiliyor, vitrin bakabiliyor. Bu kız, bu kadar bakmayı biliyorsa, niye kendine bakmıyor? Aynaya baktığında kendini mi görüyor, yoksa tişörtün üzerindeki resme mi bakıyor? Hiç mi eşidostu yok bu kızın? Niye kimse, "Nedir kızım bu halin," demiyor? Tamam, demiyorum üzerine "Şişmanlık Sakatlıktır" yazan bir tişört giysin ama, her beden için zararsız sayılabilecek seçimler yok mudur? Nedir bütün bunlar? Yoksa gördüğüm yalnızca masum bir tişört de, ben mi deliriyorum? Bu kadar yalnız mıyım? Bakıyorum, durduk yerde kendi kendimi öfkelendiriyorum, hiç yoktan derin kızgınlıklara kapılıyorum. Ne oluyor bana?

Az sonra gelip, bizim baktığımız vitrinin önünde duruyor tişörtlü kız, bir bakıyorum fotoğraftaki kız gibi aynı el hareketiyle saçlarını karıştırmaya başlıyor. Birdenbire öfkemi unutup acıyorum ona. Hayatın sırrını çözmüş bu dobra kızı, sistem nerede kandırıp tuzağına düşürmüş? Kendine bu denli yabancılaştırmış? Hem o bütün öğrendiği hayat bilgisinin acımasız gerçekleriyle yaşamaya, hem de sistem ürünü arzu nesnesi bir kadın olmaya çalışıyor.

Sanki bir alışveriş merkezini değil, bir bilimkurgu filminde uzay gemisini geziyor gibiyim. Evden çıkmıyorum, insanların arasına karışmıyorum, daha doğrusu her geçen gün insanlardan biraz daha nefret ederek kendime kapanıyorum. Ve ben görmeyeli beri, insanlar her geçen gün biraz daha çıldırıyor. Amerika sokakları buraya taşınmış gibi yapmanın derin bilinç kaybında herkes uyurgezer gibi başkalarının kimliklerini yaşıyor. Birkaç kişinin şuursuzluğu değil, bir toplumun cinneti bu. Sanal bir dünyada yaşıyor herkes. Ben de masamın başında oturup, bu uydurma dünya için logo çiziyorum, amblem yapıyorum, imaj yaratıyorum, grafik düzenliyorum. Sonra günün birinde bir uzay gemisine çıkar gibi çıkıyorum bu dünyaya. Ve hâlâ niye şaşırıyorum? Ne zaman sokağa çıksam, şaşkınlığımın da, öfkemin de sonu gelmiyor. Sıradan bir tişört, beni nerelerden nerelere taşıyor? Evimde oturmak istiyorum. Kimsenin giydiği tişört uğruna zihinsel yolculuklara çıkmak istemiyorum, canım yansın istemiyorum. Böyle delirmek istemiyorum.

O tişörtlü kız yanımızdan geçip gittikten sonra, Tuğde, "Nermin abla," diye sesleniyor, "Şu kızın giydiği tişörtü gördün mü Allahaşkına! Hiç yakışmış mı? Kendisi şişko, tişörtü zayıf!"

Neyse, o kadar da yalnız değilmişim canım! Tuğde'nin beni bir konuda olsun yalnızlığımdan kurtarabileceğini düşünemezdim doğrusu. Zaten ancak, Tuğde'nin erken gelişmiş kötü niyetli gözleri görebilirdi bu kadarını.

Tuğde'yle gözlerimiz hınzırca buluşuyor, karşılıklı gülümsüyoruz. Paylaştığımız çok ender anlardan biri bu. Yeniden tuvalet aramamızla birlikte benim bu sınırlı mutluluğum da kısa sürüyor. Her neyse, en azından bu sefer kola içmiş olmasını mazeret göstermiyor.

"Artık şeker yiyebilir miyiz Nermin abla?"

Au, evet, tabii şeker dükkânından bir torba şeker sözü vermiştim ona, her şeyi üst üste yemeyelim diye, onu da sonra yeriz demiştim. Yeniden yürüyen merdivenlerle üst kata tırmanıyoruz. Yeniden "fast-food"lar, "salad barlar", "cafe"ler, "hot dog" büfeleri, dönerciler, "pizza"cılar, Meksika yemekleri; ortalıkta bir sürü masa, bir sürü sandalye, bir sürü insan ve bir sürü gürültü...

Şekerciye giriyoruz. Raflarda, kapaklı şeffaf kutularda yan yana dizilmiş çeşit çeşit şekerlerden küçük kürek vuruşlarıyla torbalarımıza dolduruyoruz, ben küreğin ucuyla en minik ölçülerde almaya gayret ediyorum, ama bilirsiniz ki, gayret demek, ille de sonuç demek değildir. Nitekim tartıya gittiğimizde benim torbam 130 gram geliyor. Böyle rengârenk, çeşit çeşit şekerler arasında insan ister istemez kaptırıyor kendini, böyle durumlarda ölçü nasıl tutturulur, hiç bilmiyorum. Hoş galiba zaten ölçü kavramıyla ilgili hep sorunlu bir hayatım oldu. Ne paramın hesabını bildim, ne duygularımı tutumlu harcadım. Her neyse, 130 gramsa 130 gram, azıcık yedikten sonra biraz artırır, böylelikle Tuğde'ye de örnek olurum: "Alınan her şey, bir kerede yenilmek, sonuna kadar tüketilmek zorunda değildir Tuğde. Bak böyle katlar, çantana koyar, sonra yersin," diye küçük-minik bir hayat dersi verebilirim, umarım. "Umarım," diyorum, şekerler pek lezzetli çünkü... Ben biraz aceleci adımlar atsam da, Tuğde ağırdan alıyor, gözü hâlâ masalarda, tezgâhlarda, belli ki buradan hiç gitmeyelim istiyor...

"Bak Tuğde, ben biraz yoruldum canım, alışık değilim bu kadar çok çarşı pazar gezmeye; en alt katta bir bar var, son olarak orada oturacağız," diyorum. "Son olarak"ı vurgulayarak söylüyorum. "Çok güzel bir kafeymiş, sen de seveceksin."

Zemin kata indiğimizde, girişteki fıskıyeli havuzun ta tepelere fışkıran fıskıyesi, birdenbire bir mucize gibi açılıveriyor önümüzde, havuzun kenarında duruyor, köpüren fıskıyeyi seyrediyoruz, fıskıyenin serinliği iyi geliyor. Gerideki cam asansör, sanki fıskıyeden fışkıran suyla birlikte yükseliyormuş gibi yukarı katlara çıkmaya başlıyor birden. Bir an mutlu oluyorum. Artık yalnızca anlarda mutlu oluyorum. Mutluluğun anlarla tartıldığı yaşlara geldik. Hiçbir mutluluğumuz, neşemiz, keyfimiz geniş zamanlara yayılamıyor artık. Nitekim az sonra havuzun çevresini alan kalabalık içinde, üstü başı Anadolu'dan gelmiş olduğunu belli eden, buraya gelirken kendince temiz pak giyinmeye özen göstermiş, ama gene de tedirgin ve iğreti duran birkaç gariban delikanlıya takılıyor gözüm. Buralardan herhangi bir şey almaya asla paraları yetmeyecek, bir yerde oturup gönül rahatlığıyla karnını doyuramayacak, bir kahve içemeyecek kadar alt sınıftan gelme bu kişiler, buraya yalnızca "bakmaya" geliyorlar. Yalnızca "bakmaya". Bunu bilmek bana iyi gelmiyor. Bu durum bana hâlâ doğal gelmiyor. Kimseye de gelmemesi gerektiğini düşünüyorum. "Hayat şartları işte," deyip geçemiyorum. "Dünyanın hali bu, ne yapalım," diyebilseydim, ıstırabım azalırdı belki. Diyemedim. Kaçtım, küstüm, kendime bir sığınak yaptım, kendimi gömdüm, ama gene mutsuzum. Görüyorum çünkü. Görüyor ve hissediyorum. Gözümü yummakla bile kapanmıyor gözlerim. "Bireysel kaçış! Bireysel kaçış!" diye ardımdan yuh çeken eski moda solcu kalabalıktan çok daha mutsuzum. Bir anarşist gibi hissediyor, bir aristokrat gibi acı çekiyor, bir küçükburjuva gibi kaçıyorum.

Hayat, bazılarına mutsuz olmakla, duygusuz olmak arasında bir tercih hakkı tanır, daha fazlasını değil.

Havuzun kenarında bej ceketli, yakışıklı, aydınlık yüzlü, yumuşak bakışlı kumral bir adam, oğluyla birlikte neşe içinde suyu seyrediyor. Kapıldığım düşünceler arasında ilkin fark etmiyorum onları. İki-üç yaşlarında sarışın, sevimli bir oğlan. Fışkıran suyla birlikte sevinçle el çırpıyor, "Babba, babba!" diyerek, babasının pantolonunun paçalarına yapışıyor. Aralarında çok güzel bir ilişki var. Sade, gösterişsiz, içten. Neden annelerle kızlar böyle olamıyorlar? Neden annelerle kızların ilişkisinde, hep başkalarının gözlerine oynanan bir oyun, başkalarının onaylarına sunulan bir gösteri havası vardır? Neden hep kimin haklı, kimin haksız olduğu en önemli şeydir ikisi arasında? Dalmış, adamı seyrediyorum, fark ediyor beni, göz göze geliyoruz. İçim alev alıyor. Kollarımı kavuşturarak, suya bakar gibi onlara bakıyorum. Onları seyretmek iyi geliyor bana. Uzak bir şefkatten payımı alıyorum. Yeniden göz göze geliyoruz, bu kez gülümsüyoruz birbirimize. Yanımızdaki çocukların varlığı, birbirimize gülümseyişimizi meşrulaştırıyor. Oysa düpedüz çok hoşlandım adamdan, onun için gülümsüyorum. Birdenbire onun karısı olmak istiyorum. Onun âşık olduğu kadın ben olmak istiyorum. Onu arzuladığımı fark ediyorum. İkimizi aynı yatakta tutkuyla sevişirken düşlüyorum bir an. Hayatına girmek, hayatının bir parçası olmak istiyorum. Biraz gülümseyiş, birkaç el kol hareketi, bir duruş, bir bakış nasıl da bir şeyleri harekete geçiriyor insanın içinde. Nicedir katılmış kalmış taşlar kımıldıyor ta dipte bir yerlerimde. Sanki bu adam aslında benim hakkımmış da, başkası elimden almış gibi bir güceniliğe kapılıyorum. Bir kez daha göz göze geliyoruz onunla. Bu kez daha uzun bakışıyoruz. Bu kez çocukların varlığının ardına saklanma gereği duymadan, daha doğrudan bakıyoruz birbirimize. Açık açık bakıyoruz. Sanırım anlıyoruz birbirimizi. Kimsenin maceraya hali olmadığı belli. Selam veriyor, çocuğunu alıp uzaklaşıyor, ardından hüzünle bakıyorum bir an. Çok sevgili uğurlamış bakışlarla bakıyorum. Neden hep böyle imkânsız aşklara eğilimliyim bilmem ki... O arada fıskıye de sönüyor.

Tuğde, sinsi bir ifadeyle gözlerimin ta içine bakarak, "Ne kadar yakışıklı bir adam değil mi Nermin abla?" diyor. Afallıyorum. Hiç aman vermiyor: "Erhan bey de bu kadar yakışıklı mı peki?" Gülüyorum. Tamam, yakalandım, gülüşü bu.

Havuzun başından ayrılıyor, Tuğde'nin zevkine göre oturduğumuz yerlerden sonra, şimdi anlaşılan daha çok benim seveceğim, arkadaşlarımın sözünü ettiği kafeye yollanıyoruz.

Zemin kattaki, mobilyaların, dekoratif eşyaların, aksesuarların, döşemelik kumaşların satıldığı, her biri aynı zincirin halkası olan mağazalarla çevrili, insana bir ortaçağ kasrı avlusu hissi veren bara oturuyoruz. Bu bar-cafe, yeşile boyanmış ferforje bir çitle ayrı bir alan olarak belirlenmiş mekânın bütünlüğü içinde; böylelikle dükkân önleriyle arasında kendiliğinden bir yol oluşmuş. İyi aydınlatılmış, sevimli, şık bir yer; ağaç kahverengisi küçük masalar, açılıp katlanır sandalyeler, sakin renkler... Kalın, kesme taş duvarlarında, duvara yatay sabitlenmiş, pas yeşili kalın demir çubuklardan ortaçağ bayraklarını andıran flamalar sallanıyor. Tunç topuz başlıklı kenarlarından püsküllü perde başlıklarının sarktığı, orada oturanlara, mekânın kurumsal kimliğini hatırlatan, çeşitli kumaşlardan yapılmış flamalar bunlar. Her an av borularının sesi duyulabilir. Şatonun kapısında atlar, benekli köpekler ve —parmakuçlarıyla eteklerini kaldırarak koşuştururken rüzgârda— saçları uçuşan kadınlar belirebilir.

Tuğde, bu mağazaları da tek tek gezmek istiyor tabii. Eşyalarımızı yerleştirdikten sonra, Tuğde'nin çekiştirmelerine rağmen üstünkörü dolaşıyor, masamıza dönüyoruz.

Yanımızdan, yöremizden insanlar akıyor. Çoğunun eli kolu dolu. Ancak bir şeyler satın alabilirse kendini iyi hissedebilecek insanlar akıyor yanımızdan, yöremizden. Mutlu olması, alışveriş edebilmeye kilitlenmiş insanlar...

Kurutulmuş çiçeklerden yapılmış aranjmanların durduğu duvarlara monte edilmiş yarım sepetlerde, küfelerde ya da el arabalarının içinde sap sap başak... Herhangi bir Avrupa kentinde de görülebilecek evrensel kapitalizmin ortak imgeleri... *Laura Ashley* imzasının gölgesinde gezinen insanların çoğunda Orta Anadolu *size*'ları, zevkleri, yaşantısı...

Bir şeyler içime sinmiyor. Bütün bu çarşıdan bir memleket çıkmıyor.

Dekorumuzda bir yanlışlık var. Memleket olarak dekorumuzda. Birdenbire geçmiş gecelerden bir geceye gidiyor aklım. İşsiz ve parasız olduğum, gururumun ve özgürlüğümün güvencesi olarak da ailemden yardım kabul etmediğim sıralardı; Cihangir'de bir bodrum katını arkadaşlarımla paylaşıyordum geçici bir süre için... Geç bir saatti, o saatte genç bir kız olarak Sıraselviler Caddesi'ni tek başıma katetmeme gönlü elvermeyen bir erkek arkadaşımla birlikte yürüyorduk. O, beni bırakıp dönecekti. Kötü bir geceydi, ucuz bir meyhanede kafaları çekmiş, umutsuz şeyler konuşmuştuk, parasızdık, aşksızdık, hüzünlüydük. Gece boyu birbirimize Edip Cansever şiirleri okumuştuk. Hava soğuktu. Çok soğuk. Onun üzerinde rengi atmış, astarı sarkmış, iyice tiftiklenmiş kumlu bir kaban; benim sırtımdaysa kaç mevsimin yağmurunu görmüş, buruşuk, ince bir pardosu vardı, kalın bir hırkayla içimi pek tutmuştum. Yağmurlu bir havada, arabanın cam silecekleri çalışırken, sevgilisinden ayrılan mutsuz ve entelektüel Fransız kadınlarına benzetiyordum kendimi o pardösüyle. Kuşağıyla belini sıktırıp, yakalarını kaldırdın mı, başedemeyeceğin hiçbir hüzün yoktu sanki. Gençlik işte!

Tam biz Maksim Gazinosu'nun önünden geçiyorduk ki, İtalyan fotoromanlarından fırlamışçasına şık giyimli bir çift çıktı içeriden. Adam, iyi dikilmiş bir smokin içindeydi, ceketinin yakaları alaz alaz parıldıyordu, bir pelerin zarafetiyle taşıdığı şık kesimli, kalın bir palto vardı omuzlarında. Derin dekolteli, vücudunu sımsıkı saran siyah bir elbise giymiş kadının sırtındaysa, yerlere kadar uzanan vizon bir kürk – üstelik kuyruk kürk de değil, sırt kürk. Upuzun, gece siyahı saçlarını salmıştı omuzlarına. Boynunda bir sıra inci, ayaklarında sivri topuklu iskarpinler... Yerlere kadar eğilen adamlar tarafından, gösterişli bir biçimde gazinodan uğurlanmışlar, şimdiyse önümüze düşmüş, öyle yürüyorlardı. Biz de arkalarında bir pardösü ve bir kaban olarak süklüm püklüm yürüyorduk. Geri planda, yerde sürünen yırtık gazeteler, karşı sıradaki büfelerin çıplak ampullerinin çiğ ışıkları, dönercilerin isli dönerlerinden yükselen dumanlar, lahmacun, soğan kokuları, tinerci çocuklar, kusan sarhoşlar, müşteri beklerken sağa sola seslenen yırtık taksi şoförleri, her geçenin peşine aynı yapışkanlıkla takılan dilenciler, bütün bir arka dekoru oluşturuyordu. Onların ortaya çıkışıyla birlikte bu dekor büsbütün görünür oldu. Aynı zamanda inanılmazlık da kazandı. Sanki gerçek hayatın içinde değil de, kurulmuş bir film setindeydik. Onlar öyle smokinli adam, vizon kürklü kadın olarak bu dekor tarafından birdenbire yutulmuşlardı. Önde onlar, arkada biz, gecenin içinde öylece yürüyorduk, tuhaf bir durumdu, bir süre birlikte yürüdük. Sonra birdenbire katıla katıla gülmeye başladık. Sinirlerimiz bozulmuştu. Bir yanlışlık vardı bu işin içinde. Gerçekten çok şıktılar ama, sokağa çıktıkları anda sokağın bir parçası olmuşlar, sokaksa gerçekliğini yitirmişti. Böyle bir resimde, neyin gerçek, neyin asıl olduğu hiçbir önem taşımıyordu çünkü. Türkiye gibi. Birdenbire her şey çok komik olmuştu. Türkiye'nin her şeyi mümkün kılan yapısı düşünüldüğünde, bir yanıyla doğaldı bu manzara. Sonuçta Türkiye'nin dekoru buydu. Bu dekorun önüne ne koysan durmuyordu aslında. Hiçbir şıklığın bir karşılığı yoktu bu ülkede. Her şey birbirini götürüyor, sıfırlanıyordu, sonunda sürekli memleket sıfırlanıyordu.

Şaşırmıştık: Gazinodan büyük bir saygıyla uğurlanan bu çift, neden hemen bir arabaya binip uçar gibi uzaklaşmadılar; ya da neden, şapkalı, eldivenli bir şoför, uzun kuyruklu bir arabanın kapısını, önlerinde saygıyla eğilerek açmadı, hiç anlamadık, bir anlam veremedik bu duruma, sonuçta onlar önde, biz arkada hiç konuşmadan öyle yürümeye devam ettik. Cihangir'e kadar birlikte yürüdük. Birbirleriyle de konuşmuyorlardı. Etrafa da bakmıyorlardı. Gecenin onlar için nasıl geçtiği anlaşılmıyordu. Yalnızca yürüyorlardı. Sanki gerçek değildi de, bize fantazi bir öykünün anısını bırakmak için, bu soğuk gecede karşımıza çıkan iki öykü kahramanıydılar. Anlaşılan biz onlardan önce gelmiştik varacağımız yere. Arkadaşım beni eve bıraktığında, onlar hâlâ yürümeye devam ediyor, kadının sivri topuklu iskarpinlerinin kaldırımlarda çıkardığı gittikçe uzaklaşan ayak sesleri duyuluyordu gecenin içinde.

Yıllar geçti üstünden. Zaman zaman o arkadaşımla bir araya geldiğimizde, bazan o geceyi anar, yeniden şaşırır, yeniden gülmeye başlarız: Ya sahi, neydi onlar Allahaşkına? Hadi bizim cebimizde beş kuruş yok da, ondan taban tepiyoruz Allahın o soğuğunda; peki, onlara ne oluyordu? Ben, her seferinde hiç atlamadan eklerim: "Üstelik kadının kürkü, kuyruk kürk değil, sırt kürktü," derim. Buna takmış olmama çok gülüşürler. Hem onlar nereye gidiyorlardı? Hiç de Cihangir'de oturan birileri gibi değildi havaları. Karı koca mıydılar, sevgili miydiler, kardeş miydiler? Arkadaş grubumuzun anonim kahramanları oldular bir süre. Herkes onlara bir hikâye yakıştırdı, davranışlarına kendince bir neden buldu, sonra zamanla hepsi unutuldu.

Şimdi ne zaman Türkiye'nin dekoruyla ilgili olarak bir şey konuşulacak olsa, o gecenin anısının içinden o vizon kürklü kadınla smokinli adam çıkagelir; geride tüten dönerci isi, sarhoş kusmuklarının üstünden atlaya atlaya geçtiğimiz Sıraselviler Caddesi ve soğuğunu hiç unutamadığım o ayaz gece... Tamamen çökmüş bir dekorun önünde yıllardır sayıklamalarımızı sürdürdüğümüzü düşünürüm. Bütün zamanların hep birden harekete geçtiği bir çağda, bir toplumda, yerine göre, anarşistlerin, aristokratların ve burjuvaların değerlerini hep birden savunmak durumunda kalan parçalanmış kimlikler için, en uygun dekorun gene de bu olduğuna karar veririm.

57

Ben öyle, gene bir yerlere dalıp gitmişken, Tuğde, barın duvarlarından birine yerleştirilmiş büyük kafesteki papağanlara bakmaktan geliyor. En sevdiği kuş papağanmış. Birden ilgimi çekiyor papağan sevmesi. İkna edici bir şeyler söylemesini istiyorum bu konuda. Hemen papağan fiyatlarından söz etmeye başlıyor. Babasının bir arkadaşı papağan ticareti yapıyormuş. Avustralya'dan, Hindistan'dan, Afrika'dan getirttiği papağanları hem yurtiçine, hem Avrupa'ya satıyormuş. (Anlaşıldı, çok sıkıcı bir hikâye!) Bu papağanlar arasındaki bütün cins, renk, tüy ve telek farklarını bir bir anlatmış Tuğde'ye. Bu arada dünyadaki bütün papağan fıkralarını da biliyormuş. Onların da hepsini anlatmış. Tuğde'yi çok güldürmüş, çok eğlendirmiş bu fıkralar. Tabii adamın bildiği papağanlı fıkralar içinde bazı ayıp olanlar da varmış, ama onları şimdi anlatamıyormuş, işte onları da Tuğde büyüyünce anlatacakmış.

"Ne kadar büyüyünce?" diye soruyorum Tuğdc'yc. "Bir zaman verdi mi?" Adamın iştahına bakılacak olursa, bu tarih çok da uzak değil.

"Hayır, yaş söylemedi, büyüyünce, dedi sadece."

"Sen gene de dikkatli ol Tuğdeciğim," diyorum, "Babanın arkadaşı, senin ne kadar büyümüş olduğun konusunda yanılabilir. Kabul et, zaman zaman yetişkin bir genç kız gibi davranıyorsun."

Bu ironi, Tuğde anlasın diye değil, kendimi eğlendirmek içindi tabii. Ama Tuğde, genç kız gibi olmakla ilgili her sözümü kendisi için bir iltifat olarak yorumladığından, mahcup mahcup göz süzerek teşekkür etti bana.

Papağan muhabbeti bununla da bitmiyor, bu baba arkadaşı adam, Tuğde'ye doğum gününde armağan olarak papağan getirecekmiş ama, annesinin ayçekirdeğine karşı alerjisi olduğu için getirmemiş. Onun yerine bol resimli, renkli papağan albümleri getirmiş. Annesinin ayçekirdeği alerjisi olduğunu bilmiyordum, daha doğrusu öyle bir alerji türü olduğunu bilmiyordum.

"Öyle demeyin," diyor Tuğde, "O kadar alerjisi var ki, düşünün, ayçiçek yağı sokmuyor eve. Ben ayçiçek yağını yalnızca reklamlarda görebiliyorum, düşünebiliyor musunuz?"

Çok hayati bir şeyden mahrum kalmışçasına dudak büzerek merhamet ve anlayış bekliyor benden. Bununla da yetinmiyor, papağanların neden ayçekirdeğiyle beslendiği üstüne beni uzun uzun bilgilendirmeye kalkışıyor ki, işte o anda, artık içime fenalıklar geldiğini hissederek konuyu kapattırıyorum...

Sebze çorbası söylüyorum kendime. Kıvamı yerinde bir çorba. İçinde minik havuç ve patates parçaları yüzüyor. İncecik kıyılmış maydanozlar tam sevdiğim dirilikteler, ölmeden pişirilmişler. Yemeklerin içinde, kaynatılmaktan yeşil bir ot cesedi haline gelmiş maydanozlardan da; hiç ateş yüzü görmemiş, salataya konmuş gibi diri diri duran maydanozlardan da nefret ederim. Maydanoz pişirmenin kıvamı benim için iyi bir aşçılık ölçüsüdür. Papağanlar ve ayçekirdeklerinden sonra bu çorba iyi geliyor. Üzerine de güzel bir kahve. Hem de nefis fincanlar içinde. Biliyorsunuz Tuğde kola içiyor, yanında da gene patatesli, ketçaplı, mayonezli bir şeyler...

Oturduğumuz masadan çevremizi kuşatan mağazalara bakıyorum:

İyi bir ışık altında sergilenen, ilk bakışta çok çarpıcı gelen bütün bu eşyalar, aksesuarlar, bir süre sonra sıradanlaşıyor, çakımını yitiriyor; tılsımları uçuyor, düpedüz ölüyorlar. Tezgâhtar kızlara takılıyor gözüm. Tezgâh gerisinde, ya da kapı önünde sıkılmış, kollarını kavuşturmuş öylece duruyorlar. İlk bakışta birçok kişiyi heyecanlandıran bu eşyalar, onlar için çoktan birer cansız nesneye dönüşmüş.

Müşterinin seyrek olduğu zamanlar yüzleri değişir tezgâhtar kızların, tuhaf bir hülya gelir yüzlerine, bir yanları çeker gider oradan, kuşatıldıkları eşyanın dışına düşer varlıkları; bir tür kayıtsızlık kazanırlar, onların o kayıtsız dalgınlıkları, ortasında durdukları eşyanın bütün büyüsünü uçurur; o cansız duruşları, birden bulundukları atmosferin olanca yapaylığını öne çıkarır... Işıl ışıl vitrinlere bakıp geçilirken, ilk kez görmüş olmanın heyecanıyla anlam ve derinlik kazanan, insanlarda sahip olma duygusu uyandıran bu gözalıcı eşyalar, tıpkı şimdi olduğu gibi, gelip ortalarına oturduğunuzda ve onlarla birlikte belli bir zaman geçirdiğinizde, yavaş yavaş azalmaya başlarlar. Anlamları, gereklilikleri, varlıkları azalmaya başlar. Büyülü bir nesne olmaktan çıkıp herhangi bir şeye dönüşürler. Orada öylece duran, üst üste yığılmış, ya da yan yana duran şeylere... Uğruna mutluluk ya da mutsuzluk inşa edilmeyecek, sahip olmak için fazladan heyecan duymanın hiçbir anlamı olmayan sıradan şeylere...

Bu noktada, tezgâhtar kızların bıkkınlığıyla ev kadınlarının bıkkınlığı arasında bir ilişki kuruyorum. İkisi de, kuşatıldıkları eşyaların içinde yapayalnız kalıyorlar bir süre sonra. Ev şirinleştirmede kullanılan bütün o hediyelik eşya cehennemi, ithal malı biblolar, çok çeşitli formlarda kesilmiş cam eşyalar, kristal takımlar, toprak çanaklar, pop-art küpler, cicili bicili kumaşlar, pahalı döşemelikler, gösterişli sehpalar, tunç heykeller, ilginç aksesuarlar, esprili dolaplar, gümüş tepsiler, şekerlikler, alçıdan kabartmalar, çok kollu şamdanlar, fotoğraf çerçeveleri, içi çiçekli cam küreler, deri sümenler ve masa üstü ayrıntılarında sonsuz hizmet, sedefli sedefsiz mektup açacakları, pipo ve tütün tabakaları, anahtarlıklar, rozetler, denizci şişeleri, şömine karıştırıcıları, duvar gölgelendiren aplikler, demirin, meşenin, pirincin çeşitli kullanımlarından elde edilmiş sonsuz çeşitlilik ortasında yapayalnız...

Anlamlarının boşalmasıyla birlikte, bir süre sonra cansızlaşan eşyalar, bütün hayat tasavvurlarını yok edip, geriye hep aynı hiçlik ve boşluk duygusu bırakıyor olmalı. Belki de eşyanın işgalindeki hayatlarda doyumsuzluğu üreten de bu; eşyalar tarafından kuşatılmış hayatların boğuntusunu ancak yeni eşyalarla gidermeye çalışmanın beyhudeliği, sürekli yeniden ve yeniden üretilen bu doyumsuzluk hali, diri tutuyor olmalı tüketim toplumunun hem bunalımını, hem varlık nedenini...

Bütün şu bilmiş bilmiş söylediklerime bakarak, benim büyük bir reklam ajansında grafiker olduğuma, üstelik işimde de hayli başarılı biri olduğuma kim inanır? Ben bile yaptıklarıma, kendime şaşırmadan alışamıyorum çoğu kez. Sinemadan nefret eden bir oyuncu gibiyim. Evet, iyi bir oyuncuyum, rolümü başarıyla canlandırıyorum ama, sinemadan nefret ediyorum. Bu böyle ne kadar sürer, bilmiyorum.

"Tuğde," diyorum. "Eğer hemen kalkıp gitmezsek bütün bir Türkiye sosyolojisini Akmerkez'e sığdırmaya çalışacağım. Bana bunu yapma!" Haliyle yüzüme şaşkın şaşkın bakıyor, ne demek istediğimi anlamaya çalışıyor.

Gülerek, "Sonra anlarsın," diyorum.

Ben bunca kat ve mağaza arasında iyice sersemlemiş bir haldeyken, bu savunmasız halimden istifade ederek, önceden koparmış olduğu birkaç sözü yerine getirmemi istiyor benden; ilkin oyuncak hamuru almaya yeniden oyuncakçılara giriyor, ardından, üzeri kabartmalı soket çoraplar için yeniden üçüncü kata tırmanıyoruz. Bu kadar çok sözü hep birden vermiş olamam! Oralı bile olmuyor. Ana-baba, bu evlilik kurtarma operasyonu tatili karşılığında, kızın harçlığını bol tutmuş olmalılar.

"Tuğde, burası çok yorucu bir yer inan," demek ihtiyacı hissediyorum. O hiç aynı fikirde değil.

"Bak şimdi bu kez de benim için tuvalete gitmemiz gerekiyor," diyorum. İşte şimdi aynı fikirde.

Sonunda artık vitrinlerden iyice başım dönmüş, mukavva bardaklardaki yıvışık kahvelerden içim kıyılmış, her katta yeniden ve yeniden tuvalet aramanın sonsuz labirentinde yolculuk etmekten yılmış, Tuğde'ye verdiğim hatırladığım ve hatırlamadığım bütün sözleri yerine getirmiş, dirsek dirseğe itişerek yürüyen insanlardan sersemlemiş bir halde Akmerkez'den çıktık. Derin bir soluk aldım. Birden sokak sanki cennetmiş gibi göründü gözüme. Demek böyle de olabiliyordu? Sokağın gündelik gerçeğine katlanabilmek için, bundan böyle her gün bir alışveriş merkezine küre mi gitsem acaba? Yarın da Galleria! Öbür gün Carrefour! Ay, Tuğde ne sevinir! Peki ya, bütün gününü buralarda geçiren insanlar ne yapıyorlar? Nasıl yapıyorlar? Her şey bir yana, vitrinlerle cepleri arasındaki gerilimi nasıl kaldırıyorlar? Bakmanın işkencesiyle nasıl başa çıkıyorlar? Her neyse yeniden başkalarını düşünecek halim yoktu. Herkes ne hali varsa görsün! Sosyalizm bize bu kötülüğü yapmıştı işte, kendi gitmiş, ama bize amansız bir hastalık gibi başkalarını kurtarma düşüncesini bırakmıştı. Saat 18.00'de evde olmamız ve televizyon kanallarının birinde yayımlanan "En Harika ve En Süper Çocuklar" diye bir programı seyretmemiz gerekiyordu! Hiç kaçırmazmışız! "Tabii tabii," dedim. Şuradan çıkalım da, evdeki işkenceye razıyım, hiç olmazsa evimdir! Evim evim, güzel evim! Akmerkez'deki büyük marketten yiyecek malzemesi aldığım için, bir süre mutfağa kapanırım, diye düşünüyordum. Hem akşam yemeği derdi çıkar aradan, hem de ben biraz kafamı dinlerim. Mutfakta kafa dinlemek?! Ben bu hallere düşecek kadın mıydım?

Kocasından, çocuklarından, dünyadan kaçıp, mutfaklarına sığınan kadınlar geçti gözlerimin önünden: Omuzları düşmüş, gözleri yarı kapalı bezgin kadınlar... Onlardan biri olmak, hiç kimse için, hiç de o kadar uzak bir olasılık değil; bunu, birdenbire bir sızı gibi içimde duydum. Bir varoluş sızısı gibi ta içimde... Kaderin biz kadınlara kurduğu pusular, tuzaklar sanıldığından çok daha fazlaydı. Feministlerin paranoyak olması, takip edilmedikleri anlamına gelmiyordu.

Buzdolabının sesini dinleyerek içini yatıştıran kadınlar... Mutfağın nasıl bir sığınma yeri olduğunu bilmek... aynı salatalığı defalarca yıkamak... çaydanlık homurtusundan şifa bulmaya çalışmak... ya da aspiratörün ince cızırtısında kendine bir düşünce adası yaratmak... Düşüncelerini sıraya koymak için, azıcık sakinleşmek için, kafalarını toplamak için, unutmak için, hatırlamak için mutfağa girerler; erkeklerin bir anlamda çalışma masası başında yapmaya çalıştığı şeyi, kadınlar mutfak tezgâhında yapmaya çalışırlar. Ispanak ayıklarken, marul yapraklarını tek tek yıkarken, sebzeleri süzgeçten geçirirken, çorbayı karıştırırken, yemeğin altını kısarken, uzun uzun iç muhasebesi yapar, olayları gözden geçirir, karşılaşılacak kimi durumlarda verilecek yanıtları kafalarında hazırlarlar...

Kimi zaman buzdolabının sesinde aranan huzurda, dış dünyanın bütün gürültüsünün, karmaşasının, tehlike ve tedirginliklerinin savuşturulma arzusu yatar. Kadınlar, esir alındıkları yeri, korundukları yer sanırlar. Kadınlar için hem siper, hem sığınaktır mutfak ve her zaman sıcak aile yuvasının içimizi ısıtan sembolü anlamına da gelmez; yaşayan ölüler haline gelmiş kimi kadınların morgudur aynı zamanda. Toprağa verilene kadar bekledikleri yerdir.

Bilirsiniz, bedenler sonra ölür.

Ve ben bir yandan bütün bunları düşünürken, gene de bir an önce eve gidip, kendimi mutfağa atmak istiyorum. Çünkü, hayata dair aklıma başka bir şey gelmiyor.

Eve dönüş, trafik keşmekeşine, taksinin içinin yeşil küf kıvamında sigara ekşisi kokmasına, ensesi kat kat olan ve o katların arasından beyaz kıllarla, siyah etbenlerinin aynı anda fışkırdığı taksi şoförünün aksırmadığı zamanlar, öksürmesine, öksürmediği zamanlar tıksırmasına, onu da yapmadığı zamanlar gizli gizli burnunu karıştırmasına rağmen, gene de güzeldi: Radyo açık değildi, Tuğde şarkı söylemiyordu ve en önemlisi eve dönüyorduk. Kale kapısından muzaffer bir komutan gibi girecektim içeri.

Benim için "Bir günün sonunda arzu!" ancak bu kadar olabilirdi.

V

Mutfağın serin karoları

KİMİ filmlerde olur, çok özenirim. Filmin kahramanı olan genç kadın ya da genç erkek, tam evinin kapısını açıp içeri girerken, aniden güzel bir müzik yükselir. O, odalardan odalara geçerken, müzik güçlenir, yaylılar yükselir, tüller uçuşur, aldıklarını yerleştirirken ya da üstünü başını çıkartırken de sürer, yalnızlığını unutturur, görüntüyü süsler, moral verir... Yıllardır şu eve yalnız dönerim, bir kere olsun kapıyı açtığımda müzik sesi yükselmemiştir. Ne zaman kapıyı açıp içeri girdiysem ortalıkta taş gibi ağır bir sessizlik. Sağır, kunt bir sessizlik... Uğradığım haksızlıklardan biri sayarım bunu, o filmlere de çok kızarım. Milleti kandırmaya ne hakları var canım? Orada hoşça geçirdiğimiz iki saat karşılığında, bizim bütün hayatımızı karartmaya, hayatımızın gözümüze bir saman gibi gözükmesine yol açmaya ne hakları var? Sanat dedikleri, biraz da gerçekleri yansıtmalı, değil mi ama?

Bu sefer, evin kapısını açıp içeri girdiğimde, kısa bir sessizlikten sonra aniden güzel bir müzik yükseldi, hem de yaylılar... Kalakaldım. Sanki bir mucize gerçekleşmişti. Yıllardır beklediğim şey nihayet olmuştu. Olan biteni anlayamayacak kadar heyecanlanmıştım. Ben öyle sakar sakar bakınırken Tuğde, önüm sıra telaşla koşturarak, "Radyoyu açık bırakmışım, af edersiniz," dedi. "Hiç önemli değil," dedim. "Yıllardır hiç böyle güzel karşılanmamıştım." Tuğde, benim mutluluğuma haklı olarak pek bir anlam verememişti. Yüzüme koca bir gülümseme yayılmıştı; kendimi hafif aptal hissediyor, ama suratıma yayılıp kalmış gülümsemeyi de toparlayamıyordum. Bu feci günün sonunda bilmeden bir armağan vermişti bana Tuğde. Gerçi Tuğde'nin verdiği hiçbir armağan sevincinin çok sürmeyeceğini bir şekilde anlamış bulunuyordum ama, olsun "Hayat küçük mutluluklardır," diyecek yaşa gelmiştim artık.

Radyoyu kapatmıştı.

Çünkü televizyonun açılması gerekiyordu.

Ama önce tuvalete koşturdu. Uzun uzun işedi. Küçük kızların o kadar uzun işeyemeyeceklerini, benim bu konuyu abarttığımı düşünenler Tuğde'yi tanımıyorlar. Elini yüzünü bir güzel yıkamasını söyledim. Üstünü değiştirdi. Seçtiği kıyafet insanın kendini ev içinde rahat hissedebileceği bir kıyafet değildi. Üzerinde durmadım. Ardından saçlarına yeni bir biçim verdi. Yeni tokalarını bana taktırdı. Sanki ıslakmış, insanın eline yapışacakmış gibi duran cilalı küçük mevyeler, kirazlı kirazlı bir şeyler... Gördüğüm kadarıyla gereğinden fazla süslenmişti. Yaptıkları eve dönüşte değil, ancak evden çıkarken yapılabilecek şeylerdi, pek bir anlam veremediysem de, onun bütün bu göz korkutan hazırlıklarına karşılık yalnızca, "Bu akşam bir yere çıkabileceğimizi sanmıyorum Tuğde," demek ihtiyacını hissettim. Oysa, az sonra televizyonda seyrettiği "En Harika ve En Süper Çocuklar"ı gördüğümde, onlardan eksik kalmamak niyetiyle bu kadar çok süslenmiş olduğu kanaatine vardım. Kimseden eksik kalmak istemiyor, oturduğu yerden de onlarla kıran kırana yarışıyordu. Ve onların karşısında belli ki, kendini iyi hissetmek istiyordu.

Yatak odama girmiş üstümü değiştirmeye hazırlanıyordum ki, Tuğde, "Nermin abla, telesekreterdeki mesajları dinleyebilir miyiz?" dedi. Ben, tam soyunmak üzereykenki bu isteğini biraz manasız bulmakla birlikte üzerinde durmadım. "Tabii," dedim, Telefonun yanına vardığımda gözüm telesekreterin ısrarla yanıp sönen ışığına takıldı. Sanki her zamankinden fazla ışıyor, adeta bir ambulans ışıldağı gibi telaş ve heyecanla çevreyi döne döne uyarıyordu. Telesekreterin mesaj adeti bildiren penceresinde görünen rakamsa gözlerimin dışarı uğramasına neden oldu: 28! Gözlerime inanamadım. Bu alet, bu eve gireli beri hiç böyle bir rakamı vurmamıştı. Kulaklarımda lunaparklarda yumruk gücü ölçen aletlerde tek yumrukla hedef vurulduğunda öten ziller çınlıyordu adeta. Bir rekordu bu. 28 kez aranmıştım. Çok geçmeden her şey anlaşıldı oysa. Bu 28 rakamının 18'i, tıkıldığı oksijen çadırından bütün dünyaya yeten Tuğde'nin anncannesine aitti. Bu kadın, karşılığı olmayan bir panikle, isteri nöbetleri halinde bütün gün, sürekli burayı aramıştı. Kibar başlayan notları, giderek ilkin telefonu açmadığımız vehmine, sonra da başımıza olmadık felaketler geldiği paranoyasına dönüşmüştü. Günün ilerleyen saatleriyle birlikte sıklaşan aramaları giderek artan bir panik ve edepsizlikle kıvamlanıyordu.

"Tuğde ne yapıyorsunuz canım? Yoksa dışarı mı çıktınız? Ablanı üzme emi? Yemeğini yedin mi Tuğde, merak ettim de... Bir hal hatır sorayım dedim," gibi sahtekâr bir ses tonu ve hiçbir inandırıcılığı olmayan bir kibarlıkla bıraktığı notlar giderek, "Beni duyuyor musunuz? Oradaysanız açın! Telefonu açın! Telefonu açın diyorum size! Orada kimse yok mu sahiden? Yoksa açmıyor musunuz?"larla hafif tehdit tonuna tırmanıyor; ardından da, "Neredesiniz, sizi çok merak ediyorum, başınıza bir şey mi geldi? Mutlaka bir şey oldu, benden saklıyorlar. Nermin, kızım ne oldu size, insan bir haber vermez mi? Ayy çok heyecanlandım, bakın bu saat oldu hâlâ ortalarda yoksunuz. Mutlaka bir felaket geldi başınıza, ahh benim içime doğmuştu zaten, ya bir trafik kazasına kurban gittiniz, ya da bir yerlerde bomba patladı parça parça oldunuz! Görüyor musunuz başımıza gelenleri!" gibi isteri nöbeti sayıklamalarına dönüşüyordu. Bir anda telefonun başında sinirlerim harap olmuş, elim ayağım titremeye başlamıştı, şu an o bunak cadının yanında olsaydım, yapacağım ilk hareket, derin bir iç huzuruyla ve hiç düşünmeden oksijen musluğunu kapatmak olurdu herhalde. Belli ki, böylesi kadınlar insanı hasta katili ediyordu. Katilin hemşire çıktığı filmleri yeniden düşünmeliydim. Bu sakat ruhlu kadın, evhamları ve paranoyalarıyla bütün günü kendine ve etrafındaki herkese zehir etmekle kalmamış, ta oralardan uzanarak bizim de burnumuzdan getirmeyi aklına koymuştu. Ardı arkası kesilmeyen bu mesajlar karşısında yüzümün allak bullak olduğunu gören Tuğde, bana karşı biraz mahcup düşmüş hissetti kendini. Anneannesinin bu yıldırıcı ısrarlarının saçmalığını daha önce fark etmediyse bile, benim talan olmuş yüzüme bakarak anlamış olmalı. Anneannenin ardı arkası kesilmeyen bu hezeyan dolu notlarının arasına bir yere sıkışmayı başarmış bir diğer notta, geri planda duyulan yumuşak bir müziğin eşliğinde, çıktıkları tatilden Tuğde'nin annesi babası yetişiyor, hal hatır soruyor, sağlıkları, selametleri ve manasız seyahatleri konusunda, benim daha fazla sinirlenmeme neden olan aydınlık, bol güneşli cümleler kuruyorlardı.

Bu arada bir diğer mesajda boğuk bir oğlan çocuğu sesi: "Tuğde! Ben Bora, beni aramışın, uyuyodum, anneme numara bırakmışın. Sen sonra beni gene ara! Tamam mı? Hadi kapatıyom!"

Hödük bir ses, buyurgan bir ton! Yaşı ne olursa olsun tam bir erkek! Tuğde iyice mahcup oldu. Foyası ortaya çıkmıştı. Sabahki telefonlar arasında bana sayılmamıştı bu; hatta şu andaki yüzüne bakılacak olursa, özellikle sayılmamıştı. Bora'nın sesini duyduğundaki heyecan göz önüne alınacak olursa, kızımızın geleceğe dönük hayaller kurduğu genç erkeklerden biriydi bu boğuk sesli oğlan çocuğu. Ve sabahın köründe, ben içeride uyurken, gizlice Bora aranarak yeni telefon numarası konusunda bilgilendirilme gereği duyulmuştu demek. Onun bu entrikacılığı, çok da cezasız kalsın istemedim. Sakin ve onun anlamasını istediğim kadar manalandırılmış bir sesle, "Bora kim?" diye sordum. "Sabahki telefonlar arasında bana saymamıştın bunu." Altmışlı yıllar siyah-beyaz Türk filmlerindeki bir kaşı havada vamp kadınlar gibi sordum bu soruyu. Gülsün Kamu'lar, Nebahat Çehre'ler, Birsen Ayda'lar geçiyordu gözlerimin önünden. Hatta Suzan Avcı'lar, Neriman Köksal'lar, Muzaffer Nebioğlu'lar, Diclehan Baban'lar, Gülbin Eray'lar, Meltem Mete'ler, Sevda Ferdağ'lar, Tülin Elgin'ler... (Biraz fazla isim saydığımın farkındayım, ama ne yapayım, ne zaman vamp kadınlar konusu açılsa, kendimi alamam...)

Gözlerini kırpıştırarak ve bana bakmamaya çalışarak, "Unuttum," dedi. "Bir arkadaşım... dün aradığımda bulamamıştım da...

bugün haber vereyim, dedim."

"Ya öyle mi?" dedim inanmamış gibi yaparak. Yüzüme öyle bir bakış baktı ki, "Ben de senin bir açığını yakalarım elbet" tehdidi apaçık okunuyordu kısılmış gözlerinden. Korktum, resmen korktum. Kim ne derse desin, kadınlar gerçekten korkulacak yaratıklardı. Beş yaşında bir çocuk bile olsalar! Gene birkaç canavar anneanne notunun ardından, birdenbire doksanlı yıllar nüfus kâğıtlarının ad hanesini şenlendiren şirin kız çocuğu adları resmigeçit yapmaya başladı. Didem, Pelin, Selin, Selen, Merve, Ceren gibi cikirtili kız seslerinin birbirinden şirin mesajlarını arka arkaya dinlemek zorunda kaldım. Bu mesajların art arda dinlenmesi bende ötücü kuşlar sergisine gitmişim gibi bir duygu bıraktı. Yeri gelmişken söyleyeyim, ötücü kuşlardan da, içinde "Ötme bülbül", "Ötme keklik" lafları geçen türkülerden de hiç hoşlanmam! Kuşlardan da, türkülerden de hoşlanmayan birinin, "kuşlu türkülerden" hoşlanmamasından daha doğal ne olabilir ki?

Ve son olarak bana bir not. Tabii Erhan'dan. Bunun üzerine zavallı Erhan'a iyice düşman oldum.

Son düdüğe geldiğimizde skor belli olmuştu: 27'ye 1. Bu kız, bir tek günde evimi ele geçirmişti. Telefonun başında bacak bacak üstüne atmış, kollarım dizimde öylece kalakaldım.

Ehh, ben de bütün hırsımı Erhan'dan almaz mıydım?

Kızımız, ekrandaki "En Harika ve En Süper Çocuklar"la oturduğu yerden yarışmaya başlarken, ben yenilmiş, omuzlarım düşmüş yatak odasına yöneldim. Soyundum, döküldüm, şiddetle ılık bir duşa ihtiyacım vardı. Ancak ılık bir duş teskin edebilirdi beni; hatta dolmasını bekleyebilecek kadar sabrım kalmış olsaydı, bir küvet dolusu kaynar su... Haşlanmaktan vazgeçip duşla yetinmeye karar verdim. Belki gece yatmadan önce uzanırdım küvete. Kendimi duşun ılık suyuna emanet ettim. Ben, duşun altında, saçlarım öyle köpük köpük şampuanlıyken, banyonun kapısı, küçük ve telaşlı yumruklarla vurulmaya başladı. Tuğde nefes nefese sesleniyordu: "Nermin abla, Nermin abla, kapıyı aç! Polis! Polis! Nermin abla!" Yanlış duymuş olmalıydım. "İçeri gir Tuğde," de-

68

dim, "Duyamıyorum, duştayım."

Bir televizyon dizisinde, nihayet beklediği, kendini gösterebileceği sahne gelmiş bir "minik yıldız" heyecanıyla, "Kapıda polis var," dedi. "Polisler geldiler! Polisler! Seni arıyorlar!" Yarı şampuanlı saçlarım ve böyle zamanlarda hep olduğu gibi bir türlü bağlayamadığım bornozumun kuşağıyla cebelleşirken, kendimi kapıda polislerin karşısında buldum. Evet, en yakın karakoldan üniformalı iki polis memuru duruyordu karşımda. Yalnız onlar olsa iyi, bizim kattaki diğer üç dairenin sakinleri de tam kadro olarak polislerin arkasında kalabalık bir figüran kadrosu oluşturuyor, iç kıyıcı, sıkıcı hayatlarını renklendirecek bir olay çıkar mı acaba, diye, koca koca açılmış meraklı gözlerle bize bakıyorlardı. Sanki bugüne kadar benden hep şüphelenmişler, foyamın ne zaman ortaya çıkacağını beklemişler ve şimdi o kutlu an gelmiş gibi bir halleri vardı. Benim öyle şampuanlı saçlar ve kuşağı bir türlü bağlanamayan ıslak bir bornozla kapıya çıkmış olmam, heyecanlarını ve meraklarını büsbütün artırmış olmalı.

Oysa acı hakikat şuydu: En son sabah sekiz sularında sesi duyulan ve kendisinden bir daha haber alınamayan beş yaşlarındaki bir kız çocuğuyla, ona bakmakla mükellef kırk yaşlarında (!) bir kadının hayatından endişe edildiği yolunda bir ihbar almışlardı. Yaşlı bir kadın onları hastaneden aramış ve...

İnsanüstü bir gayret sarf ederek, takınabildiğim bütün soğukkanlılığımla gereken açıklamaları yapmış, komşularımın heveslerini kursaklarında bırakmış, polisleri kapıdan savmış, çakmak çakmak gözlerimle tam banyoya yönelmiştim ki, salondan telefonun çığlıkları duyulmaya başladı. Benim banyoya yönelmemi fırsat bilen Tuğde, telefona doğru sekerken, alev dilli bir canavar gibi hızla önünü kestim. Ne yapacağımı çok iyi biliyordum. Tuğde'nin gözlerinin içine baka baka, düşmanın başını koparır gibi telefonu fişten çektim çıkardım. Sessizlik... Derin bir sessizlik... Tuğde, ürkmüş gözlerle bana bakıyor, yutkunuyor, bir şey söylemeye çekiniyordu. Tehlike anlarını sezen tuhaf bir sağduyusu vardı gene de. Bunu kabul etmeliyim. Usulca geçip yerine oturdu.

Bunun üzerine sakinleşmiş bir sesle, "Anneannen delirmiş

69

olabilir Tuğde, ama benim delirmeye hiç niyetim yok," dedim. "Onun, oksijen çadırına değil, dev bir telefon kulübesine ihtiyacı var. Merak etme, nasıl olsa polislerden hayatta olduğumuzu öğrenecektir. Umarım benim de, onun artık hayatta olmadığını öğreneceğim bir gün gelir ve o gün inşallah çok uzak değildir." Bir solukta söylenmiş bu karışık cümleyi belki anlamadı ama, kötü bir şey söylemiş olduğumu sezdi.

Duşta ne kadar kaldığımı hatırlamıyorum. Çıktığımda, "En Harika ve En Süper Çocuklar"ın son dakikalarıydı... Finaller yapıldığı için uzun sürmüş. Sonuçlar Tuğde'yi pek memnun etmemişe benziyordu. Erkeklerin sıralamasına pek değilse de, kızlarınkine şiddetle karşı çıkıyor, birinci, ikinci, üçüncü seçilenler için kin ve garez dolu olumsuz sözler söylüyordu; belli ki, aslında bütün bunlar ona yapılmalıydı, hatta birinci de ikinci de üçüncü de o olmalıydı, hatta ondan başka hiç kimse olmamalıydı.

Böyle bir günün sonunda insanın en çok neye ihtiyacı yoktur, bilir misiniz? Bir televizyon kanalında "En Harika ve En Süper Çocuklar" programı seyretmeye... Bir anda karşınızda on binlerce Tuğde birden bitiverir ve bu küçük canlıların, yalnızca evinizi değil, bütün dünyayı istila etmiş oldukları duygusu uyandırırlar sizde... Tuğde'nin bugüne kadar hiç kaçırmamış olmakla övündüğü bu programı dehşete kapılarak seyrediyordum. Çeşitli yaşlardaki çocuklar, en öğrenilmiş pozlarla, en yalak hareketlerle, ses kuşağında günün sevilen parçaları "playback" olarak çalarken, giysileri ve birebir davranışlarıyla bu şarkıları söyleyen ünlü şarkıcıları taklit ediyorlardı. Bu parçaların sahibi şarkıcılara benzediği vehmedilen, ya da benzetilmek için her türlü rezilliğin göze alındığı, üç, beş, yedi yaşlarındaki çeşitli boy, tip ve cinste sevimsiz kız ve erkek çocukları, benzedikleri ya da ite kaka benzetilmeye çalışıldıkları şarkıcıları, giysileri, şarkı söyleyişleri ve davranışlarıyla taklit ediyorlar, bir çeşit "karaoke" yapıyorlardı. Programı tartışmayacağım, en fazla aptal bir anaokulu eğlencesi deyip geçebilirim; ki, orada bile, yeterince sevimli olmayacakken, bunun bütün vatan sathında bir kepazeliğe dönüşmesi iyice akıl almaz bir şey. Aslında her iki cins için de oldukça sevimsiz olan bu programda, kız ve erkek çocuklar arasında, kendiliğinden ortaya çıkan tuhaf bir ayrım vardı gene de... Benim ilgimi de bu çekmişti. Erkek çocuklar, sonuçta bunu masum bir oyun gibi ele alır ve ona göre davranırlarken, kız çocuklar bunu bir hayat memat meselesi haline getirmişlerdi; bu oyunu alabildiğine ciddiye alıyor, hatta hayatlarının fırsatını değerlendirir gibi davranıyorlardı. Üstelik bu kız çocuklarının yüzlerinden, yalnızca kendi gayretleri değil, onları bu programa sokan annelerinin gayretleri de okunuyordu. İhtiras dolu o anneleri tanıyordum; canavar ruhlu annelerdi onlar, kız katili kadınlardı. Onlar, kızlarını gönüllerince bir artist yapmadan feleğin yakasını asla bırakmazlardı. Sanırım hepiniz o "korkunç yenge" görünüşlü, kızlarının hayatlarını mahvetmiş bu artist annesi kadınları çeşitli magazin sayfalarından tanıyorsunuz.

Ağır boyalı dudakları, yüzlerindeki koyu makyaj, fazla spreyden kaskatı kesilmiş yapılı saçlarıyla, çocuk olmaktan çıkarılmış, dişilikleri kışkırtılmış bu küçücük kadınlara baktıkça, küçük kız çocuklarının bizzat anneleri tarafından taciz nesnesi haline getirildiğini düşünmekten kendini alıkoyamıyor insan. Hayır, hiç de masum bir oyun değil bu.

Akşam yemeği, bunca hareketli bir günden sonra hiç olaysız geçti denebilir. Sade, dingin, huzurlu bir akşam düşünmüştüm. Masaya mum ve çiçek bile koydum. Salonda, televizyonun görüş alanına girdiği büyük yemek masasını hazırlamak dururken, mutfaktaki masayı hazırlamış olmamdan azıcık mutsuz oldu tabii... Ama ödünsüz tavrım ve kararlı görünüşüm, ona itiraz payı bile bırakmadı. Evin düzenini ve alışkanlıklarını titizlikle koruyan bir ev sahibi kararlılığıyla davranmıştım. Bu da onun cesaretini kırmış olsa gerek, yalnız imalı bir gösterişle gözünü televizyondan ayırmadan yüzü arkada yürüdü mutfağa kadar. Aşçılığıma ilişkin iltifatlarını yorgun bir gülümseyişle karşıladım. Yemek sırasında üçüncü kutu kolasını içerken, ansızın bir şimşek gibi geceleri yatağını ıslatıp ıslatmadığı sorusu çaktı beynimde. Gün boyu gezdiğimiz tuvaletler gözümün önünde bir bir canlandı. Çektiğim bunca sıkıntıdan sonra, bir de böyle bir "sürprize", "gecenin ikramiyesine" katlanamazdım doğrusu. Bu, benim sabır ve tahammül rezervasyonumu hayli aşardı. Geceleri yatağını ıslatıp ıslatmadığını durduk yerde kendisine soramazdım tabii. Böyle bir marifeti olsa, annesi söylerdi düşüncesine sığınmaktan başka yapacak bir şey yoktu. "Biraz fazla kola içmiyor musun Tuğde?" gibi bir soru, belki bir uyarı yerine geçebilirdi ama, bunun da cimrilikten sorulmuş bir soru olarak anlaşılma tehlikesi vardı. Sonuçta hiçbir şey söyleyemeden, onu, kolasından pembe-beyaz çizgili kamışla küçük yudumlar çekerken, kaygılı gözlerle izlemekten başka bir şey yapamıyordum.

Yemekten sonra, sofrayı toplamama yardım önerisini, bu, onun ilk gecesi olduğu için geri çevirdim. Bugünlük misafirdi. Zaten bulaşıkları da makine yıkayacaktı. Kullandığım her sabun ve temizleme markasını sorduğu gibi bulaşık deterjanımın markasını da sordu. Bazı markaları coşkuyla onaylıyor, bazıları karşısında memnuniyetsiz bir ifade takınarak dudaklarını büzüyor, hiç ses çıkarmıyordu. İtirazını saklamanın bu sessiz yüzünü halalarımdan ötürü çok yakından tanıyordum. Dile dökülmemiş bir itirazı, onaylamaz bir yüzün sessizliğiyle belirtmenin daha kaygı uyandırıcı, daha güvensizlik yaratıcı olduğunu çok iyi bilirlerdi ve çocukluğum boyunca da bana bunu uyguladılar. Bir çeşit pasif iktidar çeşididir bu. Yıllarca işkencesinden geçtim bunun. İyi de bu kız ne zaman öğrenmişti bunu. Sorumun cevabı sanki yüzünde saklıymış gibi dikkatle baktım yüzüne, o ise, içime bir kurt düşürdüğünü anlamış olmanın minik zaferiyle "önemli değil" dercesine gülümsüyordu. Tabii ki sofrayı toplamak konusundaki yardım önerisinde asla samimi değildi, bir an önce televizyonun karşısına geçmekten başka bir düşüncesi yoktu, ama böyle bir önerinin kibar ve gerekli bir şey olduğunu, hoş bulunacağını, puan getireceğini öğrenmişti. Tuğde'nin sosyal ilişkilerin "formel kuralları" konusunda sınırsız bir tecrübeye ve engin bir bilgiye sahip olduğunu, önümüzdeki günlerde daha iyi anlayacaktım.

Bende kaldığı beş gün boyunca, çeşitli duygularımda değişiklikler oldu, arttılar ya da eksildiler ama bir tek duygum vardı ki, Tuğde'nin sonsuz sürprizleri sayesinde hiç değişmeden aynı istikrarla beş gün boyunca sürdü. Bu da "dehşet"ti.

Yatmadan önce bir süre televizyon seyretmesine de, çikolatalı suflesini yerken, bana ve işime ilişkin fazla meraklı bulduğum kimi manasız sorular sormasına da izin verdim; ne de olsa, yorucu, gergin bir gün geçirmiştik ve şimdi barışık bir finalle kapatmak istiyordum geceyi. Bugüne kadar seyrettiği televizyonlar içinde en büyük ekran benimkiydi, bundan ötürü ayrı bir heyecan duyuyordu. Kendini oradaymış gibi hissediyordu. Annesi söylediğinde de çok heyecanlanmıştı. Daha önce ancak bazı vitrinlerde görmüştü bu kadar büyük ekran televizyonu. "Annen, sana benim televizyonumdan mı söz etti Tuğde?" dedim. Anladığım kadarıyla annesi, o kadar da masum değildi bu çocuğu başıma sararken. Sorumdan, ya da soru soruş tarzımdan, hoş olmayan bir açık verdiğini belli belirsiz sezen Tuğde, "Ben sormuştum da," dedi. "O da, söylemişti de, hem de en büyüğünden demişti de..." gibi hafif suçluluk ve panik kokan cümleler kurdu. Anlaşılan "kraliçe" seçilmemdeki nedenlerden biri de buydu. Annesinin arkadaşları arasında Tuğde Hanım için kalacak yer seçimi yapılırken, benim taksitlerini henüz ödemekte olduğum dev ekran televizyonum önemli bir rol oynamıştı anlaşılan.

Sonunda karşılıklı esnemeye başladık. "Yatmadan önce çişini yapmayı unutma Tuğde," demekten kendimi alamadım yine de. "Biliyorsun kola içtin de..."

Odalarımıza çekildiğimizde makul bir saatti ve iyi bir uyku çekmekten başka hiçbir şey düşünmüyordum. Elimdeki polisiye kitabın birkaç sayfası bile çok uzun geldi bana. Baktım anlamadan okumaya başlamışım, kitaba da, kendime de daha fazla haksızlık etmeden, kitabı kapatıp, ışığı söndürdüm.

Takdir edersiniz ki, böyle bir günün gecesinde, deliksiz bir uyku çekmem, mışıl mışıl uyumam, ya da renkli rüyalar görmem asla mümkün değildi. Tuğde'yle bu gala gecemizi, sabahlara kadar pençesinde kıvranacağım kapkara bir kâbus taçlandırdı.

Gündüz niyetine olsun, rüyamda aslında bir Barbie evinde

yaşıyormuşum. Her tarafım pespembe kalpler, minik balonlar, simli toplar... Üstelik ev, bir vitrin içindeydi. O vitrin de tabii ki, Akmerkez'deki bir dükkânındı. Gelip geçen herkes bana bakıyor, her davranışım, vitrine bakanlar tarafından görülüyor ve ben ne yaparsam yapayım o vitrinden bir türlü dışarı çıkamıyordum. Üstelik bir yerlerde sinir bozucu bir biçimde sürekli telefon çalıyordu. Gelip geçenler arasında, vitrine delici gözlerle bakan tanıdık bir yüz belirdi birdenbire. Ben, daha bunu nereden tanıyordum, dememe kalmadan, kendi şişman, tişörtü zayıf o Orta Anadolulu bodur dilber, uzun süredir beni arıyormuş da şimdi burada kıstırmış gibi canhıraş bir zafer narası atarak, vitrinin camını aşağı indiriyor, Amerikan filmlerinde olduğu gibi, kırık cam parçacıkları yağmur gibi üstüme inerken, o, yakama yapışıp, sille tekme tokat girişiyor bana. Elinden zor kurtulup kaçıyorum; ardından Akmerkez'in bütün katlarında çılgın bir kovalamaca başlıyor. Önde ben, arkada kendi şişman tişörtü zayıf bodur dilber, en arkada da Tuğde bütün katları koşmaya başlıyoruz. Bir ara mavi gömlekli oğlanın ayakkabıcı dükkânına sığınmaya çalışıyorsam da, bütün Brezilya ve Meksika dizilerindeki zengin ve kötü kalpli kadınlar hep bir olup beni sürüye sürüye oradan çıkarıyor ve bizim mahalle karakolundan iki polisin ellerine teslim ediyorlar; koluma giren polislerin arasında yeniden sürüklenmeye başlıyorum. Bu sırada ansızın ortalıkta biten bir sürü bir sürü TV kamerası ağzıma sürekli mikrofon tutup "Ne hissediyorsunuz, ne hissediyorsunuz?" diye soruyorlar. Tam ben konuşacakken, yakın çekim yüzümde kare donuyor. Ağzım öyle açık kalıyor, görüntümün üzerine, ses kuşağında, markasını bilmediğim bir bulaşık makinesi deterjanının reklam cıngılı biniyor. Cıngıldan sonra kendimi birdenbire bir mahkemede buluyorum. Benden ne istendiğini bir türlü anlamıyor, başıma gelenlere bir mana veremiyorum. Bizim apartman yöneticisi albay emeklisi Hikmet Bey, meğer hâkimmiş. Parmağıyla beni göstere göstere sürekli suçluyor. "Kızını inkâr ediyorsun demek, kızına sahip çıkmıyorsun demek," diye... "Benim kızım yok ki," diye ağlıyorum. "İnanın benim kızım yok. Ben evli bile değilim." "Yalancı!" diye bağırışıyorlar. "Bu ne peki?" diye

74

Tuğde'yi gösteriyorlar. Tuğde yerli filmlerdeki gibi yankılı bir sesle "Anne, anneciğim..." diye uzaklardan sesleniyor bana. Şahit olarak gündüz karşıdan karşıya geçerken gördüğüm kadınla kızını çağırıyorlar, o kadın da Tuğde'nin benim kızım olduğu konusunda yeminli şahitlik yapıyor. Ağzından köpükler saça saça beni suçluyor. Daha ben şaşkınlığımı atamadan üstümden, iki tanık daha çağrılıyor kürsüye. İncecik kaşları havada, kin dolu vamp kadın bakışlarıyla, "Herkesi sayarken bizi nasıl unutursun sen?" diye hesap soruyorlar bana. Bakıyorum Aysel Tanju ile Mine Soley! TV yarışmalarındaki gibi güvensiz bir sesle, "Anımsayamadım," diyorum. Puanlarımdan siliyorlar. Bu arada mahkeme sırasında hastaneden anneanneyle telefon bağlantısı kuruluyor, mahkemenin ortasındaki özel olarak ışıklandırılmış telefon kulübesinden anneannenin yankılı sesi duyuluyor. O da benim aleyhimde şahitlik yapıyor. Bu telefon bağlantısı televizyonlarda canlı yayından yayımlanıyor. Bizim şirketin patronu da "Televizyonlara çıktın rezil oldun," diyerek beni işten kovuyor. Sonra kızın babası şahit olarak çağrılsın huzura deniyor. Erhan geliyor. Hâkim ona ne iş yaptığını soruyor. Erhan da, "Oksijen çadırı tamircisiyim albayım," diyor. "Aynı zamanda askerliğimi de sizin yanınızda yaptım Hikmet albayım." Hâkim çok duygulanıyor, gözyaşlarını mendille siliyor. "Hey gidi, ne günlerdi o günler, ama şimdi her şey çok değişti, ayrıca burada benim eskiden albay olduğumu kimse bilmiyor, tekaüt maaşıyla bu zamanda geçinilmiyor, şimdi senin bunu böyle söylemen mahkeme için pek iyi olmadı ama artık idare ederiz, adalete inanmak lazım," anlamına gelen bir el hareketi yapıyor. Ben, bu kadar çok şeyi, hiç konuşmadan bir el hareketiyle nasıl anlattı bravo doğrusu diye hayranlık duyarken hâkime, o, birdenbire sesini değiştirerek, "Nedir şikâyetin oğlum?" diyor Erhan'a. O da, "Kızımı telefonla bile görüştürmüyor benimle Hâkim Bey," diyor. "Anne değil bu kadın, bir canavar! Gözlerine siyah bant atın bu kadının!" Bütün bunlar olurken kendine acındırmak için mazlum pozlar takınmış Tuğde bir köşede sürekli içli içli ağlıyor ve kola içiyor. O içini çeke çeke ağladıkça jüri ona puan veriyor. Mahkemede, Amerikan filmlerindeki gibi bir

75

jüri var ve bütün jüri "En Harika ve En Süper Çocuklar"dan oluşuyor. Şarkı söylüyor, dans ediyor ve beni yargılıyorlar. Mahkeme aleyhime sonuçlanıyor. Kimse inanmıyor bana. Saçlarıma zorla eflatun saç bağı takılıyor, kızım Tuğde'yi zorla kucağıma veriyorlar. Tuğde etraftaki herkese acındırık yapıyor, gösterişli bir biçimde, "Anneciğim, anneciğim," diye sarılıp sarılıp yüzüme, boynuma, saçlarıma öpücükler kondururken bir yandan da gizli gizli kucağıma işiyor. Ben sinirlerim tamamıyla harap olmuş bir biçimde, bu kızın asla benim kızım olmadığına dair yeminler ediyor, herkesin çıldırmış olduğunu düşünüyorum, ama bu benim için hiç de yeni bir şey değil, ben zaten ne zamandır herkesin çıldırmış olduğunu düşündüğümden yalnızca umutsuzluğum artıyor. Ben, kimseleri kendime inandıramamış, öyle inkârlar içinde çırpınıp durdukça, sarışın bir Amerikalı adam, sırtında kara bir Endülüs pelerinyle mahkeme salonunun üzerine gerilmiş canbaz telinin üzerinde ileri geri yürüyor, bir yandan da mısır gevreyerek gülüp duruyor bana. "Niye gelmedin bugün ha? Niye gelmedin?" diyor. "Tanımıyorum ki sizi beyefendi," diyorum. "Seni sirkte bekledim o kadar," diyor. "Gelsen tanıyacaktın." Sonra yaka bağını çözüp sırtından attığı pelerini bir kartal gibi süzülerek üzerime düşüyor, beni kapatıyor, hiçbir şey göremiyorum, üstümü örten pelerinden sıyrıldığımda, kendimi birdenbire evimde buluyorum. Tam rahat bir nefes aldım sanırken, bu kez de evimin kapısı kırılarak ardına kadar açılıyor, ansızın evime doluşan apartman sakinleri, üzerlerinde ıslak bornozlarla beni kovalamaya başlıyorlar, o odadan bu odaya koşuşup duruyoruz, kaçacak bir yer bulmakta zorluk çekiyorum tabii, sonunda ben de büyük ekran televizyonuma saklanıyorum, beni orada kimse görmüyor, çünkü beni seyrediyorlar. Ben sürekli televizyon ekranına logo, amblem yapıyor, grafik çiziyor, beni görmesinler diye, beni seyredenleri oyalıyorum. Playback şarkılara dudaklarımla eşlik ederek dans ediyorum. Herkes beni büyük bir keyifle seyrediyor. Mahkemedekiler de geliyor beni seyrediyorlar. Sürekli seyircim artıyor, salon hıncahınç doluyor, adam alacak yer kalmıyor salonda. Birdenbire fark ediyorum ki, tamamıyla televizyona hapsolmuşum ve buradan çıkmam artık imkânsız. Saklanmam için sürekli bir şeyler yapmam, beni seyredenleri oyalamam gerekiyor, her kılığa giriyor, bir programdan diğerine geçiyorum. Çizgi filmlerde oynuyorum, reklamlara çıkıyorum, Kanada'daki hava durumunu bildiriyorum. Kan ter içindeyim, gücümün sonuna gelmişim, hissediyorum. Sonra o kıyıcı seyirci kalabalığının içinden birdenbire öne çıkan Tuğde geliyor, hırsla televizyonun düğmesine basıyor ve yok oluyorum. Gözlerimi açtığımda bildiğim tek şey aslında yok olduğumdu. Varlığımı fark etmem zaman aldı. Odamı algılamam, yatağımda olduğumu kavramam... Ya da bana öyle geldi. Bunun bir kâbus olduğunu anlamamla birlikte derin bir soluk aldım. Böyle bir kâbustan sonra gündelik hayat bile bir kurtuluş sayılabiliyordu demek. Kalktım mutfağa gittim, ayaklarımın altında serin karoları hissetmek bile iyi geldi. Bir büyük bardak buz gibi soğuk su içtim. Sabahın daha altısıydı. Ama uyanmıştım. Bir kez uyandım mı bir daha uyuyamam, bilirim. İkinci gün de böyle başlıyordu demek. Hiç olmazsa uykumu alsaydım.

Yeniden odama dönerken, Tuğde'nin odasının önünde azıcık duralıyorum, aralık duran kapısından başımı uzatıp bir göz atıyorum. Uyuyor tabii. Birden uyurkenki yüzünü görmek isteği kaplıyor içimi. Usulca içeri süzülüp yanı başına gidiyorum. Uykudayken herkes masumdur. Uykudayken herkes günlük silahlarını bırakır elinden. Belki o da öğrendiği şeyleri unutuyor, bir çocuk gibi uyuyordur, diye düşünüyorum. Onu bir çocuk gibi masum uyurken görmek, farklı bir gözle bakmama, yakınlık ve sevgi duymama neden olabilir, diye umuyorum. Buna gerçekten ihtiyacım olduğunu düşünüyorum.

Bu duygularla varıyorum başucuna. Türk filmlerinde, kabak gibi cascavlak bir ışıkta, gözlerini sımsıkı yummuş, sürekli kirpiklerini kırpıştıran çocuklarla çekilen "uyuyan çocuk sahneleri" ne kadar inandırıcılıktan yoksunsa, Tuğde'nin uykusu da o kadar inandırıcılıktan yoksun!.. Saçları yastığa lüle lüle dağılmış, kakülleri neredeyse özenle taranmış, İki elini yanağının altında zarif bir biçimde birleştirmiş, çenesi hafif yukarıda, yüzünde asla masum olmayan hınzır bir ifadeyle uyurken buluyorum onu. Mağrur bir prenses gibi uyuyor, hatta sanki uyumuyor da bir masal kitabının resimli sayfaları için poz veriyor! Kapalı gözlerinin ardında gözyuvarlarının hareketinden rüya görmekte olduğunu anlıyorum; en azından gördüğü rüyanın, en ufak bir masumiyet taşımadığına bahse girerim.

Yine bir yeniklik duygusuyla odama dönüyorum. Artık uyuyamasam bile, bari yatağa uzanıp gözlerimi dinlendireyim.

İKİNCİ BÖLÜM

VI

Koşu ayakkabıları

SABAHIN bu saatinde yapacak çok fazla bir şey yoktu. Ani bir kararla eşofmanımı giydim, başıma gözalıcı bir bant taktım, hanidir dolap diplerinde uyuklayan koşu ayakkabılarımı bir eda, bir caka, bir inançla ayaklarıma geçirip sabah koşusuna çıktım. Gördüğünüz gibi, güne iyi başlamak konusunda kararlıydım ve ne zamandır yapmıyordum bunu; yani sabah koşularını...

Amerikalı kadınların sabah koşularında karşılarına çıkan, ya da kimi zaman mutlu bir tesadüf sonucu, köşeyi dönerken çarpışarak tanıştıkları genç, yakışıklı, geniş omuzlu, aydınlık gülüşlü cazip erkekler yerine, göbeğini hoplata hoplata eritmeye çalışan, akşamdan kalma, nefesi ekşi ekşi içki kokan, yüzünün şişi inmemiş, kıllı, iri boğumlu parmaklarında taşıdıkları kalın alyanslara bakılırsa üstelik bir de evli olan bir sürü manasız adam çıkıyordu karşıma. Çoğunun her halinden türedi zengin, sonradan görme oldukları belliydi. Tıkana tıkana, öksüre tıksıra koşmaya çalışıyor, on metrede bir nefesleri kesiliyor, her buldukları duvara bir ellerini dayayarak soluk tazeliyor, karşılarına çıkan her ağaç dibine okkalı balgamlar atıyorlar. Bir de bu hallerine bakmadan, şu anda aynı işi yapıyor olmamız sanki aramızda büyük bir ortaklık yaratıyormuş gibi, yanlarından geçerken, halden anlayan bakışlarla pis pis sırıtıyorlar. Bazen yanlarında "eşofman giyinmiş bumbar" şeklindeki karıları da oluyor, kimi zaman da her halükârda kendilerinden çok daha sevimli olan köpekleri... Ne zamandır sabah koşularına yan çizmiş olmamı, yalnızca benim kaytarmacılığıma vermeyin diye anlattım bunları. Amerika'da olsam, ben de bilirdim her sabah koşmasını... Mutlu bir tesadüfün kahramanı olmayı hangi kadın istemez?

Çıkmadan, Tuğde uyanır, beni evde bulamaz, meraklanır diye koskoca bir kâğıda, renkli kalemler ve koca koca süslü harflerle bir not yazıp odasının eşiğine bıraktım. Hoşuma gitti bu. Bu duygu. Biriyle yaşamanın güzel sorumluluklarını hatırladım. Hayatın bazı anlarını iki kişilik düşünmenin alışkanlıklarını, inceliklerini, güzelliklerini... Ev içinde, zaman zaman bir erkeğin ayak sesini duymak arzusunun insanın içini sızlattığı anlar vardır. Onları hatırladım. Ne zamandır hayatımda kimse yoktu. Artık biri olsun istiyordum galiba. Buzdolabını kapamasının sesini duyayım içeriden, hoşgörülebilir küçük dağınıklıklarını toplayayım, kanepede uyuyakaldığında üzerini örteyim, sabahları uyandığımda sağ tarafım mezar kadar sessiz olmasın. Bunun için daha çok spor yapmam gerekiyordu galiba.

Benim gibi sosyalleşme korkusu taşıyan insanların spor salonlarında rahat edemeyeceğini kolaylıkla tahmin edebilirsiniz. İnsanları hiç takmıyormuş gibi görünüp, çok takanlardanım. Okul hayatımda da böyleydim. Sınıflar her zaman çok kalabalık gelmiştir bana. Mesleğimde yükseldiysem bu, mesleki hırslarımdan çok, birkaç kişinin bir arada çalıştığı bir mekândan bir an önce kurtulup ya az kişili ya da tamamen kendime ait bir odaya sahip olmak arzusu yüzündendir. Spor salonlarını sık sık bırakmamın nedeni de, spor yapmaktan hoşlanmıyor oluşumdan değil, insanlara tahammül edemeyişimdendir. Ben insanlara tahammül edemeyen bir kadınım. Zaten kısıtlı olan sabır rezervasyonum yıllar içinde hepten tükendi. İnsanların çoğunu lüzumsuz buluyorum. Hem hayatta, hem sokakta çok yer işgal ediyorlar. Çok fazlalar. Nüfus en büyük derdim. Hele şu Istanbul'da gereğinden fazla insan yaşıyor. Yaşamakla kalmıyor bir de üzerinize üzerinize geliyorlar. "Malthusçuluk" diye bir şey varsa, ondan olmak istiyorum. (Devrimciyken bile okuyamadığım bir kitaba maşallah ne inanç bendeki!) Zaten olmadığım bir o kaldı. Anlayacağınız, büyük kararlar ve isteklerle başladığım spor salonlarını, her seferinde spordışı nedenlerle bırakmak zorunda kalmışımdır.

Bir kere o kadar insanın içinde ahlaya oflaya, tıkana sıkıla o hareketleri yapmak, "Şu an bana bakıyorlar mı, bakmıyorlar mı," kaygısı taşımak canımı sıkmıştır. "Bu saatte daha tenha olur," düşüncesiyle denediğim her farklı saatte inadına tıklım tıkış bulmuşumdur oraları. Talihimin benimle zıtlaşmak konusunda şaşmaz bir kararlılığı vardır. "Belki o saatlerde tenha olur," diye feda ettiğiniz öğle tatillerinde, o kadar tenha olmadığını görmek de canınızı sıkar. İş çıkışı saatlerinde kalabalıktır gerçi, ama o kalabalıkta arada kaynarsınız düşüncesi de her zaman iyi sonuç vermez. Sizi arada kaynatmamaya niyetli birkaç gönüllü burnunuzdan getirmeye yeter.

İş saatlerinde spor salonlarını dolduranların çoğu, kocasını işe, çocuğunu okula gönderdikten sonra ve berberden önce spor yapması gerektiğine inanan, canı sıkılan zengin karılarıdır, çoğu sahte sarışındır ve ne yazık ki, tek sahtelikleri sarışınlıkları değildir. Onların her dinlenme arasında, defileye çıkmış gibi eşofman değiştirmeleri, her seferinde saçlarına ayrı bir şekil vermeleri, iki spor hareketi yaptılar diye kendilerini 19 Mayıs gösterilerine çıkmış taze kız sanıp, genç spor hocalarıyla flört etmeye kalkışmaları yeterince çirkindir. Bütün bunlar yetmiyormuş gibi, ille de sizinle ahbap olmaya çalışmaları, sizi çetin ceviz gördükçe üstünüze üstünüze gelmeleri de bu caydırıcı etmenler arasında sayılabilir.

İş çıkışı sonrasında, deri kaplı, gösterişli iş çantalarıyla, sanki o an ütülenmişçesine jilet gibi takım elbiseler içinde gelen, bir kaşı havada, sağlık ve spor delisi "yuppie"ler, bu kadınlardan daha az sıkıcı değildir. Her hareketten sonra ayna karşısında kas kontrolünde bulunmaları, üç ağırlık kaldırdılar diye kendilerini karşı konulmaz erkek sanmaları, kur yapmak adına belledikleri bütün o demode kazanova numaralarıyla arkadaşlık kurmaya çalışmaları, hem kibarca asılıp, hem bir lütufta bulunuyormuş gibi davranmaları sinirlerinizi yıpratır. İnanın, hiçbir şey yapmasalar bile, varlıkları katlanılmazdır. Dünyada en can sıkıcı erkeklerin "yuppie"ler olduğuna yemin edebilirim. Ben "yuppie"lere katlanabilmek için, henüz icat edilmiş bir "para birimi" bilemezken, paralı erkek delisi genç kızlar bunlarla ne yapıyor, bilmiyorum.

Bazen yalnızca bir tek kişi yüzünden bile spor salonu değiştirdiğiniz olur. Bir keresinde, şişman olduğu için sevimli olması gerektiğine inanan, bu yüzden de kendini sürekli espri ve iyilik yapmaya zorlayan bir genç adam yüzünden salon değiştirmek zorunda kalmıştım. Etrafa avuç avuç saçtığı o kadar neşeyi nereden buluyordu, bilmiyorum. Giysileri gibi neşesi de, "extra extra extra large"dı. Bazı insanların her şeyleri gibi neşeleri de yorucudur; bu da öyleydi. O kadar "pozitif enerji", tıpkı fazla oksijen gibi tutar sizi; ne yapacağınızı bilemezsiniz.

Onun, "Bir şeye ihtiyacınız var mı?" sorusunu, kaç kez "Yalnız kalmaya," diye yanıtladığım halde, iki dakika sonra yeniden başımda biterek beni canımdan bezdirmişti. Bazı şişmanlar için sevimli ve esprili olmak, toplumdan şişmanlıkları için bir özür dileme yoludur. Hayatta tanıdığım sevimli olmaya çalışmayan tek şişman, Feminist Tugay Albay Şemsa'dır. Böyle bir şeye kalkışmanın, tabiat koşullarına aykırı olacağını bilecek kadar aklı vardı çok şükür. O, "kendisine gülünen" değil, "başkalarına gülen" olmalıydı. Dışarıdan "zekânın ince alayı" olarak görülmesini istediği, suratındaki sümük kıvamındaki o yılık, buruşuk tebessüm, herhalde bundandı.

Koşarken enerjinizi yükseltecek en iyi şey başkalarına olan öfkelerinizi hatırlamaktır.

Eve sıcak baton ekmek ve kucağımda içi tıka basa dolu koca bir kesekâğıdı ile döndüm. Yolu uzatmış, sabahları erken açtığını bildiğim, dünyanın her çeşit yiyeceğinin bulunduğu, yolun sonundaki büyük markete kadar gitmiştim. Kimi Fransız ve Amerikan filmlerinde, kucağında koskoca bir kesekâğıdı ile eve dönen birinin, onları tezgâhın üzerine bir bir boşalttığı sahneler vardır, işte onları çok severim. Kucaktaki kahverengi kesekâğıdından baton ekmeğin ucu görünür. İnsanı özendirir. Salt o koca kesekâğıdını filmlerdeki gibi kucağınızda bir edayla taşımaya değil, ne yazık ki ekmek yemeye de... Koşu sonrası ılık bir duş yaptıktan sonra büyük bir hevesle kahvaltı hazırlamaya koyuldum.

Tuğde uyandığında, ona hazırlamış olduğum kahvaltı sofrasının manzarasından ötürü çok heyecanlanmıştı. Renk renk, kutu kutu, marka marka bir sofra kurmuştum. Aynı zamanda bir çevre düzenlemesi, bir görsel tasarım başarısıydı. Meyveli yoğurttan hazırladığım müsli sosuna bayıldı. Çeşit çeşit peynirler, reçeller, salamlar, sosisler, mayonez, hardal, havyar, fıstık ezmesi, fındık ezmesi, cornflakes, portakal suyu, sarmısak soslu kızarmış ekmek, sıcak çikolata... Hepsini yemesek de maksat, şölen görselliği olsun! Ona hemen her şeyden birazcık koyduğum koskocaman bir tabak hazırladım. Yalnız ağır ağır, sindire sindire yemesi gerektiğini tembih ettim. Midesini bozmamalıydı. Kendim de çoğuna el bile sürmediğim, çok küçük ölçülerde hazırlanmış bir tabakla yetindim. Ki bu, her şeyin yolunda gittiğinin işaretiydi. Tuğde'den farklı olarak kendi içeceğim portakal suyuna eklemek için, greyfrut ve limon sıktım. Havuç ve elma suyu karıştırarak hazırladığım kahvaltı öncesi içkimden de tattı. Ve bütün bunların sonunda sıcak birer kahve içtik. Margarin reklamlarındaki mutlu aileler gibiydik. Işıl ışıl, renkli bir "Kodak" karesi. Sanırım Tuğde' nin asıl hoşuna giden şey de buydu. Uzun zamandır bu kadar güzel bir kahvaltı etmemiş olduğundan söz etti. Bütün bunlardan sonra "Kola içebilir miyim?" demese daha iyi olurdu tabii, ama bunun bile üstünde durmadım. Keyfimi koruma altına almıştım; çok önemli bir şey olmadığı sürece bozmayacaktım onu.

Kahvaltıdan sonra salonda oturup biraz klasik müzik dinledik. Sabahları çok sık dinlediğim, Handel'in "Su Müzikleri"ni çaldım. Tercihim Pierre Boulez yönetiminde New York Filarmoni Orkestrası'dır. Ne yazık ki, onun CD'sini çıkarmadıkları için, plakla yetinmek zorundayım. Şimdilerde pek görmediğim Metin'in bilgisi ışığında alınmış iyi bir müzik setim ve gene Metin'ın bilgisi sayesinde kurulmuş iyi bir ses düzenim var salonda. Üstelik plak ve CD koleksiyonumun bir kısmını da ona borçluyum. Özellikle opera plaklarımı. Tuğde, bu kadar yüksek sesle müzik dinliyor olmamdan ötürü beni takdir etti ve kendi anne babasının bu konuda biraz "gerikafalı" olduğunu söyleyerek onları eleştirdi. Dedikodu yapmaya çok yatkındı, benim bu konudaki kayıtsızlığımsa hevesini kaçırıyordu.

Ben sabah duşumu yapmıştım, sıra Tuğde'ye gelmişti. İlk düşüncesi duş yapmaktı ama, rafta gördüğü boy boy banyo köpükleri, ona, köpükler içinde bir küvete uzanmış ve bir bacağı havada "meş'um kadın" hayalleri kurdurmuş olmalı ki, çok istekli bir sesle, "Duş değil de, banyo yapabilir miyim, Nermin ablacığım?" dedi. Ben de, her şey onun gönlünce olsun diye, "Tabii," dedim. "Hatta sen şimdi şöyle köpük köpük köpürtülmüş bir küvet istersin!" Gözleri ışıdı, alt dudağını ısırarak sevinçle başını sallayarak onayladı. "Hemen," dedim. Kendi başına yıkanıp yıkanamayacağını sordum. Önceki akşamdan tanıdığım, hani şu bir hareketiyle lamba düğmesini bulan bakışlarıyla öyle bir baktı ki, dünyada kendi başına yapamayacağı pek az şey kalmış olduğunu anladım. Ağzına kadar doldurdum küveti, hoş kokulu bir banyo köpüğüyle de bol bol köpürttüm; en son, çeşitli şampuanlar, saç kremleri ve sabunlar arasında derin tercihler yaparken bırakmıştım onu. Kararsızlığı uzun sürmüş olmalı ki, uzun kaldı banyoda. Salt sabun-şampuan-krem kararsızlığı değildi uzun kalmasının nedeni, benim zavallı banyom, şimdi Türk Pop Müziğiyle inim inim inliyordu! Feci bir sesi vardı, s'leri söylerken tıslıyor, r'lerde ıslık çalıyor ve bütün şarkıları hep aynı makamla söylüyordu. Anlayacağınız, piyasadakilerden hiçbir eksiği yoktu aslında; tek eksiği, henüz Sezen Aksu tarafından keşfedilmemiş olmasıydı.

Banyo sonrası kıyafet seçimi de uzun sürdü. Neler giyeceğini daha önceden kararlaştırmışmış ama şimdi fikrini değiştirince çok bocalamış, zaten hep öyle olurmuş; insan hiç fikrini değiştirmemeliymiş, beş günlük bir misafirlik için neden iki valiz dolusu eşyayla gelmiş olduğu şimdi anlaşılıyordu. Öyle ayna karşısında birini giyip diğerini çıkarttığı, her giysiyle tek tek uzun muhasebeler yaptığı uzun bir öğle öncesi geçirdik. Ki, bundan yana hiç şikâyetçi değilim. Ne de olsa, benim için gün kısalıyordu. Saçlarını kurutma makinesiyle kurutup taradık, dalgalandırdık, sprey kullanmasına kesinlikle izin vermedim; o da, benim bu konuda tıpkı annesi gibi "gerikafalı" olduğumu söyleyerek az önce yaptığı iltifatın bir kısmını geri aldı. Hiç oralı olmadım, ama o da buna karşılık, bugün için kendine seçtiği saç modeli konusunda benim itirazlarımı dinlemeyip, kız çocuklarını daha da sevimsiz yaptığına inandığım, en sinirime dokunan o saç modelini yaptı kendine. Saçlarını ortadan ayırıp başının iki yanında sallandırdığı iki kuyruk yaptırdı, bukle bukle iki kuyruk, saç diplerini de turunculu, pembeli saç bağlarıyla sımsıkı tutturduk. Saç bağları birkaç kez dolandığı ve kalın olduğu için kuyruk dipleri iki yanda sopa gibi dimdik duruyor, sonra birdenbire aşağı düşüyordu. Bu da ona iyice sevimsiz bir hava veriyordu. O kendini çok beğendi, bense ona baktıkça, bugün için aldığım mutluluk kararına rağmen, keyfimin sınırlarının zorlandığı duygusuna kapıldım.

Salona çıktığımızda, "Nermin abla, yanlış anlamayın ama, nasıl desem, sizi bir arayan olabilir, hani şu telefon fişi diyorum da..." diye geveledi.

Tamamıyla unutmuştum. Bir süredir karşımda niye kıvrandığı da anlaşılmış oldu böylelikle. Akşamki alev dilli canavar kadın rolünde telefon fişi çekme sahnemden sonra söylemeye çekinmiş olmalı.

"A, evet," dedim. Yere eğildim, tam fişi takmış doğruluyordum ki, telefon çaldı. Bir anda kan beynime sıçradı. Hiç olmazsa sırtımı yaslamamı bekleselerdi! Bu arayan, eğer o cadı anneanneyse, ne diyecektim? Hiç hazırlanmamıştım. İçimden hakaret etmek geliyordu. Sitem dinlemekten nefret ederim. Hele haksız sitemlere hiç mi hiç gelemem. Kaldı ki, sitem edenlerin ağzının payını nasıl verdiğim konusunda haklı bir üne sahip olmuştum. Bu yaşlı bunağın münasebetsiz bir şey söylemesi halinde, sinirlerime hâkim olamayıp sonradan canımı sıkacak gereksiz çıkışlarda bulunmak istemiyordum. Tuğde'ye, "Telefona sen bak," demek de bir kurtuluş değildi, beş gün boyunca kaçamazdım ya... Hem Tuğde ile böyle bir nedenden ötürü, bir çeşit suç ortaklığı sayılabilecek bir işbirliğine girmek de işime gelmezdi. Sabır güçlendirici derin bir soluk alıp ahizeyi kaldırdım: Ceren'miş! Tuğde'yle görüşebilir miymiş! İçim rahatladığı için, sesi daha şimdiden isteriden kavrulan, geleceği sesinden belli olan bu kıza gereksiz bir sevecenlik gösterdim.

"Tuğde, seni arıyorlar canım."

Tuğde, Ceren'iyle bıcır bıcır konuşurken içeri geçtim. Biraz ortalığı topladım. Üstümü değiştirdim. Salona çıktığımda Tuğde, hâlâ telefonda konuşuyor, yalnız bu sefer karşısındakine, "Didem," diye hitap ediyordu. Sıra değişmiş olabilirdi. Ne önemi vardı? Çalışma odama geçtim.

Yeniden salona döndüğümde Tuğde gene telefondaydı, bana mahcup mahcup bakarak, sanki onu karşısındaki lafa tutuyormuş, onun bir kabahati yokmuş gibi, şikâyetçi bir yüz ifadesi takınıp, riya akan bir ses tonuyla, "Telefonu çok meşgul ettik, belki Nermin ablamı da arayanlar olur Melis, kapatalım artık," dedi. Melis? Demek ben öyle oda oda ev toplarken telefon rehberinin M harfine kadar gelmiştik.

Karşılaşmaktan kaçınamayacağınız canınızı sıkan durumlar için en iyi yol, bir an önce o karşılaşmayı sizin hazırlamanızdır, altın kuralından hareketle, "Anneanneni arasana Tuğde," dedim. "Kadın sesini duysun. Biz birazdan dışarı çıkacağız çünkü." Tuğde, tazelenmiş bir sevinçle yeniden telefonun başına oturdu. İşeme sıklığındaydı telefonla konuşması da... Anlaşılan bütün hayatı T harfinin etrafında geçiyordu Tuğde'nin: Televizyon, Telefon, Tuvalet...

Oksijen çadırıyla kurduğumuz telefon irtibatı, Tuğde'nin sıcak ve yapmacık, benim soğuk ve mesafeli konuşmamla sona erdi. Gayet yukarıdan aldım. O yaşlı cadıya pabuç bırakmadım. Sert ve kararlı tavrım karşısında o da alttan almaya başladı: Ona anlayış göstermeliymişiz de... O yaşlı, hasta ve evhamlı bir kadınmış da... Kaç günlük ömrü kalmış şunun şurasında da... (Kaç gün? Kaç gün?) O yaşa gelince bizler kim bilir ne olacakmışız. ("Böyle olmayacağımız kesin," diyerek verdim cevabını. Bütün cevapları içinizden vermemekte yarar vardır.) Sitemin hakkından en iyi daha baskın bir sitem gelir: "Sayenizde hayatta kapıma ilk defa polis dayandı. Bütün apartıman beni biriyle basıldı sandı hanımefendi, ne hakkınız var buna?" dedim. Namusu konusunda uyanan şüphelerden gururu incinmiş mağrur bir kadın gibi tonladım bu cümleyi. Tahmin ettiğim gibi, bu çok dokundu ona, üst üste özürler diledi. O hasta bir kadınmış. Artık onu idare edecekmişiz. "Bakın," dedim, "Biz pek evde oturmuyoruz, bütün gün dışarıda oluyoruz." "Aman sıkı giyinin üşütmeyin," dedi. ("Siz sıkı giyindiniz de ne oldu, çoktan üşütmüşsünüz bile," diyemedim. Bazı cevapları gene de içinizden vermekte yarar vardır.) "Hem sizi her gittiğimiz yerden de arayamayız ki, siz güzel güzel çadırınızın içinde oturun ve oksijen alıp, oksijen vermeye devam edin, bizi hiç merak etmeyin," dedim. "Bize bir şey olmaz. Biz güzel güzel geziyoruz. Ayrıca belirtmeden geçemeyeceğim, ben, karakola bildirdiğiniz gibi kırk yaşında değilim hanımefendi. Bunu da nereden çıkartıyorsunuz?"

Tam, ben buz gibi sesim, ince ince azarlarımla, kadını mahcup etmiş, hizaya getirmiş olduğumu sanıp kapatmak üzereyken, "Nermin kızım, hani şu cep telefonlarından alsan da, gittiğiniz yerlerden sizi arasam olmaz mı?" dedi.

Görüyorsunuz ya, ben bu aileyle başedemeyeceğim.

VII

Fiyonklu albüm

TUĞDE, yüzünde muzip bir ifade, elinde cicili bicili fotoğraf albümüyle çıkageldi odasından. Yakmayan ama ısıtan güzel bir güneşin vurduğu İtalyan stili kanepemde oturuyor, bir yandan keyif çayı içiyor, öte yandan bu memlekette "gazete" adı altında basılan çöplere bakarak keyfimi kaçırıyordum. "Size bir şey göstereceğim Nermin ablacığım," dedi. "Aslında size her gün yeni bir şey göstereceğim. Hepsini birden göstermek yok, tamam mı? Bugün göstereceğim şey, fotoğraf albümüm." Sevinmiş gibi yaptım. Pespembe, fiyonklu fiyonklu, fazla süslü, pırıl pırıl, ışıl ışıl bir albüm! Hangi rafta görseniz suratınıza suratınıza çarpar. Yanıma oturdu, büyük bir özenle kucağıma açtı albümü. İlgilenmiş gibi yapıyorum. Fazla heves kırıcı olmanın da bir manası yok, değil mi ama? (Sonuçta ne göstersin istiyorsun beş yaşında bir kız? Hoş bir şey göstermesi gerekmiyor ama, o kadar taşımış artık.) Ayrıca, her gün bir şey göstereceğine göre, o valizlerin yalnızca giysi ile dolu olmadığını bilmek de iyiye işaret!

Öte yandan, kızda daha şimdiden gelişen, hayatı kullanmadaki bu tutumluluğuna hayran olmamak elde değil. Bizler gibi, biraz güler yüz gördü diye daha ilk günden, sandığında ne var ne yok sermiyor ortaya. Ne güzel, günlere yaymış! Her gün bir şeymiş! Böylelerinin, erkekleri daha uzun süre elde tutmayı başardıkları söylenir hep. Doğrudur herhalde. Hiçbir duygumu tutumlu kullanamadığımı daha önce söylemiştim size. Belli ki, bizim Tuğde de ileride bu becerikli kadınlardan biri olacak.

Aklıma birden Aysel geliyor. Aysel, adından anlaşılacağı gibi biraz hafifmeşrep bir arkadaşımızdı. Adından anlaşılacağı gibi, diyorum, çünkü Aysel adı, benim her zaman biraz müstehcen bulduğum bir addır. Aysel, derken hep, "Af edersiniz," demek gelir içimden. Her neyse Aysel, eskiden "gece başı" diye tabir edilen, kabarığı fazla tutulmuş yapılı saçlarla gezen vamp görünüşlü bir arkadaşımızdı. Sağ olsun biraz çapkıncaydı. "Çapkın kız! Çapkın kız! Benim adım çapkın kız, Aşk yalan inanmam, Benim adım çapkın kız" şarkısını söylerdi başını iki yana manalı manalı sallayarak. Anlayacağınız, biraz "aranjman plak" güzeliydi. Bu yüzden ona "Aranjman Aysel" denirdi. Dudakları hep ıslak, gözleri hep süzgün, saçları dediğim gibi hep yapılı –ki, çoğunlukla iki yanından buklelerin sarktığı fazla kabartılmış bir topuz olurdu bu–, giysileri hep fazla iddialıydı. Hiç hülyalı bir zamanı, bir dalgınlık ânı yoktu; hayat, fırsatların değerlendirilmesi demekti onun için, antenleri hep açıktı ve her an, her şeye hazırdı. Erkekler konusunda şaşmaz bir sezgisi vardı. İki kilometre öteden geçen bir erkeğin kokusunu bile ânında alırdı. Zaten bunun dışında herhangi bir sezgiye sahip olduğu söylenemezdi, anlaşılan gerekmiyordu da. Hayatta en iddialı olduğu konu, erkeklerdi; yeteneğini bir çeşit uzmanlık alanı haline getirmişti, bu, ona yetiyor ve bu konudaki yeteneğini kullanmadaki ustalığıyla göz dolduruyordu. Kafasına taktığı her erkeği baştan çıkarabileceğini, erkekleri ciğerlerine kadar bildiğini; her yaş, her sınıf, her zevkteki erkeği kendine bağlayabileceğini söyler dururdu. Boş böbürlenmeler değildi bunlar, sık sık sonuçlarını canlı olarak karşımızda görüyorduk. Ona göre, onun baştan çıkaramayacağı bir erkek daha anasından doğmamıştı! Yeter ki o kafasına koysun! Sanırım, bu konuda bizim aklımızın pek ermediği, kendine özgü hünerleri, geçerli taktikleri vardı. "Bir kadının iki şeyi zengin olmalıdır," derdi. "Gardırobu ve repertuarı. Üst yanı kolaydır."

Hiç unutmam, bir gün şöyle övünmüştü: "Bugüne kadar hiçbir erkeğin koynundan çırılçıplak kalkmadım, en çılgın aşk gecelerinde bile, seviştikten sonra hep çarşafa sarınarak kalkmışımdır yataktan. Az önce yatakta seni çırılçıplak görmüş olması değildir önemli olan, önemli olan banyoya giderken seni çıplak görmemesidir. Erkek, senden her şeyi aldığını düşünmemelidir hiçbir zaman! Ona geride hâlâ ele geçiremediği bazı şeyler kalmış olduğunu düşündürmelisin tatlım. Bizim kadınlar hiç düşünmezler böyle şeyleri. Seviştikten sonra yataktan öyle kabak gibi kalkar, selülitleri ortada, o düşük kalçalarını paluze gibi sallaya sallaya banyoya giderler. Adamın, onun arkasından bakarken ne düşüneceğini hiç düşünmezler! Bütün numara, erkeğe sırtımızı döndüğümüz zamanki o bakışlardadır aslında. Erkekler, kararlarını göz gözeyken değil, öyle zamanlarda verir. Erkeklere sürekli daha keşfedilmemiş nice sırların olduğu hissini vereceksin. Çabuk çözülen pazar bulmacaları hiçbir erkeğe zevk vermez!"

Biz, çevresindeki erkek acemisi kadınlara, ya da erkeklerle dikiş tutturmakta sorunlu kadınlara hep bu tür akıllar verirdi. Bu akılların benim bir işime yaramadığı ortada. Diğerlerini bilemem. Aysel'e gelince: Biz, becerileri ve hünerleri ne olursa olsun, bizim gibi tutucu kabul edilen bir toplumda, erkeklerle bu kadar çok düşüp kalkan kadını kimse almaz sanırken, maşallah o koca değiştirip duruyor. İki koca arası boş zamanı da olmuyor pek. Bunun nedenini sordum bir gün. "İş işteyken, koca kocadayken bulunur, akıllım," dedi. "Evliliğin yürümeyeceğini sezdiğim an, hemen yeni bir koca bakınmaya başlarım. Yenisini ayarlamadan asla boşanmam. Boşanmış kadını kimse almaz. Ayrıca iki koca arası boş kalmak uğursuzluktur, derler."

"Kimse demez canım, nereden uyduruyorsun bunları Aysel?" derim.

"Ne bileyim, öyle bir atasözü vardır sandım," der.

Ne zaman köşeye sıkışsa, kalıp cümlesi budur: "Öyledir sandım." "Vardır sandım." "Olmuştur sandım." "Demiştir sandım." Bu "demiştir sandım"ları yüzünden birçok kez insanları birbirine katmış, yüzleştirildiğinde de, "Demiştir sandım," diyerek işin içinden sıyrılmayı bilmiştir.

Aysel'in boşanırken hiçbir kocasıyla mal-mülk meselesi olmamıştır. Bunun sırrını sorduğumda: "Başından ayrılacağını bilince hesaplarını sağlam tutuyorsun şekerim," demişti. "Bir şey kaptırmak şöyle dursun, her kocadan mal artırmışımdır. Ben, tekaüt maaşına kalacak kadın mıyım Allahaşkına?" Aysel'in çevresini alır, kendi zengin deneyimlerinden çıkardığı, her biri bir mesel kuvvetindeki derslerini, biraz hayran, biraz şaşkın, zaman zaman kızarak dinlerdik. Söylediklerine katılmamak mümkündü elbet, ama kayıtsız kalmak mümkün değildi. "Erkeklerle kadınların arasında yeni hiçbir şey yok," derdi. "Maalesef yok! Her şey çok belli. Bütün oyunlar, bütün kurallar, bütün numaralar ta başından belli. Binlerce yıldır böyle sürüp gidiyor. Değişen yalnızca dekorlar ve kostümler. Kadınların bütün meselesi, bu kuralları tanımamaktan, bunlara uymamaktan çıkıyor. Değiştirmeye kalkınca işler bozuluyor tabii. Siz istemeseniz de dünyanın düzeni diye bir şey var. Memnun olmayabilirsiniz bundan. Ama gerçek bu. Erkekler de bu. Dünya da bu. Henüz yaratılmamış erkekler yüzünden acı çekiyorsunuz. Hayatı bekletiyorsunuz. Hayat geçiyor kızlar. Kadınlar için daha çabuk geçiyor."

Aysel'in hayat felsefesinin özünde kötümser bir felsefe olduğunu daha başından anlamıştım. Bu kötümser bakış, ona, hayattan alabileceği tek şey olarak, hazzı bırakmıştı geriye. Özellikle de bedensel hazzı. O da bunun hakkını vermeye çalışıyordu anladığım kadarıyla. Bu yüzden diğer kızlar kadar kızmazdım ona.

"Sizin o en sıkı devrimci erkekleriniz bile, sizinle tartışıp, benimle yatıyorlar. Tartışmak size yetmiyor tabii, siz de haklısınız. Bense arzularla ilgiliyim, fikirlerle değil. Bende erkeklere cazip gelen şey bu!"

Aysel'in kadınlık dersleri zengin bir müfredat içerirdi. Engin bir deneyim, sınanmış denenmiş numaralar, her zaman sonuç veren taktikler... Bir erkekle hangi sıklıkta buluşulur? Kıskandırmada nereye kadar gidilir? Erkeğin ilgisini sürekli diri tutmak için, ilişkinin her aşamasında hangi numaralar kullanılır? Her kadın bacak bacak üstüne atar, ama bacaklar nasıl ustaca bitiştirilir, bacakların defosu nasıl saklanır? Hele hele hem mini etek giyip, hem de bacak bacak üstüne attığında donunu göstermemeyi başaran kadın, işte en şahane kadın oydu Aysel'e göre. Hangi eteğe nasıl yırtmaç atılır, ne kadar atılır, kaç tane atılır, yırtmaç nasıl kullanılır? Omuz askıları hangi durumlarda, nasıl hiç farkında değilmiş gibi düşürülür? Sonra nasıl toplanır? Göğüs dekoltesi nasıl kollanır? Saç nasıl atılır? Bütün bunlar onun ağzında incelikli bir askeri harekât bilgisine dönüşürdü.

Aysel, hiçbir zaman çok yakınım olmadı, hiçbir zaman sık görüşmedik, ama hayatımda hep vardı; Chagall'in, Picasso'nun dönemleri gibi, ben hangi "dönemimde" olursam olayım, bir biçimde Aysel oluyordu, çünkü neredeyse hiç değişmiyordu o. Fazladan hiçbir şey umdurmuyordu size, hiç hayal kırıklığına uğratmıyordu. Hep aynıydı Aysel. Dünyayı bir kez görmüş ve hayatla sözleşmesini yapmıştı. Neşeliydi, arsızcasına neşeli, hiçbir şeyi tasa etmiyordu kendine, hiçbir kederi yakınına uğratmıyordu. O erkekleri, erkekler de onu seviyordu. Hepsi bu.

"Erkekler benim yanımda hafifliyorlar," diyordu. "Sizler ağırlaştırıyorsunuz onları. Dünyanın yükünü yüklüyorsunuz onların zayıf omuzlarına. Tabii kaçıyorlar. Sonra da giden adamın ardından bir felsefe, bir felsefe..."

Bir gün, "Aysel sahiden mutlu musun?" diye sormuştum. Bu neşeli, vurdumduymaz görünüşünün, bütün o gamsız hallerinin altında, her şeye karşın acı çeken bir kadın arıyordum galiba.

Şen kahkahalarından birini patlatıvermişti. Kadeh çınlamasına benzerdi kahkahaları.

"İnan bunu düşünmeye bile vaktim olmuyor," demişti. "Hayat bu kadar ciddiyet kaldırmıyor güzelim. Mutluluk, mutsuzluk bunlar boş laflar, hayatın tadını çıkarmaya bak!"

Aysel'in bu aptal sarışın numaraları beni fazla ikna etmemiş olmalı ki, gene başka bir gün ölçüyü kaçırıp, biraz fazla üstüne vardığımda, beni kibar bir dille uyarmıştı:

"Güya benim hayatta görmediğim bir şeyi bana göstermeye kalkışıyorsun Nermin. Kadınlar birbirine benzemeli sanıyorsun. Bizler, gözlük numarası birbirini tutmayan kadınlarız. Uğraşma benimle. Ben, senin sandığın kadın değilim. Buyum ben. Bu kadarım. İnan halimden çok memnunum. Beni değiştirmeye çalışma! Varma üstüme, oldu mu?"

Söylediklerinde haklı olduğu bir yan vardı mutlaka. Aklımca onu bilinçlendirmeye çalışıyordum galiba. Birbirine bu biçimde

94

benzemeye çalışan kadınların, yalnızca mutsuzlukları birbirine benziyordu sonuçta. Belli ki, benden çok daha önce görmüştü bunu Aysel. Benim kitaplardan öğrenmeye çalıştığımı, hayat çoktan öğretmişti ona. Düşüncelerinin haklılığını, başkalarının mutsuzluğuyla onaylamaya çalışan militan kadınlar gibi davranmıştım. O gün özür diledim ondan ve bir daha da hiç açmadım bu konuyu. Bir gün nasıl olsa kendi anlar, diye düşünmüş olmalıyım. Ama bazı insanların hiçbir zaman öyle bir anları olmayacağını da unutmamalı insan. Öğrenmek istemediklerimizi hiçbir zaman öğrenmeyiz. Evet, belli ki, Tuğde de Aysel gibi hayatı ekonomik kullanacaktı.

Her gün bir şey. Hiçbir şeyi toptan vermeyeceksin.

Her zaman, her durumda kendini çırılçıplak hissetmemek için yakınında sarınabileceğin bir çarşaf bulunduracaksın.

Tuğde'yle albümünün sayfaları arasında gezinmeyi sürdürüyoruz. Her resimle ilgili uzun ve ayrıntılı bilgiler veriyor Tuğde. Resimde yer alan kişileri tek tek tanıtıyor bana. Hatta zaman zaman, bilmesem daha iyi olurdu, dediğim özel bilgiler veriyor onlar hakkında.

Çoğu özel günlerde çekilmiş resimler bunlar. Doğum günlerinde, yılbaşlarında ve çeşitli tatillerde...

Beş yaşındaki bir kız çocuğu olarak, albümünde yer alan bu fotoğraflara, dünya kadınlık tarihinin bütün pozlarını sığdırmayı başarmış Tuğde. Vermediği poz çeşidi kalmamış neredeyse. Ne yazık ki, hayatının geri kalan kısmında sürekli kendini tekrar etmek zorunda kalacak...

Ben fotoğraflarına baktıkça, anlam veremediğim bir dikkatle beni inceliyor. Beğenip beğenmediğimi anlamaya çalışıyor herhalde, deyip sık sık gösterişli bir biçimde hayranlık belirtiyorum. Dedim ya, bugün kızı mutlu etmek niyetindeyim.

Bir süre sonra grup resimlerinde bir şey dikkatimi çekmeye başlıyor. Kızımızın hayat taktiği konusunda, şimdiden ne kadar isabetli davrandığının ilk işaretleri bunlar... Tuğde'nin bütün erkek arkadaşları güzel çocuklar, ama kızlar için aynı şeyi söylemek pek mümkün değil. Son doğum günü resminde, tam ortada, elinde yanan bir mum tutarak ışıl ışıl bakan Tuğde'nin her iki yanında, Tuğde'yle hiçbir biçimde kıyas kabul etmeyecek çirkinlikte, üstelik çirkinlikleri ciddi ölçüde sevimsiz kız çocukları göze çarpıyor; öte yanda nurtopu gibi oğlanlar, şimdiden hayatı kesen hafif bıçkın bakışlarıyla sıralanıyorlar. Kızımız rekabet kabul etmiyor besbelli. Ve işi şansa bırakmak niyetinde hiç değil. Hep kraliçe olmak istiyor, bütün resimlerde hep en ortada o duruyor ve yüzünde hep bir zafer gülümseyişi taşıyor. Kendi güzelliğini, diğer kızların çirkinliğiyle iyice ortaya çıkararak, belli ki, oğlanların gözündeki yerini sağlamlaştırıyor. Bir grup resminin üzerinde parmağını gezdirerek, bozuk dişlerine tel takılmış bir kızı, şimdiden birkaç numaralık gözlük takan bir diğerini, ileride bütün hayatı kilo problemiyle geçeceği şimdiden belli olan bir başkasını, "Bunlar en yakın arkadaşlarım," diye tanıtıyor. Çirkinlikleri daha zararsız olanlar ise "ikinci dereceden" samimi arkadaşları...

Çocukken oynanan, "Güzellik mi, çirkinlik mi?" oyununu anımsıyorum.

Şimdiki çocuklar, o oyunu oynuyorlar mı bilmem ama, eğer oynuyorlarsa, Tuğde'yi üzmeyecek tek mağlubiyet çeşidi, bu grupla "çirkinlik" oynarken kaybetmesi oluyordur herhalde.

Bütün eşitlikçi teorilere karşın, şu fotoğraflarda bir kez daha tanık olduğum bu "esas kız ve nedimeleri" hali, bir kadınlık durumu olarak hâlâ fazlasıyla geçerli anlaşılan. Tanrım, dünya ne kadar az değişiyor! Acaba biz yıllardır yalnızca teknolojik olarak mı ilerledik?

"Nermin ablacığım, sizce ben resimlerde güzel çıkıyor muyum?"

"Güzel kızsın zaten Tuğde, tabii güzel çıkacaksın."

"Öyle demeyin, bazı insanlar güzel olurlar ama, resimlerde güzel çıkmazlar."

"Sen resimlerde de güzelsin Tuğde."

"Bazı resimlerde daha büyük çıkıyorum, bazı resimlerde daha küçük."

"Tuğdeciğim, bildiğim kadarıyla daha beş yaşındasın ve bu çeşit hesaplar yapacak yaşlara gelmen için, önünde uzun yıllar var."

"Hem her kılığa girebiliyorum. Arkadaşlarım çok yetenekli olduğumu söylüyorlar."

Resimlerin birinde, arkalarda bir yerde ben de varım. Benim hiç bilmediğim bir resim bu. Tuğde'nin ikinci yaş günü partisiymiş. Birtakım "anne arkadaşı" kadınlar arasında kaybolmuş, hoşnutsuz bir halde bir köşede oturuyorum. Yüzümde, "ıssız bir adaya düşmeye razıyım, yanıma bir şey almasam da olur," ifadesi var. Ama o günü nedense hiç hatırlamıyorum.

Anaokulundaki temsil resimlerine geliyor sıra: Tuğde kelebek kılığında! Tuğde papatya kılığında! Tuğde bale yapıyor! Tuğde tavşan kız! Tuğde hain kurttan aman dileyen merinos koyunu! Yedi Cüce'sinin ortasında Tuğde Pamuk Prenses!..

"Haklıymışsın Tuğde," diyorum. "'En Harika ve En Süper Çocuklar'a çıkmalıymışsın sen! Hem gördüğüm kadarıyla ailen de pek müsaitmiş buna!"

Yarasına dokunmuşum gibi denetimini yitirmiş bir sesle atılıyor: "Babam izin vermedi," diyor burnunu çeke çeke. "O kadar ağladım ki Nermin ablacığım. Belki de istikbalimle oynadılar."

"Sen bu lafı nereden öğrendin?" diyorum.

"Hangi lafı?" diyor.

"İstikbal lafını..."

"Teyzemden. Anneanneme hep böyle der."

"Yaa, demek Kanada'ya istikbal yapmaya gitti teyzen!"

"Babam, televizyona çıkarsa, bu kızın ruh durumu bozulur, dedi."

Çektiği resimlere bakılacak olursa, pek kızının ruh durumunu düşünecek bir babaya benzemiyor ama, demek televizyon söz konusu olunca, Allah zihin berraklığı vermiş!

"Çok ağladım Nermin ablacığım, çok. Günlerce babamdan nefret ettim. Bir baba kızına bunu yapar mı? Öyle üvey babalar gibi..."

"Daha çok küçüksün Tuğdeciğim önünde uzun yıllar var. Daha çok çıkarsın televizyonlara."

"Sahiden çıkar mıyım Nermin ablacığım?"

"Çıkarsın tabii, niye çıkmayasın?"

"Reklamlara da çıkar mıyım?"

"Çok istiyorsan çıkarsın elbet."

"Şampuan reklamlarına da çıkar mıyım?"

"Şampuan reklamlarına da çıkarsın, ne güzel saçların var. Eflatun bağın yeter!"

"Sizin ajansın reklamlarına da çıkabilir miyim?"

Birden dönüp şaşkınlıkla yüzüne bakıyorum.

"Bizim ajansın mı?"

"Evet, sizin ajansın. Sizin ajansın o kadar çok reklamı yayınlanıyor ki televizyonda... Hep görüyorum."

Birden durumu kavrıyorum. Bütün bu albüm göstermeler, ben fotoğraflara bakarken yüzümü incelemeler... Haspam basbayağı iş bağlamaya çalışıyor benimle.

"Bilmem ki baban ne der Tuğde?" diyebiliyorum ancak.

"Bana bir şans tanırsanız sizi mahcup etmem Nermin ablacığım. Hem babam sizi kırmaz."

Demek babasını ikna etmek görevi de bana düşüyor bu arada.

"Hem resimlerde ne kadar güzel çıktığımı gördünüz. Kendiniz söylediniz az önce."

Kucağımdaki albüme, içine düştüğüm bir tuzağa bakar gibi bakıyorum. Ter basıyor. Kız albümünü değil, portfolyosunu getirmiş meğer. Seni küçük şeytan! İki valiz dolusu kıyafet, onca süs, onca takı, onca poz, onca hava benim gözümü boyamak içinmiş meğer. Ben de, neden benim karşımda sürekli poz yaparak konuşuyor bu kız, diyordum. Sanki bana değil de sürekli kameralara konuşuyor gibiydi. Birden ajansa girip çıkan, iş kapmak için her çeşit numara çeviren yılışık mankenler geliyor gözümün önüne. Bu uğurda yapmayacakları şey yoktur. Her gördüğüm yerde fellik fellik kaçarım onlardan. Şöhret uğruna her şeyi göze alan sınırsızlıkları, ürkütücü ısrarları, kendileri adına sizi utandırma güçleri karşısında darmadağın olursunuz. Oysa bu kez düşman evimde! Üstelik kartlarını daha yeni açıyor! Daha ikinci günün sabahındayız! Onunla birlikte geçireceğim daha kaç koca gün var. Canım, odama gidip yatağımın yanındaki duvara bir ağır ceza mahkûmu sabrıyla sayacağım günler için küçük bir çentik atmak istiyor.

Neyse, hızlı hızlı albümün sonuna geliyorum. Dilerim, on beş yaşındaki Tuğde'nin albümlerine bakmak zorunda kalacağım günler gelmez. Ya da o günler geldiğinde ben çoktan ölmüş olurum. Tuğde, bir iş bağlayamamış olmanın buruklüğuyla yüzü hafif asık, biraz da kırgın gözlerle bakıyor bana. Kayıtsızlığım karşısında üsteleyemiyor. Hafif burulmuş bir halde boynunu kıra kıra, koltuğunun altındaki albümü odasına geri götürürken, ardından bakıyor ve bu işi hallettiğimi düşünüyorum. Ne yanılgı!

Benim üzerimde durmadığımı görünce fazla ısrar edemez, cayar sandım. Moral bozukluğu nedir, bilmiyordu. Hele caymak, onun için söz konusu bile değildi. Katır gibi inatçıydı. Kararlıydı, azimliydi. Kendine olan güveni, hele o yaştaki bir çocuk için, akıl almaz boyuttaydı. Şansını denemek gibi naif şeylerle oyalanacak biri değildi, düpedüz şansını kendi elleriyle yaratanlardandı. O da aslında Hollywood için yaratılmıştı. Hatta, belki de ihtirastan kavrula kavrula erken ölmüş bir Hollywood yıldızının reenkarnasyonuydu. Yarım kalmış hesabını tamamlamak için yeniden dünyaya dönmüş, ancak yolunu şaşırarak bu gariban memlekete düşmüştü. Olsun, fark etmez, Macaulay Culkin'le birkaç başrol paylaşmadan bu işin peşini kolay bırakmayacağı şimdiden anlaşılıyordu.

Evet, biliyorum, birçoğunuz bana kızgınsınız, kendi geçirdiğim beş günlük cehennemi size de ödetmem gerekmezdi, ama demek ki ben de o kadar güçlü biri değilmişim; şu bacaksız kızla bütün iddialaşmalarıma rağmen sonuna kadar direnemedim: Bir şampuan firması için hazırlanan, hemen her gece yayınlanan, halkımızın büyük ve yalak bir ilgi gösterdiği, birbirini izleyen hikâyesiyle gönüllere taht kuran o dizi reklamdaki, kimilerinin bayılarak çok sevdiği, kimilerinin tutkuyla nefret ettiği başroldeki o sevimli küçük kız çocuğu var ya, işte Tuğde o. Maalesef o! Dedim ya, şansını kendi elleriyle yaratanlardandı. Bana onun istikbal senaryosunda, şöhret kapısını aralayan kadın rolü düştü. Magazin dergilerine verdiği röportajlarda "Başarımı Nermin ablacığıma borçluyum," tarzında sözde kadirbilir açıklamalarla aklı sıra hem bana gönül borcu ödemeye, hem böyle sahte alçakgönüllülüklere pek meraklı olan halkımızı tavlamaya çalışması neyse ne de, "Onun ısrarlarına daha fazla karşı koyamadım, sonunda teklifini kabul etmek zorunda kaldım," diye yalanlar söylemesi kanımı oynatıyor!

Tanrım, neden yalnızca erkekler kel kalıyor?

VIII

Postacı kapıyı iki kere çalar

KAPI çalıyor. Tuğdc içcriden –nedense– sevinçle koştururken, bir yandan da sesleniyor: "İsterseniz ben açayım."
Kapı ikinci kez çalınca:
"Postacıdır," dedim.
Kapıyı birlikte açtık.
Ve postacıydı.
Postacı, her zamanki hafif çarpık gülümsemesiyle: "Postacı kapıyı iki kere çalar," dedi.

Bu postacı, yaklaşık bir yıldır servis yapıyor bizim apartımana –eskisinin emekli olduğunu zannediyorum– ve bu yenisi, beni keşfettiği günden bu yana, apartımandaki herkesin mektuplarını girişteki kutulara bırakırken, benimkileri kapıma kadar getirip ille de elden veriyor ve bir yıldır her kapıyı açtığımda hiç sektirmedcn aynı cspriyi yapıyor: "Postacı Kapıyı İki Kere Çalar!" Bir gün gülsem bari! Bayılıyor bana. Bu belli. Vazgeçtim bana gelen mektupları kapıma kadar getirmesinden, bana gönderilmiş olup olmaması hiç önemli değil, en küçük el ilanlarına, indirim duyurularına, böcek ilaçlama şirketlerinin tanıtım kâğıtlarına, kebapçı kuşlamalarına varana dek ne bulursa bana taşıyor ve her seferinde sanki önemli bir sorunumu çözecek sihirli bir formül gösterir gibi yüzünde çapkın bir ifadeyle soruyor: "Bunu görmüş müydünüz?"

Gözlerimin içine manalı manalı bakıyor. Sözü gereksiz yere uzatıyor. Hep espri yapmak zorunda hissediyor kendini; sanki beni güldürmeyi başarırsa tavlamış olacak; ben de inadına, güleceğim varsa bile, kayıtsız bir yüz ve balık ölüsü gözlerle dinliyorum söylediklerini. Daha dişlerimi göstermek kısmet olmadı esprilerine... ("Balık ölüsü gözler", Şamandıra Şemsa'nın; Şişman Şemsa'nın, Feminist Tugay Şemsa'nın, Albay Şemsa'nın gözleri; onun gözlerini taklit etmeye çalışıyorum böyle durumlarda. Toplama kamplarında gaz odalarının kapısını bekleyen bir nazi subayının kan donduran gözleriyle bakıyor dünyaya ve erkeklere Şemsa. Bunu da feminizm sanıyor. Allah biliyor ya, o kızdan hep nefret ettim, ama gözleri böyle tarifler yaparken işe yarıyor işte.) Genç bir adam postacımız, daha otuzunda yok. En fazla yirmi beş! Uzun boylu, beyaz tenli, avurtları çökük, ince kemikli bir yüzü, kapkara biçimli bıyıkları, kırmızı dudakları ve güzel bakan ela gözleri var; mahallesindeki kızlar eminim ölüyorlardır onun için; o sıradan, gri, ölgün postacı üniforması bile yakışıyor ona. Öyle böyle değil, çok kötü espriler yapıyor; kendini çok şakacı, çok fırlama sanıyor, nasıl derler biraz yalaka. Bekâr olmam onu çok tahrik ediyor olabilir; kızdığım, sevmediğim, başkalarında gördüğümde çok canımı sıkan bir sürü özelliğe sahip; ama daha kötüsü ne biliyor musunuz, az önce saydığım bütün bu itici özelliklerini gördüğüm halde, çekici bir yanı olduğunu itiraf etmek zorundayım. Bir yanı hoşuma gidiyor, ne olduğunu tam bilemediğim bir yanı hoşuma gidiyor işte! Bu da delirtiyor beni, benim gibi sözlük meraklısı bir kadının, bu duygusuna bir ad, bir tanım bulamaması karşısında yaşadığı paniği düşünebiliyor musunuz? İsterseniz, suçlu zevkim, diyelim. Bence herkesin olmalı. İnsanı normalleştiriyor.

Hafif bayağı benim postacım, filmlerde "esas oğlanın" yanında dolaşıp, durmadan komiklikler yapan ikinci jönler gibi. Onların kısmetine de hep filmin ikinci kızları düşer. Bu da bana hayatta ikinci kız olduğum duygusu veriyor.

Ne yalan söylemeli, gene de seks vaat eden bir yanı var. Yaptığı espriler, aklı sıra beni tavlamak için bulduğu numaralar, ne kadar sası olursa olsun içimi gıcıklıyor, ne yazık ki bu böyle... Gözlerimin içine, arzusunu saklayamayan gözlerle yalvarır gibi bakıyor; bu kadar ısrarlı olması, duygularım konusunda beni yanıltıyor olabilir. Bir yaştan sonra, karşılaştığımız fazla ısrar, başlı başına bir tahrik unsuru olabilir; tehlikeli yaşların dolaylarında gezinen kadınlar anlayacaklardır bu söylediklerimi. Bazı erkekler, sırf çok ısrarcı oldukları için hoşunuza gidebilirler. Kendinizden ümit kestiğiniz bir anda, birinin size, ne denli arzulanır biri olduğunuzu hatırlatması karşısında duyduğunuz bir tür gönül borcudur bu aslında. Ama kendinizi tutamazsanız, ondan sahiden çok hoşlandığınızı sanıp yatağa kadar gidebilirsiniz. Zaten bu yaşlar, aynı zamanda, kendini çok tutmanın kimselere bir yararı olmadığının anlaşıldığı yaşlardır. Tanıdığım bir çok kadının bu tür hikâyelerini biliyorum. Sonrasında genellikle pişmanlık duyulan hikâyelerdir bunlar. Ancak yakın arkadaşlara özel anlarda anlatılır. Ben yatağa kadar gitmiyorsam, ne çok güçlü bir iradeye sahip olmamdandır bu, ne de teninin "etik"ine çok bağlı iffetli bir kadın olmamdan; düpedüz babama benzemekten korktuğum içindir. Bayağılığa düşmekten ölesiye korkarım. Babam, ailemizin birkaç kuşağına yetecek kadar bayağılığa meraklı bir insandı çünkü.

Sonuçta, öyle ya da böyle bütün bayağılığına, sıradanlığına, kenar mahalle delikanlısı hallerine rağmen, bu postacı hoşuma gidiyor, işte bu kadar! Gözlerinin içi gülüyor ve diğer kadınları bilmem ama, benim için her zaman çok tahrik edici olan uzun, ince, biçimli parmakları ve damarlı elleri var. Bir erkeğin elinde, kolunda belirgin bir damar gördüğümde burun deliklerimin açılıp kapandığını hisseder, bunun başkaları tarafından görülüp, anlaşılacağı kaygısıyla utanırım.

Bir keresinde kapıyı açtığımda, gene aynı biçimde, "Postacı Kapıyı İki Kere Çalar," diye espri yapınca, "Değiştirsenize şu esprinizi artık," demiştim gayet soğuk, buz gibi bir sesle.

"Nasıl yani, üç kere mi çalayım?" dedi.

Sonra da kahkahalarla güldü kendi esprisine. Yüzümde tek bir çizgi bile kımıldamıyor, öyle dimdik bakıyordum ama, o beni güldürmek konusunda kararlı ve azimli, bir gün mutlaka başaracağını düşünüyor olmalı.

Zaman zaman çok susamış gibi yapıp, "Zahmet olmazsa bir bardak su içebilir miyim?" diyor. Niyetini anlıyorum tabii. Hiç oralı olmuyorum.

Aslında çok işim varmış da, mecbur kalmışım gibi bir ifadeyle, "Bir dakika," deyip onu dakikalarca kapıda beklettiğim oluyor. Mutfakta oyalanıp duruyorum. Ardımdan gelse, çantasını omzundan kaptığı gibi yere fırlatsa, Jessica Lange'ın mutfak masasında değilse bile, benim mutfak karolarının üzerinde tanışmış olabiliriz. Hiçbir sorumluluk almadan tanışmak istiyorum onunla, görüyorsunuz ya, tam bir burjuva ikiyüzlülüğü içerisindeyim bu konuda. Böylelikle, hem bir sorumluluğum olmaz, hem merakımı gidermiş olurum; ama o, çok saygılı bir biçimde "sınıf yapıyor" bana. Mahallesindeki kızlardan biri olsaydım, zorla yatırıp otuz kere çıkmıştı üstüme. Oysa, benim gibi üst sınıftan biri olarak gördüğü okumuş bir kadından ille de bir işaret, bir hareket bekliyor. O, benim inadımı bilmiyor, öyle kapı ağzında iki televizyon dizisi esprisiyle tavlanacak kadın değilim ben! Ancak böyle tanışabileceğiz onunla, başka yolu yok, bu durumda hiçbir suçum, kabahatim olmaz benim ve her şeyini bir kerede sonuna kadar görmüş olurum. Tam Tuğde'nin yapabileceği bir hesap işte! Hiç kaybetmeden kazanmak! Burjuva kadınlarının gizli silahı! Diğer zamanlar içinse, ne yazık ki, hiçbir şansı yok, gündüzleri içki içmem; içsem de kendimi kaybedecek kadar fazla kaçırmam; kapıya gelen postacıyı kolundan tutup içeri çekecek kadar güçlü bir libidom olduğunu hiç sanmıyorum, olsaydı bugüne kadar bazı sonuçlarını görürdüm; ne yazık ki, hayatımı "süperegom" yönetiyor. Ayrıca bazı geceler ev içinde elimde bir kadeh beyaz şarapla, bunalmış bir halde etekleri foşur foşur yerleri süpüren öyle kırmızılı siyahlı dekolte geceliklerle dolaşırken de posta servisi mektup dağıtmıyor ne yazık ki. Gördüğünüz gibi, hayli zor bir durum. Şu genç postacı, esprilerine çok gülen mahallesinden bir kızla evlense de, o da kurtulsa, ben de kurtulsam!

Çantasını uzun uzun karıştırıp, güya güçlükle bulup tek tek bir araya getirmeye çalıştığı, bir tomar zarfı sonunda elinden almayı başarıyorum.

Yaranmaya çalışan şirin ve dikkatli gözlerle Tuğde'ye bakıyor bir yandan.

"Maşallah, ne şirin şey, yeğeniniz mi?" diyor.

"Hayır, kızım," diyorum.

Dediğim anda pişman oluyorum ama, geri dönüş yok artık. Hatta daha kararlı olarak sürdürüyorum:

"Babasının yanındaydı. Tatilini benimle geçirecek."

Yüzü uçuyor. Gözleri boşalıyor. Giyotin sepetine düşmüş kesik bir baş ifadesi taşıyor karşımda.

Canını yakmak istemiştim zaten. Benim gibi aklı başında bir kadının içinde durduk yerde uyandırdığı hislerin cezasını çeksin bakalım!

Sonra teşekkür edip, giyotinden düşmüş başın üzerine usulca kapatıyorum kapıyı. Eminim, kapıyı yeniden açsam, onu, orada, öyle kapının önünde bıraktığım gibi bulacağım.

Tuğde, şaşkınlıktan ağzını kapatamıyor. Varlığı hiç olmazsa bir işime yaradı.

"Niye öyle dediniz Nermin abla?"

"Görmedin mi, ne şakacı bizim postacı, o sever öyle şeyleri."

"Evet, biraz yılışık," diyor Tuğde.

Görüyor musunuz, o bile ne mal olduğunu görmüş adamın.

Üçüncü kişiler hakkında, zaman zaman Tuğde ile aynı şeyleri düşünüyor olmaktan rahatsızlık duyduğumu itiraf etmeliyim. Gazete diye okuduğunuz o çöplüklerin birinde, çok sinir olduğunuz bir köşe yazarıyla zaman zaman aynı düşünceleri paylaşmanın rahatsızlığına benziyor.

IX

Kadına ait bir oda

KAPIMI iki kere çalan postacımın elime tutuşturduğu bir tomar zarfla salona dönerken, gene telefon çaldı! Bu evde duyulan telefon sesinin sıklığına artık alışmam gerek, biliyorum. Tazelenmiş bir sabır duygusuyla telefona bakıyorum. Boğuk bir oğlan çocuğu sesi, buyurgan bir tonla Tuğde'yi istiyor. Dün telesekreterde sesini duyduğum o hödük oğlan çocuğu olmalı. Nitekim, Tuğde'nin sevincinden fazlasıyla anlaşılıyor küçük beyimizin olduğu. Onu, Bora'sıyla baş başa bırakarak postacımın elime tutuşturduğu bir tomar zarfıma geri dönüyorum.

Belki de, Tuğde'nin hakkından bu oğlan gelir, ya da bunun gibi bir başkası... Bu tür kadınların ilgisini çeken, kendilerinden daha zayıf olan erkekler değil, tersine tam "dişlerine göre" buldukları, kendilerinden daha inatçı, daha aksi, daha buyurgan olan böyleleridir. Evcilleştirilmesi gereken bir tür nadir vahşi hayvan sayılabilecek dizgin tutmaz erkeklere ancak ve ancak kendilerinin boyun eğdirebileceklerine olan inançlarını doğrulayacak zor ve güçlü örneklere kanca takarak, yüksek kadınlık imtihanı verirler. Onların zaferini taçlandıracak olanlar, iki naz bir azarla yola gelecek "muhallebi çocukları" değil, ancak böyle içi balta görmemiş orman canlılarıdır. Daha aşağısı kesmez! Bora değilse bile bir başkası; nasıl olsa Tuğde de, benzeri vahşi hayvan terbiyecisi kızlar gibi, eğitim durumu, sosyal konumu ne olursa olsun, yaz kış yakası bağrı açık gezen, göğsünü yumruklaya yumruklaya konuşan böyle birini bulmakta gecikmeyecektir. Memleket onlarla dolu.

Bu tür çiftlerin iki şeyleri korkunçtur: düğünleri ve eğer o noktaya kadar geldilerse, boşanmaları...

Yenilgiye uğramış birinin mahzun görünüşüyle o bir tomar zarfı göğsüme bastırarak, hayatında o bir tomar zarftan başka hiçbir şeyi kalmamış biri gibi çalışma odama yöneliyorum; neden böyle hissettiğimi bilmiyorum. Kendi hayatımızı bir "melodram karesi" gibi düşündüğümüz anlar vardır; kimi zaman farkında bile olmadan o anları kurar ya da canlandırırız... Ne yazık ki, Tuğde'nin varlığı ve yaptıklarıyla, bana, sürekli olarak anımsattığı hayata ilişkin iki şey var: ne kadar haklı olduğum ve bütün yenilgilerim!

Üstelik, gördüğüm kadarıyla, o bir tomar zarfın içinde de dişe dokunur pek bir şey yok: Bir sürü ilan, broşür, indirim duyurusu arasında çoğu, son zamanların modasına uyarak iki soyadı birden kullanan kadın ressamlara ait olan birkaç sergi ve açılış davetiyesi, seyahat acentelerinin tur çağrıları, üzeri cılız bir el yazısıyla yazılmış, içi broşür dolu bir büyük zarf ilk elde göze çarpanlar...

Çalışma odamı çok seviyorum. Bazen düşünüyorum da, bütün bir hayatımı bu çalışma odasını kazanmak için yaşamışım gibi geliyor. Yeryüzünde mutlu olduğum tek yer burası. "Mutluluk" dediğimse, pek büyük bir şey değil, yalnızca huzur ve dinginlik... Virgina Woolf'un deyişiyle "kendine ait bir oda"nın dünyanın yarısı demek olduğunu zaman geçtikçe çok daha iyi anlıyor insan.

Davetiyeleri, kurtulmak istercesine çabuk çabuk çıkarıyorum zarflarından. Bir süredir kafayı taktığım şeylerden biri de, iki soyadlı kadınlar. Allahım ne kadar çoklar! Yakında Çin Halk Cumhuriyeti nüfusu kadar edecekler. Ayrıca çifte soyadının söylenişinde hep bir "yecüc mecüc" havası oluyor. (Ki, bu atalarımızın sahiden Ortaasya'dan geldiğinin ispatı olan bazı kadınlara çok yakışıyor.) Hem babasının, hem kocasının atasoyunu taşımadaki ısrarlarında, amaçlananın tersine feminist bir yan göremiyorum ben. Kadınlara soy kimliğini, hem koca hem baba soyadlarıyla veren erkek vurgusunu katmerlendirmekten başka... İkinci soyadını değiştirmedeki sıklıklarına bakılırsa, yolunda gitmeyen yalnızca adlarına eklenen ikinci soyadların sahipleri ve onlarla olan ilişkileri de değil. Bu kadar sık değişen ikinci soyadı, karşıymış gibi göründükleri evlilik kurumuna olan inançlarının da naçiz bir ifadesi olsa gerek... Deneye deneye bir gün olacağını sanıyorlar zahir. Aynı yerde açılan dükkânlar, ne kadar tabela değiştirirse değiştirsin, bir türlü tutmazlar. Bana kalırsa, birçoğu ikiledikleri soyadlarıyla, bir yandan da, etrafa koca bulduklarının duyurusunu yapmaya çalışıyor aslında, "Benimki çok üzülüyor onun soyadını kullanmıyorum diye," diyerek koca üzüntüsü yatıştırıyor görünmenin altında, aslında "Artık benim de bir sahibim var," demenin, akılları sıra incelikli bir yolunu buluyorlar. Yani hem geleneksel oyunların nimetlerinden, hem modern zamanların her tür kazancından yararlanarak hiçbir müsamereden eksik kalmamaya çalışıyorlar. Sıradan bir ikiyüzlülük değil bu; ne yazık ki, kadınlara özgü dişil bir ikiyüzlülük! Kadınlar, bahane bulmada erkeklere oranla çok daha incelikli ve ustadırlar. Üstelediğinizde, soyadları yüzünden, devlet dairelerinde, postanelerde ya da bankalarda yaşanan aksiliklerden, boşandıklarında soyadlarından ötürü yaşadıkları güçlüklerden, gündelik hayatta karşılaştıkları zorluklardan falan söz edeceklerdir, artık ne kadarını yerseniz!

Hayatın diğer alanlarında da aynı anlayış benzer örneklerle çoğaltılmış olarak görülebilir; hem hesabımı ödesin, hem sigaramı yaksın, hem sandalyemi çeksin gibi, gündelik ayrıntılardaki ufak tefek ayrıcalıklardan başlayarak, tarihin farklı dönemlerinin kadınlar hanesine yarar sağlayan hiçbir avantasından geri kalmayayım, hem de feministin önde gideni ben olayım oportünizmi konusunda birçok yorucu tanıklığım oldu, bunları tek tek sayacak değilim. Tarihin kadınlara kaybettirdiklerinin yanında esamesi bile okunmayacak şu süfli kazanımlara bunca tenezzül etmelerine kızmasam, böyle konuşmam inanın! Boşuna feminizmden de, feministlerden de sıtkım sıyrılmadı benim. Gencecik ömrümde daha sosyalistliğin yorgunluğunu atamadan, feminizmin yorgunluğu bindi üstüme. Tam da konu açılmışken, iki soyadlı ressamlardan yola çıkarak, tarih boyunca neden kadınlar arasından büyük ressam ya da büyük şair çıkmıyor, tartışmalarına girecek değilim. (Ki, bu çeşit çağıl çağıl çağrışımlara çok müsait bir kadın olduğumu anlamış olsanız gerek.) Yaratıcılığı erkekler tarafından engellenmiş kadınlar konusunun her açıldığında, her iki tarafın da sayıp döktüğü "argümanlardan" yorgunum.

Zaten yorgunluk benim genel halim. Bana, "Nasılsın?" diye soranlara, en sık verdiğim yanıtın "Yorgunum," demek olduğunu keşfettiğim günden beri, daha bilinçli olarak "Yorgunum". Şu memlekette yaşayıp da yorgun olmamak mümkün mü? Beden yorgunluğu dediğinden ne olacak, iki-üç dinlenmeyle geçer, ama ben aslında vatan yorgunuyum! Ruh yorgunuyum, gönül yorgunuyum, hayat yorgunuyum; öğrenmek, bilmek, anlamak, anlamamış gibi yapmak, düşünmek, hissetmek, tanımak, tanık olmak, katlanmak, anlayış göstermek, görmezden gelmek, üzerinde durmamak, idare etmek, üzülmemiş görünmek, alışmak, alışamamak, sabretmek, katlanmak, beklemek yorgunuyum. Tam da artık bu memlekette hiçbir şey şaşırtamaz beni sanırken, her seferinde yeniden şaşırmak yorgunuyum.

Aynı zamanda ressam kadın ya da kadın ressam yorgunuyum. Boş zamanlarında hoş bir uğraş diye başlayıp günün birinde başımıza ressam kesilen kadınlardan da, onların ancak dernek yararına düzenlenen kermeslerde satılabilecek sıradan resimlerini sanat eseri sanmalarından da yorgunum.

Resim konusunda uzman sayılmam, işim gereği, başkalarına göre daha fazla bilgi, görgü ve zevk sahibi olduğumu söyleyebilirim yalnızca. Resim sanatı, diğer sanat disiplinlerine göre, sanatçısına taşınması çok daha zor bir etiket yüklüyor. Geçmişteki birçok ressamın hayat hikâyesi ve günün birinde değeri keşfedilen resim maceralarıyla beslenen ressam olmanın mitolojisi, "Ben bir ressamım," sözünü söylemedeki caka, işi hem çok zorlaştırıyor, hem çok ucuzlatıyor. Boş zamanlarında ya da emekliliğinde resim yapan, hatta resim yaparak dinlenen herkes, daha ilk dönemeçte ressam olduğuna kanaat getirip bunu rahatlıkla dillendirebiliyor. Hobi ile meslek, iş ile uğraş arasındaki tanım farkı da, diğer birçok tanım kaybı gibi gündelik hayatımızın önemsiz görünen derin kayıplar dünyasına karışıyor.

Bu konuda erkeklerin amatörlükleriyle, kadınların amatörlükleri arasında da ciddi bir iddia farkı var. Çünkü, kadınlar, erkeklere oranla ressamlıklarına daha fazla inanıyorlar, tıpkı "En

Harika ve En Süper Çocuklar" yarışmasındaki kız çocuklarıyla, erkek çocuklarının yarışmayı da, oyunu da ciddiye alışlarındaki ton farkı gibi.

Kadın ressamların, resmi, kendi hayatlarındaki süslemeciliğin bir uzantısı gibi görmeleri, resim sanatı adına değil, daha çok bir kadın olarak rahatsız etmiştir beni. Bunların resim meraklarında, resim yapmayı, makyaj yapmanın bir uzantısı olarak görmek alışkanlığı vardır; buradaki kolaycılığın pervasızlığıyla kalmaz, kadının süslemeci doğasına kadar vardırırlar işi. Ne zaman, "Kadının yapıcı, onarıcı, süslemeci doğası," dense, ardından, marazi bir titizlikle sürekli düzenlenen ve süslenip duran eşyalarla çatılan ev içi hayatından gönüllü bir hapishane yaratma koşullarının meşrulaştırılması gelir. Böyle zararsız görünen gündelik ayrıntıların yalancı mitolojisinden hafife alınmayacak görünmez hapishaneler üretilir. Hayat bu çeşit aklileştirilmiş deliliklerle doludur! (Örneğin, birçok kadın delirmemek için, kendini ev temizlemeye vurarak delirir. Bu konuda bildiğim en uç örnek, Tikli Gülçin'in aklını temizlik ve titizlikle bozmuş Saadet Hala'sıdır.)

Tanrım kadınların işi ne zor! Hep beğenilmek ve seçilmek arzusu üzerine inşa edilmiş bir hayat; hayat boyu ayna karşısında imtihan veren bir kadınlık! Yüzünden başlayarak bütün dünyayı boyamaya adanmış bir ömür! Kadınların makyaj yapma zorunluluklarından, kendilerinden ille de bir ressam yaratma gayretlerine uzanan tarihin yanıtını tam olarak veremediği sorular... Evet, sorular, sorular, sorular... Hamlet'i dişilleştiren belki "kelimeler kelimeler kelimeler"di; kadınları erilleştirense "sorular sorular sorular" oluyor. Bu kadar çok soruyla başedemeyen kadın, ne kadına biçilen geleneksel rolün içinde kilitli kalabiliyor, ne de içinde serpilip gelişebildiği yeni bir hayat kurabiliyor; koşulları değişmemiş bir dünyada sorularla derinleştirilmiş zekâ mutsuzluklarından da ne yazık ki yeni bir hayat kurulamıyor. Bütün okuduklarımız, bütün bildiklerimiz gelip gelip bizi gündelik hayatın ortasında vuruveriyor. Nice tuzaktan ustalıkla kaçarken, birdenbire ya çok bildik ya hiç beklenmedik bir tuzağın içinde buluveriyorsunuz kendinizi. Kimi zaman kucağımıza verilen bir çocuk, bütün hayatımız için sus payı oluyor! Her çocuk sahibi kadın, buna karşılık hayatının en az yarısını öder. Geri kalan yarısındansa artık ne çıkarsa! Bilincin laneti, insanoğlunun uğradığı lanetler içinde en korkuncudur. Sofokles boşuna yazmamış "Oidipus"u.

Çalışma masamın başında zarfları açarken, her biri kaybolmaya benzeyen yolculuklara yol açan böyle gürül gürül sorular içinde buluyorum kendimi. Her zaman olaylar ve durumlar karşısında, deşici, kurcalayıcı, sorgulayıcı bir yanım olmuştur ama, galiba yaşlanmaya başladım, hemen her şeyi vıdı vıdı haline getiriyorum, bu yüzden, hiçbir şeyi doğal haliyle yaşayamaz oldum, şimdi şeytana uyup bu sergilerden birine gitmeye kalksam, şurada ettiğim bir araba dolusu laf da ardımdan gelecek. Hayat mı bu? Sen de herkes gibi gidip resimlere baksana be kadın!

Belliydi böyle olacağı, zaten odaya öyle kucağıma bastırdığım zarflarla mahzun yetimler gibi girişimde bir hayır yoktu. Odaya girer gibi değil de, sığınır gibi girince olmuyor bu işler işte! Hem oda dediğin nedir ki? Hangi oda insanın kendine ait olabiliyor ki artık? Yaşadığın değil de sığındığın bir yer olduğu sürece, oda dediğin de kaçışın bir parçası değil mi? Günümüzde kadının kendine ait bir odası olması ne kadarını kurtarabiliyor kadınlığının? Dünya kendimizin olmadıkça, kendimize ait odalarımızın olmasının anlamı ne?

Bir an önce salona geçip, yatıştırıcı bir müzik koymalıyım kendime. Sabahtan beri aklımda Edvard Grieg'in "Peer Gynt" süiti var. Tuğde'nin de sesi hiç çıkmıyor. Böyle bir kız için, bu kadar sessizlik hiç de hayırlı bir şey değil. Allah bilir, ne haltlar karıştırıyor! İçeri sesleniyorum: "Tuğde! Tuğde!"

Cırlayan bir sesle, "Telefondayım," diyor. Tahmin etmeliydim.

Elimdeki son davetiye, kaderimin böyle anlarda parlak bir dramaturjik karşılaşma gibi bana kurduğu tuzaklardan biri: Ondan geliyor. Tam da ressamlar, kadın ressamlar, iki soyadlı kadın ressamlar, diye car car muhasebe yaparken üstelik! Hayat her zaman sanatı aşar. Saçmasapan tesadüfler, ilahi bir el tarafından hazırlanmış büyük karşılaşmalar, en olmadık zamanlamalar, yani sanatta olunca "kusur ya da saçmalık" dediğimiz her şey, hayatta bolca olur. Bu yüzden, dünya sanatları içinde hayata en çok benzeyeni, Türk filmleridir. O filmlerin sahip olduğu söylenen o ılık ılık insan sıcaklığı, hayata olan bu yapışkan benzerliğinden ötürüdür. Nitekim, ben tam bunları konuşurken, önüme açılıveren bu sergi davetiyesi bambaşka bir yolculuğa çağırıyor beni. Bir barışma çağrısı gibi, zarfın üstünü bile kendi yazmış, el yazısını tanırım, aramızda her zaman bir esprisi olan mor kalemle... Bunları yazarkenki halini gözümün önüne getirmeye çalışıyorum. Yüzünde o dünyayı kurtaracak olan barış anlaşmasına imza atar gibi bir ifade olmalı mutlaka. Ne zaman masasının başına otursa, dünyadaki varlığının önemini hem kendine, hem dünyaya kanıtlamaya çalışan didişken biri olurdu.

"Ahh Nermin!

Bu resimleri görmeni her şeyden çok istiyorum, seni çok özledim, kaç zamandır hayattaki en büyük korkularımdan biri seninle dargın ölmek! Yeterince birbirimizden ayrı vakit geçirmedik mi? Özlemle kucaklarım seni, hem de nasıl yürekten...

Nalan Çakır Kasapoğlu.

Galeri NormA."

Masaya oturmak istiyorum birden. Nalan! Benim eski yaram! Ne kadar oldu görmeyeli? Dargınız, evet. O kadar uzun zaman geçti ki görüşmeyeli, bir noktadan sonra barışmaların anlamı kalmaz. Yeniden görmek istiyor muyum, bilmiyorum. Özlediğim söylenebilir mi? Sanmam. Barışmak için bir istek duyuyor muyum? Dargın kalmak için bile bir istek duymuyorum ki! Yalnızca olmasın istiyorum. Artık hayatımda olmasın. Bu, her şeyin tamamen bitmiş olduğunu göstermez mi? Sanırım. Yeniden hiçbir şey eskisi gibi olamaz ki, hem de bu kadar zaman sonra. Brecht'in dizeleri değil miydi onlar: "Bir ip koptuğunda yeniden bağlanabilir, ama eskisi gibi çekmez". Üstelik ben, yeni başlangıçlar için hiç uygun biri değilim. Hem de hiç kimse için. Yokluğunun hayatımda yarattığı alışkanlığın bozulmasını istemiyorum. Hayatta her şeyin olduğu gibi, barışmaların da zamanı vardır. Gereken zaman içinde barışmadıysanız eğer, bir gün barışırsam söylerim, diye beklettiğiniz sözler eskimiş olur, onlar size bile bir şey söylemez hale gelir.

Galeri NormA da neresi, ilk kez duyuyorum, yeni bir galeri olsa gerek. Adrese bakılacak olursa, o da birçoğu gibi Teşvikiye taraflarındaymış! Tamam, tamam, yeri geldi diye, Kadın Tipleri Katalogu'muzun "Galeri Sahibesi Kadın" tipi bölümüne girmiyorum. Bilenler biliyordur nasılsa. Yalnız, onların "ille de kızını artist yapmaya çalışan annelere" benzeyen bir yanları olduğuna dikkatinizi çekmekle yetinebilirim. Gene de işe Nalan'la başladıklarına göre, güçlü bir galeri olmalı.

Peki, o beni sahiden özlemiş olabilir mi? Olabilir. Belki beni değil ama, hayat yolunda ilerlerken sürekli kendisiyle karşılaştırmak için uygun bulduğu eski bir arkadaşı özlemiştir. Nalan için arkadaşlık, bir rekabet türüdür. Her arkadaşıyla kurduğu rekabet alanı diğerinden farklıdır ve her biriyle ayrı alanlarda ayrı ayrı yarışır, yarışırken de biriyle ortaya çıkan sorunları, onunla değil, bir diğeriyle konuşup, tartışır. Onun bütün hayatı bir ringde geçer. Hassas dengeler üzerine kurduğu, bir çift şık spor ayakkabı üzerinde zarif adımlarla dans eder gibi ileri geri hareket ettiği, sersemletici sevgi gösterileri ve ani vuruşlarla karşı tarafı sendelettiği bir sarkacı ilişki diye yaşar. Rekabet etmeden arkadaşlık edemez. Verdiği her ödülü, bir cezayla geri alır. Her ilişkiyi bir oyun diye yaşar, ama sizin kurallarını bilmediğiniz, onunsa sık sık değiştirdiği kurallarla oynanan tek yanlı bir oyundur arkadaşlığı. O hep kazanmalıdır. Her koşul altında kazanmalıdır. Sizin kendiniz için kazanç sandığınız şeylerse, onun bağışlarıdır ancak. Çok ilkeli ve ödünsüz görünse de, en ciddi durumlarda bile kimseyle arasını bozmaz, ardında geri dönüş için hep bir aralık kapı bırakır. Bazı arkadaşlıkları yorgunluk bitirir. Ben Nalan yorgunuyum.

Ona ressam değil, grafiker olmak istediğimi hiç anlatamadım. O benim yarım kalmış resim maceramın sonucunda zorunlu olarak grafik sanatını seçtiğimi düşünüyordu. Düşünmekle de kalmıyor, bunu herkese acıklı bir yenilgi hikâyesi gibi anlatıyordu. Ressam olmak için yıllar yılı nasıl kör bir ihtiras, tutku ve acı içinde kıvrandığım üstüne kendi yazdığı bir hikâyeyi, güya benim için çok üzülüyor, beni kollamak istiyormuş gibi herkese anlatıyordu. Böylelikle insanlar benim olmayan bir sorunu ve hikâyeyi benim sanıyor, Nalan'la ilişkimizin sık sık pürüzlenmesini, onun parlak bir ressam olma yolunda attığı başarılı adımların bende uyandırdığı kıskançlık, çekemezlik ve benzeri duygulara yoruyorlardı. Sözü uzatmaya gerek yok, Nalan kötü bir insandı. Sonradan Akademi'de adı Kötü Nalan'a çıkacaktı.

Onun kötülüğünü en geç ben kabullendim. Budalalığımdan değildi bu. Hani, bazı insanlar hakkında öyle ya da böyle bir karara varırsınız ve sonradan o kararı değiştirmekte çok zorlanırsınız ya, bende de öyle olmuştu. Nalan o kadar zekiydi ki, kötü olması için bir neden yok sanıyordum. Oysa, kötülüğün, bir zekâ türü olduğunu anladığım ilk önemli örnektir o. Hadi Akademi'deki adıyla söyleyelim: Kötü Nalan! Kötülüklerini gerekçelendirmede, onlara entelektüel bir içerik kazandırmada yaratıcı bir zekâsı vardı. Daha ilkokul sıralarında başlamış ressamlık iddiası ve tabii engin kötülük yeteneği...

Örneğin, daha ilkokuldayken, sınıfında çok güzel yeşil gözleri olan bir kız arkadaşının gözlerini o kadar beğenirmiş ki, sudan sebeplerle kızı ağlatıp durumuş; çünkü, gözlerinin yeşili ıslakken çok daha güzel görünürmüş. Bu hikâyeden bize söz etmesinin nedeni, elbette ki içindeki kötülüğün çocukluğuna dek uzanan izlerini örneklemek değil, renklerle olan tutkulu ilişkisini anlatmaktı. Bu durumda isteyen, bu hikâyeyi, bir dehanın ta çocukluğuna kadar giden resim yeteneğine ilişkin bir ipucu olarak değerlendirebilir.

Yeteneklerini gerçekleştirmek uğruna hiçbir sınır tanımayan sanatçıların çok daha büyük sanatçılar olacağına ilişkin bir mitolojiden beslenen bu çeşit inanışlar, böyle yaparak hep kazanmış olanların hikâyesini anlatır yalnızca, bundan ötürü kaybedenlerden hiç söz etmez; dolayısıyla da doğruluk dereceleri hiçbir zaman anlaşılmaz. Toplumsal hafıza, yalnızca başarmışların kaydını tutar. Kaybedenlerin hikâyesi hiç saklanmaz. Oysa dünya tarihinin çok önemli bir bölümü kaybedenlerin hikâyelerinde saklıdır.

Günümüzde kaybetmek, kaybeden biri olmak bile bir başka

statünün, bir entelektüel statünün simgesi oldu. Ortalık sahte "kaybeden"lerle kaynıyor. Kaybedenlerin mitolojisinden kendilerine macera ve tarih istiyorlar. Yani kaybeden olmanın kazançlarını istiyorlar. Oğuz Atay'dan sonra nice irili ufaklı Oğuz Atay çıktı ortaya. Bir dolu sahte tutunamayan... Hayatın "out" ettikleri, kültür dünyasının "in"leri olmaya çalıştı. Sahtelikler malzeme ve figür değiştiriyor yalnızca, içerikleri hiç değişmiyor. Bunları düşündükçe içim gene kızgınlıkla kabarıyor.

Ben, uğradığım fikir felcinden kımıldayamaz bir haldeyken, ansızın, Tuğde'nin kapı ağzında durduğunu ve beni seyrettiğini fark ediyorum. (Ne zamandır burada acaba?) Suçüstü yakalanmış hissediyorum kendimi. Onun ne zamandır orada olduğunu ve neleri gördüğünü hızla hesaplamaya çalışırken, bu süre içinde kendimin neler yaptığını hatırlamaya çalışıyorum, hafif ter basıyor. Böyle bir duyguyu yaşadığım için kendime ayrıca kızıyorum.

"Niye ses çıkarmıyorsun Tuğde?" (Aptalca bir soru!)

"Rahatsız etmek istemedim." (Yalan! Beni yakalamak istedin. Suçüstü yakalamak!) İşte, Tuğde'nin bana çok tanıdık gelen ve bende kirli bir his bırakan bir özelliği daha, sizi çaktırmadan gözetleyen ve sizi boş bir ânınızda yakalamak isteyen, başkalarının gizlerine avcı olan kadınlardan o da. Nereden mi tanıdık? Elbette gene halalarımdan. "Kapını kapatma," derlerdi, "Kıyışık bırak. Ne olur, ne olmaz." (Ne olabilirdi ki?) "Olsun! Kıyışık bırak!" Zorunlu olarak kıyışık bırakılmış o kapıdan dünyanın bütün kötülükleri sızardı sanki içeriye.

"Çalışma odanız çok güzel Nermin ablacığım, içeri girebilir miyim?"

Allah bilir, yüzümde artık nasıl bir ifade varsa, kız çekinmiş olmalı! Pek ürkek soruyor.

"Tabii Tuğde, içeri gel."

Dün, ona evi gezdirirken, burada daha uzun zaman geçirmek istemiş, ama benim elinden tutup nazikçe sürümem sonucu salona geçmiştik.

Odamın en göz alıcı parçaları olan ışıklandırılmış vitrinlerime bakıyor ilkin. Bu vitrinlerde bir zamanlar yaptığım tiyatro dekorları maketleri duruyor. Maketlerin oyuncaklı havası ilgisini çekmiş olmalı. Profesyonel bir uğraş değildi bu. Bir dönem ciddi bir biçimde tiyatro için çevre düzenleyicisi olmayı hayal etmiştim. O sıralar sıkı bir tiyatrocu kadar çok oyun okuduğumu hatırlıyorum; okuduğum ve sevdiğim oyunlara ilişkin, klasik, modern, ultra modern dekorlar tasarlar, eskizler çizer, daha iddialı olduklarım içinse, üşenmez maketler yapardım. Bu maketler içinde zamanla beğenmediklerimi, daha az sevdiklerimi birer birer elden çıkarmaya başladım. Ev taşınmaları bu çeşit elemeleri hızlandırdı tabii. Sonunda bu eve çıktığımda, yanımda yalnızca hiç vazgeçemediğim maketler kaldı. Ev hallerine pratik çözümler üretmekte çok becerikli olan arkadaşım Metin'in fikirleri ve gayretleriyle bu fazla yer kaplamayan kullanışlı ve şık vitrinleri yaptırdım onlara; yumuşak, hoş bir aydınlatmayla içeriden ışıklandırılmış bu vitrinler bana bir zamanki hülyalarımı yeniden yaşatıyor, gönlümü tazeliyorlar.

Hayatımda öne çıkmaktan hep ürktüm. Hiçbir müsamerede rol almadım. Çocuk yaşta bile, kendinizi bütün oyunların dışında görürseniz, size yanılsamasına kapılacağınız hiçbir oyun kalmaz; taş gibi bir gerçeklik duygusuyla büyürsünüz. Hayatı hep uzaktan seyretmiş birinin maketleri bunlar. Benim içinde olmadığım bir dünyanın, hiç çıkmadığım sahnelerin maketleri. Şimdi spotların ince ayar ışığı altında duran, "Yerma"nın kızılındaki acı, "Hizmetçiler"in kurşuni ağırlığı, "İhtiras Tramvayı"nın kaskatı tenekeleri, "Karaağaçlar Altında"nın gölgeleri, gençliğimin uzak heyecanları... Gençliğimin diğer gerçekleşmeyen heyecanları kadar uzak, katı, acıtıcı...

Tuğde, tek tek her maket için yüzünü buruşturarak, ağlamaklı bir sesle hayranlık belirtiyor tabii. Onlara dokunamayacağını, dokunursa bozulabileceklerini söylüyorum. Yalnızca seyredebilir.

"Bunlar Barbie bebek evlerine benzemezler Tuğdeciğim, hemen dağılıverirler, onun için vitrinde duruyorlar."

Duvarlardaki çerçeveletilmiş, çoğu benim imzamı taşıyan afişler, birkaç resim, fotoğraf, camaltı levha; Weegee'nin objektifinden siyah-beyaz 40'lı yıllardan bir New York karesi, İhap Hulusi illüstrasyonu bir reklam afişi, Paris'ten aldığım masa lambam, çeşitli formlardaki kâğıt ağırlıkları, üzeri desenli teneke ya da mukavva kutular, kedi bibloları ve kartları, ters çevrildiğinde içinde kar yağan küreler, küçük kurmalı oyuncaklar, kitaplık raflarındaki çeşitli objeler, kartpostallar, Tuğde'nin dikkatinden ve parmaklarından uzun uzun nasiplerini alırken, birden gözleri, kitaplıkların ve dolapların en üst raflarında duran 40'lı ve 50'li yılların şapka kutularına takılıyor. Benim çok sevdiğim yuvarlak formları, üzerlerindeki desenleri ve dönemleri nedeniyle özel bir ilgiyle ordan burdan topladığım bu şapka kutularını ben ıvır zıvır koymak için kullanıyorum. Çocukların en üst raflara kaldırılan hemen her şeye olan ilgi ve meraklarını unutmuşum. Benim odada bulunmadığım bir anda yapacağı ilk hareketin ayaklarının altına bir sandalye çekerek onlara uzanmak olacağına dair bahse girebilirim.

Ben de her çocuk gibi en üst raflara kaldırılan şeylere meraklıydım. O kapalı kutularda bizlerden saklanan bir dünya olduğunu bilirdim. Günler öncesinden başlayarak planlarını kurduğum, halalarımın ve babamın odalarına bu amaçla düzenlediğim seferler anımsıyorum. Babamın odasında ayıp resimler bulmuş ve günlerce kusmuştum. Cinselliğin kapalı dünyasına ait bana söylenmemiş ve hiçbir zaman da söylenmeyecek onca şeyi vaktinden çok evvel o resimlerin kirli tariflerinden öğrenmiştim. Cinsellikle barışmam çok zaman aldı. Bu arada birdenbire Tuğde'nin merakıyla kendi meraklı çocukluğum arasında kurduğum ilişki beni irkiltiyor. Tuğde'den bunca ürkmemde, farkında olmadan kendimle kurduğum benzerlik bağları bir rol oynamış olabilir mi? Çünkü, ben de ne zaman büyüdüğümü hatırlamıyorum. Başkalarına yönelik bazı kızgınlıklarımızın temelinde, kendimizde hoşlanmadığımız yanlarımızla yüzleşmenin ürküntüsü yatmaz mı? Ola ki, Tuğde de bana, kendimde hoşlanmadığım, ama halledemediğim bazı yanlarımı hatırlatıyordur. Birbirimize ne kadar zıt tipler de olsak, hesaba katılmamış, benim görmekten kaçındığım benzerliklerimiz vardır dipte, derinde...

En üst raflara kaldırılmış şapka kutularında her zaman büyük gizlerin saklanmadığını bilecek kadar büyüdüm. Ama büyüdüğümüzde, bize kendimizi yakalatan şeyler, kendimizi kayırmaya ayarlı entelektüel hilelerimizin hesaba katmayı akıl erdiremediği kadar sıradan ve önemsiz ayrıntılardır. Öğrenmek istemeyenler gene öğrenmezler ama, kendine avcı gözler, bir gün mutlaka kendini yakalar. Kimse kendi olmaktan kaçamaz aslında. Bu, yalnızca bir kabul sorunudur. İşin kötüsü sizin kendinizde kabul edemediğiniz bazı şeyleri, diğerlerinin önceden görüp, sizi böyle kabul etmeleri ve bunu size söylemeden kendi aralarında konuşmalarıdır.

"O kutularda ne var Nermin ablacığım?" (Kaçınılmaz soru!)

"Ivır zıvır Tuğdeciğim, yani şapka falan yok!" (Doğru, ama inandırıcı değil.)

Tuğde'nin gözlerindeki ısrar, kendi görmeden yatışmayacak engin bir merakın gözlerde parıltı olarak yanıp sönen işaretleri...

"Bir sürü kâğıt parçacığı, birine bile bakmaya kalksan için sıkılır."

Bir yandan bu ikna edici cümleleri kurmaya çalışırken, açtığım zarfların birinden çıkan bir davetiye, birdenbire Tuğde ile birlikte yapabileceğimiz bir program için ideal bir olanak olarak görünüyor.

Mezunu olduğum okulun kızlarının, Boğaz sırtlarında bir yerde toplu yemek çağrısı!

Yıllar sonra bir araya gelen, bunca yıl içinde birbirlerinin neler yapıp ettiğine meraklı kızlarla geçirilecek olan zamanda, sevinç ve şaşkınlık nidaları eşliğinde, havada bol miktarda "Hiç değişmemişsin ayol, valla hep aynısın" cümleleri uçuşacak, hafıza antolojisinin okul hatıraları adı altındaki altın sayfalarından sevimsiz bir dolu olay, çiğ şakalar hatırlanacak demektir. Farklı hatırlamaların yarattığı tartışmalar, çekişmeler, birbirlerini ikna etme çabalarının gürültüleri, güne apayrı bir hava verecek, uzlaşılamayan noktalarda üçüncü, dördüncü gözlerin tanıklığına gereksinilecek ve ne olursa olsun, konu mutlaka şişmanlığa ve diyetlere gelecek, zaten bu arada da akşam olacaktır. "Yıllar sonra bir araya gelen" sözüme bakmayın, yıllar sonra bir araya gelecek olan benim aslında; onların çoğu yılda en az birkaç kez bir araya geliyordur zaten. Aradan geçen yılların bizi nasıl, hangi yönde değiştirmiş olduğu en büyük meraktır böyle durumlarda. Bu zaman içinde kim, neye ne kadar sahip olmuş? Kim neden, ne kadar eksik kalmış? Bir yandan da çok sıkılacağım şimdiden belli. Tuğde ile gidilebilecek yerlere ilişkin program yapma sıkıntısına bir çözüm olarak hiç de fena bir fikir değil. Bir öğleden sonra toplantısı olduğuna göre, herkes çoluğunu-çombalağını getirecek demektir. Tuğde'nin en azından birlikte oynayabileceği –çekişeceği demek daha doğru olur tabii–, birkaç çocuk bulabileceği ümidi, bu çağrıyı benim için sempatik hale getirdi doğrusu. O kadın ordusundan, ne kadar hayırsız olduğuma, hiç ortalarda görünmediğime, hiçbir çeşit toplantıya katılmadığıma ilişkin bir araba dolusu sitem dinlemek pahasına da olsa gitmeye karar verdim. O sırada benim üzeri desenli teneke kutularımdan birini, örümcek ayakları kadar işlek ve maharetli parmaklarıyla karıştıran Tuğde'ye konuyu açıp, onun onayını aldıktan sonra, davetiyede yazılı "LCV" numarasına telefon edip geleceğimizi bildirmeye karar verdim. Yarınki programımız tamam! Bu iş de hallolmuştu işte. Hayat bir an kolay göründü gözüme. Evet günler geçiyor ve günleri bir şeylerle doldurmak mümkün oluyor duygusu. Yalnızsanız, zamanın ve ölümün fazlasıyla farkındasınız, böyle küçük anların bir an içinizi genişleten duygusunu siz de tanıyorsunuzdur.

Nalan'ın bir sergisi, insan vücudunun içini gösteren her çeşit görsel tıp malzemesini kullanarak yaptığı resimlerden oluşuyordu. Çeşitli röntgenlerden, batın sonografisi, emar ve biyoskopi görüntülerine varana dek insan vücudunun derinliklerine sokulmuş tıp belgelerini dev boyutlarda yeniden resimlemişti: Mide, akciğerler, rahim, çeşitli deri dokuları devleştirilmiş ayrıntılar bizi içimizle ürkütüyordu. Kendimizi, bilinmez karanlığımız kılarak, vücudumuzu bize yabancılaştırmıştı. Şu an Tuğde'nin, bu nedir acaba, diye önünde duraladığı, o sergiden alınma bir resim, kırmızı ve mavi renklerle bacak damarlarının akışını okuyan bir "venöz dopler" çekimin Nalan'ın fırçasından yeniden vücut bulmuş hali... Yoğunlaştırılmış fırça hareketleriyle olağanüstü bir renk kullanımı.

Tuğde, benim için her zaman özel bir anlamı olmuş Edward Hopper resimlerinin çeşitli boy röprodüksiyonlarını çabuk çabuk geçip, mantar panolardan birinde asılı duran, çeşitli gazete ve dergilerden kesilmiş fotoğraflar karşısında hafif bir hipnoz halinde bakakalmış duruyor. Bu pano, benim konu başlıkları sık sık değişen eğlence panom. Bu seferkinin adı: "Şükür Panosu". Konuya ilişkin koleksiyon parçalarımın hoş örneklerini sergiliyorum. En başta, "Amarcord"daki kör akordeoncunun büyük boy bir fotoğrafı var örneğin; Helen Keller'in yaşamını konu alan "Miracle Worker"dan bir sahnede Anne Bancroft ve Patty Duke, gerçi fotoğraftan hangisinin sakat olduğu pek anlaşılmıyor; "My Left Foot"tan bir karede Daniel Day Lewis var, artık ona Daniel Day Lewis demek, ne kadar doğru sayılırsa; sonra Audrey Hepburn "Wait Until The Dark"tan hayli çaresiz bir karede; "Rain Man"-den gayet spastik bir Dustin Hoffman görüntüsü, "Ryan's Daughter"ın ünlü kambur ve meczubu John Mills... yani o gözle bakacak olursanız, Oscar almak için gereken koşullar katalogu da denebilir bu çalışmaya. Ve tabii panonun sağ alt köşesinde feminist tugay Şemsa –şişmanlık bağlamında yer alıyor–, bir panelde, yavrularını yiyen salyası taze canavar kadın resminde! Belli ki gene birilerine çok kızmış, bir türlü yatıştıramadığı o sarkastik öfkesiyle bağrışırken çekilmiş benim için hayli kirli çağrışımlarla tanıdık olan yüz ifadesiyle...

Tuğde birbirinden manasız bu resimlerin niye baş köşeye asılmış olduğuna bir anlam veremiyor besbelli, boynunu bir sağa, bir sola kırıp, niyesini arayıp bulmaya çalışıyor.

"Boşuna uğraşma Tuğdeciğim," diyorum. "Moralimin bozuk olduğu zamanlarda, bunlara bakıp bakıp, 'Şükür halime!' demek için astım onları."

Bu fikir Tuğde'nin pek hoşuna gidiyor. Bilmeceyi çözmüş olmanın mutluluğuyla küçük bir sevinç çığlığı atıyor! Ne zaman hafif bir melanet kokusu alsa pek eğleniyor bu kız!

"Çok şaane Nermin ablacığım! Eve gidince ben de bi tane yapıcaam kendime, çok güzel sınıf resimlerim var benim de..."

Kızın benden öğrenmesi gereken şeylerin bunlar olmadığını

ben de biliyorum. Ama ne yapabilirim? Kim bilir keşfedilecek daha ne sırlar var dercesine delici gözlerle odayı tarayan Tuğde'yi, bu odadan, bunca objenin ve oyuncaklı şeyin arasından çekip çıkarabilecek üç T'den biri imdadıma yetişiyor o sırada: Telefon çalıyor! Çalışırken telefon sesi beni fazlasıyla irkilttiğinden, çalışma odamda telefon bulundurmayışımın, bugüne dek hesaplamadığım bir yararını görmüş oluyorum böylelikle. Düğmesine basılmış gibi fırlayarak salona doğru bir koşu tutturan Tuğde'nin içeriden cırlayan sesi duyuluyor az sonra. İnanılacak gibi değil ama, telefon banaymış!

Telefonun başına gittiğimdeyse, sevinç denebilecek o minik hoşnutluk duygusu bile kursağımda kalıyor, çünkü telefon Tuğde'nin anneannesinin doktorundan... Hiç merak etmediğim sağlığına ilişkin lüzumsuz bir sorun dinleyeceğimi sanıyor, derin bir soluk alarak içimi hazırlıyorum. Oysa, doktorun çok güzel bir baldızı varmış, reklamlara çıkmak istiyormuş, para mühim değilmiş, zaten ailenin hali vakti yerindeymiş, ama bu kızı benim keşfetmiş olmamın, benim mesleğim için de büyük bir yararı olurmuş. Reklamlar olmasa bile kliplerden tanıdığım biri varsa, o da olurmuş!

Ben, bu eve taşınalı beri, Edvard Grieg'in "Peer Gynt" süiti, hiç bu volümde çalınmadı. Sir Neville Marriner yönetimindeki "Academy of Saint Martin in the Fields" orkestrası bütün apartımanı inim inim inletiyor. İnsanın, müzik dinlemekten çok içindeki fırtınayı yatıştırmaya çalıştığı böylesi durumlarında, bence Çaykovski bile dinlenebilir. Ki, kendi fırtınasını ifade etmede, fazla gösterişli, fazla abartılı ve fazla isterik bulduğum Çaykovski'yi bana dinletmek hiç de kolay iş değildir.

X

Cicili sabunlar

"BUGÜN arabamı tamirciden alacağız Tuğde," dediğimde çok sevindi, sanki o ana dek bir türlü adını koyamadığı, ama eksikliğini hep hissettiği bir şey kendiliğinden çözülüvermişti. Benim bir de arabam olmalıydı. Yalnız, başarılı, çağdaş ve özgür bir işkadını olarak elbette arabasız düşünülemezdim. Böylelikle Talimhane'den, Kasımpaşa'dan, Dolapdere'den geçilerek gidilen, gezdiğimiz semtler olarak bakıldığında Tuğde'nin elbette hoşuna gitmeyen, onda hiç hoş duygular uyandırmayan, ama sonuçta araba alınmaya gidildiği için katlanılabilir sayılması gereken bir yolculuk başladı. Kız, anasından prenses doğmuştu. Hayatın bütün bu fuzuli yanları, ona gösterilmeden halledilmeli, o yalnızca cici sonuçlarına ulaşmalıydı. Böyle günlerde hep ters gittiği gibi, hava iyice ısınmış, geçtiğimiz bütün o yerlerin makine yağı, is, toz, duman ve ter kokuları etrafı sarmıştı.

Tamirciye girdiğimizde, Tuğde'nin gözleri içine kurulacağı şık ve gösterişli bir araba aramaya başlamıştı bile. Sonunda dipteki narçiçeği arabayı beğendi. "Bu mu?" diye sordu. Ne yazık ki, yanılmamıştı. Arabayı arayıp bulup, içine prensesler gibi kurulurken, orada çalışmakta olan çocuk yaştaki tamirci çıraklarına, yolu tamirciye düşmüş, şımarık zengin kızı işveleri yaparak, karşılığı olmadığını çok iyi bildiği umutlar dağıtmaktan da geri durmadı. Kızımız, hiçbir film eksik kalsın istemiyordu. Neredeyse bütün bir melodram tarihi kadar yaşı vardı Tuğde'mizin. Baktıkça dehşete kapılıyordum. Çırak çocukları hayranlık ve özlem içinde ağızları yarı açık ardımızda bırakarak uzaklaştığımızda,

Tuğde'nin omuzlarının üzerinden şöyle son bir kere dönüp ardına baktığını gördüm: Son bakış! Pes doğrusu! Kavşağa geldiğimizde, kırmızıda durduk. Önümüzde bir araba. Arka koltuğunda topuzuna simli bir file geçirmiş bir kadın... Yüzündeki iddiayı ensesinden bile okuyabilirdiniz. Üstü başı yağ-pas içinde, yeniyetme, sıska bir çocuk elindeki ıslakça bez parçasıyla önümüzdeki arabanın ön camını silmeye başladı. Yeşil yanmasına yakın, işini bitirdi çocuk, direksiyondaki avucuna birkaç kuruş koydu herhalde, çocuk bize doğru yürümeye başladığında, arkada oturan o topuzu simli kadın, ardına dönüp, sinirli bir biçimde yüzüğünü arka cama vurarak çocuğu geri çağırdı, tam silinmemiş arka camı gösterdi. Çocuk bu kez de aynı bezgin hareketlerle arka camı silmeye başladı. Sonra yeşil yandı, hareket ettik. İçimde derin bir öfke kabardı. Kadına karşı derin bir öfke. Bu davranışına karşı derin bir öfke. Bu davranışın temsil ettiği değerlerden ve dünyadan tiksiniyordum. Bu tür kadınlardan, bu tür erkeklerden ve onların ait olduğu sınıftan, para ilişkilerinden şiddetle nefret ediyordum. Son zamanlarda ne çok şeyden nefret ediyor, kendi nefretime yetişemiyordum. Büyümeyen bir yanım vardı. Yüreğimde çocukça bir adalet duygusu taşıyordum. Ve böyle zamanlarda istemediğim şeyler yapmaya zorluyordu beni. Karşılığı olmayan pahalı gösterişlere...

Gündeliğin olağan ayrıntılarında görünen sınıf damgası! Bunlar yanlarında çalıştırdıkları insanlara da böyle davranırlar. Ödedikleri her kuruşun takibinde sekmez bir inatları ve dikkatleri vardır. Dünyadaki bunca zulme, haksızlığa ve adaletsizliğe kör olan gözleri, böyle boktan ayrıntılar söz konusu olduğunda atmaca kesilir. Madem parasını verdik, mantığıyla ödedikleri her kuruşun yağını çıkarmaya çalışırlar. Uyanık olmayı, var olmak sanırlar. Kazıklanmamak, enayi yerine konulmamak paranoyasından, sahiden sahip olmaları gereken hiçbir paranoyaya sahip değillerdir. Dünyanın her yerine aynı boktanlıkla dağılmış aşağılık orta sınıf işte! Ne efendi, ne köle... Sonuçta o çocuğa camını sildirmemek, böyle bir hizmeti reddetmek de pekâlâ mümkün... Bu da bir seçimdir. Hem takibine vakit ve dikkat ayırdığın o birkaç kuruşun da yanına kalır... İçinde yaşadığımız dünyada kimse, kimsenin yoksulluğunu karşılayacak kadar çok para kazanmıyor, diyelim. Sabahtan akşama o kavşaklarda durup, gelip geçen arabaların camlarını silerek ya da onlara toz bezi satarak birkaç kuruş kazanmaya çalışan yoksul mahalle çocukları bunlar. Dilenmek yerine böyle bir yolu seçmişler. Evet, çoğu kez bıktırıcı da oluyorlar. Kimse merhamet duymak zorunda da değil. Sadaka vermek yerine, güya sözde bir hizmet karşılığı birkaç kuruş verme bahanesi yalnızca... Ama ne doğulu toplumlarının dilenciye ve onun töresine yaşama hakkı tanıyan ahlakını taşıyabilen bir toplum olabiliyoruz, ne de batının hizmetsiz ve servissiz hiçbir ödeme yapmayan ödünsüz tutumunu benimseyebiliyoruz. Her zaman, her yerde olduğu gibi, ne doğulu ne batılı, hep arada, hep derede.... Arabadaki kadının söylenmelerini duyar gibi oluyorum: O adam çalıştırmayı bilir. Güya yutmadı, güya onu kandıramadılar, güya o kimseye pabuç bırakmaz. Bunlar hep böyledir. Paralarını alana kadardır işleri... Direksiyondaki adam, kocasıysa eğer, "Ben sana söyledim sildirme diye, madem para verdik, adam gibi işini yapsın. Dünyanın enayisi biz miyiz? Bak ben söylemesem yürüyüp gidecekti, arka pencereyi olduğu gibi bırakmış. Sen de hiçbir şey fark etmezsin zaten!" benzeri cümleleri duyar gibi oluyorum.

Topuzu simli lanet olasıca kadından çoktan sıkılmışım, aklım gerilere gidiyor.

Ama gerilere gitmeden önce, uygun bir dönemeçte gaza basarak öne fırlıyor, onların arabasını solluyorum, panikliyor, sağa sola savruluyorlar. Adam kurtulmak için gaza basacak oluyor, ben de basıyorum, Amerikan "aksiyon filmlerindeki" araba sıkıştırma sahnelerine yaraşır bir görüntü elde ediyoruz. O simli topuzun sağa sola panikle savrulmasını izleyerek içimin kızgınlığını bastırıyorum. Ne yaparsınız, küçük intikamlar, küçük mutluluklar işte! Benim anarşistliğim de bu kadar! Tuğde benim mahsus yaptığımı anlayarak çok seviniyor. Ne zaman içimdeki şeytanın ucunu göstersem, Tuğde beni çok seviyor. Onları geride bırakıp, hızla "olay yerinden" uzaklaşıyoruz.

Aklımın gerilere gitmesine gelince: İşe yeni girdiğim sıralarda, şirkette önemli bir idari görev yapan Metin'le öyle tanışmıştık. Benim kadar olmamakla birlikte, o da yeniydi işte, ama hemen yükselmişti. Sık sık iş değiştirmesi ve her yeni işinde hızla yükselmesiyle ünlenecekti sonraları. Hırslı, kararlı, çalışkan ve uyumluydu. Bana ilgi duyuyordu, yumuşak bakışları vardı, sert ve otoriter olmaya çalıştığında sevimsiz oluyordu ama, Allahtan çok sürmüyordu bu. Konuşkandı, canlıydı, mizah duygusu vardı, baş başa kaldığımızda çok eğlenceli olabiliyordu. En önemlisi, benim için tam bir işkence olan gündeliğe ilişkin bir dolu ıvır zıvır, bir dolu ayrıntı onun çokbilmişliği, iş bitiriciliği ve pratik çözümleme yöntemleriyle sorun olmaktan çıkıyordu. Kendime yeni bir hayat kurmaya çalıştığım günlerdi, zayıf günlerimdi. Solculuktan caymış, mücadeleden vazgeçmiş, arkadaşlarımla birlikte oturduğum evi bırakmış, bambaşka bir hayata geçiş yapıyordum, yeni insanlara, yeni ilişkilere ihtiyacım vardı; gösterdiği ilgiyi karşılıksız bırakmadım ben de. Tuhaf bir beraberlik olmaya başladı bizimkisi. Beraberlik bile denemezdi aslında, bir beraberlik denemesiydi iki taraf için de – daha çok da onun içinmiş meğer. Bunu sonra anlayacaktım. Acemi ve gelişigüzel birkaç öpüşmeden öte geçmeyen bir yakınlık, arzu uyandırmayan birkaç okşama... El ele seyredilen birkaç film...

Benimle evlenmek istediğini anladığımda çok şaşırdım, birbirimizi doğru dürüst tanımıyorduk bile. Tamam, zayıf bir dönemimdi ama, sağduyumu da hepten yitirmemiştim. Hem bilebildiğim kadarıyla evliliğe daha çok teşne olan her seferinde kız tarafıdır, ona ne oluyordu? Evlilik konusunda büyük bir telaşı vardı. Anlam veremediğim bir telaşı. Sanki biri beni kapmasın diye acele ediyor, filmlerde olduğu gibi Mısır'daki uzak haladan kalma büyük mirası kimselere kaptırmadan başımı bağlamak istiyordu. Evine gittim birkaç kez, ince bir zevkle döşenmişti evi, her şeyi vardı, titiz ve derli topluydu, çok iyi bir aşçıydı, olağanüstü güzellikte yemekler hazırlıyordu, zengin bir plak koleksiyonu –özellikle opera plakları– ve iki-üç dilde sinema kitaplarından oluşan zengin bir kitaplığı vardı. Sabahlara kadar sinemadan ve müzikten, zaman zaman da edebiyattan konuşuyorduk. Yeryüzünde yaşamış bütün opera şarkıcılarının adlarını ezbere biliyor ve onlara ilişkin çok çeşitli ve eğlendirici öyküler anlatıyordu. Zaman onun yanında nasıl geçiyor hiç anlamıyordum. Politikadan hiç hoşlanmıyordu, benim de, yaşadığım ağır deneyimlerden ötürü, politikadan soğuduğum, kendimi her şeyin dışında büyük bir boşlukta hissettiğim ve kendime farklı bir uzay kurmak istediğim bir dönemdi; bu yüzden işime geliyordu. Dışarıdan bakıldığında, müstakbel bir karı-koca adayından çok, iyi anlaşan iki arkadaşa benziyorduk. Ama o ısrarla, sevgililiği zorluyor, uygun bulduğu zamanlarda, sutyenlerimin kopçalarını kurcalamak, eteklerimi belime toplayacak kadar bacaklarımdan yukarı çıkmak gibi, pek de arkadaşlığa sığmayacak girişimlerde bulunuyordu. Doğrusu, ben de pek ses çıkarmıyor, biraz da merakla bu ilişkinin sonunu bekliyordum.

Yalnız bir yanı çok tuhaftı, dışarı yemeğe çıktığımız kimi akşamlar farkına vardım ilkin, garsonlardan nefret ediyordu. Garsonlara yersiz yere kötü davranıyor, ufacık bir pürüzde derhal onlara köpek muamelesi yapmaya başlıyor, onlarla konuşurken durduk yerde sinirleniyor, yüz hatları geriliyor, neredeyse kendine yapılmış bir terbiyesizliği usulüne uygun, çok sinirlenmeden cezalandırması gerekirmiş gibi öfkesini bastırarak konuşuyor; iş bahşiş vermeye geldi mi inanılmaz cimrilikte davranıyor, benim şaşkınlığım karşısında hiçbir inandırıcılığı olmayan uzun açıklamalarda bulunuyordu. Sık sık evine temizliğe gelen kadınlardan yakınmasına tanık olmuş, sık sık o kadınların işi bırakıp kaçtıklarını duymuştum ama, benim için her şey ancak, bir keresinde, evinde çalışan kadına nasıl davrandığını gördüğümde aydınlandı. İnce beğenili, uygar görünüşlü, opera ve sinema seven bu genç adam, kendinden aşağı sınıf insanlara karşı akıldışı bir nefret duyuyordu. Nefretinde, öfkesinde ve onlara karşı davranışlarında, bir burjuvadan çok, zalim bir derebeyi havası vardı. Kendi hayatı içinde tam bir Klu Klux Klan'dı. İlk kez bu kadar yabancılaşarak izliyordum onu. Şaşkındım. Gördüklerime bir anlam veremiyordum. Araba park yerlerindeki kâhyalar doğal düşmanlarıydı, verdiği her kuruşu canından kopararak veriyordu sanki. Sokaktaki boyacılara ayakkabılarını boyatmak zorunda kaldığı acil durumlarda, onlarla bile pazarlık etmeyi, beş kuruş eksiğine iş yaptırmayı kâr biliyordu. En şık yerlerde en zarif ödemelerde bulunan bu insan, böyle durumlarda akıl almaz küçük hesaplar yapıyor, tenezzül ettiği şeylerle gözümden düşüyordu. Bu nefretin kaynaklarını anlamaya çalışıyordum; tamam, demiyorum bizim gibi sokakta gördüğü her ağlayan sümüklü çocuğun eline beş lira sıkıştırsın ama, bu neredeyse vahşete yakın nefret de ne oluyordu? Kendini sınıfsal bir varlık olarak, ancak onları ezerek duyabiliyordu. Her türlü sömürü hikâyesini dünyanın doğal harikalarından biri gibi dinliyordu, herkese inanılmaz akıllar veriyordu ucuz emek konusunda; pazar günleri Istanbul'un çeşitli yerlerinde kurulan insan pazarlarına gidip, gündelik işlerini yaptırmak için nasıl ucuza adam kapattığından başlıyordu uyanık ve işbilir dünyasının inceliklerini anlatmaya... Bulunduğumuz ortamlardaki insanların çoğu da biraz hayranlıkla dinliyordu anlattıklarını. Ben niye şaşıyordum ki? Ne de olsa bir iş dünyasıydı bu, ben de para yapmaya, hayat değiştirmeye karar vermiştim. Ne umuyordum ki bunların arasında? "Sosyalist Devrim mi, Milli Demokratik Devrim mi" tartışması mı?

Her neyse, bütün bu olan bitenler sonunda benim yeniden politikayla ilgilenmemi sağladı. En azından beni kendime getirdi. İlkin ağır bir saldırı ve hiç yoktan çıkardığım bir kavgayla başladı, tam bir bozguna uğramıştı, sanki yanındaki kız casus çıkmıştı, şaşkınlıktan doğru dürüst cevap bile veremez olmuş, dili tutulmuştu. Söylediklerimden kapıldığı dehşetle, her an beni gizli örgüt üyesi bir bombacı sanabilirdi. Zeki biri olduğu için söylediklerimi ve itirazlarımı anlıyor, yaptığım göndermeleri kavrıyordu. Yakaladığım bütün açıklarından ötürü panikteydi, benim onu bu kadar görmüş olmamdan çok rahatsızdı; kendini karşımda çırılçıplak hissediyordu. Sonunda bütün bunlar birkaç günlük küslüğe patladı ama, o da, ben de kendimize geldik. Bilmem, barıştıktan sonraki ilk yemeğimizde garsona bol bahşiş bıraktığını söylememe gerek var mı?

Günün birinde annesiyle tanıştırdı beni. Ben, artık benimle

evlenmekten vazgeçti diyordum tam, o meşum gece geldi, aslında benim için biraz emrivaki oldu. Bir akşam yemeğine çağrılmıştım ve anlaşılan çaktırmadan annesine görücüye çıkarılmıştım. Annesi çok gergindi, o geceye ait bir gerginlik değildi bu.

Kadın tam bir yüksek trafo merkeziydi, bulunduğu her ortamda herkesi gerim gerim geren kadınlar vardır, bu kadınların bugüne kadar gördüğüm en başarılı örneğiydi, bütün gece yüksek gerilim hattında oturmuşum ve her an yanlışlıkla 1000 voltluk çıplak bir tele dokunacakmışım gibi hissediyordum kendimi. Bu kadınların karşısında sürekli suçlu hissedersiniz kendinizi, ne kadar çırpınsanız bu duygudan kurtaramazsınız; ne yapsanız kendinizi onlara beğendiremezsiniz, ne anlatırsanız anlatın yüzlerinde sürekli bir itiraz ifadesini hazır bekleterek dinlerler sizi. Onların hoşuna gitmeyecek bir şey söylememek için, siz de yok yere tutulur kalırsınız. Kendi gerginliklerini yayım yayım yayarlar etrafa. Her şey yolundayken bile, onların yanında havada hep bir yağmur sıkıntısı asılı durur. Kusur bulmakta üstlerine yoktur, heves kırmakta da birebirdirler. Onların her dediklerini onaylamanız bile kesmez onları; çünkü asıl istedikleri maraza çıkarmaktır. Boyun damarlarını şişire şişire, gözlerini aça aça, yüzleri pençe pençe kızararak, yırtılan bir sesle boğula boğula tartışmak isterler. Tartışmalarında da daha çok pazarlık etme havası vardır.

Hiçbir şey olmadığı halde, tanışmamızın daha ilk on dakikasında donuma kadar ıslanmıştım kadının gerginliğinden. Gece de bitmek bilmiyordu, daha doğrusu bizimkinin hazırladığı ardı arkası kesilmeyen tatlılar-tuzlular sayesinde bitmiyordu.

Kadın bütün gece parmaklarıyla masada trampet çalarak her hareketimi izlemiş, her davranışımı en ufak ayrıntısına kadar didiklemişti; bakışlarıyla yalnızca şimdimi değil, bütün geçmişimi, mazimi, ruhumun bütün derinliklerini, aklımın en gizli saklı köşelerini okumaya çalışıyor, densiz olmadan her şeyi sormak, terbiyesizlik etmeden her şeyimi öğrenmek istiyordu. Üstelik bütün bunları gerçekte benim evlenmeyi düşünmediğim bir adamın annesi olarak yapıyordu. Oğluna kız beğenmekten çok, malına mülküne mutemet beğenir gibiydi.

Onlar, ana oğul öyle yan yana otururlarken, aslında ta başından beri anlamam gereken her şeyi birdenbire anladım... Büyük ölçüde birbirlerine benziyorlardı, demek bile eksik kalır, ana oğul aynıydılar aslında. Ne salt bir fiziki benzerlik, ne de bir davranış, eda benzerliğiydi söz konusu olan... Daha doğrusu Metin'in annesine gerekmeyecek ölçüde benzerliğini keşfetmiş ve bundan çok rahatsız olmuştum. Annesi tam bir halayık döven, köle kırbaçlayan Osmanlı anasıydı. Belli ki, o nefret, annesinden geçmişti kendisine. Bütün o garsonlara, kâhyalara, kapıcılara, boyacılara davranışlarında kendini anneye kanıtlama, annesinden kalan mirası nasıl sürdüreceğini anneye gösterme gayreti vardı. Annesinin yanında Metin de iyice geriliyor, neredeyse başka biri oluyordu, yüz hatları, ifadesi, birçok davranışı şaşırtıcı ölçüde annesine benziyordu, annesine benzeyerek sınıfını giyiniyordu sanki. Onunla özdeşleşmenin bir yolu olarak onun sınıf davranışlarını giyiniyordu. Gecenin ilerleyen kimi dakikalarında bu benzerlik öyle boyutlara vardı ki, bir ailenin en mahrem kronolojisiyle karşı karşıya olduğum duygusuna kapıldım.

Üç kız, bir oğul, bütün mal mülk annenin elinde, baba ölmüş, kadın çoktan adamı gömmüş, Allah bilir, adam yüksek gerilimden gitti herhalde, elde avuçta ne varsa her şey kadının üzerine, banka hesapları bile, evlerin, dükkânların, arsaların tapuları, çocuklar babadan kalma mirası da reddetmişler, belli ki anaları öyle istemiş, her şey analarına kalmış, hatta gümüş çay kaşıkları bile, bütün gece sofrada anlattığı çeşitli markalardaki yemek takımları, Çin vazoları, Bohemya porselenleri, gece boyu beni iyice serseme çeviren, ayrıntı meraklısı biri olarak benim bile aklımda tutamadığım bir yığın mal-mülk, marka adı... Kadının rızası olmadan kimse bir kuruşluk bile yatırım yapamıyor, bir çöp bile alamıyor, her şey onun onayından geçiyor. Tam bir "Haseki Sultan" havasında. Malları kolay yapmamışlar, öyle anlaşılıyor, zaten sık sık da vurgulanıyor, öyle kimseye kolayından kaptırmaya niyetleri de yok. Mallarına göz dikenler varsa ayaklarını denk alsınlar!

Bir yanıyla her şey bunca çıplakken, ben niye daha önce hiç anlamadım. Kendi dalgınlığımdan mı her şey böyle kapalı kaldı bana? Kimi gölgede kalan ama kendime sormayı da ertelediğim her şey birdenbire o gece aydınlandı. Ana ile oğul arasındaki benzerlik, bir benzerlik olmaktan öte, bir özdeşleşme ilişkisiydi. Evlenmekteki telaşı da anlaşılır oldu benim için. İşin kötüsü, kadın beni sevdi, bütün o gergin gergin yaydığı kötü enerjiye rağmen, bunu da anladım. Hem dişine uygun, hem sınıfına yakışır. İyi bir aileden gelme, iki dil bilen, iyi eğitim görmüş, üniversite mezunu, geleceği olan, hoş, havalı bir genç kadın. Aksiliğim de kadının hoşuna gitmiş olsa gerek. Öyle analı bir oğulun hakkından yumuşak bir kadın gelemez. Bunu da hesaplamıştır. Ama benim için bütün oyun bitmişti. Niye Metin'le kardeş kardeş oturmaktan fazla öteye geçemediğimizi de –her ikimiz için de– anlamış oldum.

Ertesi akşam Metin'i bir içkiye çağırdım. Gönül koymuştum. Biraz sitem edecektim. Sonrasındaysa arkadaş kalmaya niyetliydim. Ama galiba biraz aceleci davrandım. O, annesinden falan konuşacağımızı sanmış olmalı.

İlk sorum, "Eşcinsel olduğunu niye benden sakladın?" oldu. İntikam olsun diye sormamıştım. Yalnızca kendimi kullanılmış hissediyordum. Enayi yerine konulmuştum. Duygularımla oynanmıştı. Gergin bir kadının karşısına görücüye çıkarılmıştım. Belli ki, oğlunun eğilimlerine çoktan uyanmış olan kadın, kazasız belasız, bir an önce oğlunun başını bağlamak niyetindeydi. Hiçbir hazırlık yapmadan girmiştim konuya. Yüzü tamamen boşaldı. Kızardı, kekeledi.

"Metin çok kırıldım," dedim. "Bir de üstüne üstlük annene görücüye çıkardın beni. Kadına karşı beni kullandın. Beni suç ortağı ettin kendine." Bir şey söyleyemiyordu, sanırım uygun sözcükler arıyordu. Sonra, "Bir şey mi duydun?" dedi, "Yoksa beni mi deniyorsun?" "Bak yeniden oyun oynamaya kalkışma sakın, deniyorsun falan diye, hiçbir kadın, bir erkeği böyle durduk yerde denemeye kalkmaz," dedim. "Ayrıca bir şey de duymadım, yalnızca dün gece seninle anneni yan yana gördüm. Hepsi bu. Aynı insandan iki tane. Ucuz Freudçular gibi konuşuyor olmayayım ama, maalesef senin hayatındaki özdeşleşme figürün annen. Her şey birdenbire aydınlandı. Daha önce de anlayabilirdim tabii, ama bana yalan söylemiş olacağını hiç düşünmemiş olsam gerek. Banyondaki o mini mini cicili sabunlara bakarak, 'Bu çocuk homo galiba,' diye düşünecek kadınlardan değilim. Bunu sen de bilmeliydin. Böyle bir şey olsa, zaten saklamazdı, diye düşünmüş olmalı aklımın bir tarafı. Sense değil yalnızca saklamak, bir de beni kullanmaya kalktın. Annene, işte evlenilecek bir kız, diye beni kakalamaya çalıştın. Bak bunlar çok çirkin şeyler, sana da, bana da, dostluğumuza da hiç yakışmıyor. Ben sana âşık değilim, büyük bir yıkım da yaşamadım, her zaman adını koyamadığım bir biçimde, sevgiliden çok iyi arkadaş olabileceğimizi sezmiştim zaten. Bu yeni duruma alışmak, benim için işten bile değil. Yalnızca kırıldım sana, oyununu çok tehlikeli buldum. Düşün bir, sana karşı daha yoğun hisler geliştirebilirdim, sana âşık olabilirdim, bu yüzden acı çekebilirdim, hasar görebilirdim, benimle, duygularımla oynamaya hiç hakkın yoktu. Bu ahlaksızlıktı. Sen anneni mutlu edeceksin, üç kız kardeşinle miras dengeni kuracaksın diye benim hayatımla oynamaya kalkışman doğru değildi. Şimdi seni affediyorum ama, sakın bir daha böyle yapma," dedim. "Kimseye yapma!"

Sonra kahve koymaya mutfağa gittim, döndüğümde gitmişti, hiçbir şey söylemeden çekip gitmişti. "Çok mu ileri gittim, çok mu utandırdım acaba?" diye düşündüm. Yüzüne çarpmanın daha incelikli bir yolu bulunabilir miydi acaba? Bilmiyorum ama, o da ateşle oynamıştı. Benim yerimde başka bir kadın olsa, kim bilir neler yapardı?

Metin, sonra hayatımdan tamamen çekildi. İlkin iş değiştirdi, sonra ev, arkadaşlığımız bir daha hiç kaldığımız yerden sürmedi. Böyle olsun istemezdim. Ama galiba benim yanımda utanıyor, suçluluk duyuyordu. Zaman zaman çok özledim onu. "Yeni opera plakların var mı?" diye telefonlar açarak, olan biteni olağanlaştırmaya çalışıyorduysam da, atlatıyordu beni. Sonra herhalde kendi hayatını yaşamaya karar verdi. Daha açık bir eşcinsel yaşam seçti kendine. Sağda solda eşcinselliği konuşulur olmaya başladı. Zaman zaman bazı kadınlarla birlikte olduğunu da duyuyordum ama, bunlar benim gibi ketenpereye getirilmek istenen keriz kadınlar değil, her şeyi baştan bilerek böyle bir ilişkiye gönüllü giren kadınlardı, şartların eşit olduğu böyle durumlarda sonuçlara katlanmak daha kolay olabilir tabii, bilmiyorum... (Hoş, herhangi bir ilişkide, ne daha kolay, ne daha zordur hâlâ öğrenebilmiş değilim ya, aldırmayın bana, konuşuyorum işte...)

Kendi bünyesine uygun yaşamaya başlayınca, çok daha hoş bir insan olmuş Metin, benim dışımdaki bütün eski arkadaşlarıyla görüşüyor tabii. Bu, hep böyle olur zaten. Giderek kadınları iyice eksiltti hayatından, genç ve yakışıklı bir sevgilisi oldu. (Bu da hep böyle olur.) Onunla uzun ve mutlu bir beraberlik sürdürüyor; söyledim ya, zaman zaman özlüyorum onu, gündelik hayatın anlamsız labirentlerinde, eşyanın acımasız girdabında başım ne zaman sıkışsa onu arayasım geliyor, ama bir türlü elim varmıyor benim de... Bana, ilişki bile denemeyecek o kısa beraberlikten küçük bir hastalık kaldı: Banyosunda mini mini cicili sabunlar gördüğüm her erkekten kuşkulanma hastalığı... İşin kötüsü hiç yanılmıyorum.

İşte o topuzu simli fileli kadının sinirle baş atışında, yüzüğüyle cama vuruşunda gördüğüm sınıf tavrı, Metin'le annesinin bütün var oluşlarında gördüğüm şeyle aynıydı.

Tuğde'nin, "Ne güzel araba kullanıyorsunuz Nermin ablacığım! Tıpkı filmlerdeki gibi," demesiyle birlikte ana vanadan bilinçakımı roman tekniğine bağlanmış olan çağrışım musluğu iyice açılmış bu sayfalardan uyandım. Arabamı özlemişim, direksiyonumu tül gibi kavrayışımı, "Hadi bari Boğaz'a gidelim," dedim Tuğde'ye. Neden bilmem, daha dediğim an pişman olmuştum, evimde, yatağımda olmak, belki de saçmasapan bir hayale ağlamak geldi içimden. İçinde olmamış aşklar, yarım kalmış arkadaşlıklar, hayal kırıklıkları, uçmuş hülyalar, tavsamış umutlar olmayan, tamamen başkasının başından geçmiş bir hülyaya... Çoktan beridir kendi başımdan geçenlere ağlama yeteneğimi yitirdim. Ağlamak istediğimde, hep başkalarını düşünüyorum artık. Başkalarının başından geçen öyküleri düşlüyorum. Bazen aptal aptal oturup, eski Türk filmlerine de burnumu çeke çeke ağladığım oluyor. Bakın, bunu da şimdi burada itiraf ediyorum.

XI

Ortaköy

BİRDENBİRE, Boğaz'a gitmek üzere yola çıkmışken, bu saatte masalarının çoğu boş olan bir restoranda, Boğaz'ın insanın içine işleyen sinsi rüzgârıyla ürpererek, Tuğde'nin yüzüne baka baka kuşluk rakısı içip, geçmişe hüzünlenmenin bana iyi gelmeyeceğini hissettim. Hayır, bu iyi bir fikir değildi. Bu, daha da kötü edecekti beni. Böyle zamanlarda kendini insan içine atmakta yarar vardır. Kalabalıkların başıboş uğultusu, içinizdeki uğultuyu oyalar. Örneğin, Ortaköy'ün gelişigüzel kalabalığında sersemlemek iyi gelebilir. İnsanı içinin sesini dinlemekten alıkoyan gürültüler, kimi zaman bir çeşit terapi yerine geçebilir.

Eskiden, yani kendimize "genç" dediğimiz zamanlar kadar eskiden, kimi sabahlar, çok erken saatlerde, meydandaki boyası dökülmüş, tahtası aşınmış solgun banklardan birine oturup, sabahtan ve denizden ürpererek, kuşlara, dalgalara, karşı kıyılara bakıp, belirsiz bir gelecek ümidiyle hayallere daldığımız zamanların Ortaköy'ünün ıssızlığını özlemiyor değilim.

Nasıl geçerse geçsin, gençlik özleniyor.

O ıssızlıkta, yalnızca geçmişin değil, aydınlık bir geleceğin de anıları kaldı. İstanbul'un neredeyse her köşesi, bizim için bir gelecek ümidi taşırdı. Bazı hayaller, boşa çıksalar bile, gücünü yaşanmışlıktan alan hatıralar kadar canlı ve şiddetli hatırlanabilirler. Bizler de hatırası az, hayalleri çok çocuklardık. Gençtik; bizden on yıl öncesine bile "uzak geçmiş" diyecek kadar genç! İstanbul bizi bekliyordu. Hayat bizi bekliyordu. Kitapların başında sabahladığımız gecelerin tansökümlerinde uykusuz gözlerle İstan-

133

bul'un çeşitli yerlerindeki sabahçı kahvelerini dolaşarak, pus içindeki Istanbul'un uyanışını seyrederken, halkımızın uyanışını da ümit ediyor, bir gün içinde bizim de olacağımız mutlu bir geleceğin hülyasına dalıyorduk. Gözlerimizde masum bir dalgınlık vardı. Buğusu çözülmemiş sabahın ilk demli çayı... İnce belli çay bardakları, yalnızca avuçlarımızı değil, yüreklerimizi de ısıtıyor; martı sesleri, vapur düdükleri, uyanan günün ilk işaretleri, bizi, kendimize, Istanbul'a, geleceğe, hayata inandırıyordu. Devrimci bir genç kız olduğum zamanlardaki kalbimi özlüyorum. Belki saftık, toyduk, hamdık, ama iyidik. İyi. Şimdi kimsenin kolay söyleyemeyeceği, yalın bu sözcük uğruna bir gençlik verdik: "İyi".

Şimdi her çeşit kötülüğün, zekâ oyunu; her çeşit aşağılamanın ince alaycılık sanıldığı bir çağa geldik. Ancak, her gün damarlarımıza aşırı doz siyah mizah şırınga ederek katlanıyoruz gündelik hayat dedikleri sığlığın derin karanlığına. Hiçbir karanlık o kadar derin değildir. Her şey, herkesin gözü önünde kaybolup gider. Zamanla hayat boşalır, hülyalar tavsar, her şey sıradanlaşır. Hiçbir şey hayatın sıradanlığı kadar acı vermez insana. Çaresizlik, en "resmi" duygumuzdur. Çünkü, "Devlet" desteklidir. Bütün çaresizliklerimizi devlete borçlanırız.

İçimde geçmişten kalma bir öfkenin kabardığını hissediyorum.

"Sizinle birlikte olmak çok güzel Nermin ablacığım. Sizin yanınızdayken canım hiç sıkılmıyor, biliyor musunuz? Annem, iyi ki beni sizin yanınıza vermiş."

Yeni bir program heyecanının içli içli söylettiği Tuğde bu tabii. Gülümseme taklidi bir şey beliriyor dudaklarımın kıvrımlarında. Birden kendimi sesli ya da sessiz ille de bir yanıt vermek zorunda hissetmenin pençesinde yakalıyorum. Kendimde kızdığım özelliklerden biridir bu; bir çeşit suçluluk duygusu olsa gerek. Mutlaka her durumda vermem gereken bir karşılık bulunması zorunluluğunu hangi yaşlarda, nasıl edindim bilmiyorum. Hiçbir şeyi kesin sessizliklere, belirsizliklere, suskunluk anlarına, boşluğa emanet edememek, gerçek bir iç yükü...

Oysa, dünyanın açıklamalarla kolaylaştığını kim söylemiş! Yanımızdan geçen arabalar, Tuğde'nin bıktırıcı merakından, didikleyici gözlerinden, kurcalayıcı sorularından kurtulamıyor. Müziğin sesini biraz açarak da kurtulamıyorsunuz vırvırından. Çünkü bu, yalnızca onun sesinin biraz daha cırlaması demek oluyor. Bazı sorularını yanıtsız bırakmaya kendimi alıştırmalıyım. Hiç olmazsa bu işe yaramalı. Hele içinde bir çocuğun, özellikle bir kız çocuğunun bulunduğu arabalar, yakışıksız karşılaştırmalar, küçük düşürücü sıfatlarla Tuğde tarafından alabildiğine yakın takibe alınıyor! Besbelli, başkalarını küçümsemeden sahip olduklarının keyfini süremeyecek haset sahibi kadınlardan biri olacak büyüyünce. Bu arada, Tuğde'nin bile hakkını yiyemeyeceği, haklarında yutkuna yutkuna bir-iki güzel söz etmek zorunda kaldığı birkaç gıcır araba, hemen sonrasında kaza tehlikesi geçirmekten, hafifçe sıyrılmaya varana dek çeşitli belalara uğruyorlar yol boyu... Sahip olduğu bu kadar musibetin üstüne, galiba her beğendiğine, kıskandığına nazarı değenlerden biri olarak ileride memleket malına, milli servete epey zararı dokunacak bu kızın.

Bana sorduğu soruları kendi yanıtlamaya başladı bir süredir. Zaten yanıt vermeye kalksanız da yakanızı kurtaramıyorsunuz. Çünkü, yanıtları merak gidermede değil, yeni sorular üretmede kullanıyor, bütün çocuklar gibi. Her açıklama çabası, saniye sektirmeyen yeni bir soruya yol açıyor. Bir tek çocuk bile, dünyadaki bütün 5 N'lerden nefret ettirebilir insanı. 'Ne, Neden, Nerede, Ne zaman, Nasıl?'

Oysa, gerçek yanıt ne kadar güzel ve yalındır: "Elinin körü!"

Birden, Tuğde ile uzun yol arkadaşlığının nasıl bir cehennem olabileceğini düşünüyorum. Diyelim, Amerika'nın ıssız çöllerinde, kavurucu bir sıcakta, uzak benzinlikler, metruk kafeler, kırmızı kayalıklar, vahşi kuş çığlıkları, yolda sizi ezmeye çalışan omuzları dövmeli sapık şoförlü tırlarla verilen ölüm kalım savaşı sırasında, sürekli konuşan, soru soran, şarkı söyleyen, onu bunu çekiştiren, istekleri hiç bitmeyen ve hep çişi gelen bir Tuğde ile!.. Arabayı karşına çıkan ilk uçuruma dosdoğru sürmenin nesi var canım? Birden, şimdi çektiğim şu somut çile yetmiyormuş gibi,

135

olası işkenceler hayal ederek kendime eziyet ettiğimi fark ediyor, kendimi ayıplıyorum. Kadın mazoşizminin zengin dağarcığından fazlasıyla tipik bir örnektir bu: Kadın dediğin, başına gelenlerin üzüntüsüyle yetinmez, gelebilecek olan bela çeşitlerini de hayal ederek, derdini çoğaltır. Hemen olası işkence sahnelerini hayallerimden kovup, şimdi çektiğim çileyle yetinmeye karar veriyorum.

Bir kadın sürücü iseniz, Istanbul'da araba sürerken, günün herhangi bir saatinde, yanınızdan geçen ya da karşıdan gelenler içinde, araba markası ne olursa olsun, Amerika çöllerindeki omuzları dövmeli sapık tır şoförlerinden hiç de aşağı kalmayacak nice örnekle karşılaşabilirsiniz. Hatta, kimi durumlarda Amerika çölleri çok daha güvenli sayılabilir.

Ne çöl, ne Tuğde keyfimi fazla kaçırmasın diye dikkatimi dışarıya veriyorum.

Olanca kalabalığına, gürültüsüne, hayhuyuna, trafiğine, türlü-çeşitli sıkıntılarına karşın, bana, hâlâ dünyanın en güzel şehirlerinden birinde yaşadığım duygusu veren bu şehrin her bir köşesini, bir geçmiş duygusuyla anıyorum bir süredir. Istanbul bile geçmişimiz oldu. Nicedir başkalarının olmaya başlamış bir şehirde yaşıyoruz. Bazen yavaş yavaş hayattan geri çekilmeye başladığımı hissediyorum. Sanki artık hızla yaşlanabilirim. Sanki artık yerimi başkalarına, benden sonra gelenlere verebilirim. Yazık! Yapacak çok şey vardı!

Mızmız biri sayılmam. Şimdiye ait olan her şeyi kötü bulup, geçmişteki her şeyi iyi hatırlayanlardan da değilim. Bazı insanlar geçmiş duygusunu erken yaşta edinirler. Ben, onlardan biriyim. Yaşla bir ilgisi yoktur bu duygunun. Benim erken yaşta ağır bir geçmişim oldu. Bazen duygularımız bizden erken yaşlanır ve bizden hayatın geri kalanını alır. Hayatın kendini anlayanları cezalandırmasıdır bu.

Beşiktaş yakınlarında birden trafik yoğunlaşmaya başlıyor. Hep böyle olur. Ortaköy, umduğum gibi hayli kalabalık. Ağır ağır ilerliyoruz. Arabamı otoparka bırakırken, buranın haracını yemek uğruna, yakın tarihte kaç kişinin öldürülmüş olduğuna, kaç organize suç çetesinin Ortaköy rantından pay kapmak uğruna kanlı ve karanlık "babalara" yanaşıp, kaç meydan savaşı çıkardıklarına ilişkin, çeşitli zamanların öğle tatillerine, yemek aralarına, akşam barlarına serpiştirilmiş hikâyeler anımsıyorum. Hepimizi büyük bir suçun küçük hisseli ortağı kılan büyük şehrin sistemli gerçeği karşısında kapıldığımız derin öfke ve çaresizlik karışımı bir duygu, dipte derin bir damar gibi yokluyor beni... Suç paylaştırıldıkça ayakta kalabilen bir şey. Bileti veren bıçkın çocuğun yüzüne bir suç çetesinin ortağına haraç öder gibi saklı bir kin, örtük bir ürküntüyle bakıyorum. Bilginin zehiri bünyeye bir kez yayılmaya görsün, değiştiremediğimiz gerçekler karşısındaki çaresizliğimizi sürekli bize hatırlatarak her ânımıza acımasızca sinerek hayatın tadını kaçırır. Her çeşit bilgi, kazandırdıkları kadar kaybettirdikleriyle de hayatımızı biçimlendirir.

Istanbul'un göbeğinde birdenbire bambaşka bir merkez olan Ortaköy.

Ana yolun sahil kanadında, bir meydan ile onun çevresindeki, sefertası gibi üst üste binen üç katlı küçük evlerden ve onları birbirine bağlayan daracık sokaklardan oluşan avuç içi kadar bir yer aslında. Yolun öte kanadında yer alan ve sırtlara doğru yavaş yavaş yükselen evler, sokaklar, diğer Istanbulluları pek ilgilendirmiyor. Herkes bu meydana ve çevresine geliyor. Bir de sahildeki balık restoranlarına.

Her yanını kafeler, gümüş ve deri satan dükkânlar, eski eşyacılar, kilimciler, halıcılar, açık hava tezgâhları, fırında patatesçiler, gözlemeciler, büfeler kapladı birdenbire. Şehir, kendi göbeğini keşfetti. Bodrum bir efsane olduktan sonra, Bodrum'dan sonra Istanbul'un içinde bir Bodrum yaratıldı. Eski Ortaköy, eski Bodrum'a benzerdi, yeni Ortaköy de yeni Bodrum'a benzedi. Gene de seviyorum burayı. Bir sahil kasabası görüntüsüne karşın, şu büyük kent nabzıyla atan gürültüsünü bile seviyorum.

Eskiden meydanda ağırbaşlı ağaçların altında iki salaş kahve vardı yalnızca, akıp akmamakta sürekli kararsızlık çeken mızmız bir çeşme, hemen sağda mahzun bir yolcu gibi, bir omuzu düşük duran vapur iskelesi, kuşların insanlardan daha çok olduğu zamanların Ortaköy Meydanı, benim için yaramazlık günlerinde, kahvesinde arkadaşlarla "king" oynadığımız bir yerdi aynı zamanda. Alçak tavanlı kutu gibi binalarla kuşatılmış meydanın ortasında sıcak şarap içtiğimiz, birbirimize şiirler okuyarak kalbimizi sıcak tuttuğumuz zamanlar... Kapısından patlak lastiklerin eksik olmadığı derme çatma tamirci dükkânları, gözleri bizim bilmediğimiz uzaklıkların bilgisiyle dalgın sabah akşam ağ onaran balıkçılar... Karşıda Kuzguncuk sahilinin, Fethi Paşa Korusu'nun gözlerimize mahzunluk veren koyu yeşili...

Zaman sessizlikte gövdelenir, Istanbul'un bütün tarihini, olanca ağırlığıyla ve eskilerden kalma diri bir saadet duygusuyla hissettirir. Gürültülerin Istanbul'unda şimdiki zamanı, sessizliğin Istanbul'unda ise geçmişin ağırlığını duyarsınız.

Ne olursa olsun, Istanbul bitmez. Açtığı yaraları kapatmasını bilir.

Istanbul iyi bir sanat eseri gibidir. Onda hem zamana dokunur, hem büyüyü hissedersiniz.

Ne olursa olsun, Istanbullu olmak mutluluktur. Her fırsatta bundan payımı almaya bakarım.

Sahile doğru yürümeye başlıyoruz. Tuğde halinden memnun, sahneye çıkmış gibi ilerliyor yanım sıra, büyük gösteride sahne almaya hazır; her yeri kendi sahnesi gibi gördüğü şimdiden belli. Burayı da fethetmeye gelmiş. Bütün dikkatler onda olsun istiyor, herkes ona baksın, hatta hayranlıkla iki yana çekilsinler, tercihen alkışlamaları da beklenir o geçerken, ama artık bu kadarının biraz fazla kaçacağını Tuğde bile biliyor olmalı. İleride büyük bir star olduğunda belki hatırlar: Her yere sahneye çıkar gibi girerdim. Herkes bana baksın, benimle ilgilensin, hatta beni alkışlasın isterdim, diye. Starların hafızalarının nasıl çalıştığını bilemem artık. Her konuda hikmet söyleyecek değilim.

Otoparkın hemen yanında, yan yana dizilmiş fırında patates büfeleri, tam karşılarında yer alan çoğunun başında yemenili kadınların durduğu gözlemeci tezgâhları, ara sokaklara girdikçe yerini, kapısından sokağa taze çekilmiş kahve kokusu taşan modern dekorlu küçük kafelere bırakıyor. Her Ortaköy'e gidişimde yaptığım gibi, ilkin meydanı ve çevresindeki daracık sokakları turlayıp, aynı yerlerden birkaç kez geçip, sonra gözüme kestirdiğim bir yere otururum. Ki, genellikle bu meydanın tam ortasındaki "eski usûl" kahvelerden biri olur. Buradan, sahil boyunda başka bir yerden göremeyeceğiniz bir açıdan, boğazın Marmara Denizi'ne açılışını görürsünüz. Sarayburnu ile Üsküdar burnunun tam ortalarına Kız Kulesi'ni alarak, denizin ortasında buluşur gibi, birbirlerine sokulmaları, Boğaz'a bir iç deniz havası verir. Ben en çok bu iç deniz havasını severim. Eminönü'nden kalkan "dilenci vapurunun" 18.00 seferini oradan seyrederim; erken inen kış akşamlarında kül rengi iskeleye kısık ışıklı bir hayal gibi yanaşır, insanı uzak yolculuklara çağırır, hayata ilişkin hüzünlü bir kamaşmayla yaşama sevinci uyandırır, yaşamın kısalığını hatırlatır. Bir kez daha zamana derinliğini veren şeyin "hüzün" olduğunu anlarsınız.

Hafta içi olmasına karşın, havanın güzelliğinden olsa gerek, gene çok kalabalık Ortaköy. Ara sokaklardaki dükkân önlerine küçük iskemleler atılmış, takı tezgâhlarının etrafında insan öbekleri...

Birden ardımdan biri sesleniyor. Bana kalsa duymam ama, Tuğde, "Nermin ablacığım, sizi çağırıyorlar," diye elimi çekiştiriyor. Dönüp ardıma bakıyorum: Begüm ile Nuri. Ne zamandır görmediğim bir çift! (Ortaköy, ne zamandır görmediklerinizle karşılaşmak için birebirdir.) İkisi ayrı ayrı şeker insanlarken, neden bilmem, birlikte çekilmez olurlar. Bu durum insana birçok benzeri evli çifti düşündürür. Evlilik, birçok insana yaramazken, hâlâ niyc cvdc kalmaktan yakındığımı hiç anlamıyorum.

Yol ortasında duralamamız üzerine yanımıza geliyorlar.

"Yanımızdan geçiyorsun da, bizi görmüyorsun," diyor Begüm.

Saçlarını beyaza yakın bir sarıya boyatmış, yani kadınların bir yaştan sonra en yapmamaları gereken şeyi yapmış. Tabii tanımam! Bir şey söylemiyorum; her anlama gelebilecek bir gülümsemeyle karşılık veriyorum.

Nuri, Tuğde'yi göstererek, "Ne zaman yaptın kız bunu," diye aklı sıra şaka yapıyor.

Tuğde, "yapılacak bir şey" olmadığını gösterircesine burnu havada bir tavır takınıyor Nuri'ye karşı.

Nuri kendine geliyor: "Küçük Hanım kim?" Başımı eğip, Tuğde'nin yüzüne bakıyorum kendini tanıtsın diye. Yanıtlamaya gönül indirmez bir havada başını öte tarafa çeviriyor. Belli ki, Nuri'nin notunu hemen vermiş, onu kazanmaya değer biri olarak görmüyor.

"Bu küçük hanım yeni arkadaşım Tuğde," diyorum. (Hey yarabbim! Kendi sesimi kendim tanıyamıyorum. Ben yarışma hostesi olmalıymışım aslında!)

"Niye hiç görüşemiyoruz?" diyor Begüm. "Bir akşam birlikte yemeğe çıkalım."

Niye görüşemediğimizin yanıtını da vermiş oluyor, ama o bunun farkında değil: Birlikte yemeğe çıkmak! "Tam da bu yüzden görüşemiyoruz," demek geliyor içimden. Bütün arkadaşlarım, tanıdıklarımla içimden konuşuyorum. Çünkü dışımdan konuşsam, diyeceğim şeyler hiç hoşlarına gitmeyecek. Hatta belki çoğuyla bir daha görüşemeyeceğim bile.

Begüm ile Nuri, hep birileriyle yemeğe çıkarlar. Çünkü, tanıdığım çiftlerin birçoğunda olduğu gibi, yemeğe çıkmak için, hep bir üçüncü kişiye gerek duyacak kadar birbirlerinden sıkılmışlardır ve yanılıp da gittiğinizde, daha ilk beş dakikada niye orada, o masada olduğunuzu anlayıverirsiniz. Birbirlerine anlatacak şeylerini tüketmiş, baş başa kalma arzularını yitirmişlerdir; böyle gecelerde, size, onların tükenmiş filmlerinde "yardımcı kadın oyuncu" rolü oynamak düşer.

Yeni tanıştıklarında aralarına kimseyi istemeyen, hatta dünyayı görmeyen gözler, zamanla başka birilerinin varlığına gereksinim duymaya başlar. Çevrelerindeki herkes, yalnızca arkadaşları olmaktan çıkıp, evliliklerini ya da beraberliklerini kurtarma operasyonunun birer cansimidine dönüşür. Onlar dışarıda yemek yiyecek diye de, sizin payınıza, boynunuzda bir cansimidi asılı olarak, bütün gece o masada oturmak düşer. Tanıdığım çiftler arasında birbirlerinden sıkıldığını en çok belli eden çift, hiç tartışmasız Begüm ile Nuri'dir. Birbirlerinden sıkıldıklarının o kadar farkında değillerdir ki, bu yüzden fazlasıyla belli ederler. Her ikisi de tek başlarınayken taşıdıkları canlılığı, dirimselliği, yan yana geldikleri anda yitirir, tatsız tuzsuz insanlara dönüşürler. Onlarla yemeğe çıkmak gerçekten çok sıkıcıdır.

Yalnızlık korkusundan birbirinden ayrılamayan, yeni bir beraberliğe hali olmadığından inatla eskisini sürdüren, yılların alışkanlıklarından ve kolaylıklarından kopamamayı dostluk ya da hayat arkadaşlığı sanan böyle çok çift gördüm ben. Halim kalmadı. Onlara baktıkça, tek olmanın nesi var, diyesi geliyor insanın! Gecenin sonunda sizin yalnız, onların bir çift olarak eve dönmesinin, sizin yalnız olduğunuz anlamına gelmediğini, çiftlerin yalnızlığının daha koyu bir yalnızlık olduğunu bilecek kadar çok çift gördüm ben.

Nuri, "Küçük Hanım'ı da al gel de bir yemeğe çıkalım," diyor hâlâ Küçük Hanım'ı kazanabilmek umuduyla. Bilirsiniz, reddedilen erkekler hiç vazgeçmezler!

Tuğde ısrarla oralı olmuyor. Yanı başında durduğumuz gümüşçü tezgâhının üzerindeki birbirinin aynı olan, en ufak bir yenilik ve yaratıcılık pırıltısı taşımayan manasız aksesuarlarla ilgileniyor.

Begüm, "Az önce Gülçin'e rastladık," diyor, "O da buralarda, belki rastlaşırsınız."

O, Gülçin dediği anda, ben içimden ekliyorum: "Tikli Gülçin!"

"Ya öyle mi," diyorum. "Onu da ne zamandır görmedim."

Zaten hayatım ne zamandır görmediklerimle dolu. Bu da bir ıssızlık çeşidi.

"Ne yapıyorsunuz buralarda?"

"Hiiç, öylesine dolaşıyoruz, ya siz?"

Halı, kilim bakıyorlarmış.

Belirsiz bir tarihte bir akşam yemeğe çıkmak sözüyle ayrılıyoruz.

Elbette öyle bir akşam hiç gelmeyecek. Daha onlardan ayrıldığım anda hafiflemiş hissediyorum kendimi, sebepsiz bir neşe geliyor üzerime.

Daha iki adım bile atmadan, Tuğde, "Kadın, adamdan daha büyük, değil mi Nermin abla?" diyor.

Onlardan hoşlanmamış olmasını karşılıksız bırakmayacağını biliyordum.

"Nereden anladın?" diyorum.

Çünkü, öyle görünür bir yaş farkı yok aralarında, en azından Tuğde'nin fark edeceği kadar bir yaş farkı olmadığını ben biliyorum.

"Bilmem," diye omuz silkiyor. "Teyzem, saçını sarıya boyatan kadınların, kocalarından daha büyük kadınlar olduğunu söyler hep."

"Ay, senin teyzen ne çok şey biliyormuş meğer öyle," diyorum. "Hiç de göstermiyordu haspam! Hayırlısıyla şu Kanada'dan bir dönse de, biraz konuşsak şununla." Aklıma gene kar küreyen makineler geliyor.

Şık bir restorandaymışız. İri cam fanuslar içinde, içini gösteren koca ampullerin çakımlı ışıkları göz alıyor. Biz, sokağa bakan geniş bir pencerenin önündeki fazla cilalanmış büyük bir masanın etrafındayız. Boynumuzda birer cansimidi asılı olarak sessizce yemek yerken, dışarıda lapa lapa yağan karın altında, kar küreyen makineler geçiyor... Uzun bir gece. Kimse konuşmuyor. Büyülü bir sessizlik.

Gözümün önüne hep böyle tuhaf film sahneleri geliyor. Hayat yetmediğinden midir, nedir?

İçimden, "Acaba nereden başlasak dolaşmaya," diye geçirirken, Tuğde'nin isteği üzerine Ortaköy'deki ilk ziyaretimizi, caminin yanındaki tuvalete yapıyoruz.

Çocukken en büyük korkum tuvalette kilitli kalmaktı. Gördüğüm birçok kâbusta tuvalette kilitli kalmışımdır, kapı bir türlü açılmaz, yardım istemeye başlarım, sesimi duyuramam, çünkü kalabalık bir yerdeyizdir, sonunda beni kurtarmaya geldiklerinde de, kapı hemen açılmaz, uzun uzun uğraşırlar, kan ter içinde kalırım, sonunda kapı açılıp dışarı çıktığımdaysa, bütün o kalabalığı kapı önünde toplanmış, benim kurtarılışımı izlerken bulur, yerin dibine geçerim.

Nihayet, birkaç yıl önce bir iş gezisi nedeniyle gittiğim Atina'da, her şeyin fazla "dizayn edildiği" lüks, pahalı ve "minimalist" bir restoranın tuvaletinde kilitli kaldım. Bir uzay gemisine çıkıyormuşsunuz hissi veren hayli gösterişli metal bir merdivenle gökyüzüne bağlanan tuvaletler, restoranın asma katındaydı, biri gelmediği sürece sesinizi duyurmanız mümkün değildi, lavabosunun muslukları bile ışınla çalışıyor ve yeryüzünde var olmayan bir müzik çalıyordu. İçeri girip, kapıyı kapattıktan sonra, dehşetle fark etmiştim kapının tokmağı olmadığını, kapı açılmıyordu, kilitli kalmıştım, birdenbire her yanımı ter basmıştı, beni kimselerin tanımadığı yabancı bir memlekette olduğumu hatırlamak, paniğimi atlatmama yardımcı oldu ilkin, ardından bu korkumun sonunda gerçekleşmiş olmasından, üstelik böyle hafif atlatılabilecek bir durumda gerçekleşmiş olmasından ötürü tuhaf bir rahatlık duydum. Gülünç bir ciddiyet içinde inşa edilmiş o metal merdivenlerde insanlar toplaşmaz, toplaşsa bile benim bir daha görmeyeceğim bir kalabalık olduğu için, varlığıyla beni incitemezdi. Böylelikle, korkumun kaynağının, içeride kilitli kalmaktan çok dışarı çıktığımdaki görülmek olduğunu anladım.

O her yeri, her şeyi dizayn dizayn olan restoranın tuvaletinde, uzay sarısı lavabonun altındaki uzay yeşili tuğla döşeli zeminde, uzay grisi küçük bir metal çıkıntı vardı, ayağınızın ucuyla bastığınızda, ancak bir uzay gemisinde duyulabilecek bir "klikk" sesiyle kapı açılıyordu.

Kapı açılıp bu "steril" dünyadan dışarı çıktığımda, neşe içinde masama döndüm, "Galiba bir korkumu yendim," dedim masadakilere, ama korkumun ne olduğunu söylemedim, yenip yenmediğimden de tam emin değildim ama, korkumla eğlenmeyi öğrenmiştim.

Ne yazık ki, umumi tuvaletlere olan korkum bununla sınırlı değildir. Konuşmadığım, görmekten hoşlanmadığım ya da orda burda rahatlıkla görmezden geldiğim ne kadar insan varsa, buralarda her seferinde onlarla burun buruna gelirim.

143

Tabii kaçınılmaz bir biçimde bu sefer de öyle oldu. Ortaköy camiinin yanındaki umumi tuvalette, ne zamandır görüşmekten kaçındığım Hale ile burun buruna geldim. Aynı anda onun kızı ile Tuğde de burun buruna geldikleri için, bu öğleden sonrasının kaderi neredeyse belli olmuştu. Hale'nin kızı ile Tuğde'nin birbirini benzer nazarlarla süzmesi gözümden kaçmıyor. Biz şaşırmış da sevinmiş gibi yaparken, küçükler ilk kez karşılaşanların hep yaptığı gibi, birbirlerini tepeden tırnağa süzüyor, birbirlerinin eksikleri, gedikleri hakkında en kısa zamanda en çok bilgiyi toplayacak olan kadınca sezgilerini, güdülerini harekete geçiriyorlar. Bunun bu kadar erken yaşta öğrenildiğini unutmuşum.

Benimle rastlaşan insanların ilk anda kullandıkları sözcük dağarı hayli kısıtlıdır ve şaşmaz bir biçimde benzerlik gösterir: "Hiç görüşemiyoruz." "Sen de hiç aramıyorsun." "Hiç ortalara çıkmıyorsun." "Valla çok hayırsız çıktın," falan... Bu sözlere karşılık olarak, benim yüzümde beliren ifade dağarı ise daha da sınırlıdır, hatta aynı sayılır. Her seferinde boynumu hafifçe sola kırarak, karşı taraftan anlayış bekleyen ölçüsü küçük tutulmuş bir gülümsemeyle karşılık veririm. Böyle yaptığınızda söyleyecek çok şey varmış da, kader ya da hayat izin vermiyormuş gibi bir izlenim yaratırsınız. Bir çeşit "kusura bakma" demek yerine de geçer.

Kusurunuzun büyüklüğüne göre, kimi durumlarda yukarıda saydıklarıma ilaveten, karşı tarafın elini avucunuzun içinde bir süre tutmakta da yarar vardır.

Şu hayat bilgisine bakar mısınız?

Ben aslında Vesta rahibesi olmalıymışım!

XII

Ortadaki kahve

HALE, üç kız kardeşin en büyüğüdür. Kardeşlerinin adları gerçekten Jale ve Lale'dir. Bu yüzden, tahsil hayatları boyunca, radyo istek programlarından kalma bir söyleyişle "Acıbadem'den Hale, Jale, Lale, Fatih'ten bütün mahalle," şeklinde yapılan bıktırıcı esprilere hedef olmuşlardır. Bilirsiniz, bazı aileler çocuklarına kafiyeli isimler koymaya bayılır, kardeş olmaları yetmiyormuş gibi, onları bir de uygun kafiyelerle sonsuza dek mühürleyip bağlamak isterler. Üç kız kardeşten yıllar sonra doğan erkek kardeşin adının Muammer olması ve onun her çeşit kafiye teröründen bağımsız bir mutluluk içinde büyümesi, kızların adalet duygusunu incitmişe benzer. Elim bir trafik kazasında ölen amcalarının adının yeğene verilmesini bir açıklama olarak kabul etmek zorunda kalmışlardır. Birbirinden gergin bu üç kız kardeşten sonra Muammer'in gevşek bir muhallebi kadar hayatla barışık ve mutlu olmasının bu durumla bir ilgisi var mıdır, bilmiyorum.

Ben, bizimkini tuvalete sokarken, Hale, "Biz dışarıda bekliyoruz, bir yere kaçmak yok," diyor.

Kapının önüne çıkıyorlar. İlkin, Hale'nin birdenbire yaşlanmış olduğunu düşünüyorum. Hatırladığım kadarıyla, benden en çok bir-iki yaş büyüktür ama, gördüğüm sanki bundan daha da fazlası... Görünüşüne ait değil, daha çok duruşuna ait bir yaşlılık bu. Sanki hayatında bir perde kapanmış, başka bir perde açılmış, benim için henüz açılmamış olan bir perde. Bu yüzden ben ona göre daha gencim. Beni gönendiren bu duygu aynı zamanda bana tuhaf bir rahatlık veriyor. Bir çeşit yenişme duygusu. Hayatımı-

145

zın çeşitli aşamalarında birbirimizi yendiğimiz alanlarda birdenbire lehimize işleyen bir artı hanesi... Bir zamanlar güzel bulduğumuz, için için kıskançlık beslediğimiz birinin, günün birinde artık veremeyeceği kadar kilo aldığını gördüğümüz zamanki rahatlamaya benzeyen bencilce bir duygu bu. Sanki hayatla aramızdan bir şey çekilmiş gibi, bir şey eşitlenmiş gibi. Hoşumuza gitse de, gitmese de insan ilişkilerinin karanlık noktalarına ışık düşüren anlardır bunlar. Belki bunları hissetmek övünülecek şeyler değildir ama, bunları görmek ve dürüstçe söylemek gerek.

Beklerken bulunduğum yerden hem Tuğde'nin olduğu tuvalet bölmesinin kapısını, hem dışarıda bizi bekleyen onları görebiliyorum. Hale'nin omuzları biraz düşmüş, hatta küçülmüş gibi, öne eğilmiş, bir şeyler söyleyerek kızının yakasını düzeltiyor; bu tarafa bakmıyorlar. Onların şu anda bana bakmıyor oluşları, bakışlarıma bir serinlik kazandırıyor, sanki her şeyi daha nesnel görmemi sağlıyor. Bana onun yaşlanmış olduğunu düşündüren nedenleri bulmaya çalışıyorum. İlk bakışta, hayatı yüklenmiş bir hali var, bir yenilgi gibi değil, bir kabulleniş gibi; sanki duruşunda diğer insanlarla artık benzer yükleri paylaştığını söylemeye çalışan ve dünyadan onay bekleyen bir gayret seziliyor. Az sonra adını koyuyorum: Artık anne olmuş, topluma katılmış. Dışarıdakilerden biri olmuş. Benim kendimi sürekli yaşıtlarımdan daha genç hissetmemde, görünüşüme ilişkin bir gençlikten çok, bu duygu var galiba. Toplumsal belirsizliğim, hâlâ bir gelecek ümidi taşımam, henüz "anne" ya da "eş" sıfatlarıyla adlandırılmamış olmam, onların artık sabit etiketlerle karanlık kavanozlara tıkılmış olduğunu ve onların kaldırıldıkları raflardan bir daha hiç indirilmeyeceklerini bilmenin üstünlüğü, hayatın hâlâ bana bir sürpriz yapabileceğini ummanın enerjisi, benim kendimi göründüğümden de genç hissetmemi sağlıyor olabilir. Benim yalnızca işim ve evim belli ama, artık onların her şeyi... Benim hayatımda arayışlara hâlâ yer varken, onların hayatları artık yalnızca tekrarlarla ilerleyebilir. Bu durumu dünyaya bizden önce gövdemiz söylüyor galiba. Duruşumuz, yürüyüşümüz, bakışımız... İnsanlar bizi bunlardan tanıyor.

Evet, onlar evlendiler, eş oldular, anne oldular ama ben, hâlâ bekârım, yalnızım, çocuksuzum, hayatımda hâlâ sürprizlere yer var, içim ne kadar acımış olsa da, hâlâ belirsiz bir geleceğin hayallerini kurabiliyorum; hata yapma, cayma, vazgeçme lükslerim bile var. Dolayısıyla, elbette ben daha gencim duygusunu taşıyorum. Deneyebilirim, ne olursa olsun bir kez daha deneyebilirim. Ama günün birinde artık deneyemeyecek yaşın ne olduğunu bilemeyebilirim. Kendi trajiğimin başlangıç noktasını göremeyebilirim. Bu da benim riskim.

Tek taraflı bir yanılgı değil bu, Hale'nin, eş ve anne kimliğini bunca görünür hale getiren aday olduğu toplumsal sorumluluğu taşımadaki gayreti de, şu saydıklarımın bende oluşturduğu bu duygu da eşit derecede gerçek. Bu iki gerçek, bir yanılsama ediyor sonuçta. Yanılsama dediğimiz şey de sonuçta bazı gerçeklerin toplamı değil midir?

Ne o, o kadar yaşlı, ne ben, o kadar gençken, birdenbire böyle oluveriyoruz işte. Kadınların sahiplenme duygusu bunca güçlü olduğu halde, hayatta sahip olmak istemedikleri tek şey, "yaş" galiba.

Tuğde, nihayet tuvaletten çıkıp, lavaboya gidiyor. Kendine ayrılan zamanı keyfince kullanmanın, başkalarını bekletmenin tadını çıkarıyor. Kolundan düşürdüğü metal saplı, küçük, minik ve pembe çantasını açıp, içinden küçük, minik ve pembe el çantasını çıkarıyor, onun içinden de küçük, minik ve pembe tuvalet sabunu kutusunu çıkarıp, kutunun içinden de küçük, minik ve pembe sabununu çıkararak küçük, minik ve pembe ellerini sabunluyor; bir yandan da benden yana çevrili bakışları, temizliğine, titizliğine, özenine çoktan hak etmiş olduğunu düşündüğü "kocaman bir aferin" bekliyor. Ki, ben, tam bu anda onu küçük, minik ve pembe bir urganla boğmak ve onun küçük, minik ve pembe dilinin, küçük, minik ve pembe ağzından nasıl dışarı sarktığını görmek isteğiyle tutuşuyorum. Elbette yüzümde anlayış gösteren bir gülümsemeyle... Bu da Amerikalıların "B-Movie" dedikleri cinsten bir filmde, Tuğde'nin çoktan hak ettiğini düşündüğüm böyle bir film sahnesi işte!

Diyorum ya, film sahneleri, güçlerini hayatın yetmediği yerlerden alırlar.

Tuvaletçi kadının tezgâhındaki, renginden kolaylıkla anlaşılabileceği üzre, içi mutlaka daha ucuz ve uçucu başka bir kolonyayla dolu olan "Eyüp Sabri Tuncer" şişesini kullanmak yerine, çantasından pembe plastik şişe içinde kendi kolonyasını çıkarıyor ve gene tuvaletçi kadının tezgâhındaki uçları kıvrılıp topaklanmış kâğıt peçeteleri kullanmak yerine, kendi cep boyu selpak paketinden küçük, minik ve pembe bir kâğıt mendil çıkarıp, göstere göstere kurulanıyor. Dışarıdakilerin sabırsızlandığını görüyor, "ne yaparsınız çocuk işte" anlamına geldiğini düşündüğüm bir gülümseme yolluyorum onlara.

"Sizi beklettiğim için çok özür dilerim Nermin ablacığım," diyerek sahnesini tamamlıyor Tuğde. Cici Kız'ın her ânı "full aksesuar" bir film sahnesi... Ben de onun, şu 5 günlük film setinin "devamlılık yazmanıyım".

Kapıya çıktığımızda, "Meydandaki kahvelerden birine oturalım istersen," diyor Hale. "Biz biraz laflarız, çocuklar da kendi aralarında oynarlar." Bunu söyleyişinde, benim Tuğde ile aramda, onun kızıyla kurduğu ilişkiye benzer bir ilişki kurulmuş olduğunu sandığını anlıyorum. Tuğde'nin yanımdaki varlığı, sanki onu anlamamı kolaylaştıracakmış gibi bir hali var. Çoluk-çocuğa karışmış iki yetişkin, üstelik iki aydın kadının öğleden sonrası... 80'lerin başında çeşitli Avrupa ülkelerinde çekilmiş birçok feminist filme kalkış noktası olabilecek bir hikâye başlangıcı... Hangi filme, hem kadın, hem orta yaş, hem feminizm malzemesinden "mutlu son" çıkar ki? Gene de yürüyoruz.

Bana, benimle konuşmaya ihtiyacı varmış gibi davranıyor. Daha önce onda görmeye alışık olmadığım bir yumuşaklık var üzerinde. Her zaman çok iddialı bir kız olmuştur Hale. Sınıf birincisi ruhludur, madalya ya da kupa almadan hiçbir ringten inmez, daha azı kesmez, hep başkalarının kolay cesaret edemediği işlere soyunur; kabul etmek gerekir ki, hepsinin de altından hakkıyla kalkmıştır. Örneğin, sırf Rusça öğrenilmesi çok zor bir dil dendiği için Rusça öğrenmiş, siyasi mücadele yıllarında Lenin'den kısa çeviriler yapmaya başlayarak herkesi şaşırtmıştır. Kadın kısmının mekaniğe yatkınlığı yoktur, diyenlere cevaben, araba tamir edecek kadar arabadan anlar olmuştur. Evdeki bütün aletleri kendinin onardığıyla övünür. "Sen uzun yola üstelik yayan olarak dayanamazsın," diyen bir kafileye zorla katılıp, herkes yollarda sapır sapır dökülüp uzak kasabaların sağlık ocaklarına kaldırılırken, o sivilce bile çıkarmadan Ağrı Dağı'na kadar yürümüştür. Ego alanlarına müdahale etmediğiniz sürece iyi bir kızdır aslında, ama doğruyu söylemek gerekirse, egosu bir hayli geniştir ve egosunu kapsamayan bir alan neredeyse yoktur. Siz ne kadar alttan alırsanız alın, günün birinde çatışma kaçınılmazdır. Futbol oynamadığına şükretmek gerekir! Bu da bir şey!

Şimdi bakıyorum da, ona azıcık aksi bir kadın havası veren bütün o iddialı hali dağılıp gitmiş üzerinden; azıcık zorlamayla neredeyse, hanım hanımcık diyebileceğim bir kadın olmuş. Gerçi, bunu onun için söyleyebilmek, en başta "fizik" engeline takılır. O, her ne kadar kabul etmese de, Joan Crawford'a çok benzer. Tabii, daha çok Crawford'un, balık eti tabir edilen dolgunca bir Anadolu "versiyonu" sayılabilir. Alnı daha geniş, gözleri biraz daha pörtlek, sesi biraz daha kalındır. "Biraz daha kalın," dediysem, benzetmelerime hafif bir yumuşaklık katma gayretimdendir bu, yoksa bugüne kadar Hale'nin sesini telefonda duyup da, onun kadın olduğunu düşünen bir tek kişiye rastlanmamıştır.

Bordo üzerine acı yeşil, siyah çizgili masa örtüleriyle diğerlerinden ayrılan, meydandaki kahvelerin ortadakine oturduğumuzda, Hale'nin halindeki yumuşaklıktan o kadar etkilenmiştim ki, neredeyse sesinin bile incelerek kadınlaştığını söyleyebilirdim. Belki de hayatın kendisini değiştirmesine izin veren herkes kadar o da zaman içinde olgunlaşmış ve fazla kilolardan kurtulur gibi, fazla iddialarından kurtulmuştu; ya da iddia alanını, ayaküstü bir karşılaşmada hemen fark edemeyeceğim yeni bir bölgeye taşımıştı ve ben şimdilik göremiyordum.

Garson geldi. Elbette çay söyledik. Çocuklarsa, elbette kola söylediler.

Baktım, ben Hale'ye göre daha gerginim. Doğrusunu söylemek gerekirse, gençliğimizde de pek geçinemezdik. Hep mesafeli dururduk birbirimize. İkimiz de kabuklu insanlardanız. Tanışıklığımızın tuhaf bir geometrik eğrisi vardı daha doğrusu, kafa ve ruh olarak hiçbir zaman aynı yerde bulunamadık, bu yüzden anlaşmaya vaktimiz pek olmadı. İnançlarımızın ya da eğilimlerimizin değişim dönemeçlerinde, hep başka yerlerde dururken bulduk birbirimizi. Ben solcuyken, o hiçbir şeydi, o solcu olduğunda farklı bir fraksiyon seçti, sonrasında ben feminist oldum, ben feminist mücadeleden geri çekildiğimde, o feminist oldu, dolayısıyla birbirimizi hiç yakalayamadık. Onun beğendiği filmi ben beğenmem, benim beğendiğim kitabı o beğenmez. Zevklerimiz, görüşlerimiz birbirini pek tutmazdı ama, galiba her ikimiz de birbirimize bir biçimde saygı duyuyorduk. Galiba ne olursak olalım, birbirimizin hamurunu tanıyorduk. Bence bu, kadınların erkeklere karşı önemli üstünlüklerinden biridir. Bu çeşit kadirbilirlikleri, içten içe işleyen bir adalet duygusunun çalıştırdığı kadınca sezgilerine borçludurlar.

Ben, esrarı denediğimde, o, annesinin dizinin dibinden ayrılmayan bir kız çocuğuydu ve benim günün birinde esrar çekerek, mor ışıklı diskoteklere gitmekle başlayan asi hayatımın pavyon köşelerinde, oksijen sarısı saçlı, kuyruk çekilmiş rimelli gözleriyle, her meyhane şarkısına hıçkıran, dağılmış bir konsomatris olarak sonlanacağına inanıyordu. Türk filmlerindeki diskotek sahnelerine, çılgın esrar partilerine ve o filmlerin, göründükleri her sahnede felaket müziği yükselen kötü adamların karanlık emelli bakışlarına fena halde inanıyordu. Ben, o dönem yaptıklarımın çoğunun, sahiden hoşlandığım için değil, halalarımı ve babamı delirtmek için olduğunu anlayıp bunlardan çarçabuk sıkıldığımda, o diskotekleri ve esrarı, hatta Pink Floyd'u keşfetti. (O zamanlar birkaç günlüğüne aldığı bazı plaklarımı şimdi geri istemem biraz tuhaf olur, değil mi?)

Ailecek tanışımız olan çok zengin, çok asil, Boğaz'da yalılarda oturan bir ailenin biricik kızının, onca servete, onca debdebeye, onca ihtimama rağmen, –sözün burasında gözlerini devirerek bana bir ihtar maksadıyla manalı manalı bakan halalarımın deyimiyle– "kötü arkadaşlarının" aklına uyup, solcu olmaya kalkışması, Amerikalı askerleri rehin alan bir çeteye dahil olması ve neticede gazetelere "bavul cinayeti" diye geçerek efkâr-ı umumiyeyi günlerce meşgul eden bir hadiseye karışmış bulunması nedeniyle, solculuğun benim için çok hayırlı bir iş olacağına karar verdim. Gerçi o bavul cinayeti çözüleli, kız solculuktan vazgeçeli epey zaman olmuştu ama, hafızalara nakşolmuş hatırası, halalarımı hâlâ kaygılandırıyor ve zihinlerini meşgul ediyordu.

Hale de günün birinde nihayet solcu olduktan sonra, bu kez de ayrı siyasal fraksiyonları seçtiğimiz için, şiddetli tartışmalar içinde bulduk birbirimizi, sayılı karşılaşmalarımızda, karşı tarafa kendi görüşlerimizi kabul ettirebilmek için hırçın tartışmalara, karşılıklı suçlamalara girişiyorduk. Bir zaman sonra, ikimiz de fraksiyon değiştirdik ama, gene tercihlerimiz farklı olmuştu. Bir ara parçalanıp dağılan fraksiyonlardan yeni bir oluşum etrafında toplanan Avrupa solu merkezli bir dergi, ikimizi buluşturur gibi olduysa da, ben o arada feminizmi keşfetmiştim ve bugüne kadar öğrendiğim bütün bu sosyalizm çeşitleriyle helalleşmeye başlamış biri olarak, bütün enerjimi feminist mücadeleye adama kararı almıştım.

Bu sefer de o ağzı köpüklü tartışmalarla kadın hakları diye bir şey olmadığını, insan hakları diye bir şey olduğunu, feminizm gibi burjuva safsatalarının, sosyalist mücadeleyi bölmek, devrimcilerin enerjisini çalmak, emekçi kesimi erkek ve kadın diye ikiye ayırarak halkın mücadelesini zayıflatmak... diye başlayan malum söylevlere girişmişti. Sözlü tartışmalardan alamadığı hızını, daha sonra, "Neden Hayır" dizisinde broşür olarak yayımlanan "Neden Feminizme Hayır?" başlıklı dizi makalelerinde, günlük tartışmalardan artakalan kuyruk acılarıyla, görünmez bir düşmanı hedef alan öfkeli yazılara dönüştürmüştü. O sıralar, ününü, kadın sorunlarına ve "kadın yazar" olmaya borçlu olanlar bile, "kadın duyarlığı diye bir şey yoktur, insan duyarlığı diye bir şey vardır," diyerek, burjuva güçlerin batılı ithal fikirlerle kendilerini parçalamaya kalkıştığı paranoyasındaki sol kesime şirin gözükmeye, parti delegesi yerine koydukları okurlarını kaybetmemeye çalışıyorlardı. Neyse, ben kendi payıma, gene de sol bir dünya görüşü ve değerleri ile feminizm arasında bulunduğuna inandığım bir ortak yolu derinleştirmeye çalışırken, her kafanın kendine göre anladığı feminizmden de, feministlerden de sıtkım sıyrılmaya, aslında her yerde aynı iktidar oyunlarının farklı yüzlerini, farklı piyeslerle oynuyormuş gibi hissetmeye başlamıştım kendimi. Yorgundum, çok, ama çok sıkılmıştım ve her şeyden geri çekilmek, herkesten uzaklaşmak istiyordum.

Tam bu sırada Hale birdenbire feminist olmaya karar verdi. Yükselen hiçbir hareketin dışında kalmaya tahammülü yoktu. Bu kez de "Niçin Feminizm?" başlıklı uzun makalesinde ayrıntılı bir özeleştiri vererek saflara katılmıştı. Ama benimle tartışmak için artık çok geçti. Bilirsiniz, bir nihilist ile hiçbir şey tartışılmaz. Tartışılsa da zevki olmaz. Hale ne söylerse söylesin, oralı bile olmuyor, onun şimdi başladığı yolu, önceden katetmiş olmanın avantajlı durumundan yararlanarak, her söylediğine "Bir gün sen de anlarsın" anlamına gelen çarpık bir gülümsemeyle omuz silkiyordum. Galiba Hale'nin benden en nefret ettiği dönemdir o. Kısacası, birbirimizi bir türlü yakalayamıyorduk.

Yeni dünya düzenine, küreselleşmeye kadar gelindiğinde, kimsenin kendi olmaya bile hali kalmamıştı neredeyse.

Kimlik ve gardırop, Türkiye kültürünün hâlâ en önemli meselesiydi. Doğu ile batı arasında bir köprü olduğu bunca söylendiği halde, birbirine bir türlü bağlanamayan bu köprü olmakta direnen kara delik kadar büyük bir boşlukta, Türkiye'nin içini bir türlü halledemediği kaç yıllık kadim gardıropta bin yamalı yaralı kimlikler duruyordu.

Şimdi onca yol, uğrak ve konaklama yerinden sonra, ılık bir öğle sonrasında Ortaköy'de bir çay bahçesinde, orta yaşa gelmiş birer kadın olarak karşılıklı oturduğumuzda, bunca zaman sonra neleri konuşacağımızı merak etmiyor değildim doğrusu. Hale'yle ara ara karşılaşıyorduk elbet, ayaküstü konuşuyor, birbirimizden haberdar oluyorduk ama, özel olarak sözleşip buluşmaktan ikimiz de kaçınıyorduk. Geçmişin koyu gölgesi, ikimize de yeni başlangıçlar için ilham vermiyor olsa gerekti.

Ben, onu zaman zaman çeşitli dergilere yazdığı yazılardan ve çeşitli yayınlardan izliyordum. Kendini büyük ölçüde sosyolojik araştırmalara adamış görünüyordu. Popüler kültüre olan ilgisine de tanık olduğum çözümleyici, parlak birkaç yazısını anımsıyorum. Geçmişin yargılarından kurtulup, yazılarını yeni gözlerle okumam, ondaki değişimleri anlamam ve yazılarından tat almam zaman aldı. Ama en büyük barışıklığı, Albay Şemsa için yazdığı zehir zemberek polemik yazısını okuduğumda yaşamıştım. Kendinden başka kimseye feminist olma hakkı tanımayan Albay Şemsa'nın edepsizlikleriyle, ancak Hale gibi doğal bir başkomutan başedebilirdi.

Çaylar ve simitler geldiğinde, ilişkimizin çeşitli dönemlerine ait serpme çağrışımlar içinde kaybolmuştum; şimdiki zamanı daha iyi tartmak için geçmişin görüntülerinden yardım umuyor, ilişki tazelemeye çalışıyordum.

"Gene Baltalimanı'nda mı oturuyorsunuz?" diye soruyorum.

"Evet," diyor. "Babamların evine yakın bir yer bulduk, Mithat da çok seviyor orayı. Giriş katı olduğu için bahçesi var, çocuk için de iyi oluyor."

Baltalimanı'nı, inişli çıkışlı sokaklarında dolaşmayı öteden beri çok severim. Günün modasına kapılmış birinin özentisiyle değil, gerçek bir Istanbul âşığı olarak, bir zamanlar düzenli olarak her gün bir semtine yaptığım gezilerin birinde, rastlantı sonucu evlerinin önünden geçerken, pencerede görmüştüm onu. Şaşkınlıkla, "Aa, siz burada mı oturuyorsunuz artık?" diye sormuştum. Beni eve çağırıp soğuk bir şeyler ikram etmişti. Bahardı. İlkin mimozalar açmıştı, ardından erguvanlar. Karşı kıyıları basmış erguvanların bakır çalığına dönüşen kızılı birdenbire canlanıyor gözlerimin önünde. Baygın çiçek kokularıyla çıktığım yokuşlar başımı döndürmüş, hayli terletmişti beni; evin, insanın içini yatıştıran serinliği kalmış aklımda. Camlar açıktı, esiyordu. Tuhaf, huzur verici bir ışık vardı evin içinde. İnsana nedensiz yere mutluluk duygusu veren sakin, huzurlu bir öğleden sonrası... Neler konuşmuştuk o gün, hiç anımsamıyorum. Buz bitmiş, karşı komşudan

153

buz alınmıştı. Bir de onun üzerinde, benim çoktandır unuttuğum, kimselerde de pek görmediğim eski moda, yaka deliklerinden geçen rafya fiyonk benzeri saten kurdelenin göğüste kelebek yaptığı karpuz kollu poplin bir bluz vardı; kol ağızlarında da saten kurdeleler gene kelebek yapıyordu. Okulda, dışarıda giydiği şeylere benzemiyordu bu. Nedense ev içinde başka bir genç kızın hayatını yaşadığını düşünmüştüm. Belki de çocukluğunu özlemişti. Kadınların kimi giysileri, zevklerini değil, çağrışımlarını yansıtır; çocukluklarına duydukları özlemin ifadesidir. Bu konuda erkeklere göre daha şanslıdır kadınlar. Her şeyi giyinebilirler. O gün ne zaman aklıma gelse, Hale'yi başka bir sıcaklıkla anarım. Biz okumuş yazmış insanlar, çoğu kez fikir beraberliklerini arkadaşlık sanırız, oysa arkadaşlıklar da çağrışımlar gibi, hayata ilişkin dağınık ayrıntılarla çatılır... Bir zamanlar paylaştığın fikirler zamanla nerdeyse anımsanmazken, bir yaz akşamı, komşunun bahçesinde yetiştirdiği biberlerle yapıp getirdiği bir tencere dolusu zeytinyağlı dolma, hatırasını yıllar sonrasına aynı kuvvetle taşır.

"Çocuk da pek büyümüş," diyorum. Adını anımsayamadığım gibi, sormak için de geç kalmış olduğumu düşünüyorum.

"Ya, çok büyüdü Aslı," diyor. "Sorma, insanın gözlerinin önünde çatır çatır büyüyorlar. Her gün büyüdüklerini görüyorsun, şaşıra şaşıra görüyorsun. Hayat müthiş bir şey canım! Gözlerinin önünde bütün bir hayat büyüyor sanki. Bunu ben mi yaptım diyorsun, bir zaman sonra."

Sonra sevgi ve şefkatle dolan gözlerle, hayata bakar gibi bakıyor kızına. Ben de yeniden dönüp, onun bakışlarına benzer bakışlarla bakmaya çalışıyorum Aslı'ya. Oysa, Tuğde'yle, Barbie bebeklere karşı çıkartılmış olan Cindy bebekler konusunda pençe pençe iddialaşan Aslı'nın hafifçe morarmış yüzünde, yalnızca iddia ve hırs görüyorum. Kimin haklı olduğunun hiç önemli olmadığı manasız bir konuda, taraflarda gördüğünüz hırs ve iddia, insanı ne kadar yorarsa, o kadar yoruluyorum bir anda. Ağızlarının kenarında kalmış simit susamlarını bile ayıklamaya halleri kalmamış, giderek cırlayan bir sesle birbirlerine laf yetiştirip duruyorlar. Tanrım, ben gerçekten çocuk sevmiyorum, kız çocuğu ise hiç sevmiyorum; bulacağım yanıt beni iyice umutsuzluğa sürükler diye, "Peki o zaman ben ne seviyorum?" sorusunu kendime sormak istemiyorum. En azından bugün, burada sormak istemiyorum. Hale'nin kocası Mithat, eskiden Hale'nin yalnızca "normal arkadaşıydı". (Normal arkadaş artık ne demekse!) Ayrıca, Hale, o sıralar Mithat'ın yakın bir arkadaşı olan Çetin'le birlikte yaşıyordu. Mithat'ın hayatında da, her seferinde bu kez hayatının aşkını bulmuş gibi "işte nihayet sevgilim" diye coşkuyla tanıştırdığı çeşitli kadınlar vardı; hatta içlerinden bazılarıyla, Hale ile Çetin'in birlikte kaldıkları eve yatıya geliyordu. Mithat ile yaklaşık dört yıl kadar normal normal arkadaşlık ettikten ve bu arada Çetin'den ayrıldıktan, etrafta Mithat'ın ne kadar arkadaşı varsa, –sırasıyla Burhan, Selim, Yusuf– hepsiyle bir süre yaşadıktan sonra, günün birinde Mithat'a âşık olduğunu anlayıp ani bir kararla onunla evlendi. Bunca kalabalığın ortasında birbirlerine âşık olduklarını nasıl anlamışlardı acaba? Benim hayatta anlayamayacağım muamma türlerinden biri de işte budur. Durup durup, günün birinde yıllardır yanı başında duran birine âşık olduğunu anlamak, bir tek Iris Murdoch romanlarında mümkünmüş gibi gelir bana, o romanlarda inandırıcı bulduğum şeye, hayatta asla inanmam! Zaten başından beri burnunun dibinde duran birine âşık olduğunu anlamak için, niye o kadar zaman geçmesini bekleyesin ve o zaman zarfında onun bütün arkadaşlarıyla yatıp kalkmak zorunda kalasın ki? Benim anlayacağım şey değil bu tabii. Hayatta herkesin muhafazakâr olduğu konular vardır. Benimki de bu. Muhafazakâr olmak için, niye zaten bu kadar genel kabul gören bir konu seçtiğimi sormayın bana. Bu seçimi, yaratıcılık yoksunluğuma değil, babamın hayli reçelli olan mazisine borçlu olduğumu anlamak için derin psikanaliz teorileri bilmeye gerek yok.

Hale görünüşünden hiç umulmayacak bir biçimde çapkındı, şimdi bu günün yumuşak havasına hürmeten kibarlık edip, erkek konusunda pek seçici biri olmadığını söyleyebilirim yalnızca. Beraber olduğu erkeklere bakılırsa, erkekte fizik görünüşten ziyade, entelekt ve fikri düzey mühimdi onun için. Bütün o elinden erkek kurtulmayan çapkın kadın hallerine karşın, hayatındaki en düzgün erkek, kocası Mithat olmuştur. Hiç olmazsa, hoş adam, denebilir onun için. Diğerlerini düşünmek bile istemem. O sıralar, Halelerin arkadaş grubu çıkarmak istedikleri yeni bir derginin grafik düzeni konusunda yardımcı olmam için, beni Hisar Kahve'de yaptıkları bir toplantıya çağırmışlardı. Hale, böyle zamanlarda hep masanın ortasına oturur ve etrafına dizdiği erkek kalabalığını bir Ana Tanrıça Kibele şefkatiyle sarıp sarmalardı; gene öyle olmuştu. Tabii, bir tek Hale'nin sesi duyuluyordu. Bir, volümünden, iki, konuşmaya şehvet derecesinde düşkünlüğünden ötürü. Bu çeşit toplantılarda bir başkasının sesini duyurabilmesi ancak Hale'nin susmasıyla mümkün olur. Onunla tartışmanın en azap verici yanı budur. Sesinin volümü, haklılığın tonu gibi tınlayabilir üçüncü kulaklar için. Alışıldığı üzre, daha çok Hale'nin yönlendirdiği o hararetli konuşmaların ortasında, içim kıyılmış bir halde bezgin bezgin oturup anlatılanları dikkatle dinliyormuş gibi yaparken, birdenbire Hale'nin hayatının bir döneminde masadaki bütün erkeklerle sevgili olduğunu fark ettim, bu toplantıya birlikte çağrıldığımız yanımda oturan kız arkadaşıma dönerek, usulca, "Biliyor musun," dedim. "Hale, şu an masada oturan bütün erkeklerin çüklerini çok yakından tanıyor. Bizse hiçbir şey bilmiyoruz! Entelektüel bir ensest tarikatının ortasına düştük!"

O uzun ve boğucu konuşmanın gerdiği sinirlerimiz, bu söz üzerine birdenbire boşandı ve kendimizi tutamayarak katıla katıla gülmeye başladık. Kendimize hâkim olamıyor, üst üste özürler dilediğimiz halde, en ufak bir "pıhlamayla" yeniden kriz halinde gülmeye başlıyorduk. Masadakiler olan bitene bir anlam veremiyor, neye güldüğümüz hakkında ufacık bir ipucu verebilsek, onlar da gülmeye başlayacaklarmış gibi, yüzlerinde yarım bir gülümsemeyle ağızları aralık, bize şaşkın şaşkın bakıyorlardı. O gün o kadar mahcup olmuştum ki, hiç niyetim olmadığı halde yalnızca başyazısı 23 sayfa süren o sıkıcı ve boğucu derginin grafik düzenini yapmaya başladım. Cezam henüz bitmemişti, yaptıklarımla pek ilgilenmedikleri halde, haftada bir yapılan dergi toplantılarına da katılmak zorunda bırakılmıştım: Derginin ruhunu anlamalıymışım! "Ay bu derginin ruhundan ne olacak, ruhsuzlar," diyemiyor, çok normalmiş gibi, gene tıpış tıpış ertesi toplantıya gidiyordum.

Allahım, herkes ne çok yazıyordu! O iç kapayıcı toplantılardan aklımda, herkesin boğazlı kazaklı olduğu kış geceleri, tepeleme dolu kül tablaları yüzünden ikide bir odayı havalandırmak için açılıp kapanan pencereler, havada uçuşup duran anlaşılmaz sözcüklerin oluşturduğu kalın bir sis tabakası içinde, bir noktadan sonra, kimsenin kimseyi pek dinlemediği uzun, İsveç kışları kadar uzun saatler kalmış. Tartışmaların iyice manasızlaşmaya başladığı kimi zamanlar, Boğaz'dan geçen gemilerin, birdenbire bir cankurtaran sireni gibi her şeyi ortasından bölerek bir kurtuluş ümidi vaat eden sesi; bir de gece bir saatten sonra eve nasıl döneceğim sorusunun kafamın içinde durma dönen burgacı tabii... "Geç saatler" kadınlar tarafından, erkek egemenliğinin daha çok hissedildiği zaman dilimleridir. Gündüz ne kadar eşit olursanız olun, gece, sokaklar size kapanır, sizi bir erkeğin eve bırakması gerekir. Hele o yıllarda...

Daha ilk toplantıda, derginin yayımlanmasına dışarıdan para koyan babadan zengin, şehir planlamacısı karı-kocanın anlamadıkları her yazıyı çok güzel ve çok anlamlı bulduklarını fark etmiştim. Tek üzüntüleri dergide şehir planlaması üzerine daha çok yazının yer almamasıydı. Kısa zaman sonra bu açığı kapatmak için, kendilerinden başka kimseyi ilgilendirmeyen çeviriler yapmaya başladılar. Türkçe olduğunu sandıkları bir dile yaptıkları bu çeviriler, toplantı gündemini gereksiz yere meşgul etmeye ve bir süre sonra onların "çeviri yoluyla" Türkçe öğrenme derslerine dönüşmeye başladı. Çünkü, yılmadan yaptıkları her çeviriyi, yeniden Türkçeye çevirmek gerekiyordu. Yazıların beğenilmemesine buruluyorlarsa da çaktırmamaya çalışıyor, "Hayır yani, dergiye para koyduk diye her yazımızın basılması gerekmez tabii, sevilmedikten sonra, demokratik temayüller gereği davranmak," gibi laflar geveliyorlardı. Dergi toplantıları çoğu kez onların Boğaz'daki deniz gören evlerinde yapılıyordu. Bu, herkesin işine geldiği gibi, onlara hem zenginliklerini sergileme, hem de o kadar zengin oldukları halde solcu oldukları için övünme olanağı sağlıyordu. Her şey benim için çoktan bir kara komediye dönüşmüş olsa da, havaya egemen olan ciddiyeti hiç bozmuyordum. Kimsenin grafik düzeni ile falan sahiden ilgilendiği yoktu. Mühim olan içerikti! Hevesimi kırmamak için söylenmiş iki-üç güzel sözle geçiştiriliyordum. Allahtan, o manasız dergi, üç-beş sayı sonra kapandı da, ben de kurtuldum o azaptan.

Bana o dergi günlerinden, bir tek, şehir planlamasının kötü bir şey olduğu duygusu kaldı. Şimdi ne zaman biri yanımda "şehir planlaması" gibi bir laf etse, canım buldozer çeker!

"Entelektüel ensest" esprimi çok beğenip sağda solda herkese söyleyen ve o günkü gülme krizimizi uluorta herkese anlatan arkadaşımın boşboğazlığı nedeniyle, sonunda bu laflar Halelerin kulağına kadar gitmişti ve kendimi hiç hoş olmayan bir durumda bulmuştum. Bu, benim suçluluk duygumu artırmaktan başka bir işe yaramamıştı.

Tuhaftır, durup durup günün birinde en yakınındakiyle birlikte olmaya başlamak, yalnızca Hale'ye özgü bir şey değildi. Hale'nin yakın arkadaş grubu böyle yaşıyordu. Üstelik yalnızca benim dikkatimi çeken bir şey de değildi bu. Başkaları da aralarında bunu konuşur, esprisini yaparlardı. Çoğu Robert Kolej ya da Boğaziçi Üniversitesi çıkışlıydı, gene çoğunun ilk gençlikleri birlikte geçmişti, Anadolu Hisarı, Arnavutköy, Bebek, Baltalimanı civarında oturur, her yere beraber gider, aynı kitapları okur, aynı şeylerden hoşlanır, tatile birlikte çıkarlardı, içlerinden biriyle konuştuğunuzda hepsiyle birden konuşmuş gibi olurdunuz, biriyle tartıştığınızda nedense diğerleri de size karşı tavır alırdı. Aradığınızda onları bulacağınız yerler belliydi. Çoğunlukla, Hisar Kahve'de oturur, dünyadaki her şeyden ilkin onların haberi olur, sık sık kitap, plak değiş-tokuşunda bulunur, genellikle anlaşmaktan çok, özellikle bir sonuca bağlanmamaya çalışan uzun ve yorucu tartışmalar yaparlardı ve gördüğüm kadarıyla, sırayla depresyona girerlerdi; biri çıkmadan, diğerinin depresyonu asla başlamazdı. Bu konuda birbirlerinin bunalımlarına çok saygılıydılar. Hepsi gerçekten yetenekli, akıllı çocuklar olmakla birlikte, zamanla yalnızca kendi anladıkları bir dille konuşan modern ve entelektüel bir tarikata, herkesi dışarıda bırakan sevimsiz bir "klan"a dönüşmüşlerdi.

Benim anımsadığım kadarıyla, başlangıçta, Çetin ile Nigâr evliydi, sonra Nigâr, Çetin'den ayrılıp Sevil'in kocasıyla evlendi. Sevil de daha önce Yusuf'la nişanlıydı zaten. Bu arada Çetin, Hale ile çıkmaya başladı. Çetin, Hale'den ayrıldıktan sonra Mithat'ın eski sevgilisi Nesrin'le birlikte yaşamaya başlarken, Hale de Nigâr'ın ilk sevgilisi Burhan ile çıkmaya başladı. Yusuf'tan ayrılmış olan Gülbin, Burhan ile çıkmaya başlayınca, Hale gruba geç katıldığı için grup içinden hiç sevgilisi olmamış Selim'in grup içindeki ilk sevgilisi oldu. Ki, Selim, Hale'den ayrıldıktan sonra, arayı kapatma telaşıyla olsa gerek, hiç soluk almadan art arda Sevil'le, Nesrin'le ve Gülbin'le çıktı. Hale, Yusuf'la yaşamaya başladıktan bir süre sonra ayrıldı ve ani bir kararla Mithat'la evlendi. Kısa aralarla üst üste üç kızla çıkmış olan Selim, bu "overdose" kadın kürü nedeniyle olsa gerek, birdenbire içinde yeni açılan kapılar keşfederek, biseksüel bir yaşama yöneldi ama, onun erkek arkadaşları ne bu gruptandı, ne diğer entelektüel camialardan; daha çok garson, komi, minibüs muavini, tamirci, miço gibi emekçi kesimdendi. Kadın sevgilileriyle entelektüel etkinliklerde bulunuyor, emekçi delikanlılarla da süreklilik göstermeyen gelgeç ilişkiler yaşıyordu. Kadınlarla olan ilişkisini herkesin gözü önünde ferah ferah yaşarken, erkeklerle olan ilişkisi, yalnızca entelektüel bir özgürlük olarak dar bir çevrenin bilgisi dahilindeydi. Toplum hazır olduğunda bunu herkese bildirecekti.

Şimdi hepsi orta yaşlı oldular, kimi çoluğa çocuğa karıştı, birbirlerinden alacakları verecekleri bir şey kalmadı, hepsi birbirini çok iyi tanıyor, gene Hisar, Arnavutköy, Baltalimanı ve Bebek gibi bitişik semtlerde oturuyor, pazarları Bebek Kahve'de kahvaltı yapıyor, hafta sonları birlikte çocuk gezdiriyor, akşamüstleri Hisar'da çay içiyor, kimi zaman Emirgân'a, İstinye'ye, Yeniköy'e uzanıyor, Kireçburnu'nda Ali Baba'da balık yiyor, bazı yazlar birlikte tekne kiralayıp güneyde mavi yolculuğa çıkıyorlar.

İçlerinden kimi reklamcı oldu, kimi solcu kaldı, kimi roman yazmak için yaşlanmayı bekliyor. İçlerinden başka kimse biseksüel olmadı, kimse ölmedi, intihar etmedi, herkes gibi onlar için de hayat devam ediyor...

Kim bilir, aynı günlerden ne çok şeyi farklı hatırlıyoruzdur şimdi?

Tuğde ile Aslı, birbirleriyle didişmekten sıkılmış, bir süredir yan masada oturan çocuklarla bıcır bıcır bir şeyler konuşuyorlar. Arada bir kulak kabartmaya çalışıyorsam da, gerçekten ne konuştuklarını kavramakta zorluk çekiyorum.

Sahilde, cami parmaklıklarının yanındaki açıklıkta, bankların orada oynayabilirler miymiş, hem orada kedi yavruları da varmış, onları seveceklermiş!

Aslı, annesinden alabileceği olumsuz bir yanıt olasılığına karşı, Tuğde'ye sorduruyor. Böyle bir durumda, bir büyük olarak ne yapmak gerekir bilmediğimden duralıyor, soran gözlerle Hale'ye bakıyorum. Hale, uzman bilirkişi tavrıyla kaşlarını yukarı kaldırıp, ağzında akide şekeri varmış gibi, dudaklarını ortada toplayıp, çenesini iki yana oynatarak, çocukların işaret ettikleri açıklığa, banklara ve kedi yavrularına şöyle bir göz attıktan sonra, bir yere uzaklaşmamaları, gözümüzün önünden ayrılmamaları koşuluyla onay veriyor. Sandalyelerimizi azıcık daha sahile doğru çevirerek görüş alanımızı çocuklara göre ayarlıyoruz.

Hale'nin şu hallerine bakarken, birden Joan Crawford'un set aralarında neler yapıyor olduğunu tahmin etmeye çalışıyorum.

Benimle kurduğu bu ortaklık çeşidinden keyif aldığını belirtircesine halden anlar bakışlarla gülümsüyor bana Hale, kimi genç kızların şirinlik anlarında yaptıkları gibi, sevgi çakımlarıyla ışıttığı gözlerini yumup açıyor, çayından iri bir yudum alıyor.

Ardından, tuttuğu soluğunu boşaltır gibi, "Biliyor musun, ana olmak bambaşka bir duygu," diyor. "Hep söylerlerdi de inanmazdım, insan anne olmadan anlamıyor."

Daha önce de duymuştum benzeri cümleleri. Ses çıkarmıyorum. Hale sürdürüyor:

"Bütün günümü alıyor Aslı. Evet, kreşe falan verdik ama, gene de bütün yük senin omuzlarında, aklın hep onda. Anne olunca hayat çok sadeleşiyor. İnan, hayatı anne olunca anladım."

İçimden, "Hayatımız, hayatı anlamayan annelerle geçmedi mi?" diye sormak geliyorsa da ses çıkarmıyorum.

"Her şeyiyle sana bağlı olan birinin sorumluluklarını taşımak, insanı bambaşka biri yapıyor. İnanır mısın, anne olmadan önceki halimi düşünemiyorum bile. Sanki gözlerimden bir sır perdesi kalktı."

Bana yavan gelen buna benzer cümleleri daha önce de duydum. Bana hiçbir şey söylemeyen bu tehlikeli cümlelerden ve onların yol açacağı gereksiz tartışmalardan uzak durmaya çalıştım hep. Bu çeşit konularda söz almak, herkesin bildiğini okuduğu sözlerle sonunda insanı hiçbir yere çıkarmayan tartışmalara yol açar.

Suskunluğumun hevesini kıracağını umuyor, bir an önce konuyu kapatmasını bekliyorum. Oysa o, anne olmanın erdemleri konusunda beni ikna etmeye kararlı, caymak nedir bilmeyen bir pazarlamacı ısrarıyla sürdürüyor konuşmasını: "Anne olmadan nelere sahip olduğumuzu asla bilemeyiz. Eskiden hayatımdaki her şeyi nasıl düşüncesizce savurduğumu fark ediyorum. Şimdi hayatın yalnızca bana ait olmadığını biliyorum, atacağım her adımda çocuğumu, onun geleceğini düşünüyorum."

"Aferin sana," demek geliyor içimden.

"Sanki her zaman bir yanım eksikti de, anne olunca tamamlandım, her zaman arzuladığım mükemmelliğe sanki şimdi bir adım daha yaklaştım. Hayatı çok yönlü görmeye başladım, daha hoşgörülü oldum."

Bu bir araba dolu laf karşısında fazla sessiz kalmanın nezaketsizlik sayılabileceğini düşünerek, "Annelik sana yaramış," diyorum.

"Yaramaz mı? Her kadına yarar. Anne olmadan insan asla anlayamaz bunu."

Daha önce de görmüştüm anne olunca hayatta diğerlerinin göremediğini gördüğünü sanan kadınları, anne olunca, hayatın önemli bir sırrını çözmüş gibi davrananları. "Anne olmayan asla anlamaz," dedikleri bir dolu şeyin, rahatlıkla başka pratiklere paylaştırılabileceğini hiç düşünmemiş olmalarına tanıklığım yeni değil. Birden Hale'nin yeni iddia alanının annelik olabileceğini seziyorum. "Gene birbirimizi yakalayamadık," diye geçiriyorum içimden. Ne yazık ki, bu konuda çatışamayacağız. Üstelik bu sefer benim anne olmaya hiç niyetim yok. Şimdi ona, "Çocuk sahibi olmayı hiç düşünmedim," desem iddiasından hiçbir şey eksilmeyecek ki, "Sahip olmadan asla bilemezsin," deyip kestirip atacak. Bu çeşit tartışmalar hep kuyruğunu kovalar.

Bir tarihte, bütün hayatı annesiyle kavga içinde geçmiş, bu konuda hayli sorunlu bir arkadaşım, Hale'ninkine benzer laflar ettikten sonra, "Ancak, kızımı doğurduktan sonra annemden kurtuldum," demişti. "Annem de beni unutup kızıma verdi kendini. Ben aradan çekilmiştim. Galiba birbirimizi anladığımız tek zaman dilimiydi."

Arkadaşımla uzun bir tartışmaya girdiğimi hatırlıyorum. Belki başka ruhsal süreçlerle de rahatlıkla üstesinden gelinebilecek bir şey için, niye ille de aynı role talip olmanın gerekliliğini sormuştum. O zaman da, benim için ikna edici bir yanıt alamamış, anne olmadan anlayamazsın üzerine uzun bir nutuk dinlemiştim. Deneyimlerden öğrenmenin yolu, ille de birebir yaşamalar mıdır? Neden kişiler kendi deneyimlerinin, başkaları için de vazgeçilmez olması gerektiğine bu kadar inanırlar? Biliyorum, kendini başkalarının yerine koyabilme yeteneği olmayan kişilerin asla yanıtlayamayacağı sorular bunlar. Ama gene de insan sormadan edemiyor.

Ayrıca kimi insanların bazı deneyimlere hiç gereksinimi olmayabilir. Anneliği de anlamayıvereyim. O kadar çok şeyi anladım da ne oldu?

Takındığım yumuşaklık, söylemeyi geciktirdiği bir şeyin zamanının geldiğine inandırmış olmalı Hale'yi, durup sesini temizliyor, önemli bir şey söyleme öncesi takınılan temkinli bakışlarla yüzümü inceledikten sonra ekliyor: "Çocuk sevgisi bambaşka bir şey Nermin," diyor. "Mutlaka yaşın geçmeden bir çocuk doğurmalısın. Biliyorsun gün günden gençleşmiyoruz. Bu işin de bir yaşı var."

162

Kızgınlıkla acımak arası bir duygu yokluyor içimi. Hale'nin beni hiç tanımamış olduğunu anlıyorum. Bir an başımı öne eğip, sonra kaldırıyorum: "Bunu istediğimi nereden çıkarıyorsun?" diyorum. "Belki şimdi öyle diyorsun ama, sonradan eksikliğini çok hissedecek, çok pişman olacaksın. Hem, senin gibi kadınların bunun için evlenmesi de gerekmiyor günümüzde," diye ekliyor. "Devir çok değişti." Gülümsüyorum. Oralı olmayışım kışkırtmış olmalı onu. Sesine bir hainlik geliyor: "Etrafım, içindeki tatmin edilmemiş evlat sevgisini yeğen severek oyalayan kadınlarla dolu." Üzerime tarifsiz bir yorgunluk çöküyor. Konuşmaya neresinden başlayacağımı bilemediğim, içimin binlerce cümleyle dolu olup da, ağzımdan bir tek sözcüğün çıkamadığı zamanlardaki çaresizlik duygusunun yarattığı bir yorgunluk bu. Yaşamım boyunca, farklı inançlarda çeşitli insan tanıdım. Neden, herkes kendi yaşam deneyiminde, şimdi ulaşmış olduğu yeri, insanlığın geldiği son nokta sanır? Geride bıraktığını düşündüğü insanlara karşı hafif küçümseyici, hafif yalvaçlık taslayan bir tavırla, onları ille de kendinin bulunduğu yere, o bir üst "merhaleye" çağırır? ("Merhale" sözü de sevimsizdir ama babam çok kullanırdı; bu gibi insanların çağırdığı yer ancak bir "merhale" olabilir çünkü.) Kendi macerasının doğruluğuna inanmak için, neden ille de başkalarının maceralarına gerek duyar? Yıllarca komünist olduktan sonra, şimdi ruhlara ve yeniden doğuş hikâyelerine takmış olan bir diğer tanıdığım geliyor aklıma. Ne zaman yolda karşılaşsak, terbiyesizliğe varan bir hesap sorma tonuyla, "Sen hâlâ aynı yerde mi otluyorsun," diye sorardı. "Aşın kendinizi kızım, aşın, takılıp kalmışsınız bu dünyaya. Çürüyüp gideceksiniz!" Kalıp cümlesiydi bu. Solcuyken solcu olmayanlara da aynı kalıbı kullanıyordu. Kendine her seferinde böyle söyleten şeyin, aslında kendi içinde aşamadığı çok temel bir eşik olduğunu görmeksizin, yalnızca inançlarını değiştirerek bir şeyleri aşmış olduğunu düşünüyordu. Bu tutumun çeşitlemelerine hemen her alanda rastlanabilir. Feminizmi yeni keşfetmiş biri de olabilir bu, islamı yeni keşfetmiş biri de...

Bir tek solculuktan vazgeçmenin yenisi olmuyor. Solculuktan vazgeçmek kolay hesaplaşılabilecek bir şey değil çünkü. Nereye giderlerse gitsinler, solculuğun zeki gözlerinin onları hep gözetlemeye devam ettiğini düşünüyor ve her an savunmada bir hayat yaşayarak, içten içe hep onlarla konuşuyorlar. Solculuktan caymış her kişinin, solcular tarafından nasıl görüldüğüne, nasıl değerlendirildiğine dair dertleri vardır ve içleri, çeşitli durumlarda, yeri geldikçe onlara karşı kullanılmak üzere hazır beklettikleri savunma cümleleri ve yanıtlarla doludur. Ah, bilmez miyim?

Ben sustukça, yüzüne hafiften bir Joan Crawford gerginliği gelmeye başlayan Hale, yanıt bekleyen ısrarlı gözlerle bakıyor bana.

İçimden, "Ben çocuk sevmem," demek geçerken, "Ben, galiba ben pek çocuk sevmiyorum aslında," diyebiliyorum.

Yanıt şimşek hızıyla geliyor: "Kendi çocuğun olsun da, gör bak nasıl seviyorsun!"

Bu cümle de çok tanıdık. Bu kadar tanıdık cümleler kurmak için, o kadar yol gitmek, o kadar durak değiştirmek gerekiyor muydu, bunlar bize ta başından beri söyleniyordu, demek geliyor içimden.

Anlıyorum ki, şimdi ne söylesem boş. Kadınlar, neden bir kadının sahiden çocuk istemediğine inanmazlar?

Neden kendilerine yabancı her duygunun, mutlaka karşı taraf için de geçici bir duygu olduğunu, zamanla değişeceğini sanırlar?

Neden, kendimizi başkasının yerine koyma konusunda bu kadar isteksiz ve beceriksiziz? Bazı insanların bizden farklı olduklarını, farklı hissedebileceklerini düşünmeyiz? Aramızdaki bazı ortaklıklara bakarak, neden bütün duygu ve davranışlarımızın da aynı olması gerektiğini, değişeceksek bile, aynı yönde değişmemiz gerektiğini düşünürüz?

Hep düşünmüşümdür: Bu toplumda zaten bir türlü kendimiz olamadığımız için mi kendimizi başkasının yerine koymakta bu kadar zorlanıyoruz?

Çocuk sahibi olmayı hiçbir zaman düşünmedim. Çocukken bile. Bunu şimdi Hale'ye nasıl anlatabilirim ki? Görüyorum ki, şimdi de anneliğin militanı olmuş. Hayatında hiçbir şeyi militanı olmadan yaşayamayan biriyle, sakin sularda konuşmanın mümkünü var mıdır?

Belli ki, Hale bu kez benimle annelik paydasında buluşmak istiyor, artık orta yaşlı denebilecek sularda iki kadının, hayatın çeşitli yüklerinden kurtulduktan sonra, hiç olmazsa annelik ve onun sorunları çevresinde bir dünya kurmasını ve tatlı tatlı didişmesini istiyor. Beni kendi senaryosuna çağırıyor. Kendinin doğru yapıp yapmadığına ancak öyle karar verecek sanki. Gözü arkada kalmayacak.

Çoktan sohbet havasından çıkıp sorgulamaya dönüşmüş olan bu konuşmanın kullanabileceğim tüm sessizlik anlarını kullandığımı sanıyorum, Hale ise delici bakışlarla bana bakmayı sürdürüyor. Kesin bir yanıt almadan yakamdan düşmeyeceği belli. Birden konunun uzayacağını, Hale'nin tıpkı eskiden olduğu gibi kolay pes etmeyeceğini, hatta akşamına beni hamile bıraktırmak için elinden geleni ardına koymayacağını anlıyorum. Anne olmak, ona eski azminden, hırsından ve iddiasından hiçbir şey kaybettirmemiş anlaşılan.

Yeniden konuşmaya başlamasıyla, birden dikkat çekmek için, ses tonumu çok alçak tutarak sözünü kesiyorum: "Hale, beni dinle," diyorum. "Ben kısırım. Çocuğum olmuyor benim."

Çaresini gene kendi bulmaya kalkar korkusuyla da çabuk çabuk ekliyorum: "Ne tedaviler gördüm de, fayda etmedi. Avrupalara falan gittim. Çaresiz! Yapacak hiçbir şey yok! İşte sonunda ben de böyle arkadaş çocukları sever oldum."

Hale'nin yüzü birden boşalıyor, ilkin Joan Crawford gidiyor yüzünden, ardından da kendisi.

"Ama... ama..." diye başladığı cümlelerin arkasını getiremiyor. Keyfinin kaçtığı belli, artık benim hiçbir zaman çocuk sahibi olamayacağıma mı, yoksa konuyu birdenbire kapatmak zorunda kalacağına mı üzülüyor, bilemem. Bu sefer yollarımızın tamamıyla ayrılmış olduğunu, hiçbir zaman buluşamayacağımızı ve didişemeyeceğimizi düşünüyor olmalı.

"Özür dilerim," diyor. "Çok özür dilerim. Seni üzmek istememiştim. Bilmiyordum. İnan hiç bilmiyordum."

Üzgün ve yıkılmış görünmeye çalışıyorum. "Nerden bileceksin tabii. Önemli değil," diyorum. "Hem artık konuyu kapatabilir miyiz?"

"Tabii, tabii, elbette," diye kekeliyor.

Hale'nin bozguna uğramış hali karşısında zafer kazanmışım duygusuna kapılıyorum.

Gerçek zaferlerin yalanlarla kazanıldığını unutmuşum. Ne yazık ki, ben yalanı geç keşfetmiş insanlardanım. Bu yüzden yıllar yılı bu kadar mutsuz oldum.

Postacım, Tuğde'yi kızım sansın, Hale beni kısır sansın, ne önemi var?

Artık kafamı dinlemek istiyorum.

Bu noktadan sonra, acemice laf değiştirmeye kalkarak, sağdan soldan konuşmaya başlıyorsa da, ona göre konuşmanın ilgi çekici yanı ortadan kalktığı için, tadı tuzu kaçmış oluyor. Eski birkaç tanıdığı sorar gibi yaptıktan sonra, asıl öğrenmek istediği kişiye geliyor, "Nalan'ı görüyor musun?" "Hayır, görmüyorum," diyorum. Ekleme gereği hissediyor: "Yeni sergi açıyormuş." Boş boş gülümsüyorum. "Yeni bir galeriyle anlaşmış." "Öyleymiş," diyor, sözü uzatmıyorum. Bu konuda da hakkımızda fazla bir şey öğrenemiyor. Öteden beri Nalan'ı hiç sevmezdi. Şimdi hiç olmazsa birlikte Nalan'ı çekiştirerek aramızda yeni bir ortaklık kurabilme ümidi de, benim şahane kayıtsızlığım karşısında suya düşüyor; yeni bir nezaketsizliğe yol açmamak için üsteleyemiyor da...

Sonra gelişigüzel bir konuşma akışı içinde, gelip geçenler hakkında görüşler belirtiliyor, eski günlerden birkaç olay anımsanıyor, geçmişe birkaç gönderme yapılıyor ama, bu da kıvamını yitirmiş olan söyleşiyi yeniden canlandırmaya yetmiyor. Kendince bir nezaket göstererek, bir daha ne kızından, ne kendi anneliğinden söz etmemeye özen gösterdiği için, konusu azalmış ve hevesi iyice sönmüş olan Hale'nin, bu konuşmayı daha fazla sürdürmesinin pek bir anlamı kalmamış oluyor.

Bu sırada her iki taraf için de bir kurtarıcı gibi Aslı ağlayarak çıkageliyor, arkasından da diğer çocuklar:

"Bu Tuğde çok kötü bir kız anne!"

Annesinin sesine aday bir ses!

Bütün kahve dönüp bize bakıyor.

"Ne oldu, ne yaptın Tuğde?" dememe kalmadan, arka masadakilerin çocukları: "Tuğde hiçbir şey yapmadı teyze," diyorlar. (Ay, bu cümledeki "teyze" ben miyim?)

Tuğde, çocukların onayını almış bir yüzle bana haklı haklı bakarken, Aslı, çocuklardan birini göstererek, "Bu, pokemon kartını önce bana vermişti, sonra benden geri aldı, Tuğde'ye verdi. Tuğde, onun kulağına hep bir şey, bir şey fısıldadı."

"Aa, bir kere insan arkadaşına 'bu' demez, hem bunun için ağlanır mıymış, aşk olsun Aslıcığım, senin eksik pokemonun yok ki," diye anlamadığım bir dilde bir şeyler geveleyerek, çocuğun gözyaşlarını silip teselli ediyor Hale. Bu karambolü fırsat bilerek, "Biz daha fazla gecikmeden izin istesek," diyerek ayaklanıyorlar.

"Ne güzel oturuyorduk," diyorum, yalnızca kendimin anladığı bir alaycılıkla.

Ana-kızın ikisinin birden bizden mutsuz olduğunu, akşam eve gittiklerinde, onca zaman umumi tuvalet kapısında dikilip bizi boşu boşuna beklediklerine hayıflanacaklarını düşünüyorum.

"Dün trafik ışıklarında karşıdan karşıya geçerken, pek bilmiş görünüşlü bir ana-kızla karşılaşmıştık, keşke sizi onlarla tanıştırsaydık, pek güzel geçinirdiniz," demek geliyor içimden.

"Hadi vedalaşın bakalım çocuklar," diyor Hale. "Öyle yok yere küslük olmaz!"

Vedalaşmaya hiç niyetli görünmeyen çocukları beklemeden bana dönüp, "Çaylar için teşekkürler," diyor. "Bir gün bize de bekleriz."

"İnşallah," diyorum.

Buraya bizi davet eden o olduğu halde, teşekkürü edilen çayları niye bizim ödeyeceğimizi sormak geliyor içimden. Yanıtı biliyorum aslında. Hale, cimridir, öyle böyle değil, fıkra düzeyinde cimridir. Örneğin, o bir tarikat dolusu erkek değiştirdiği onca zaman zarfında bile, kıçındaki ince fitilli kadife pantolon hiç değişmemiştir. Allah bilir, ileride kızı giyer diye sandığa kaldırmıştır.

Bu yüzden ödeyeceği her kuruş, etinden parça koparmak gibidir onun için. Deminki bozgun üzerine bir de hesap ödemek, onun kolay kaldırabileceği bir şey değil. Çünkü, onu mutlu eden, ücretini ödeyebileceği bir sohbet olmadı bu. Hatta, kızının helak olmayacağını bilse, arabaya binmek yerine, eve kadar yürürler; ancak o zaman, günlük gelirler ve giderleri eşitlediğini düşünerek, içinin dengesini tutturabilir. Almasını ve vermesini bilmeyen insanların hayatta en büyük sorunları içlerinin dengesini tutturmaktır çünkü. Bu yüzden, birçok insanın burun kıvırdığı küçük hesaplar, onlar için küçüklük değil, hayatın bütün tadı tuzudur.

Ayrılırken, Tuğde'nin saçını okşayarak, bana dönüyor, "Sen de kendini fazla üzme bu konuda," diyor. "Hayatta başka şeyler de var."

"Ben de bunu anlatmak istemiştim," diyorum, gülümseyerek. Ondan çok kendime söylenmiş bir cümle gibi...

Onlar hızla uzaklaşırken, Tuğde, küçük, minik, pembe çantasını açıp, elindeki kartı fazla belli etmemeye çalıştığı bir zafer duygusuyla çantasına yerleştiriyor.

Göz göze geldiğimizde, gözlerini kaçırıyor.

Bir şey sormak ve bir şey öğrenmek istemiyorum. Bazı kadınların çantaları hep aldıklarıyla doludur. Bana bu kadarını bilmek yeter.

Ağzımda kötü bir tatla, yalnızca, "Biz de kalkalım artık," diyorum.

Kalkmak üzere olduğumuzu anlayan arka masadaki çocukların daha büyük olanı, Tuğde'ye küçük bir kâğıt parçası uzatırken, merhametimi hak edip etmediğinden emin olmamakla birlikte, yarın evde çalacak ilk telefon sesinin sahibi olacağı şimdiden belli olan bu çocuğun yüzüne acıyarak bakıyorum.

XIII

Kırmızı-beyaz çizgili kokteyl kamışı

İLKİN Tuğde'ye söz verdiğim üzre ayaküstü büfelerin birinde fırında patateslerimizi yiyor, ardından bir süre meydandaki açıkhava kitapçı tezgâhlarında amaçsızca dolanıyoruz. Elime aldığım eski kitaplarda kendi gençliğimin okumalarının izini sürer gibi bakıyorum eprimiş sayfalara. Aralarında rastlayacağım birkaç cümle sanki ne zamandır unuttuğum nice ayrıntıyı bana geri bağışlayacakmış duygusu veriyor. Neden sürekli geçmişten daha fazla şey anımsamaya çalışıyoruz ki? Birkaç ayrıntı daha fazla anımsadığımızda ne çoğalacak sanki? Yitiklerin sayımını artırmaktan, bunların fazladan hüznüne kapılmaktan başka? Gündelik hayatta zamanı bunca sık tarttıkça, zaman daha çok derinleşip uzaklaşıyor bizden. Yaşlanmaktan korktukça, daha çok yaşlanıyor insan. Zamanı niye kendi akışına bırakmıyor, sürekli onun geçişini izlemeye çalışıyoruz ki? Eşyadaki zamanı insan yılları devirdikten sonra fark etmeye başlıyor. Dünyada zamanı en çok söyleyen nesne kitap galiba.

Eskiden ne çok aradığımız kitap vardı, baskısı tükenmiş, baskısı yenilenmemiş, küçük küçük harflerle dizilmiş ne çok kitap! Bir definenin izini sürer gibi nicedir aradığın bir kitabı birdenbire bir sahafta bulmak nasıl da büyük bir zevk ve heyecan verirdi! Şimdi okunmak üzere başucumda birikmiş kitaplara baktıkça ne kadar zamanım kaldığını düşünür olmaya başladım. Dünyadaki bütün kitapları okuyacak kadar zamanımın kalmadığını anlayacak yaşlara geldim, yetinmenin yaşlarına, aramanın da, bulmanın da anlamının solduğu yaşlara... Kitapların söylediklerine inancımın azaldığı yaşlara...

Sergideki üst üste yığılmış kitapların arasından bulup çıkardığım birkaç kitap hüzün veriyor bana. O zamanlar tutkuyla aradığın bir kitabı bulmak şimdi neye yarar? Oysa bunları ne çok aramıştım. Bu duyguların etkisiyle olsa gerek, hemen uzaklaşıyorum tezgâhın başından. Kitapçı sergisinden uzaklaşmamız Tuğde'yi sevindiriyor.

Nicedir evlerin yerlerini dükkânlara, barlara terk etmeye başladığı ara sokakların birinde Turgay'ın Barı var. Bu saatlerde tenha olur. Hem biraz Turgay'la ya da karısıyla laflar, hem bir kadeh akşamüstü içkisi içer, şu gerginliğimi biraz olsun üstümden atarım, diye düşünüyorum.

Üç katlı kutu gibi çok sevimli bir bina, dış cephesini Toscana sarısına boyamakla akıllılık ettiler, koyu renk kiremitli çatısı, pencere pervazlarının ceviz yaprağı koyuluğundaki yeşiliyle, sokağa girdiğiniz anda göz alıyor. Cam önlerinden sarkan düğümlü sarmaşıklar, ateş kırmızısı sardunyalar, kapısındaki kehribar rengi büyük küplerdeki sarışın bitkiler mekânı bir anda çok özel kılıyor. Kışın üst katlarında oturuyor insanlar, güzel havalarda kapı önüne atılan masalar, sandalyelerde yer bulmaksa hemen hemen imkânsız.

Ben, en çok giriş katında, kıt ışıklı iç kısımda sokağa bakan en dipte, eski zaman meyhanelerinden kalmış izlenimi veren ahşabı koyu masayı severim. Kimse seni görmezken, sen, sokaktan geçenleri bile çekildiğin köşenden uzun uzadıya seyredebilirsin. Hangi mekânda olursam olayım, her zaman hep köşede oturduğumda rahat ederim. İki yanımı iki duvara yasladığım köşeler bana güven verir, iğretiliğimi hafifletir. Yandaki kesme taş duvardaki başka zamanların çağrışımlarıyla yüklü nişlere çantandan çıkardığın kimi ıvır zıvırı yerleştirerek, kendine hemen bir köşecik edinıverirsin.

Turgay'ın karısı Nazlı, hem çok zevklidir, hem becerikli. Hemen herkesin avuç dolusu para harcayıp birbirinden zevksiz dekorlar yaparak bütün mekânları katlettiği bir dönemde, üç kuruş paralarıyla, en ucuz malzemeyi bile son derece yaratıcı bir biçimde kullanarak, çeşitli esprilerle örülmüş, kendine özgü bir stili olan hoş ve şık bir mekân yaptı. İnce bir zevkin, kısıtlı imkânlarla bile ne güzellikler yaratabildiğinin ilginç bir kanıtıdır Turgay'ın Barı. Bu işe kalkıştıklarında, ellerindeki paranın ne kadar sınırlı olduğunu ben biliyorum. Dolayısıyla, her şeyi akıllıca çözümlerle, en kısa zamanda halletmek zorundaydılar.

İzmir'de yaşadıkları dönemde Turgay, elindekini avucundakini yayıncılık yaparak batırmış, Istanbul'a geldiklerindeyse, bar açmaya karar vermişti. Istanbul'da yayıncılık, İzmir'de barcılık yapması gerekirken, her zaman olduğu gibi, tam tersini yaptığını söyleyenleri güldürmüştü. Ortaköy'ün yeni yeni canlanmaya başladığı bir dönemde, bu işe ilk kalkışanlardan biri olmanın meyvesini topladı, kısa zamanda mekân çok tuttu. Turgay da istemediği kadar zengin oldu.

Turgay bir yere kadar gitmiş gelecekmiş. Nazlı da yok yerinde. Akşama doğru gelirmiş. Önce, tabii ki, Tuğde'yi üst kattaki tuvalete götürüyor, ardından dışarıda yeni boşalan masalardan birine oturuyorum. Tahminimin tersine, hem içeri, hem dışarı ağzına kadar dolu. Benim iç kısımdaki köşe masam da tabii. Kendime, artık vakti gelmiştir diye bol buzlu sek bir skoç viski, Tuğde'ye ise bu kez sormaya bile kalkışmadan kola söylüyorum. Çevrede hiç tanıdık bir yüz yok. Burada olabileceği söylenen Tikli Gülçin'e de rastlamadım. Gitmiş olmalı. Su içinde benden on yaş büyük olduğu halde, bana her seferinde ısrarla "Nermin abla" diye yağlı bir sesle seslenen, bara gelen her müşteriyi yıllardır beklediği sevgiliymiş gibi vıcık vıcık bir riyakârlıkla karşılayan işletmeci kadın da görünmüyor ortalarda. Kimsenin şikâyeti olmadığına bakılırsa, bu çeşit bir riyaya ihtiyacı var herkesin. Burayı işletmesinin yanı sıra, ille de yerli dizilerde figüranlık yapmak, en fazla üçüncü dördüncü dereceden rollerde oynamak gibi ciddi bir merakı da var bu kadının. Allah bilir, gene hangi manasız dizinin çekimindedir. Gördüğüm kadarıyla, yüzünün "hayran olarak çok sevinmek"le, "felaketler karşısında şaşırarak üzülmek"ten oluşan iki tane ifadesi var yalnızca. O da bunları beş yüz dizidir tersyüz edip kullanıyor.

Tuğde, karşı kaldırıma dizilmiş tezgâhların birinde satılan bez bebeklere bakmaya gidiyor. Görüş alanımın dışına çıkmamasını sıkı sıkıya tembih ediyorum. Aklıma kimi Amerikan filmlerinde olduğu gibi, bakıcı kadının bir anlık dalgınlığından yararlanarak kaçırılan çocukların birdenbire ortadan kaybolduğu sahneler geliyor. Birden geliştirdiğim hikâyeye inanıp kurmaya başlıyor, oturduğum yerde yavaş yavaş dehşete kapılıyorum. Böyle bir durumda, hayatım boyunca çekeceğim vicdan azabının ağır yükü olanca karanlığıyla biniyor omuzlarıma, içim daralıyor, soluğum sıkışıyor. Kendimi, Ortaköy sokaklarında, şaşkınlık, çaresizlik ve gözyaşları içinde, "Tuğde! Tuğde!" diye çığlıklar atarak canhıraş biçimde onu ararken görüyorum. Bu kadarı da fazla canım! Resmen işkence ediyorum kendime! Hemen kendimi toparlıyor, yersiz paniğimi yatıştırarak, gözlerimi Tuğde'ye çiviliyor ve onun her bebeği uzun uzun mıncıklayışını, evirip çevirişini izlemeye başlayarak sakinleşmeye çalışıyorum.

Bir an bebek tezgâhının yanındaki gümüş takı tezgâhının başında kaykılmış oturan kadına takılıyor gözlerim. İlkin bir yerlerden tanıdığım duygusuna kapılıp kim olduğunu çıkarmaya çalışıyorsam da, dikkatli bakınca, öyle olmadığını anlıyorum. Beni yanıltan şey, fiziksel bir benzerlik değil; onun bana tanıdık gelen, benzerleriyle kolaylıkla karıştırılabilecek birörnek hali yalnızca...

Farklılaşmak, ayrı bir zevk anlayışı ve ayrı bir hayat kurmak için bunca uğraşırken, başka çeşit birörnekliğe sürüklenmek ne tuhaf! Etekleri yerlere kadar uzayan hafif Hint elbiseleri, ya da batik baskı giysiler, ayaklarda deri sandaletler, saçlarda ucu boncuk saçaklı incecik örgüler, omuzlarda heybeden çantalar, akşam eve biri çağrıldığında yakılan tütsü çubukları, altında mum yanan kâselerde kaynatılan ot çayları, kimi bakır parçaların içine tıkıştırılmış kır çiçekleri, imalat nedeninin tersine, çok amaçlı kullanılan kimi ev eşyaları ve objelerle yaratıcı zekâsına ve zevkine puan toplama çabaları ve benzeri bütün bu salkım saçak "teferruat" içimi kıyar benim. Sürüden ayrılayım derken, sonuçta başka bir sürü yaratmaya yarayan her çeşit seri üretimden kendimce uzak durmaya çalışırım. Eğer ressamlığa kalkışmamış, ya da zengince bir girişimcinin başına buyruk yaşayan modern görüşlü karısı olmayı başaramamışlarsa, Akdeniz'de bir yerde küçük bir kafe işletir ya da ev yemekleri yapan basma perdeli, pazen minderli şirin bir lokanta açarlar. "Hizmet etmeyi" onurlarına yediremeyen anababaların yetiştirmeleri oldukları için de, bütün o modern ve rahat kadın görünüşlerinin altında, hizmet ederken için için nasıl bir mahcubiyet duygusu taşıdıklarını ve bir türlü aşamadıkları kalın sınıf duvarlarını görürsünüz. Bunları birebir tanımadıysanız bile, Bodrum, Marmaris benzeri yerlerde deri, gümüş ve benzeri tezgâhlarının başında oturan, kadın incelikleriyle erkek pazarında ekmek parası kazanmaya çalışan daha küçük girişimci örnekleriyle mutlaka karşılaşmışsınızdır.

Hayata başkaldırmış, erkekler dünyasının her çeşit engel ve tuzağını savuşturmayı becermiş, kendi başına ayakta kalmayı başarmış bu modern kadın görüntüsünün altında, hayallerin, düşlerin aynı yerde saydığını görmekse, yürek burkucudur. Kadın ve erkek kimlikleri sorgulanır, toplumsal roller bunca zorlanırken, çocukluğumuzdan başlayarak bize dayatılan "hayaller", ilk öğrenildikleri halleriyle bir kenarda olduğu gibi saklı tutulmuştur. Birçoğunda, yaşadıkları onca hayal kırıklığına karşın, düşleri ve hayalleri kirlenmemiş, erkeğiyle hayatı her an paylaşmaya hazır, fedakâr, geleneksel kadın havası vardır. Kırlarda çiçek toplayıp, gün batarken sevgilisiyle içki içerek duygulanmanın geleneksel oyunlarına fazlasıyla bağlıdırlar. Eski repertuar çalışırlar. Daha önceki deneyimlerinin anılarını ve yaralarını üzerlerinde taşımakta ısrarcıdırlar ve yeni sevgili adayının başlıca işlerinden birinin bu yaraları iyileştirmek, hasarları onarmak olduğunu fazlasıyla ima ederler. Kimi erkekler de bu kurtarıcı rolünü oynamaya pek heveslidir. Bu duruma, "Kuyudan Yusuf çıkarma sendromu" diye bir ad takmıştık kendi aramızda. Böyleleri, kuyuya düşmüş adam ya da kadın kurtarma sahneleri yaşayabilecekleri ilişkiler ararlar. Geçmişte çok incindiği için, kalbinin kapısını çoktan kapatmış görünen bu kadınlarda, kalplerinin kapısını her an sonuna kadar açmaya öyle hazır bir hal vardır ki, beş yüz metreden anlaşılan bu halin, erkekler tarafından nasıl anlaşılmadığı, benim için her zaman ciddi bir merak konusu olmuştur.

Önemli çelişkilerimden biri de, bu konularda kadınlara bu kadar kızarken, erkeklere hiç acıyamamam olmuştur. Bence erkekler, başlarına gelen her çeşit belayı fazlasıyla hak ederler; hatta şu kötü adamlar tarafından rehin alınmaya çalışılan koca kıçlı kızı yüklenip, soluk soluğa kaçmak zorunda kaldıkları kaçıp kovalamaca filmlerinde bile... Kısacası erkeklerle kadınlar arasındaki rollerde, insanın yakınlık duyabileceği hiçbir repertuarın kalmamış olduğunu derin bir ümitsizlikle kavramış bulunduğum günden bu yana, hayatımın sonuna kadar bekâr kalacağım da anlaşılmış oluyor. Tüketilmiş rollerden, içi boşalmış ilişki kanavalarından, beraberlik klişelerinden, tiklere dönüşmüş davranış modellerinden yeni bir hayat çıkmıyor. Var oluşun en büyük sıkıntısı: Yeni bir hayat!

Yeni bir hayat yok!

Bekleme artık!

Ama, bu masada oturup, Turgay'la karısını bekleyebilirsin!

Skoçundan iri bir yudum almak böyle zamanlarda iyi gelir. Birden bez bebek tezgâhının başında tanıdık bir yüz beliriyor: Kürşad. Adının "t" ile değil, "d" ile yazılacağı uyarısıyla koca bir hayat geçiren Kürşad. Üstelik kaşla göz arasında bizimkiyle tanışmakla kalmayıp, açıkça flört etmeye kadar vardırmış işi. Şunun şurasında iki dakika kadar gözlerim yan tezgâhtaki kadına kaymıştı. Hiç boş bırakmaya gelmiyor bu kızı! (Pek de şunun şurası sayılmaz doğrusu, her gözümün kayışı birkaç sayfa ediyor. Gene de, benim bir anlık dalgınlığım sırasında bir sapık katil tarafından kaçırılmış olmasından daha iyi bir seçenek sayılabilir Kürşad ile tanışmış olması.)

Bir yabancı ile konuşmaktan güya rahatsız görünen Tuğde, yalnız olmadığını belirtircesine dönüp Kürşad'a beni gösteriyor, birlikte bana anlayış uman yüzlerle bakarken, gayet samimi havada konuşmalarını sürdürüyorlar. Ben de onlara anlayışlı, olgun kadın yüzü yaparak, hoşgörü yüklü bir gülümseme gönderiyorum. Uzaktan yavrusunu izleyen anne anlayışı taşıyan bir gülümseme! Kızına hem serbestlik tanıyan, hem de bir an olsun dikkatini gevşetmeyen modern kadın, çağdaş anne! Şu halim, görseydi Hale'den iyi puan toplardı herhalde. Tuğde, kendine iyice hayran bırakmış olmalı ki, Kürşad, durumlarını eşitlemek için onun yanına diz çöküyor. Bence buna hiç gerek yoktu. Bir erkek olarak Kürşad yeterince kısadır zaten. Tuğdeyse, benden onay almış olmanın rahatlığıyla iyice tezgâhbaşı flörtünün akışına bırakmışa benziyor kendini. Konuştuklarını duymuyorum elbet, ama hepsini bilebiliyorum ne yazık ki. Bu da çok canımı sıkıyor. Ben boşuna demiyorum yeni bir hayat yok diye!

Az sonra masaya geliyorlar. Tuğde, sevindirik olduğu hallerde tutturduğu kırlarda papatya toplayan kız sekişiyle yaklaşırken, elinde günün ikinci ganimetini taşıyor: Bir bez bebek!

"Tanışmışsınız bile," diyorum Kürşad'a.

"Kürşad ağabeyin hediyesini kabul edebilir miyim Nermin ablacığım?"

"Kabul etmemen için bir neden mi var Tuğdeciğim?"

"Hayır, daha yeni tanıştık da, doğru olur mu bilmem, diyorum!"

"Niye olmasın Tuğdeciğim. Diğer hediyelere bir an önce sıra gelmesi için, hızlı hareket etmelisin. Bu gidişle, beşinci günün sonunda eve dönerken, sana yeni bir valiz almak zorunda kalacağız!" deyip Kürşad'a dönüyorum: "Bana bak Kürşad, bu konuda seninle daha önce de tartışmıştık."

Kürşad, yüzüme "Hangi konu?" dercesine bakıyor. Başımın küçük bir hareketiyle Tuğde'yi işaret ederek sürdürüyorum: "Bilirsin, ben 'Leon' filminden nefret ederim!"

Bunun üzerine gür bir kahkaha patlatıyor! "Sen harika bir kadınsın Nermin!"

Ve masanın üzerindeki kuruyemiş kâsesine elini daldırarak fındık-fıstık avuçluyor.

Bana, "Sen harika bir kadınsın" diyen erkeklerin sayısı çok olmadığı halde, bu lafa fazla sevinemiyorum. Bildiğim kadarıyla Kürşad, tanıdığı kadınların yüzde yüz ellisine böyle der çünkü. Erkeklerin, kadınlara mutlaka güzel ve manalı sözler söylemesi gerekliliğinin inançlı ve azimli temsilcilerinden biridir. Örneğin,

"Hayatta tanıdığım en zeki kadın" diye söz ettiği en az iki yüz kadın tanıyorum şu Istanbul'da. Bu durumdan haberdar biri olarak itiraz ettiğinizdeyse, kuracağı ikinci cümle de hazırdır: "Tabii diğerleri kompliman olabilir ama, sana söylediğim gerçek." Bu cümleyi diğerlerine de defalarca söylememiş olduğuna kim garanti verebilir? Kaldı ki, o iki yüz kadının, Kürşad'ın, "hayatta tanıdığı en zeki kadın" olmak yerine, "hayatta tanıdığı en güzel kadın" olmayı tercih edecekleri ise apayrı bir konudur.

Kürşad, kendini beklediklerini söylediği arka masalarda oturan birilerine, "az sonra geleceğim" anlamına gelen el işaretleri yapıp masamıza oturuyor. Daha doğrusu çöküyor.

"Ee, anlat bakalım ne yapıyorsun zehirli çiçek?" diyor.

"Gördüğün gibi," diyorum. "Yıllar çiçekliğimizi soldururken, zehrimizi artırıyor."

Gürültülü bir kahkaha daha patlatıyor. "Vallahi, sen gerçekten şahane bir kadınsın!"

"Bütün 'şahane kadınların' yalnız olduğu bir memlekette iyi bir şey mi bu, pek emin değilim," diyorum.

Saklamaya çalıştığı bir istihza ile, "Erhan'ı görmüyor musun?" diyor.

İçimden, "Erhan'ın herhangi bir kadının yalnızlığını giderebileceğine sahiden inanıyor musun?" gibi kışkırtıcı bir cümle geçtiği halde, bu cümlenin açabileceği olası tartışmalardan kaçınmak için, "Görmüyorum ama, çok sayıda telefon alıyorum," diyorum.

Halden anlayan bir gülümsemeyle önüne bakıyor.

"Öyleyse senden çok Telekom'la görüşüyor."

Kürşad'ın bir özelliği, çok sayıda kadın tanımasıdır. Herhangi bir sonuç alsın ya da almasın, önemli değildir, o kadınlarla tanışmayı sever. Çoğu kez tanışmış olmak için tanışır. Neredeyse, Türkiye'deki kadın nüfusunu saymayı görev edinmiş bir hali vardır. Her seferinde son dakikada bulduğu mühim bir bahaneyle evliliğin kapısından dönmeyi başardığı için, hiç evlenmemiştir. Çok sayıda sevgili, sözlü, nişanlı sayılabilir elbet. Gördüğüm kadarıyla, son yıllarda nişanlanma ya da sözlenme aşamasına gelmeyi bile zaman kaybı saydığından, uzunlu kısalı çeşitli beraberliklerle yetiniyor. Son birlikte gördüğünüz kızın adını hatırda tutmaya çalışmanıza gerek kalmadan, yanındaki kız değişiveriyor. Hafızası zayıf olanlar için, ya da hafızasını böyle lüzumsuz bilgilerle yüklememek isteyenler için, hatır sorulması gereken durumlarda en uygun cümle: "Seninki nasıl?" diye geçiştirmektir. Buradaki, "Seninki" sözcüğünü, herhangi bir isimle doldurmak sahibinin zihnine kalmış bir iştir artık.

Kürşad'ın yanında hangi kadından söz ederseniz, mutlaka ya onu tanıyordur, ya da en kısa zamanda tanışacaktır. "Yahu tanıştırsana şu kadını benimle," dediği kadınlardan hiçbiriyle sizin tanıştırma fırsatınız olmaz, çünkü mutlaka erken davranıp, bir biçimde kendi tanışmayı becerir. Bu yüzden sürekli olarak ona çeşitli tanıştırmalar borçlanırsınız. O da her fırsatta borçlarınızı başınıza kakar.

"Allahını seversen Kürşad, ben sana kimseyi tanıştıramayacak mıyım kuzum?" diyorum.

"Nereden çıktı şimdi bu?"

"Baksana Tuğde'yle bile kendin tanışmışsın. Bu bana yapılır mı?"

"Ha, böyle güzel bir kızla tanışmak için, seni bekleyebilir miydim?" diyor.

Tuğde, alt dudağını hafifçe ısırıp, gözlerini kırpıştırarak memnuniyetini gösterirken, mahcup olmuş bir ifadeyle başını öne eğiyor. Aklıma gene o yaz tatilinde sevgilimle aynı yatakta yakaladığım o "küçük cazip seksi kız" ve onun iri puantiye bikinisi geliyor.

Kürşad gazetecidir. Bir büyük gazetede, kadın-erkek ilişkileri, aşk-meşk, erkek ruhunun bilinmeyen yanları, sert görünüşlü kırılgan erkeklerin iç dünyaları hakkında popüler yazılar yazar. Kendini hiçbir kadının anlayamadığından şikâyetçi olan "derin erkeklerin" hislerine tercüman olmayı amaçlayan, azıcık erkek söylemli yazılardır bunlar. "Erkekler ağlamaz ama gözleri nemlenebilir" tarzı erkeklerin bayılacağı türden hafif içkili, tütün ve kadın kokulu bu yazılarda hem "sportmen", hem "centilmen" bir hava sezilir. Birini okuduğunuzda, diğer 364 günün yazısını da okumuş sayılırsınız.

Hep sakallı gezer Kürşad. Hayattaki en eski arkadaşının bile onu sakallı hatırladığına bakılırsa, anasından sakallı doğmuş olduğu söylenebilir. Az önceki kinayeli sözlerim, bir akşam, gene bu barda "Leon" filmi üzerine yaptığımız bir tartışmaya yaptığım göndermeydi. Filmden kalkarak, erkeklerin "Lolita merakı" üzerine konuşmaya başlamıştık o gece. Filmden bu anlamda hiç hoşlanmamış, sübyancılığı bu çeşit entelektüalize etmeye çalışan çabalara duyduğum kızgınlığı dile getirmiştim. Beni her zamanki gibi, katı ve ahlakçı bulmuşlardı. Genç kızlığa adım atmakta olan ufaklıklara duyulan belli belirsiz o ilginin, yalnızca, bir zamanlar hakkını veremediklerini düşündükleri ergenliklerini tazelemeye yarayan masum bir ilgi olmadığını iddia etmiştim. Erkeklerin, "Lolita merakı"nı, gençlik ve körpeliğe duyulan arzu ile açıklamanın yetersizliğine dikkat çekmeye çalışmış, bundan öte düpedüz bir iktidar sorunu olduğundan söz etmiştim. Bence, onları küçük kız çocuklarının saf dünyalarına yönlendiren şey, bilinci uyanmış, dikkatleri bilenmiş kadınlara karşı duydukları korkuydu aslında. Erkeklerin, kendileriyle ilgili yanılsamalarını besleyecek, zayıflıklarını görmeyecek, numaralarını yutacak, her yalanlarına inanacak kadınlara ihtiyaçları vardı. Bu yüzden tercihan kıt deneyimli, uzakgörüşsüz kadınların yanlarında rahat ediyorlardı.

Genellikle kadınlarla ilişkilerinde eşitlikten hoşlanmazlardı ama, eşitliğin en tahammül edemedikleri çeşidi, "algı eşitliği"ydi. Elbette "algı farklılığı"nı anlıyor, kabul ediyor, hatta onaylıyorlardı. "Algı farklılığı", ilişkideki pozisyonlarını korumada onlara bir ayrıcalık da sağlıyordu, ama "algı eşitliği"ni ciddi bir alan müdahalesi olarak görüyorlardı. Kadınların anlamayıp da, erkeklerin anladığı şeyler olmalıydı dünyada; bu onların kendilerini daha güçlü hissetmeleri için gerekliydi. Erkekler, kadınlara oranla daha uzun süre masum kalabiliyorlar, kadınlarsa, erkeklere oranla daha çabuk büyüyerek, masumiyetlerini daha çabuk yitiriyorlardı. Bu yüzden erkekler, kadınlar tarafından hazırlıksız yakalanıyor, daha erken "görülmüş" oluyorlardı. Sonraki yaşlarındaysa, bir çeşit arayı kapatma duygusuyla geriye dönerek, algı eşitsizliğini kendi lehlerine çalıştırabilecekleri "Lolita avına" çıkıyorlardı. Başka kadınlar tarafından çoktan çözülmüş bulunan kendi içi boşalmış imgelerinin, dişiliği yeni uyanmaya başlamış genç kızların bulanık hayallerinde hâlâ bir karşılıkları olabiliyordu çünkü. Yeniyetme kızların ham hayalleri, deneyimsizlikleri, bu erkeklerin içi boşalmış heykellerini hâlâ bir şey sanabiliyordu.

Tartışma uzadıkça konuşmalar grup terapisi havasına bürünmüş, masadaki bütün erkeklerin gözünde iyice sevimsizleşmiştim. Neyse ki, başıma ilk kez gelmiyordu bu, böyle durumlarda nasıl davranmam gerektiğini iyi bilirim. Ama bunun, benim için alışılageldik feminizm soslu bir kadın-erkek tartışması değil, bir gerçekliğe ulaşma sorunu olduğunu anlamalarını istiyordum. Ama dünyanın gerçekleriyle çok ilgiliymiş gibi görünen erkekler, bir tek kendi gerçeklerini öğrenmeye ilgi duymazlar. Dünyanın gizini çözmeye çalışan en bilimsel, en akademisyen olanları bile, kendi gizlerinden uzak durmaya çalışır. Bütün akademisyen karılarının ortak özelliği, hem kocalarını utandırmayacak kadar zeki olmaları, hem de zekâlarını asla kocalarına karşı kullanmamalarıdır. En azından evlilikleri uzun sürenlerden söz ediyorum.

Tartışma büyüdükçe, masadaki erkeklerin anladığı anlamdaki kuru feminizmden çoktan uzaklaştığıma, kendi cinsimin haklarını kayıtsız şartsız savunduğum günlerin çoktan geride kaldığına, şimdi her çeşit gerçekliğe tarafsız bir biçimde nesnel, serinkanlı gözlerle ulaşmaya çalıştığıma etrafımdakileri ikna etmeye çabalamak zorunda bırakılmıştım. Ama erkekler için, hemen her çeşit tartışma, kısa bir süre sonra futbol tartışması kıvamındaki öfkesini dizginleyemeyen taraftar kapışmasına döner. Nitekim, o gece de öyle olmuştu. İtirazlarımın kaynaklarını anlamaktansa, işi, meselelere feminizmin "at gözlüğü"nden baktığım, ya da erkekleri hiç anlamadığım gibi dile dökebildikleri suçlamalara, ya da artık "Lolita" yaşlarını çoktan geride bırakmış olduğum için, erkeklerden yeterince ilgi görmeyişimin hıncına ilişkin çirkin imalara dökmüşlerdi.

Sonunda bütün tartışma kadınların erkekleri asla anlayamayacaklarında düğümlendi. Erkeklerin kendileri hakkındaki en büyük yanılsamaları, kendilerini sahiden anlaşılmaz sanmalarıydı. Erkeklerin çoğu, anlaşılmadıklarını düşünmekten hoşlanır, bunun mitolojisinden fazlasıyla beslenirler. Anlaşılmamak fikri, kendilerinde hiçbir zaman sahip olmadıkları bir derinlik vehmetmelerine neden olur. Oysa, yalnızca bu halleriyle bile yeterince anlaşılırdırlar. Anlaşılamamanın da, anlaşamamanın da önündeki engelin sahip olduklarını sandıkları derinlikleri değil de, kendi malzemeleriyle yüzleşme yetersizlikleri olduğunu düşünmek bile istemezler.

Herkesin kendi düşüncesini "nesnelliğin sesi", karşı tarafın görüşlerini ise, "at gözlüğü" ile bakmanın tek yanlı değerlendirmeleri olarak gördüğü, son sözü söylemiş olmanın o tartışmayı kazanmak sanıldığı bir ortamda, an gelir derin bir yorgunlukla susar, içe kapanır ve tamamen geri çekilirsiniz. Gerçekten yenilmişsinizdir. Tartışmadaki taraflardan biri olarak değil, iletişimin hâlâ bir olanak olduğunu sanma düşüncesi karşısında yenilmişsinizdir. Tartışmalarda gerçekten kazanan ve kaybeden varsa, bunlar hiçbir zaman sözcükler ya da fikirler değil, hayatlardır. Hayatlar kazanır, hayatlar kaybeder. Lolitalar büyür, erkekler yaşlanır.

Birden o geceki tartışmaları aynı hararetle hatırlamanın şiddetiyle, kendimi şimdi karşımda oturup, sürekli kuru yemiş atıştıran Kürşad'a için için kızgınlık duyarken yakalıyorum.

Tuğde'yi tanıdıktan sonra, benim ünlü "Lolita teorimin" yeniden gözden geçirilmeye ihtiyacı olduğunu biliyorum elbet. Belki de Tuğde gibi kızlar, benim otuzumdan sonra öğrendiklerimi daha şimdiden bildikleri için, erkeklerin Lolita meraklarını kendi çıkarları için kullanarak bunu da bir ranta dönüştürmeyi öğrenmişlerdir, kim bilir? Tuğde'nin biz meydandaki kahvede otururken tanıştığı arka masadaki kendi akranı çocukların yanındaki "duruma her an el koymaya hazır çokbilmiş kadın" haliyle, şimdi Kürşad'ın karşısındaki "bir ikonda kanadı kırılarak yeryüzüne düşmüş kayıp melek masumiyeti" pozları arasında gözle görülür bir fark var. Bu, onun, kadınca bir durum değerlendirme ve strateji kurma bilgisine daha şimdiden sahip olduğunun önemli kanıtı. Hatta, böyle giderse, şu himayeye muhtaç kayıp melek haliyle

Kürşad'ı kendi büyüyene kadar beklemeye bile ikna edebilir. Tuğde bir yandan büyürken, Kürşad da sürekli kuruyemiş atıştırıp, dünyadaki tanışmadığı kadınların geri kalanıyla tanışarak vakit geçirmiş olur.

Sonunda sokağın başında Nazlı beliriyor. Beni görünce sevinçle başını iki yana sallayarak, kollarını aça aça bana doğru gelirken, koltuğunun altındaki paketlerden biri düşecek gibi oluyor, hemen havada yakalıyor, refleksleri mükemmel; uzaktan birbirimize gülüyoruz.

Nazlı'nın sevgisi bana her zaman iyi gelmiştir. Hiçbir karşılık beklemeyecek kadar gerçektir sevgisi, bulaşıcıdır; insanı onarır, kendiyle ve dünyayla barıştırır. Çikolata etkisi yapar insanda, mutlu olmaya kışkırtır. Gösterişçi olmayan bir coşkusu, doğal bir enerjisi vardır sevgisinin. Çünkü, Nazlı güzeldir. Fazla güzel.

Açıkça konuşmanın zamanı geldi: Güzel kadınlar daha iyi severler. Daha genel bir deyişle, hayattan hakkını almış insanlar daha iyi severler.

Nazlı'nın güzelliği her karşılaşmada yeniden keşfedilen bir güzelliktir. Her seferinde, gördüğünüze inanmak için, yeniden zamana ihtiyaç duyarsınız. Dahası ve önemlisi, güzelliğini taşımayı bilir. Güzelliğinin görgüsüzü değildir. Güzelliğini başkalarının gözüne sokmaya kalkmaz, farkında değilmiş ya da önemli değilmiş gibi de yapmaz. Güzelliği orada, öylece durur, o sakin sakin güzelliğinin içinde yaşar, balığın su içinde yaşaması gibi, güzelliğine alıştığı için, onu doğasına katmayı bilmiştir.

İyi kadın olmak zordur. İyi kadın kalmak daha da zordur. Kadınlar, erkeklere oranla, iyi kalmak için bile, daha fazla çaba sarf etmek zorundadırlar. Çünkü, kadınların "seçilmek" gibi bir dertleri vardır. Hayatları boyunca, hep bir erkekler jürisinin karşısında çeşitli yarışmalara katılır ve "diğer yarışmacı arkadaşlara başarılar dilerler". Bu duygu çeşitli hünerlerini artırır belki, ama yalnızca güvenlerini değil, zamanla içlerini de azaltır.

Nazlı, hayatta tanıdığım en iyi kadındır. Kimseye en ufak bir kötülük hissi beslediğini görmedim bugüne kadar. Buna vakti yoktur. Belki, bunu da güzelliğine borçludur. Belki de kötü olması için hiçbir nedeni yoktur, kıskanılmak dışında. Onunla da zaman içinde başetmişe benzer. Omuz silkip geçer. Omuz silkmesi, kibirle ya da vurdumduymazlıkla değil, dünyanın halini anlamış, kabullenmiş olmakla ilgilidir. Ona her fırsatta güzelliğinin bedelini ödetmeye kalkacak olan dünyaya karşı, anlayışlı ve hoşgörülü olması gerektiğini daha baştan bilmenin olgunluğudur bu.

Sonunda, ışıl ışıl gülümseyerek masaya vardığında, coşkuyla sarılıyor bana Nazlı.

"Ne güzel şeyler söylüyorsun benim için canım arkadaşım," diyor.

Yakalanmış gibi gülümsüyorum.

Garsonlardan biri, Nazlı'yı görür görmez, hemen boş bir sandalye bulup yetiştiriyor. Nazlı oturur oturmaz, omuzlarına düşen saçlarını, ellerinin tersiyle havalandırıp, yeniden omuzlarından aşağı bırakıyor. Elleriyle yelpazelenerek, "Pek terlemişim," diyor. "Yavaş yürümeyi öğrenemedim bir türlü. Ee, ne zamandır görünmüyorsun ortalarda, şimdi ne iş?" diye göz kırparak sorusunu güçlendiriyor.

Başımla işaret edip, "Küçük Hanımı gezdiriyorum," diyerek Tuğde'yle tanıştırıyorum onu.

Tuğde'nin yüzünde, katıksız bir hayranlık, inkâr edemeyeceği böyle bir güzelliğe hazırlıksız yakalanmanın şaşkınlığı ve bu durumda ne yapacağını bilememenin kararsızlığından oluşan karmakarışık bir ifade var. Nazlı'ya karşı ne hissetmesi gerektiğine bir an önce karar vermesi ve ona göre davranması gerekiyor. Karşılaştığı her duruma, önceden paketlenmiş bir cevabı ve davranış kalıbı bulunan bu çokbilmiş kızı, ilk kez böyle ne yapacağını bilmez bir halde görmek, ne yalan söyleyeyim, beni keyiflendiriyor doğrusu.

Genellikle bu çeşit kadınlar, böyle durumlarda, üstünlükleriyle başedemeyecekleri kadınlarla yakınlık kurmaya, arkadaş olmaya, hatta çeşitli ittifaklar altında bir arada bulunmaya çalışırlar. Şu ana kadarki gözlemlerim beni yanıltmıyorsa eğer, Tuğde de öyle yapacak –çünkü, Aranjman Aysel de öyle yapardı– ama, yanlış bir karar vermemek için, önce Nazlı'dan bir hareket bekliyor gibi. Aysel, dişli bir rakip gördüğü anda, kendisine güç, zaman ve puan kaybettirebilecek gizli savaşlara, sinir harplerine girmek yerine, önce kendini beklemeye alır, ardından rakibinin samimi arkadaşı olmaya çalışarak, dünyanın geri kalanına karşı safları güçlendirmeye bakardı. Öyle kadınlar hiç yanılmazlar. Bazı kadınlar hiç yanılmadan büyümeyi becerirler. İmrenilecek şey! Nazlı'nın, "Ayy, bu ne güzel, ne şeker kız böyle! Hangi masaldan kaçırdın bu prensesi bakalım?" demesiyle, Tuğde'nin yüzündeki otuzunu geçmiş gergin kadın kasılmaları birden yumuşayıveriyor, onaylanmanın ilk işaretini almanın güveniyle hafif bir gevşeme geliyor üzerine. Eğer Nazlı onu sevecekse, o da rahatlıkla Nazlı'yı sevebilir ve dünyanın geri kalanına karşı güzel ve akıllı kadınlar ittifakı olarak savaş açabilirler.

Bu arada onunla konuşmak yerine, daha çok iç monolog yapmayı tercih ettiğim için sıkılıp masadaki bütün kuruyemişleri bitirdikten sonra arkadaki arkadaşlarının masasına geçmiş olan Kürşad, yüzünde ve sakalında buram buram puro kokan müstehzi bir ifadeyle göbeğini kaşıya kaşıya geri dönüyor ve "Nermin ablası izin verirse eğer, bizim masadaki Leon'cular, küçük Lolita ile tanışmak istiyorlar," diyor. Kendisinden söz edildiğini anlayan Tuğde'nin yüzünde sevinçle parlayan ifadeden, birbirinden iddialı iki kadınla "erkek seyircisi" olmayan bir masa paylaşmaktansa, tek kadının kendisi olduğu erkekler masasında prenseslik yapmanın çok daha cazip olduğu anlaşılıyor. Böylelikle, Nazlı hakkında kendini zorlayan, içini karıştıran bulanık duygulardan da kaçmış olacağına, bunun için zaman kazanacağına seviniyor olabilir. Ah, kadınların tam olarak ne hissettiklerini kim bilebilir ki?

Nazlı, bir garson çağırıp elindeki paketleri içeri gönderdikten sonra, bana mönülerine yeni aldıkları ve mutlaka tatmam gerektiğine inandığı mucize bir kokteylden söz ediyor, ardından hızını alamayıp ısmarlıyor, viski üzerine içerek karıştırmamın pek doğru olmayacağını söylüyorsam da laf dinletemiyorum, sağdan soldan laflamaya başlıyoruz. Onu dinlerken, Nazlı'yı özlemiş olduğumu, eve fazla kapandığımı, eskisi kadar sık olmasa da arada bir çıkmam gerektiğini düşünüyorum. Nazlı'yı tanıyalı kaç yıl oldu, çıkarmaya çalışıyorum. İnsan bir yaştan sonra arkadaşlıkları, dostlukları yıllarla tartmaya başlıyor. Yılların dostluklara kattığı tadı keşfediyor. O konuştukça rahatlıyor, hafifliyorum. Kadın kadına sohbet etmenin gerçek keyfini aldığım sayılı kişiden biridir Nazlı. Yarışma yok, çekişme yok, laf sokuşturma yok, nispet yok, sitem yok, imalı ve manalı sözler yok, güya senin iyiliğin için söyleniyormuş gibi yapılan zehirli uyarılar yok, "sen bilmiyorsun ben biliyorum" yok, çaktırmadan mal mülk karşılaştırması ya da duygusal hayat ölçüştürmesi yaparak üstünlük taslamak yok. Kadın olmanın görünen ve görünmeyen bilgilerinin bir araya getirdiği, birbirinden sahiden hoşnut, karşı karşıya geçmiş sohbet eden iki kadın var yalnızca. Her şey bu kadar sade! Erkeklerin çoğu kadınlarla konuşmanın güçlüklerinden söz ederken, kadınların birbirleriyle konuşabildiklerini sanırlar. Ne yanılgı! Kadınlar birbirlerini ve sorunlarını iyi tanırlar sadece, konuşmak başka bir şeydir.

Yumuşak, aydınlık, ışıklı bir şeyler anlatıp duruyor Nazlı. Anlattıklarına dalmış keyifle dinliyorum onu. Bana yakın gelen, yumuşak, kadınca ve şık bulduğum ince bir mizahı vardır Nazlı'nın. Geçmişte birçok kez, mizah duygusu popülist karikatür dergilerinin bol küfürlü kalın klişelerini geçememiş, sözde uyanık birçok erkeği nasıl makaraya aldığını, onlarla nasıl ince ince kafa bulduğunu görüp, hayran kaldığım olmuştur. Bazı geceler çıkan tartışmalarda, kimi kadınlar, erkeklerin zaten iyi bildiği bir dil ve üslubun aynını kullanarak onları hoyrat hoyrat mat etmeye çalışırken, Nazlı'nın yalnızca birkaç cümle ile herkesi yerine iade ettiğini görmüşümdür. Çoğu zaman diğerleri ne demek istediğini tam olarak anlamazken, o yalnızca masadaki bir ya da iki kişiye söylemiş olur diyeceklerini. Üstelik bütün bunları kimsenin kalbini kırmadan yapar. Ölçüden bu kadar iyi anlayan kadın elbette güzel kokteyller yapar!

Çok az kadının sahip olduğu bir özelliği daha vardır: Kendini de, karşısındakini de hiç yormaz. Kocası onun için, "Bir metres kadar dinlendiricidir," der.

Hafiftir, kaybolmaya gelmez, her zaman ayakları yere basar. Hiçbir zaman fazla derinlere dalamazsınız onunla, felsefe tartışacaksanız başka birini bulmanız gerekir. Kısa zamanda çözümlenemeyecek olan hiçbir sorunu, uzun uzadıya tartışmak istemez. Zamanın ve hayatın halledeceği köşeli sorunları bir kenara koyup, manken adımlarıyla hayatı çabuk çabuk adımlamakta ustadır. Bu yüzden yol ve zaman kaybetmez. Bu onda en imrendiğim özelliktir.

Turgay'ın bu sözünü her hatırladığımda, evlenecek olsam, benden yorulan kocamın dinlenmek için kendine bir metres tutacağını düşünür, olmayan kocam ve olmayan evliliğim için kaygılanırım.

Arada bir hafifçe yarım baş dönüş yapıp, arkamızda kalan masaya, Tuğde'ye bakıyor, onca Leon'cu erkek arasında başına bir kaza-bela gelmediğinden emin olmaya çalışıyorum. Halinden gayet memnun olduğu anlaşılıyor. Filmlerdeki çocuk bakıcısı kadınların başına gelebilecek olası felaket sahneleriyle kendimi fazla korkutmuşa benzerim. Bir ara yanımıza gelip mahcup bir edayla tuvalete çıkmak istediğini söylediğinde, Nazlı, beni yerimden kaldırmamak için, çalışan kızlardan birini katmak istiyor yanına. Tuğde, bu yeni durumdan pek hoşlanmıyorsa da oralı olmuyorum, bir süre yanı başımda durup kararımı değiştirmemi bekleyen ısrarcı gözlerle domuz domuz baktıktan sonra, kayıtsızlığım karşısında Nazlı'nın görevlendirdiği kızın önüne katılıp tuvalete yollanıyor. İnanın, insanı işeyen bir canlı olduğundan utandırıyor bu kız!

"Bu konuyu konuşmak seni sıkar mı, bilmem ama, geçen gece Nalan buradaydı," diyor Nazlı birdenbire. "Seni sordu, pek eskisi gibi gelmediğini söyledim, açılışı varmış, sergisine gelmeni, seninle yeniden arkadaş olmayı istiyor, seni çok özlemiş. 'Ona karşı çok hatalı davrandım,' dedi. Halinde sahici bir pişmanlık vardı."

Duruyor. Meraklı görünmek istemediği belli. Bu konuşmayı niye yaptığını açıklamak istercesine ekliyor: "Sanki bunları sana söylememi ister gibiydi. Bu sözlerimi böyle al," diyor.

"Üzerinden çok zaman geçti Nazlı," diyorum. "Arkadaşlığı

içimde bitti. Yoksa üç-beş hata hangi arkadaşlığı bitirebilir ki?"

"Onu hep yalnız görüyorum bir süredir. Çevresinde de pek kimsesi kalmadı."

Omuz silkiyorum. "Onunki hak edilmiş bir yalnızlık," diyorum. "Yalnızlığın bir tek çeşidi yoktur ki... Herkesi küstürdü, kaçırdı, incitti, böyle olacağı belliydi. Görüyorsun ya, yalnızlıklarımız bile birbirine benzemiyor artık. Neyin arkadaşlığını yapacağız bu saatten sonra?"

Gözleri dalıyor bir an. Buradan uzaklaşıyor. Sonra başını kaldırmadan, elinde büküp durduğu tiftiklenmiş kâğıt peçeteye bakarak, gencelmiş bir sesle, "Cihangir'deki evinizi hatırlıyorum bazen," diyor. "Ne güzel evdi." Dokunaklı bir biçimde söylüyor bunu. Bize mi, zamanın geçtiğine mi hüzünleniyor, belli değil.

"Ev güzel değildi Nazlı, biz güzeldik." Elimde olmadan iç çekiyorum.

Başını kaldırıp yüzüme bakıyor.

Geçmişi her zamankinden fazla hatırladığınız anlar vardır. Şimdi de öyle. Bakışlarımızda birbirinin gençliğine tanık olmuş insanların şefkati var.

"Ev dertli bir evdi, sürekli muslukları bozulur, sık sık su basar, bodrum katın rutubetiyle kış azap olurdu. Üst katların attığı çerden-çöpten arkadaki mendil kadar bahçenin bile keyfini süremezdik. Ama her şeye rağmen gene de güzel günlerdi onlar," diyorum. "Ben, yaşadıklarını taşımasını bilen insanlardan biri olduğumu sanıyorum. Hatırlamak başka şeydir, hatıra sahibi olmak başka. Ben hatıra sahibi olmayı bilenlerdenim. Gerektiğinde, onların başını beklemesini de bilirim. Şimdi hatıralarım karşısında bile yalnızlık çekiyorum."

Birden söylediklerim fazla geliyor kendime. Böyle itiraf sahnelerine benzeyen konuşmalardan hiç hoşlanmam ama, bir konuşmaya başlarsam, hiç susmayacakmışım gibi geliyor. Susuyorum. Gerçi, Nazlı içinizi rahatlıkla açabileceğiniz birkaç kişiden biridir; söylediklerinizin bir gün size kötü bir biçimde geri dönmeyeceğini bilirsiniz.

Konuyu toparlamak istercesine, "Bak Nazlı," diyorum. "Kardeşsiz büyümüş çocukların arkadaşlıklarında çok daha sağlam bir şey vardır. Arkadaşlarını, hayatlarındaki eksik kardeşleriyle de severler. Bu yüzden kaybettiklerinde daha fazla şey kaybederler. Arkadaşına küsüp eve döndüklerinde, sığınacakları ya da onu oyalayabilecek bir kardeşleri yoktur. Yalnızlığı herkesten daha iyi tanırlar. Ben, Cihangir'deki evde hayatın bana vermediği kardeşlerimi bulmak istemiştim."

Güzel güzel ordan burdan konuşurken, bu kapağın içimde nereden açılıverdiğine şaşırıyor, birdenbire üzerime çökerek, beni ağırlaştıran bu konudan hızla uzaklaşmaya çalışıyorum. Hani güneşli bir günde hava birden kapar ya, ikimizin yüzünde de bulut inmiş gibi dağınık duygular geziniyor.

"Her neyse, kapatalım bu konuyu," diyorum. Çapaklanmaya başlamış sesimi alabildiğine sadeleştirmeye çalışarak, "Bilirsin, resimlerini her zaman sevdim onun. Kadınların hiçbir zaman büyük ressam olamayacaklarına gizli gizli inandığım halde, nedense onda hep bir büyüklük potansiyeli gördüm. İçindeki kolay tarife gelmez karanlık bir gücün, onu, büyük olmaktan alıkoyduğunu düşündüm. Bir türlü halledemediği kirli bir malzeme var içinde, yolundaki en büyük engeli içinde taşıyor, ama o hiçbir zaman bununla yüzleşmeyi tercih etmedi. Her neyse, bir ara gider, sergisine de bakar, keyiflenirim, ama galiba geçmiş diriltme operasyonları için halim kalmamış artık! Daha bu sabah sergi davetiyesine bakarken düşünüyordum: Güçlü, köklü bir biçimde yeni arkadaş edinecek yaşları geride bıraktıysan eğer, hasar görmüş eski arkadaşlıkları onaracak çağı da geride bırakmış oluyorsun. Zaman ilerledikçe, birçok şey, çok daha zor olmaya başlar, bilirsin, bu da onlardan işte. Bir yaştan sonra dünya boşuna ıssızlaşmaya başlamıyor."

"Farkında mısın, ne kadar çok yıllardan, zamandan söz ediyorsun Nermin. Gören de seni kaç yaşında sanacak!"

"Şu sıralar öyleyim biraz," diyorum. "Zamanın eskisinden daha çabuk geçtiğini anladığım yaşlara geldim galiba."

İkimiz de gülmeye çalışıyoruz. Olmuyor.

Bir süre sıkıntılı bir biçimde kokteyl kadehinin içindeki kırmızı-beyaz çizgili kamışı döndürüp duruyorum. Tarazlı bir sessizlik çöküyor masaya. Kamışı döndürmeyi sürdürürken, kendimi genç kadının sıkıldığının anlatıldığı film sahnelerinde, ilk akla gelen bir mizansenin içine hapsolmuş hissediyorum. Klişeler boş yere klişe olmuyor.

Sessizlik sürüyor.

"Yalnızca bilmeni istedim," diyor Nazlı. "Hadi başka şeylerden konuşalım."

Böyle durumlarda, birdenbire başka şeylerden konuşmaya başlamak, o kadar da kolay olmaz, hafif bir sahtelik gelir sohbete.

Tam yeni bir konu açacakken, Nazlı'dan sonra, sıranın artık kendine geldiğini hissetmiş gibi, bütün neşesi ve iri kıyım gövdesiyle Turgay bitiveriyor yanımızda.

"Nerden çıktın, geldiğini görmedik bile," diye şaşkınlık belirtiyoruz ikimiz de.

"Örgüt geçmişinden geliyorum," diyor Turgay. "Gizlenmeyi öğrenmeseydik, bugünleri sağ göremezdik."

Sesindeki övünme payı kışkırtıyor beni. "Bugünleri ancak bir ölü olarak mı gördüğünü söylemek istiyorsun Turgay?" diyorum.

"Dakika bir, gol bir," diyor. "Birinci cümle, birinci madik! Karşınızda yılan Nermin!"

"Ne yapayım seni görünce yılanlık yapmadan duramıyorum," diyorum Turgay'a.

Aslında ettiğim sözden hoşlanmadım ama, bazen havayı hızla değiştirmek için, sonradan hoşumuza gitmeyen bir şey yaparız. Yabancı filmlerde, böyle sahnelerde, "Af edersin, kötü bir espriydi, unut gitsin," denir. Bizde denmez. Af dilemekten hoşlanmadığımız için, kötü espri yaptığımızı kabul etmediğimiz için ve Türkçede "unut gitsin" diye bir laf olmadığı için.

Yıllarca hapis yatmış militan bir komünist olarak, gizli örgüt üyeliğinden bar işletmeciliğine geçmiş olmayı hiçbir zaman içine sindirememiş olan ve bu konuda duyduğu ezikliği saklayamayan Turgay'a, bu konuda sürekli takılırlar. (Aslında şimdi ben de onu yapmış oldum.) Çünkü bu, onun açık yarasıdır, herkesçe bilinir ve kabul edersiniz ki, insan ilişkilerinde en çabuk öğrendiğimiz şeylerden biri, başkalarının yarasını kullanmaktır. İnsan ilişkileri söz konusu olduğunda, bilinmesi gereken onca temel şeyi öğrenmezken, başkalarının zaaflarını kullanmada, açıklarını yakalamada, yaralarını kurcalamada neredeyse doğuştan gelen ham bir yeteneğimiz vardır.

İkinci bir Deniz Gezmiş olmaya yola çıkıp, sonunda Ortaköy'de bar sahibi olmakta karar kılmış biri olmanın, içindeki çelişkiler, sıkıntılarla örülü sorunlar yumağını bir türlü halledememiştir Turgay. Hatta burayı açtığı ilk zamanlarda, bar işletmeyi o kadar kendine yediremiyordu ki, bu bar sanki örgüt faaliyetini perdelemek için paravanmış gibi müphem tavırlar takınıyor, insanlarda kuşku uyandıran belirsiz sözler söylüyor, kimi zaman birileriyle çekildiği köşe masalarda, kaygılı bir yüzle fısır fısır bir şeyler konuşup, arada bir kuşkulu bakışlarla etrafı tarayarak, eski öğrencilik yıllarının kantin masalarındaki örgütten adamların konuşma sahnelerini yeniden canlandırıyordu. Bütün bunlarda hem anlaşılır, hem de insanın içini acıtan hazin bir yan vardı. Nazlı gibi zeki bir kadının bunları görmemesi imkânsızdı elbette. Çoğu kez kocası bu oyunu bilerek oynuyormuş gibi yaparak durumu hafifletmeye çalışıyordu. Nazlı'da gizli bir annelik vardır. Kolladığını hiç çaktırmadan kollar insanı. Bu yanını benim eve temizliğe gelen Gurbet Hanım'a benzetirim.

Turgay, insanların gözünde eski devrimci statüsünün sürmesini istiyordu, hâlâ bir devrimci olarak ciddiye alınmak, önemsenmek, kabul görmek istiyordu. Bunun içinse yalana ihtiyacı vardı. Böyle numaralarla, yalancı pozlarla başkalarının gözlerini oyalamak istiyordu. Para kazanmaktan utanıyordu, ilk aklına gelen iş olarak, statü kaybettirmeden para da kazanabileceğini düşündüğü yayıncılığı denemiş, kitap yasaklamalarının yoğun olduğu, kitabın bir suç aleti sayıldığı şanssız bir dönemde bu işe kalkıştığı için, başta deneyimsizliği olmak üzere bir dolu aksiliğin kurbanı olmuş, sonunda koyduğu bütün parayla birlikte yayıncılık ümitlerini de kaybetmişti.

Başlangıçta kimi arkadaşları ondan Beyoğlu'nun salaş sokaklarının birinde saz çalınıp devrimci türkülerin söylendiği bir bar

189

açmasını istemişlerse de, o kirası ucuz diye burayı bulup para almakta zorlanacağı yoksul solcularla uğraşmaktansa, kendi deyimiyle "burjuva kazıklamayı" tercih etmişti. Aynı zamanda mazilerinde solculuk deneyimi de bulunan, azbuçuk edebiyata, kültür ve sanata bulaşmış, yeni reklamcılar, yeni televizyoncular, yeni medyacılar, yeni borsacılar, yeni sağcılar kısa zamanda buranın gözde müşterileri olmuşlardı. Geçirdikleri değişimler ve hayat biçimleri nedeniyle, birbirlerinin karşısında suçluluk duymayacakları insanların arasında rahat eden, hatıraları, mazileri ve şimdileri ortak olan bu çeşit insanlar daha ilk günden mekân tutmuşlardı burayı. Hiçbirinin uzun boylu hiçbir şeye vakti yoktu artık. Turgay, ne kadar şikâyetçi görünse de, aslında en çok bu insanlar arasında rahat ediyordu, bu durumda hiç olmazsa buranın "en solcusu" olmak kalıyordu ona.

Kadınlar her şeyi çok daha kolay kabullenir, değişimlere daha çabuk rıza gösterirler. Nazlı da, hiçbir şeyin artık eskisi gibi olmadığını anladığı anda, yeni hayatlarına daha çabuk uyum göstermiş, kocasının da kendi zamanı içinde bunu kabulleneceği noktaya gelmesini sessizce beklemeye başlamıştı. Arada bir hapishanedekilere, tutuklu ailelerine, derneklere para yardımı yaparak sol vicdanlarını yatıştırmak kalmıştı onlara.

Birilerine yardım ettiğinde bunun sözünü edecek insanlardan olmadığı halde, yaptığı bu çeşit politik nitelikli yardımlardan, mutlaka insanların bir biçimde haberdar olmasını, en azından kulaklarına gitmesini istiyor Turgay; bunun için de kimi zaman sonu ucuzlaşmaya ve gösterişçiliğe varan imalara, anıştırmalara gönül düşürüyor. Görmemişliğinden değil, daha çok barın aslında bu gibi amaçlar uğruna açılmış olduğuna dair ta başından beri yaratmaya çalıştığı şüpheli atmosferi güçlendirmek için böyle davranıyor. Hatta öyle uluorta dillendiremeyeceğini ima ettiği politik bağlantılarının, örgüt içinde daha derinlere, daha köklere uzandığını sezdirmeye, aslında hayatında temel olarak hiçbir şeyin değişmediğine, şimdiki hayatının yalnızca politik konumunu kamufle etmek için kurulmuş bir oyun olduğuna ve bütün bunları sözde çaktırmamaya çalıştığına herkesi inandırmaya çalışıyor.

Özellikle içkili olduğu zamanlarda, iyice acıklı bir hale gelip çekilmez oluyor. Çevresindekilerin önemli bir bölümünün artık bu çeşit dertleri kalmadığı halde, nedense hem onların karşısında sürekli kendini aklama gereksinimi duyuyor, hem de onlardan biri olmadığını kanıtlamaya çalışıyor. Bir süre sonra kimi müşteriler için rahatsızlık vermeye başlayan bu durum karşısında Nazlı, duruma tamamen el koyarak, ilkin bir süreliğine Turgay'ı bardan uzaklaştırdı ("Nereye gitti derlerse ne diyeceksin peki?" şeklindeki yüksek sesli itirazlarına karşı yanıtı açık ve kesindi: "Bir süreliğine dağa çıktı, bir koşu gerillalara katılıp hemen geri dönecek, derim, sen merak etme"), ardından da, barda bulunduğu sıralarda içki yasağı koydu Turgay'a. Zamanla süngüsü biraz daha düştü Turgay'ın.

Yanımızda fazla kalmıyor. "Herkes bir şey içiyor yahu! Ben de gidip şu naneli, kimyonlu alkolsüz içeceğimden alayım, etrafa da bir göz atayım," diye ayrılırken ardından sesleniyorum:

"Şu Kürşad'ların masasına da bir el at n'olur, ellerine küçük bir kız çocuğu teslim ettim ve o Leon'cu erkek kalabalığının elinden kazasız belasız geri almak istiyorum. Kızımız da her tür kazaya belaya pek müsait çünkü."

Tam bu sırada, belli ki geç kaldığı için suçluluk duygusu içinde kıvranarak telaşlı adımlarla soluk soluğa koşuşturan işletmeci kadın görünüyor ufukta. Sahte bir kaygıyla gerilmiş yüzünden, başıma neler geldi biliyor musunuz'dan, aksilikler yakamı bırakmadı, çekimler uzun sürdü, bakın makyajımı bile silemeden kendimi dar attım, aynı zamanda bir trafik, bir trafik'e varana kadar çeşitli cümleler sıra sıra okunuyor. Belli ki, yalnızca makyajını değil, oynadığı manasız dizinin, kim bilir hangi manasız sahnesinden yüzünde kalmış, "temiz kalpli, şaşkın, azıcık salak ve telaşlı komşu kadın" ifadesini de silememiş. Telaşından bizi görmüyor bile, içeri seğirtiyor.

Aslında başlangıçta Nazlı değil, Turgay benim arkadaşımdı. Turgay tutuklandığında, Nazlı ortalarda bile yoktu henüz. Turgay içerideyken, aniden evlendiler, kimse bir şey anlamadı bu evlikten. Turgay'ın evlendiği kızı tanımıyorduk bile. Nikâhları cezaevinde kıyıldı. Nazlı'nın ağabeyi, Turgay'la aynı davadan yargılanıyor, aynı koğuşta kalıyorlar. Nazlı ağabeyini ziyarete gittiğinde tanışıyor Turgay'la, gelirken giderken birbirlerine âşık oluyorlar. Turgay'ın, ele geçirildikleri çatışma sırasında kendi hayatını tehlikeye atarak Nazlı'nın ağabeyinin hayatını kurtardığı, Nazlı'nın da bir tür gönül borcuyla kendisine âşık olan Turgay'la evlenmiş olduğu söyleniyordu. Evliliklerinin en kabul gören açıklama biçimi buydu. Çünkü, dışarıdan bakıldığında, evliliklerinin hiçbir inanılır yanı yoktu. Yalnızca o sıralar değil, şimdi bile, Nazlı'nın Turgay'la evliliği insanlara bir biçimde açıklama gereksinimi duyuran bir muammadır. Bu çeşit konularda kıymık kıymık çözümlemeler yapmayı seven benim gibi didikleyici biri için bile, anlaşılması güç bir problemdir.

Nazlı ne kadar güzel bir kadınsa, Turgay da o kadar çirkin bir adamdır. Turgay'ın irikıyım çirkinliği, alışmak için insandan zaman isteyen, hatırı sayılır çirkinliklerdendir. Ne zaman onları yan yana görseniz, bir komedi filminin inandırıcılık zorlayan bir sahnesiyle karşı karşıya olduğunuz duygusuna kapılır, hayatın "casting" yaparken, hiç adalet gözetmediğini bir kez daha anlarsınız. Masal güzeli bir kadınla, gene ancak masal çirkini olabilecek bir adamın beraberliğinde, kendileri için anlaşılır, kabul edilebilir, haklı ya da makul herhangi bir neden aramaktan yılmamıştır onları tanıyanlar. Zihin kurcalayıcı bu durumu, onlarla her yeni tanışanın yüzündeki şaşkınlıktan okumanız mümkündür ve bu durum pek eğlencelidir. Elbette, bu duruma hâlâ bir açıklama getirmeye çalışan kendi çevrelerinden de pek çok kişi vardır. En kabullenmiş görünenleri bile, ilk fırsatta dedikodularını yapmaktan çekinmezler.

İnsanlar, kendilerinin anlamadıkları, anlam veremedikleri bu çeşit durumlara, psikolojik açıklamalar ve manalı ruhi gerekçeler bulmaya bayılırlar. Burada, psikolojiyi, kendileri gibi "normal"-lerle ilgisi olmayan, kendilerine tuhaf gelen durumları, birtakım "anormallik kurallarıyla" açıklamaya yarayan bir bilgi ve hayat disiplini sanır, öğrendikleri elden düşme ikincil bilgiler, kulaktan dolma yarım yırtık fikirler ve kaba Freud okumalarından kırpılmış özdeyişlerle karşılarındakinin "problemlerini" tanımlayıp çözmeye çalışırlar.

Nazlı'nın, ağabeyinin hayatını kurtaran adama duyduğu gönül borcundan, aslında gizli bir lezbiyen olup da, erkeklerden nefret ettiği için onların en çirkiniyle evlenerek kendini cezalandırdığına varasıya çok çeşitli açıklamalar gezinmiştir ortalıkta. İşin tuhafı, Nazlı bunların hiçbirine aldırış etmemeyi, duymazdan gelmeyi başarmış, bu söylentilerin hayatını gölgelemesine hiçbir zaman izin vermemiştir.

Onun bu yanı, bana hep çok güçlü gelmiştir. Her zamanki insan kurcalamayı seven yanımla bir gün onu sıkıştırdığımda, "Çocukken de güzeldim Nermin," demişti. "Hali vakti yerinde bir ailenin kızıydım, iyi bir semtte oturuyorduk, zekiydim, çalışkandım, sporda başarılıydım ve kıskanılıyordum. Bak bu çok önemlidir: Kıskanılmak. Hayat hakkında birçok şeyi erken öğretir insana. Ben de dünyayla başedemeyeceğimi çocuk yaşta öğrendim. Kimini hayal kırıklığı büyütür; beni de kıskanılmak büyüttü. Takmayacaksın, takarsan daha çok üstüne gelirler. Yürüyüp geçeceksin, hep yürüyüp geçeceksin. Ben öyle yaptım. Hep yürüdüm. Herkesin her şeyi anlamasını bekleyemezsin. Sen yürüyüp gideceksin. Anlayan anlayacak, anlamayan anlamayacak; dünyanın hepsine yetişemezsin ki! Bilirsin ben iyi yürürüm."

"Bilmez miyim," demiştim, gülüşmüştük.

Durup durup ardına bakan kadınlar vardır, geçmişi düşünmekten şimdiyi yaşayamazlar. Her şeyi didikleyip duran, mazinin gölgesinden, anılarının yükünden bir türlü kurtulamayan gözleri ufuk yorgunu kadınlar... Durup ardına bakan kadınların tarihte en büyük örneği Hazreti Lut'un karısı değil mi? Acaba, o yüzden mi, tuz-direğe dönerek taş kesildi? Hepimiz kendi tarihimizin içinde bir noktada durup, çok ardımıza baktığımız için mi taş kesiliyoruz? Hayatımızı yenileyemiyor, yeni başlangıçları göze alamıyor, bütün hayatı yalnızca yitirilmiş mazi sanıyoruz?

Durup derinleşmekten korkan bazı kadınları hız kurtarırken, bazı kadınları da yavaşlık öldürüyor galiba.

Toplumda hızı daha çok erkekler kullanıyor. Hız da birçok

şey gibi erkeklerin tekelinde. Bu yüzden kadınlar hız karşısında şaşakalıyorlar. Hız bir bilgi türü. Erkekler hızın dünyasına uygun yetiştiriliyor; çabuk karar verme, takılıp kalmama, hep ilerleme, başkasını geçme, herkesi ardında bırakma, futbolun kuralları gibi işliyor erkeklerin dünyası, başkalarını çelmeleyerek ilerleme ve sonra gol biçiminde puan kaydetme. Hızda insan çabuk unutur. Erkek kalbini kollamak zorundadır. Yavaşlıkta kalp derinleşir, hız unutturur. Yeniden Kundera'nın kitabını, yavaşlık ve hız üzerine söylediklerini okuma gereksinimi duyuyorum birden.

Hepimiz dünyaya ne çok şey açıklamak zorunda kalmakla borçlandırılıyoruz. Nazlı, kendini borçlarından kurtardığı için yırtmış belli ki. Anlatırsak anlarlar sanıyoruz. Anlatmak. Üniversite kantinlerinden Gültepe gecekondularına, Nişantaşı pastanelerinden Beyazıt kahvelerine, Zeytinburnu fabrikalarından Haliç tersanelerine varana dek nice görüntü akıyor gözlerimin önünden. Bağlı bulunduğumuz siyasi fraksiyonun eğitim çalışmalarında sanki yeni bir dil bulmaya çalışırdık. Bizden saklanmış, ama anlata anlata bulacağımız bir dil. Bizim her şeyi tamamen anlatmamızı mümkün kılacak, karşı tarafın da her şeyi tamamen anlamasını mümkün kılacak bir dil. Sonunda dilsiz kaldık.

"Dünyanın hepsine yetişemezsin ki," dedikten sonra düşündüklerimi sanki yüksek sesle söylemişim gibi tamamlarcasına eklemişti Nazlı: "Belki bu yüzden iyi bir solcu olamadım ben. Bütün dünyanın ikna edilebilir olmadığını biliyordum."

Ben Nazlı'dan çok daha ümitsiz olduğum halde, iletişime ve sözcüklere hâlâ ondan daha çok inanıyorum galiba.

Çoğu kez hayatta yan yana yürüyenler bile ne çok farklı şey öğrenmiş oluyorlar hayattan. Nazlı ile Turgay'ın beraberliğinin belki de anahtarı başka bir yerdedir. Her ikisi de gövdenin bilgisini aşmışlardır belki. Alabildiğine güzel olmanın ve alabildiğine çirkin olmanın bilgisinden geçilerek varılan, bizim bilmediğimiz başka bir düzlükte buluşmuşlardır ve belki de bu yüzden evlilikleri, bunca kem göze, Nazlı'yı baştan çıkarmaya uğraşan bir fetih ordusu kalabalıklığındaki erkek sayısına rağmen sürüyordur.

Artık yavaş yavaş eve dönmemiz gerektiğini düşünmeye başlamışken, karşı sıradaki antikacıların birinden Tikli Gülçin çıkıveriyor, gene öyle adını ve haritada yerini bilmediğiniz bir Afrika ülkesinin rengârenk bayrağına sarınıp sokağa çıkmış gibi bir hali var. Bu kıza beş dakika bakmak, "Discovery Channel"da uzun bir Afrika belgeseli seyretmekle eşdeğerdir. Bizi görüp, tam bize doğru seğirtirken, birdenbire yolun ortasında tiklenip kalıyor. Tiklendiği zaman kilitlenir, nerede olursa olsun kımıldayamaz, tikinin geçmesini bekler, kaç kez karşıdan karşıya geçerken, yol ortasında, dakikalarca dikilip tikinin geçmesini beklemişliğimiz vardır. Böyle durumlarda, "Ay tiklendim abla," diyerek iki elinin orta parmaklarını şakaklarına çivileyerek, yüzünde seğirip duran tikleri, yabancı gözlerden saklamaya çalışır. Bir yandan da, yanında kim varsa, "Ay, pazularım çok mu belli oluyor abla, ne olur doğruyu söyle?" diye sorup durur. Tiki ile pazuları arasında gider gelirsiniz. Tikli Gülçin'in en yakın arkadaşı, Filibit Bacaklı Gülten'dir. Kolaylıkla tahmin edebileceğiniz gibi, ona da bu ismi ben taktım. Yazık ki, ayın yirmi dokuz günü şiş bacaklarla gezer, ikisi birlikte dışarı çıktıklarında en büyük sorun, Tikli Gülçin'in tiklendiği sırada, Filibit Bacaklı Gülten'in de bacak ağrılarının tutmasıdır. Biri kilitlenip kalır, adım atamaz, üstelik pazularının belli olup olmadığını sorar durur, ötekinin bacakları sızlaya sızlaya daha çok şişer, bir tretuarın üstünde öyle dakikalarca kalır, sonunda işi birbirlerini suçlamaya vardırarak kavga eder, bir süre görüşmezler. Hangisinin haklı olduğunu bir türlü anlayamazsınız. Hoş gereği de yoktur. Bir küsüp bir barışan çok kadın gördüm ama bunlarınki bir âlemdir, arkadaşlıklarının da, kavgalarının da seyirlik bir yanı vardır. Hollywood bile bu kadar komik bir ikiliyi kolay yaratamaz.

Şikâyetlerine bakılırsa, Tikli Gülçin'in en büyük sorunu tiklenmesi değil, pazularıdır. Bir keresinde, tam nişanlanmak üzereyken, oğlanın annesi, "Ben istemem öyle Doğu Alman gülleciler gibi gelin," diyerek, Tikli Gülçin'i pazuları yüzünden gelinliğe kabul etmemiştir. Hayatta tanıdığım pazuları yüzünden kocadan olmuş tek kadındır Gülçin. Annesini ikna edemeyen oğlan, sonunda Tikli Gülçin'den vazgeçmiştir. Oğlan, ilkin annesine itiraz edip, "Nereden çıkarıyorsun anne pazularını, o kadarı her kadında vardır" falan, diye annesini beyhude bir gayretle ikna etmeye çalışırken, külyutmaz anne yerinden kalkıp herkesin içinde, "Çekiver kızım şu japone kollarını biraz yukarı," diyerek, Gülçin'in pazularını mıncıklaya mıncıklaya oğluna erkek pazusu ve kadın pazusu üzerine anatomik bir konferans vermiştir.

Ne zaman konusu açılsa, oğlanı kaybetmiş olmasına üzülmesi neyse ne de, "Niye kolumu öyle dakikalarca havada tutmasına izin verdim o cadının?" diyerek kendine kızar. "Hayır, oğlan da tikliydi zaten, o bakımdan bir sorunumuz yoktu, birbirimize çok uygunduk ama, işte benim pazularım bozdu işi," diye hayıflanır. İnsan, böyle bir durumda hayatının sonuna kadar onun bir daha asla japone kollu bir şey giymeyeceğini sanır değil mi, ne gezer, japonelerin birini giyer, birini çıkarır. Onun, benim taktığım haliyle, tam takma adı, "Japone Kollu Tikli Gülçin"dir zaten, tabii her seferinde söylemesi uzun olduğu için, zamanla kısaltılmış "versiyonuyla" yetinilerek, yalnızca Tikli Gülçin denmeye başlanmıştır.

Tiklendiğinde parmakları şakaklarında elleriyle yüzünü saklamaya çalışırken, "Ay pazularım çok mu belli oluyor abla," diye sorması işte bu yüzdendir. Memleketimizdeki travesti sayısındaki ve kullanımındaki artışa oranla, son yıllarda birçok kişi tarafından pazuları ve biraz da hafif dışarı çıkık, köşeli çenesinden ötürü travesti sanılmaktadır. Kadın olduğunu düşünenler de, zaten sevici olduğuna inanırlar.

"Artık erkekleri hiç anlamıyorum," diye yakınmıştı bir seferinde. "Bu yüzden onlardan da, onları anlamaktan da vazgeçtim artık."

Üst üste birkaç kez aynı şey başına gelince bu kararı almış. Son zamanlarda tanıştığı eli yüzü düzgün erkeklerin çoğu, bunun travesti olmayıp sahici kadın olduğunu anlayınca, bırakıp bırakıp gidiyorlarmış.

"Ay nedir bu durum yani abla?" diye sorduğunda, "Şekerim yalnızca pazuların ve azıcık erkeği andıran çenen yüzünden travesti sanılmıyorsun sen, travestiler bile senin kadar her önüne gelene 'abla' demiyorlar, biraz ağzını değiştir. Ne o öyle abla aşağı, abla yukarı!" demiştim.

Sizce yanıtı ne peki:

"Haklısın abla!"

Böyle diyaloglar hep sulu komedilerde olur sanıyorsunuz değil mi? Dedim ya, klişeler boşuna klişe olmuyor!

Kimi zaman uzun nutuklara girişirim: "Travestilerin kadınlık 'hipertrofisini' anlıyorum ama, kadın halinle sana ne oluyor Gülçin? Biraz üstüne başına çeki-düzen versene! Seni ne zaman görsem, iki dakika sonra sahne alacakmış gibi bir halin var. Maşallah biraz da boylusun!"

Biz bir ara Cihangir'de otururken, Zirve Zeren adlı bir travesti komşumuz vardı. Tahmin edebileceğiniz gibi, ne adı Zirve'ydi, ne soyadı Zeren. Kızcağız, edepsizliği, kavgacılığı ve yılan dili nedeniyle bütün mahalleye kan kustururken nedense bize karşı pek kibardı. Bir gün sabahın köründe kapımızı yumruklayarak panik içinde uyandırmıştı bizi. Bütün gün uyuyor, geceleri çalışıyor, neresinden baksan zor bir hayat yaşıyorlardı. Onu öyle sabahın köründe, kapımızda görünce, gene bir olay çıktı sanarak telaşlanmıştık. Meğer o gün bir mahkemesi varmış, birden fark etmiş ki hiç gündüz kıyafeti yok, mahkemede ne giyilir bilmiyor. Yarasalar gibi hep gece çıkıyorlar ya ortaya, eksiğini hissetmemiş bile. Bizden kendine uyan, mahkemeye uygun bir kıyafet istemişti. Sabahın köründe gardırop önünde onu bir giydirişimiz vardı ki, kadın biraz daha iyi zamanlayabilseymiş, Türkiye'nin ilk kadın başbakanı olabilirmiş. Nitekim ilerleyen zaman içinde, hakkında adam dövmekten açılan davalar nedeniyle ona döpiyes benzeri birkaç "mahkeme kıyafeti" yaptırmak zorunda kalmıştık.

Ben böyle Zirve Zeren hikâyeleri anlatırken Gülçin'in yüzündeki hayranlık ifadesine bakılırsa, pek imreniyordu travestilerin eğlenceli hayatına. Bana kalırsa, yalnızca fizik yapısına değil, üstüne başına, giyim kuşamına, hatta kafasının çalışma şekline bakacak olursanız, bizim Tikli Gülçin de aslında bir travesti reenkarnasyonu, ama biraz aceleye getirilmiş bir vaka, restorasyonu tamamlanmadan dünyaya salıverildiği için, pek yarım kalmış bir hali var. Eh, bir dahaki sefere inşallah!

Sonunda, tiki çözülüp yanımıza gelebiliyor Gülçin.

"Ay gene tam yol ortasında tiklendim abla," diyor.

"Senin karşıdan karşıya geçmekle ilgili bir sorunun var galiba Gülçin," diyorum. "Ne zaman karşıdan karşıya geçecek olsan, tikleniyorsun."

"Ay vallahi çok haklısın abla," diyor. "Bu sayede Istanbul'un bütün trafik polisleri beni tanıyor artık. Daha geçende söylediler. Ne zaman Bağdat Caddesi'nin ortasında dikilen bir kadın görseler ben sanıyorlarmış, ya da o kadın zaten ben oluyormuşum!"

Turgay geliyor masaya. "Ne o yeni mi geldin?" diyor Gülçin'e.

"Karşıdan karşıya geçerken biraz rötar yaptım," diyor.

"Ha anlaşıldı," diyor Turgay. Sonra bize dönüyor: "Az önce Gülperi'nin dükkânında rastlamıştım Gülçin'e, 'Nermin bizim barda,' dedim. 'Görmeden gitmem,' dedi,"

"Ben de Begüm ile Nuri'ye rastladım, buralarda olduğunu söylediler, bakındım ama göremedim seni."

Turgay hemen atılıyor: "Ortaköy esnafını teftiş ediyordur. Bir geldi mi, her dükkânı tane tane gezmeden gitmiyor kadın."

"Ne olacaktı yani?" diyor Gülçin. "Od yok, ocak yok."

"Anlaşıldı, kısacası koca yok desene şuna."

Kalabalık bir müşteri grubunun gelmesiyle birlikte, girişteki hareketliliğe yönelerek yeniden yanımızdan uzaklaşıyor Turgay.

Tuhaftır, Gülçin aslında diğer zamanlarda da tikleniyor ama o bunu fark etmiyor ya da sürekli kaş-göz yapıp yüz oynatmayı tikten saymıyor, onun "tiklendim abla" dediği durumlar, yüzünde daha geniş dalgalanmalar biçiminde başlayan şiddeti yüksek seğirmeler.

Ben, kendisi bu durumun farkında ama yapacak fazla bir şeyin olmadığı bir çaresizlik olarak yaşıyor sanıyordum. Sonra bir gün anladım ki, o küçük tiklerin farkında bile değil, kendini normal davranıyor sanıyor. İnsanların kendi kendileriyle kurduğu ilişkiler ne tuhaf seyirler gösteriyor.

Ekonomik durumu güçlü olmayan bir aileden gelmedir Gülçin; ailesi koşullarını zorlayarak, büyük özverilerle okutmuştur onu. Dahası, gördüğüm kadarıyla ailesinin her bir kişisi, ayrı bir komedi dizisinin kahramanıdır. Bir başına Saadet Halası yeter.

"Yarın geliyorsun, değil mi?" diyor Gülçin. "Bu sefer bütün kızlar tam kadro toplanıyor çünkü. Bak bu sefer mızmızlık istemez!"

"Geliyorum," diyorum. "Aslında gene gelmezdim ama, bu sefer misafirim var. Onu gezdirecek yer bulmakta güçlük çekiyorum. Orada oyalanabileceğini düşündüm."

"Kimmiş bu misafirin?" diye soruyor.

Arka masada oturan, şuh kahkahaları artık buradan bile duyulmaya başlayan Tuğde'yi gösteriyorum.

Tikli Gülçin bütün yakın masaları bize döndüren bir çığlık atıyor.

"Aman Allahım! Tuğde mi! Bu küçük cadı sonunda sana mı kaldı yoksa?"

"Ne demek sonunda sana mı kaldı?"

"Annesi kaç kapı gezdi de, kimse almadı bu belayı başına, sen nasıl sardırdın?"

Birden kendimi kötü hissediyorum. Aldatılmış, ihanete uğramış, bir komploya kurban gitmiş; herkesin bilip de bir benim bilmediğim kötü bir oyuna gelmiş gibiyim. Birden düşündüğümden çok daha büyük bir belayla karşı karşıya olduğum duygusuna kapılıyorum.

Gülçin'in yüzü geniş dalgalar halinde tikleniyor.

"Sakın bu kıza hiçbir şey anlatma, hiçbir şey verme, ondan bir şey alma, hiçbir yakınınla tanıştırma, hiçbir konuda hiçbir söz verme, annesi döner dönmez hemen kızı teslim et ve her şeyi bir an önce unutmaya bak ve onlarla uzun bir süre görüşme! Anlıyor musun beni? Tamam mı?"

Filmlerde böyle sahneler vardır. Biri, kapana kısılmış kurbana, kimse yanlarına gelmeden çabuk çabuk bir şeyler anlatıp gözden kaybolur. Gülçin de öyle, isteri krizine tutulmuş gibi, başta Tuğde olmak üzere her an masaya biri gelir de konuşması yarım kalır paniğiyle, ardı ardına kısa kesik cümleler sıralıyor.

"Canım ne yapmış olabilir ki bu kadar?" diye sözünü kesiyorum birden. "Beş yaşında bir kız çocuğu alt tarafı!" Düşünebiliyor musunuz? Bu cümleyi ben kuruyorum. İnsan bazı durumlarda kendini aşıyor.

"Peki o halde çabuk çabuk anlatayım. Üstelik bunlar yalnızca benim hatırladıklarım," diye tam anlatmaya başlarken, Tuğde, elinden tuttuğu Kürşad ağbisi ve Ömer'le birlikte masaya yaklaşıyor. Ömer, reklam filmi yönetmenidir, tarafımdan sevilmediğini bildiği için bana karşı hep dikkatli olmaya özen gösterir. Eh, biraz sağduyusu, bolca da mesleki dikkati vardır. O kadar açgözlüdür ki, "belli mi olur belki bir gün ondan da iş çıkar," diye düşmanlarıyla bile ilişkilerini asla bozmaz. Tam piyasa adamıdır. Sırtı yere gelmez böylelerinin. Onların masasında yoktu daha önce, demek yeni gelmiş.

Gülçin hemen susuyor tabii, temkinli bir yüzle ve gözucuyla Tuğde'ye bakıyor. Gözlerinde, inşallah beni görmez, tanımaz, ya da biriyle karıştırır, hatta başka biri sanır gibi beyhude bir ümidin ışıltıları yanıp sönüyor. Tikli Gülçin'i başka biri sanmak ya da bir başkasıyla karıştırmak mümkünmüş gibi! İnsanlar niye kendilerini hiç bilmezler!

Gülçin masaya gelenlerle yalapşap selamlaşıp ayaklanıyor, "Her neyse, ben kalkmak zorundayım, zaten çok geciktim, sen burdasın diye geldim, her neyse, gerisini yarın anlatırım, yarın mutlaka geliyorsun, değil mi?" diyor.

"Akşama telefon etsem," diyorum. "Anlatacaklarını merak ettim."

"Evde değilim, yemeğe sözüm var, yarın görüşürüz," deyip uzaklaşacakken, Tuğde belli ki görmezden gelindiğini fark etmiş atılıyor: "Merhaba Gülçin ablacığım, beni görmediniz herhalde."

Gülçin'in dudaklarının kenarında, tik mi, gülücük mü olduğu anlaşılmayan bir şey beliriyor. Daha çok bir kaygı tomurcuğu!

Tuğde, dudaklarını büzerek, üzgün bir yüz ve son derece yapmacık bir sesle ekliyor: "Umarım evinizi ipotek ettirmenize gerek kalmamıştır. Siz böyle bir şeyi hiç hak etmiyorsunuz inanın!"

Gülçin'in yüzü, birden elektrik verilmiş gibi seğirmeye başlıyor, "yok mok, hık mık" gibi sesler çıkarıp, arkasına dönüp hızla uzaklaşıyor. Belli ki, kimsenin bilmediği bir şey biliyor bu küçük cadı.

Ok gibi fırlayan Gülçin, Tuğde'nin şerrinden olsa gerek, tiklenmeden karşıya geçmeyi başardığı gibi, hızlı hızlı adımlarla da oradan uzaklaşmayı beceriyor.

Bütün bu konuşmadan sonra evde Tuğde'yi yarına kadar bir dolaba kilitleyip eline Kemalettin Tuğcu romanları vermek geçiyor aklımdan. Fena bir fikir değil. Kemalettin Tuğcu'nun çocuklara fenalık yapan kadınları anlatmada dünyanın en usta yazarlarından biri olduğunu düşünmüşümdür hep.

Oysa, şu sırada onun keyfini bozmak pek mümkün değil gibi. Tuğde'nin gözlerinde reklam dünyasının ve medyanın parlak isimleriyle tanışmış olmanın olimpiyat ateşi gibi yanan alev alev ışığı parlıyor.

Birlikte akşam yemeği yeme tekliflerini reddetmem üzerine alevler sönmeye başlıyor tabii. Belli ki, kızımız yanındaki "bodyguard"ları beni ikna etmek için taşımış masaya. Oysa benim için fazlasıyla yorucu bir gündü; her şey bir yana, uğradığım çağıl çağıl çağrışım selinden zihnim yorulmuştu bütün gün. Evde sakin, kendi halinde bir akşam yemeği düşünüyordum.

Ömer, "Tuğde reklam dünyasıyla pek ilgili ablası," diyor, bir eliyle başını kaşıyarak. Ömer kafasını kaşıya kaşıya saç çıkartacağını sanan erkeklerdendir.

"Öyledir," diyorum. "Gösteri sanatlarının her çeşidine doğuştan bir yatkınlığı vardır kızımızın. 'Leon' filminin yerli versiyonunda oynamak için azıcık daha büyümeyi bekliyor yalnızca."

Kürşad, çok kullandığı için sahteleşmeye başlamış kahkahalarından birini daha patlatıyor. Ardından avucundaki kuruyemişlerden atıyor ağzına. Kürşad deyince neden aklıma hep kuruyemiş geldiğini şimdi anlıyorum.

"Ona uygun bir rol çıktığı anda Tuğde'yi arayacağız," diyor Ömer. Sanki bir müjde verir gibi. Tuğde'nin yüzündeki ifadeden, şöhrete yalnızca bir adımı kalmış birinin kalp çarpıntıları okunuyor.

"Eminim babası çok sevinecektir bu işe," diyorum, "Babasını ikna edebilirsiniz sanırım, sizi kırmaz."

Bunları söylerken, imalarımı anlasın diye Tuğde'ye dikiyorum gözlerimi. Ama onun mutluluktan bir şey anlayacak hali kalmamış. Hatta şu an bir babası olduğunu bile hatırlamıyor olabilir.

Ömer, eline benimle konuşma fırsatı geçmişken bu akşam olmasa bile, başka bir akşam yemeğinde, hatta çeşitli görüşme olanakları yaratmada ısrarlı görünüyor. Bana, resmen gönlü yapılmaya çalışılan artist anası kadın muamelesi yapıyor. Son birkaç işime değgin düzdüğü övgülerle beni ne kadar yakından ve hayranlıkla takip ettiğini göstererek, beni şaşırtmaya hatta tavlamaya çalışıyor. Oysa övgüler hep gerer beni. Bu yüzden izin isteyip kalkıyoruz. Tabii tekrar görüşmek üzere!

Tuğde, bu gecenin böyle bitmesine fena halde içerlemiş bir halde yardım uman gözlerle son bir umutla "bodyguard"larına bakıyor ama, bende duruma pabuç bırakacak göz yok; öğrenmiş kadınların kararlılığıyla hangi "bodyguard" başedebilir ki, bu şaşkınlar başetsin? Ömer'li bir akşam yemeği düşüncesi ise beni "aneroksiya" yapmaya bile yeter!

Eve geldiğimde, hiç halim yoktu. Yol boyu neredeyse hiç konuşmamıştık. Bu, Tuğde için çok zor olmuştu biliyorum. Şöhrete giden yolunu daha ilk gecesinde tıkadığımı düşünüyor, için için diş biliyor, kin biriktiriyordu; uzun süre surat asıp konuşmayarak, bana ne kadar kırılmış olduğunu göstermek istiyordu. Neden sonra beni sessizlikle cezalandırmaktan vazgeçip, "Ne tatlı insanlardı, değil mi onlar," diye sohbet konuları açmaya çalıştıysa da, bu kez benden yüz bulamadı. Ya benim inadım karşısında yıldı, ya da sakinleşip yeni taktikler denemeye karar verdi. Kızımızın insan ilişkilerinin bu çeşit eğrileri konusunda yaşından beklenmeyecek kadar "stratejist" olduğunu anlamış bulunuyordum. Çalıştığım çeşitli iş yerlerinde karşılaştığım bu çeşit numaralar, zaman içinde beni yeterince donanımlı kılmıştı. Yalnızlıktan korkmayan insanları sessizliklerle, suskunluklarla, dışlamalarla korkutamaz, cezalandıramazsınız. Başka yollar deneyin.

Önce çalışma odama giriyor, Nalan'ın ilk sergi açılışında çekilmiş bir resmimizin önünde duruyorum. Tam bir gençlik resmi bu, coşkulu, inançlı ümitli; bir kolumuzu birbirimizin beline dolamış, baş başa vererek kadeh kaldırmış, yalnızca o âna değil, sanki geleceğe de gülümsüyoruz. Ancak çocuk gülümsemelerinde bu kadar güven, masumiyet ve kayıtsızlık vardır. Benim çok sevdiğim, ama bana en az benzeyen resmimdir bu. Benim bu kadar inançlı, bu kadar mutlu, bu kadar dirim taşıyan bir resmim daha olmadığı gibi, ben de hiç öyle olmadım. Belli ki, bir an bu. Yalnızca o an. Bu resimde Nalan da çok farklı. Eski Nalan'ı özlüyorum, daha doğrusu benim aldandığım Nalan'ı özlüyorum. Ölenler bildiğiniz gibi kalırken, yaşayanlar hep bir hayalet olarak gezinirler ortalıkta. Bir zamanlar çok sevmiş olduğunuz birinin hayaleti olarak. O Nalan'ın artık hiçbir zaman olmayacağını bilmenin sızısıyla özlüyorum onu. Gençken hayatımızdan boşalan her şeyin yerine bir yenisini koyabiliriz sanırdık. Öyle olmuyor. Hayat boşala boşala azalıyor.

Tuğde kapıda bitiyor gene.

Yüzüme bakıyor. Anlıyorum. "Telesekreteri dinleyebilirsin," diyorum. "Bana gelen notları sen alıver, ben banyoya giriyorum."

Banyodaki aynanın karşısında ağır ağır soyunmaya başlıyorum.

Kimi zamanlar bedeninize başka birininmiş gibi yabancı gözlerle baktığınız olur. Öyle bir duygudayım. Bedenimde yılları arıyor bakışlarım. Sanki zihnimde kaybolanları bedenimin kıvrımları hatırlatacak. Ne kadar zamanım kaldığını söyleyecek bana. Geleceğime kader çizecek.

Ayna benim için her zaman çıplaklık demektir.

Yalnızca ayna karşısında bu kadar çıplak bakabilirsiniz. Sadece gövdeniz değil, gözleriniz de soyunur...

Halalarımın hiçbir şey konuşmaksızın, hiçbir açıklamada bulunmaya gerek duymaksızın, bacak arama tıkıştırdıkları evde ellerine geçen ilk şey olan pamuklar...

Zamanından erken gelen kan. Herkesi hazırlıksız yakalayan

kan. Sonra en büyük halamın yüzüme indirdiği tokat. Açıklaması sonradan gelecek olan tokat.

Sanki tek kelime bile edilse, önemli bir denge altüst olacakmış gibi, suskunluk yeminine benzer suçlu bir sessizlikle bacak arama alelacele tıkıştırdıkları pamukların, aslında herkes tarafından fark edildiğini, ama bilmediğim bir nedenden ötürü saygılı bir sessizlikle dile dökülmediğini sanırdım. Bir gün, birdenbire bacak aranıza tıkılıveren pamuk parçasının, sizin temel bir mahcubiyetiniz olabileceği duygusu, kadınlığın sizi azaltan utançları, ergenliğinize ayrı bir hüzün ve apayrı bir yalnızlık katar. Yediğim tokat üzerine küçük halamın telaşlı açıklaması: Âdettendir. İlk kanda böyle yapılır. Korkacak bir şey yok. Senin bir kabahatin yok! İçimdeki suçlu ses: Sahi yok mu? Bedenim bana ihanet etmiş gibi hissediyordum kendimi. Oysa bildiğiniz gibi, yıllar içindeki bütün ihanetlerine karşın, hiç terk edemeyeceğiniz bir şeydir bedeniniz. Onu sevmeyebilirsiniz, ona küsebilirsiniz, ondan cayabilirsiniz, ama onu terk edemezsiniz. Bedeninizin komşusu olamazsınız, bütün şikâyetlerinize karşın, "beden" denilen "o evde" oturmak ve çilelerine katlanmak zorundasınızdır. Eğer ergenliğimde "regl olmayı" kendim için normalleştirebilseydim, hayatım başka türlü bir hayat olabilirdi belki. (Bayılırsın böyle dramatik cümleler kurmaya Nermin; hiçbir hayat, başka türlü olamaz!) Gene de ne bileyim, sanki birileriyle konuşabilseydim bütün bunları, kadınlığa adım atmanın herkes tarafından paylaşılan bir deneyimi olarak kendi doğallığı içinde yaşayabilseydim... Oysa, hep saklanması gereken bir yara gibi yaşadım bunu... Bu yüzden bacaklarımın arasından akan kan, bütün hayatıma bulaştı.

Yıllar sonra, şirketteki toplantıların birinde, kadınlar için hazırlanan bir ped reklamı sırasında nasıl zorlandığımı, erkeklerin de bulunduğu bir masanın etrafında bunu konuşuyor olmanın sıkıntısını nasıl yaşadığımı fark ettiğimde dehşete kapılmıştım. Terliyor, gözlerimi kaçırıyor, herkesin sıkıntımı fark ettiğini sanarak daha çok mahcup oluyordum. Sanki, yalnızca bana ait mahrem bir şey uluorta konuşuluyormuş, sanki bu konuda daha fazlasını bilmek isteyen meraklı gözler karşısındaymışım gibi savunmasız, korunmasız ve çıplak hissediyordum kendimi. Bunun böyle olmaması gerektiğini bilmenin huzursuzluğuyla, başka türlü hissedememenin çaresizliği arasında kıvranmak, benim için tanıdık bir ikilemdi. Başka konular nedeniyle de ara sıra bu çeşit durumlarla karşılaşır, ama hep kendimin üzerine giderim; ikilemlere tahammülüm yoktur. Toplantı masasında yalnızca iki kadın vardı, erkekler çoğunluktaydı ve sonuçta yaptığımız yalnızca bir işti ama, ben erkekler karşısında tuhaf bir eziklik duymaktan kendimi alıkoyamıyordum. Kendimi ayıplıyor ama, hissettiklerimin önüne geçemiyor, bir çeşit yarılmaya benzeyen bu durumun üstesinden bir türlü gelemiyordum. Aştığımızı sandığımız konuları, aslında aşamadığımızı anladığımız anlarda yaşanan öğretici bozgunlardan biriydi bu; üzerinde konuşmamaya, düşünmemeye başladığımızda, dert etmediğimizi sandığımız sorunların, günün birinde nasıl da yerli yerinde durduğunu, hiçbir yere gitmemiş olduğunu fark ettiğimizde, yaşadığımız o köklü bozgunlardan biri. Ah, insanın içinde neler olup bittiğini kim tam olarak bilebilir ki? İçimizde hem çok şey olur, hem hiçbir şey olmaz. Çoğu kez, uğradığı bozgunlardan hiçbir şey öğrenmemiş gibi, insan doğası kendini tekrar eder. (Yok, yok olabilirdi, hayatım başka türlü olabilirdi. Yalnızca dramatik cümlelere olan merakımdan söylemiyorum bunu, sahiden regl olmayı, kendim için kabul edebilseydim, hayatım başka türlü olabilirdi.)

Regl olmak, bana annemi hatırlatıyordu. Ben, annemi taşımayı hiçbir zaman öğrenemedim, kendimden ne kadar saklarsam saklayayım, galiba onu hiçbir zaman kabullenemedim. Kadın olmamla birlikte, annemin hayatımdaki ağırlığı önem kazandı sanki, hep görmezden gelmeyi seçtiğim annemi bana sürekli hatırlatan bir şey oldu. Birbirinin içine dolaşmış, yumağı bir türlü çözülmeyen bu karmaşık duygular, suçluluklar, takıntılar yüzünden hâlâ birçok kadından daha ağır yaşarım regl günlerimi. Sanırım migren belasına da o yüzden uğradım.

Ben bedenimi kabul ettiğimde, annem artık hayatta değildi.

Nalan'ın sergisine gidip gitmeyeceğimi bilmiyorum. Ne zaman âdetten kesileceğimi bilmiyorum. Hayatımın ne olacağını bilmiyorum.

Duştan akan su gözlerimi perdeliyor. Birden suyun arkasında dün Akmerkez'de gördüğüm adamın yüzü beliriyor. Fıskıyeden yükselen suyun arkasında gördüğüm yüzü.

Duşta birdenbire ağlamaya başlıyorum.

Ilık ve basınçlı su üzerimden süzülüp akarken, kendimi başka bir kadınmışım gibi kurduğum bir hayali canlandırarak, onun, o kadının başına gelenlere ağlıyorum.

Ne zaman ağlamak istesem artık böyle yapıyorum.

ÜÇÜNCÜ BÖLÜM

XIV

Saks mavisi sabahlık

SABAH uyandığımda, Gurbet Hanım'ın sesi geliyordu salondan. Tuğde'yle konuşuyor olmalıydı. Karşılaşmalarını kaçırmış olduğuma hayıflandım; hayli eğlenceli geçmiş olmalı. Ben, sırtımda Japon ejderlerinin cenge tutuştuğu saks mavisi sabahlığımla koridoru foşur foşur katederken, birden çalışmaya başlayan elektrikli süpürgenin homurtusundan başka bir şey duyulmaz oldu. O sırada banyoya girdim.

Gurbet Hanım, haftanın iki günü gelir bana. İlk karşılaştığımızda adı şaşırtmıştı beni, sorduğumda, "Babamın gurbete çıktığı yıl doğmuşum, adımı Gurbet koymuşlar, belki de adıma sebep, baba nedir bilmedim, koyup gitmiş bizi," demişti. Acıklı hayat hikâyesiyle başkalarını etkilemeye çalışan merhamet avcısı kadınlara benzemiyordu. Sade, süssüz bir biçimde anlatmıştı. Bir arkadaşıma gidiyordu o sıralar, arkadaşım onu anlata anlata bitiremiyordu, ben de gündelikçimden hiç hoşnut değildim. Öyle başladık.

Sonraları bütün hikâyesini dinledim:

"Ne zaman, baba, deseler, köyümüzden öteye uzanan tozlu bir yol gelir aklıma. Öldü mü, kaldı mı hiç bilemedik. Ben, el kadar bebekken, köyün ağzında durup, babam döner mi acep, diye yola baka baka akşamı edermişim. Zor alıp getirirlermiş eve."

Sözün burasında içini çekerdi. Bir iç çekişin bu kadar çok şey anlattığını gördüğüm bir başkasını tanımıyorum. Aslında hiç yakınan, sızlanan bir kadın değildir Gurbet Hanım. Tersine ayakları yere sağlam basan, güçlü, dayanıklı, sıkıntılarıyla başetmesini bilen, acılarını taşımasını öğrenmiş bir kadındır. Onun en çok bu

209

yanı hoşuma gider. Sözüne güvenilir, gözütok, zor zamanlarınızda sırtınızı dayayabileceğiniz biridir; işini hiç şişirmez, kendi evini temizler gibi gönülden çalışır. Kimi zaman kendi işini beğenmez: "Eskiden gençtik be Nerminim, iki dizimin arasına alır çevirirdim koca evleri, çamaşır çitiler gibi geçerdi elimden onca evin kiri, tozu, lekesi. Perdeleri indirir mendil gibi yıkardım, kapı cam çerçeve bırakmazdım, gün inmeden koca ev, taşlığına varasıya sakız gibi ağarırdı. Gençtim, güçlüydüm, dünyayı kollarımın arasında sıkıyordum sanki. Sonrasında hayat gülmedi bana. Sen kocamış zamanlarıma denk geldin benim! Omuzlarımın düştüğü devirlere denk geldin. Bakma çalışır didinirim ya, kulak asma, eski tadım yok benim!"

Gurbet Hanım, ilk geldiği gün, çalışma odamın duvarlarında Hz. Ali levhaları ve Zülfükâr'ı görünce çok heyecanlanmıştı; o zaman öğrenmiştim Alevî olduğunu. Beni de Alevî sanmış, öyle olmadığımı, ama Alevî kültürüyle yakından ilgilendiğimi söyleyince, gönenmiş, gururlanmıştı. "Benim sana anlatacağım çok olur Hanımım," demişti. Sonra bu "Hanımım" sözü, zaman içinde "Nerminim"e evrildi. Daha ilk karşılaştığımız anda, birbirimize kanımız kaynamıştı. Arkadaşım, "Gene de dikkat et, biraz aksidir, hiç belli olmaz," demişti ama, bunca yıl oldu hiçbir aksiliğini görmedim.

Seyrek de olsa, bazen canı sıkkın olur. "Neyin var," diye sorduğumda, aldığım yanıt değişmez: "Tansırı tunsuru, ölme etme can sürü!" Bu sözün beni güldürdüğünü bilir, biraz da beni eğlendirmek amacıyla söyler; kendi sıkıntısından, bana neşe çıkarır. Daha karamsar olduğu zamanlarda, "Adını yaşamak koymuşuz ya, kulak asma," der. "Bizimkisi ayak sürümek dünya toprağında." Aslında hiç karamsar bir insan değildir. Hayatla hep göğüs göğüse mücadele etmiş, her şeyi dişiyle tırnağıyla kazanmış kimi Anadolu kadınlarında görülen bir toprak sağlamlığı vardır. Ne olursa olsun, ayakta kalmaya karar vermiş insanların, dertlerle, sıkıntılarla başetme gücünü, en çetin koşullarda bile sorunlarını taşıma bilgisini görürsünüz onda. Çektiği sıkıntıları başkalarının başına kakarak yaşayanlardan değildir. "Her şey dünya hali"dir ona göre. "Her şey gelir geçer."

"Dokuz yaşındaydım ana olduğumda. Bir gün hiç sebepsiz anam öldü ve geride kalanlara analık etmek düştü bana. Amca, yenge, dayı, hala evlerinde bölük pörçük büyüdük Nerminim. Derde yanmak da, sızlanmak da vakit kaybı, çaresine bakacaksın, hep çaresine bakacaksın, herkes senin eline bakar."

Gurbet Hanım, okumamış olmasına hayıflandığım ender insanlardan biridir. Sezgileri güçlüdür, sağduyusuna hayran olmamak elde değildir, aklıyla duygularını ayırmadaki başarısı, bana "hayat bilgisi" denen şeyin önemini derinden kavratmıştır. Eğer sahiden öğrenmek isterseniz, kitaplardan öğrendikleriniz kadar hayattan da öğrenebilirsiniz. Kitaplar tek başına nedir ki? Hayata kapalı olan, kitaplara niye açık olsun? Gurbet Hanım'a baktıkça bunları düşünürüm. İşini bitirdikten sonra, bir acı kahve içip, öyle gitme âdeti vardır. "Eh, artık şöyle okkalı bir acı kahveyi hak ettiğini" düşündüğü böyle zamanlarda, "bir eksik bırakmışım mıyım", diye salona şöyle titiz ama kurumlu bakışlarla bir göz gezdirir. Bu kahve içimi süre, onun, işini denetlemesidir. "Yarım iş bırakmayacaksın ardında," der. "Senin içine sinmeyen elin içine nasıl siner? Kazandığını hak edeceksin. Helal para yoksulluk hafifletir."

Kimi zaman bizlerin öyle dolambaçlı yollardan bin bir zahmetle ifade etmeye çalıştığımız herhangi bir şeyi, ümmi halk bilgeleri gibi iki-üç sözle öyle bir toparlar ki, şaşar kalırsınız. Yalınlığın gücüdür bu. Bundan bir Alevî arkadaşıma söz ettiğimde, "Eh, Pir Sultan Abdal'ın soyundan geliyoruz, kolay mı?" diye övünmüştü. "Alevî dediğin hikmet bilecek, yoksa nasıl katlanırdı bunca zulme?"

Seyrek de olsa zaman zaman kendini kaptırıp türkü söylediği olur ev içinde; türkü söylerken sesi tazelenir, gençleşir, çaktırmadan onu dinlerken bilmediğim bir mahzunluk, hiç görmediğim uzak köylerin sıla özlemi uyanır içimde. Hiç tanımadığım, bilmediğim Anadolu köylerini çoktandır görmediğim yurdummuş gibi özlerim. Evimin şenliğidir Gurbet Hanım; benim için ne ifade ettiğini hiçbir zaman anlamadı, tam olarak anlamadı. Nasıl anlasın? Salona çıktığımda, Tuğde, üzeri bir ormana sığacak kadar çok hayvan çeşidiyle desenlenmiş pembe eşofmanıyla nobran bir suratla kanepede oturuyor, ağzına aldığı fosforlu pembe plastik bir kokteyl çubuğunu kemirerek, kusur bulmaya çalışan onaylamaz gözlerle Gurbet Hanım'ı izliyordu. Daha, "Günaydın, tanışmışsınız bile," dememe kalmadan Gurbet Hanım, lafımı ağzıma tıkadı: "Nerden buldun bu cimcimeyi?"

"Cimcime", böyle adlandırılmaya da, Gurbet Hanım'ın azıcık alaycı tavrına da içerlemiş, diş biliyordu.

"Bu sevimli küçük hanım, bir arkadaşımın kızı, bir süre misafirimiz olacak," dedim. İkna edici kılmaya çalıştığım sesimde, fazla cilalanmış bir "müşteri temsilcisi" sahtekârlığı vardı. Birbirlerinden hoşlanmayacakları belliydi ama, anlaşılan yokluğumda benim tahmin edebileceğimden fazlası olmuştu. Tuğde'nin kolaylıkla ezebileceği, karşısında sınıfının tadını çıkarabileceği bir kadın değildi Gurbet Hanım ve onca görmüş geçirmişliğiyle, besbelli bir bakışta Tuğde'yi, yirmi sene sonrasına kadar görmüş, notunu vermişti.

"Cimcime" diye adlandırılmaktan hiç hoşlanmayan Tuğde, Gurbet Hanım'a haddini bildirmek istercesine, "Benim adım Tuğde," dedi. "Yanılmıyorsam, daha önce de söylemiştim." Dün Nuri'den hoşlanmadığında da aynı kurumlu ifade belirmişti yüzünde. Birine kızdığında, ağzını eğe eğe konuşuyordu. Gurbet Hanım, azıcık alaycı, "Memnun oldum küçük hanımefendi," dedi, sonra bana dönüp, alçak sesle, "Ay bu da demesi zor isimlerden. Eh, insan unutuyor tabii. Neden çocuklarına Ayşe, Ahmet gibi isim komaz zamane ana-babaları," diye yakındı. Belli ki, eğleniyordu.

Tuğde, Gurbet Hanım'ın ağzının payını verdiğinden emin, onu artık dışlamak istercesine, "Nermin ablacığım, kahvenizi getireyim mi?" diye kırıta kırıta ayaklandı. Halindeki ciddiyetle, üzerindeki gülünç eşofman birbirine hiç uymuyordu. "Bu sabah aromalısından yaptım." Birdenbire oyun değiştirmeye karar vermiş olmalıydı. Gurbet Hanım, yüzüme, "Kahve makinesini kullanmasına izin vermekle kötü mü ettim," dercesine bakıyordu. Oralı olmayışım üzerine rahatlayıp işine döndü. Tuğde'yi bir an önce uzaklaştırmak ve gergince havayı yumuşatmak için, "Hadi getir bakalım," dedim. "Şöyle güzel bir sabah kahvesi içelim."

Tuğde çıkar çıkmaz, Gurbet Hanım, "Söyle anasına, bu cimcime on üçünü evde çıkarmaz," dedi. "Gözü göz değil bu kızın, ben bilirim böylelerini, bunların bir gözü aynada, bir gözü kapı eşiğinde olur. Böyle havalı havalı afralanır tafralanırlar ya, çoğu sonunda şoföre neyim kaçar." Kıs kıs güldü sonra. Ben fazla gülmemeye çalışıyorum. Tuğde her an mutfaktan çıkıp bizi böyle gülüşürken yakalayarak kendine karşı bir ittifak kurulduğunu sanabilir. Hangi yaşta olursa olsun Tuğde gibileri, böyle durumlarda ne kadar tehlikeli olurlar, geçmiş deneyimlerimden iyi bilirim. Onu tarafsız bölgede durduğuma inandırmalıyım.

Anlaşılan bu sabah yayılıp uzun uzadıya evde oturamayacaktık. Birbirinden hoşlanmayan iki kadının bulunduğu bir mekânın, kısa bir süre sonra nasıl "cehennemden bir köşe" haline geldiğini bilirsiniz. O gözü dönmüş dünyaya kızgın feministlerden sıtkım sıyrıldığında, halinden anladığım ilk "insan türü", karısıyla anası arasında kalmış biçare erkekler olmuştu. İnanın, hayatta erkekleri acıdığım anların sayısı pek fazla değildir.

Gurbet Hanım'ın hayatta en büyük yarası, Maraş olaylarında yitirdiği yeğenidir. Kendi başına gelenlere katlanabilir ya da onların üstesinden gelebilirmiş de, onun deyimiyle o "sabiyi" bir başına oralarda sahipsiz, kimsesiz koymuş olmayı kendine yediremez. Yıllardır bir ölünün kimsesizliğine ağlar.

"Ölümün zulümlüsünü gördük biz. Maraş'ta kıydılar canımın yongasına, dağ duruşlu, aslan pençeli bir çocuktu; kır çiçekleri gibi gülerdi Nerminim. Öğretmen çıktığında, daha yeni evlendirip göndermiştik Maraş'a. Senesi dolmadan ölüsü geldi. Alevî evlerini basıp basıp adam sürüdüler Maraş sokaklarında; evleri ateşe verdiler, körpe boyunlarda bıçak bilediler. Efsane belleme anlattığımı 1978 senesiydi daha. Gönül koyma söylediklerime ya, bu Sünnilere göre cennet kapısı var mıdır bilmem Nerminim! Sünni dediğin Müslüman karası!"

Sonra uzun uzun susar Gurbet Hanım. Yüreğinin ağrısını makine gürültüsüne, minder, halı pat-patlamaya verir. Bir zaman sonra neredeyse kendinden habersiz duyulur-duyulmaz bir sesle yanık bir türkü söylemeye başlar. Sezdirmeden dinlerim onu. Erkeklerin kendilerine özgü güçsüzlüğünü görmüş, tanımlamış, hayatın içinde yerli yerine oturtmuş bir kadındır. "Erkek dediğin çocuk irisi be Nerminim! Kolladığını sezdirmeden kollayıp duracaksın. Erkekler çabuk yüz dökerler. Evi evirip çeviren kadındır bakma sen! Biz kadınlar hep öyleydik. Elti-görümce kalabalığında geçip gitti ahir ömrümüz, hem hır-gür kavga ettik, hem tutuna tutuna yaşadık birbirimize. Her şeyi yoluna koyacaksın Nerminim. Yoktu demeyeceksin, azdı demeyeceksin, bitti demeyeceksin; her zaman her şeyi yoluna koyup geçeceksin şuraya. Yüzümün gülerine aldanma, göğsümün düğümünü ne çözebilir gayrı?"

Gurbet Hanım sevdiğine sahip çıkmayı bilen kadınlardandı. Çevresindeki herkese karşı koymak pahasına, kocasından ayrılmak isteyen kızının arkasında durup onu savunmuştu, "Ben yetiştirdiğim kızı bilmez miyim, bana bile sebebini demediğine göre, bir bildiği vardır elbet, bana düşen onu el insafına terk etmek değil, arkasında durmaktır," deyip çekip aldı kızını dizinin dibine. Onun bu kararlı yanı, bir şeye inandı mı kimseye aldırmayan ödünsüz tavrı hoşuma gider. Kadınlığın gücünü görürüm onda. Şu dünyada bütünüyle güvenebileceğim ender insanlardan biridir. Bana bile bir biçimde sahip çıktığını düşünürüm. Kenardaki hazır paraları kocasının ameliyatına yetmediğinde, onlara para yardımında bulunmuştum. Gurbet Hanım bunu hiç unutmadı. Bunun altında ezilmeden gönül borcu duymasını bildi. Benim seyrek karşılaştığım bir ruh soyluluğudur bu.

Her ne kadar, "İki koca eskittim, ikisi de pehlivan irisi, kara kaş, kara göz, burma bıyık; şöyle hurma gibi bir koca bulamadan geçip gitti ahir ömrüm," dese de, kocasını ne çok sevdiğini o sıralar anlamıştım. Güçlü kadınlar, erkekleri zayıf kadınlardan daha iyi severler. Sevmek güç gerektirir çünkü. Zayıfların sevmek için bahaneleri, güçlülerinse gerekçeleri vardır. Arkalarında durabilecekleri gerekçeleri. Bahanelerse çabuk değişir. Aşk, ihanet, sadakat ve benzerleri söz konusu olduğunda, kadınlar, zayıf mı, güçlü mü olduklarına bakmaksızın, kendilerini bütün kadınlarla bir tutarlar, oysa en başta zayıf kadınlarla güçlü kadınlar bir değildir. Erkekler niye olsun?

"Bunca yılda karı kocalık mı kalıyor be Nerminim, yoldaş oluveriyorsun, canın çekmez oluyor birbirini, bakma kızarım ederim ama, sevgisi başka türlü, kolay mı birbirinin ömrünün şahidi oluyorsun, birbirinin gözü önünde kocayıp gidiyorsun. İkinizden gayri hiç kimsenin bilmediği şeyleri biliyorsun. Ömür dediğin yaşlılık yongası, gençlik dediğinse rüzgârlı harman. Savura savura geldik bugünlere."

Mehmet'ten ayrıldığım sıralar, aylarca çıplak bir yara gibi gezdiğimde, teselli edeceğim diye boş kelimelerle yormamaya çalışmış, yalnızca bakışlarıyla şifa olmaya çalışmıştı yarama. Erkek kaybetmenin acısının ne anlama geldiğini iyi bildiğini o zaman anlamıştım. Mehmet'ten ayrıldıktan sonra, uzun süre en çok şaşırdığım şey, nasıl olup da hâlâ hayatta kaldığım, yaşadığımdı. Bunu en iyi Gurbet Hanım bilir; o benim hiç uyumadığım gece körü sabahlarımı bilir.

Kimi zaman işyerinde, kimi zaman arkadaş arasında Gurbet Hanım'ın birçok hikâyesini anlatırım insanlara. Ondan söz etmek hoşuma gider, içimi aydınlatır; Gurbet Hanım bana dünyanın bozulmamış yerlerini hatırlatır.

Tuğde, elinde kahve fincanlarını yerleştirdiği tepsiyle çıkageliyor. Benim tasarımım olan bu tepsiyi çok sevdiğini söylemişti dün. Evden ayrılıp tek başıma bir hayat kurmak için çeşitli işler yaparak para kazanmaya çalıştığım sıralar, bir ara eski Fransız dantellerini ahşap zemin üzerine camlatıp, tepsiler yaptırmış, Çukurcuma'daki eskicilere vermiştim. Bu tepsi de o günlerden kalma. Tuğde çok beğendiğini söylediği bu tepsiyi bugün servise açarak, bana dünkü söz ve duygularındaki samimiyeti göstermek istiyor anlaşılan. Güya kahveleri dökmemek için, öyle titizleniyormuş gibi yapıyor ki, insanın çelme takıp düşüresi geliyor. Yaptığı her işi bir fedakârlık gösterisi olarak insanın gözüne sokmak isteyen böyle kadınlar vardır. Bir iş yaparken insanı hasta ederler. Yaptıkları her işi, öyle göstere göstere, öyle ağır ağır, öyle gözünüze soka so-

215

ka yaparlar ki, ellerinden kapıveresiniz gelir. "Bakın nasıl hizmet ediyorum ama" amaçlı gösterileri yarım bırakıldığındaysa çok bozulurlar. Çalıştığım eski ajansta sinirime dokunan böyle bir çaycı kadın vardı, yüzündeki o kaderin tokadını yemiş mazlum kadın ifadesi beni hiç ikna etmez, şöyle okkalı bir tokat da ben patlatmak isterdim. Ne zaman çay getirse, kapıdan ağır ağır girer, boynunu bükerek, göstere göstere taşıdığı çayı masanın üzerine öyle ağır ağır sürerdi ki, her seferinde çayı elinden kaptığım gibi, masama koyar, yüzündeki bozgun ifadesine aldırmazdım bile.

Bunlar aynı zamanda çocuklarını hizmetle boğan kadınlardır. "Evlat sevgisi" adı altında o iri ve kirli egolarını tatmin ederler. O zavallı varoluşlarını ancak bu yavaşlık ve ağırlıkta duyarlar. İşlerini kolaylaştırdığınızda, çabuklaştırdığınızda, yüklerini hafiflettiğinizde, onları ve hayatınızdaki varlıklarını önemsizleştirdiğiniz duygusuna kapılır, hırçınlaşırlar. Onların asıl istedikleri, saçlarını nasıl sizin için süpürge ettiklerini, ne kadar fedakâr ve cefakâr olduklarını, sizin için nelere katlandıklarını müstehcenliğe varan bir teşhircilikle göstermektir. Bu yüzden de gösteri zamanını uzatmak isterler. Bu maraz ruhlu kadınlar, ortalığa bir dolu büyümesini tamamlamamış, sakat kalmış erkek çocuğu salar. Onlar da analarıyla kesemedikleri hesaplarını, ileride karılarına, sevgililerine eziyet ederek kapatmaya çalışır. Kadınlara kalkan ellerde hep bu çeşit anaların öç dolu karanlık ruhları vardır aslında. Ama kadınların en okumuşu, kadın sorunları üzerine en kafa yormuşu bile, kadına düşen bu payı üstlenmek istemez. Aynen erkeklerin dünyasında olduğu gibi, "öteki" olana katıksız düşman olmanın kolaylığına sığınır.

Erkekler, kadınların, kıymetlerinin anlaşılması için, her şeyi yavaş yavaş, göstere göstere yapmalarına bozulurlar aslında. Erkekler hızlarını düşüren kadınlara bozulurlar. Kadınlar yavaşlığın, erkekler hızın dünyasında yaşarlar. Bu çeşit kadınlar, çocuklarının, özellikle oğullarının beceriksizliğine inanmak isterler. Kendileri olmasa onların hiçbir şey yapamayacaklarına, hiçbir işi doğru-düzgün tutamayacaklarına... Mehmet'in annesi de böyleydi. Mehmet, ben annesine benzemediğim için benim yanımda mutlu, annesi de ben ona hiç benzemediğim için mutsuzdu. O, Mehmet'in hayatında kendi yerini alacak kadının, tıpatıp kendisi gibi olmasını arzu ediyordu. Aslında hiçbir anne oğlunun hayatında kendi yerini alacak birini istemez, ama öyle görünür. Birçok anne oğullarına eş olarak ancak kendilerinin "dublörü" olabilecek kızları beğenirler. Hayatlarının geri kalanını da "dublörlerinin" hata ve kusurlarını aramaya adarlar. İnsanın tepesini attıran bu kadınların önüne oğullarını atıp, "Hadi gel benim yerime sen oyna," diyesiniz gelir.

Evlilik yaşı gelmiş bazı kızlar, erkeklerin beceriksizliklerinden özel bir zevk alır, böylece erkeklerin onlarsız hiçbir şey yapamayacaklarına biraz daha inanırlar. Bir erkeğin beceriksizliği, onların gözünde, ileride yapılacak bir evliliğin garantisidir çünkü. Bu çeşit kızlar, ileride evlenip barklandıklarında, dünyanın en iyi pastanesinden aldığınız pastaya ya da poğaçaya bile, "evde yapılmışlar gibi olmuyor tabii şekerim" diyen kadınlar olurlar. Ki, hayatta en nefret ettiğim kadın tipidir bu. Hepsini hayatlarının sonuna kadar bir pastanede çalışma cezasına çarptırmak isterim. Başlarına ne gelirse gelsin, "Yuvayı dişi kuş yapar" ideolojisinin yılmaz savaşçısı olan bu kadınlara, en ufak bir merhamet bile duymam! Evde yapılmışlar gibi olmuyormuş!

Tuğde ile sabah sabah gereksiz bir sohbet tutturmamak için, gazetelere bakıyormuş gibi yapıyorum ama, aklım nerelerde. Hem gözlerini ısrarla bana dikmiş olduğuna bakılırsa, altından pek hayırlı bir şey çıkmayacak.

Kahvemden daha ilk yudumu alıyordum ki, Tuğde, "Bugün anneannemi ziyarete gidebilir miyiz Nermin ablacığım?" diye soruyor.

İlk yudumumu geri püskürtüyorum.

Sabahın ilk darbe yerine geçen bu ilk sorusu tadımı kaçırmaya yetiyor tabii, boğazımı temizlemeye, soluğumu düzene sokmaya çalışıyorum ilkin.

Tuğde, isteğini mazur göstermek için acındırıklı bir sesle ekliyor: "Beni çok özlemiş de... 'Burnumda tütüyorsun Tuğdeciğim,' diyor."

Elimde olmaksızın Tuğde'nin yüzüne dikkatle bakıyorum. Sanki biraz daha dikkatle bakarsam, bu kızın da birilerinin burnunda tütüyor olabileceğine inanasım gelecek. Anlaşılan ben uyurken sabah telefonları yapılmış! Durumda bir tuhaflık sezen Gurbet Hanım, belli ki o konuşmaya tanık olmanın getirdiği bilgiyle ne söyleyeceğimi anlamaya çalışıyor. Sakin olmalıyım. Özellikle Gurbet Hanım'ın yanında.

"Bugün başka programlarımız var Tuğdeciğim," diyorum sabırlı olmaya çalışan bir sesle. "Anneanneni görmeye annenler geldiğinde gitmen bence daha uygun olur, hem biliyorsun oksijen çadırları senin yaşındaki kızlara pek uygun yerler değil."

Sırf bir karşılık vermek için bir kerede kurduğum bu manasız cümleye kendim de şaşıyorum. İnandırıcılığı olmayan kimi manasız cümlelerin bazen çok etkili olduklarına dair reklam kuralına inanmak istiyorum şu an ve bu konu bir an önce kapansın istiyorum. O sırada, Tuğde aynı manasızlıkta başka bir cümleyle karşılık veriyor:

"Ama anneannem çadırı büyüttüklerini söylüyor."

Bu kadarı sinirlerimi oynatmaya yetiyor.

"Hastane yetkililerinin, anneannen için bir 'oksijen otağı' kurduklarını mı söylemeye çalışıyorsun Tuğde? Bu mümkün değil işte!"

Mümkün olmayan ne? Ben ne saçmalıyorum! Ben niye bu kızın her dediğine cevap veriyorum?

Manasız cümleler, onun gibiler üzerinde değil, benim gibiler üzerinde etkili oluyormuş demek! Tabii olumsuz anlamda! Ve de sabah sabah! Hayatımın Ionesco oyunlarına benzemesini istemiyorum daha fazla, bu gereksiz gerginliği üzerimden atmak için, yeniden yüzümü yıkama gereksinimi duyuyor, banyoya yöneliyorum. Mehmet'in annesinden sonra bir de Tuğde'nin anneannesi sabahıma tüy dikiyor! Anne kadın sevmiyorum. Yaşlı kadın sevmiyorum. Kadın sevmiyorum.

Her şeyi yeniden normalleştirme isteğiyle, "Duş almak ister misin Tuğde," diyorum banyodan döndüğümde. "Gurbet Hanım temizlik yaparken ayak altında dolaşılsın istemez, biz çıkalım da, o da rahat çalışsın."

Tuğde'ye yeniden küvet köpürtmek ve yeniden banyomu inim inim inleten Türkçe sözlü pop müzik şarkıları dinlemek zorunda kalıyorum. Birbirinden soyadsız yeni pop şarkıcılarının birbirinden manasız ve ruhsuz şarkılarından oluşan bu yılışık repertuarla gerçekleşmeyen anneanne ziyaretinin intikamının alındığını düşünüyorum!

Tuğde'ye karşı hislerim konusunda az buçuk bilgi-sezgi sahibi olmuş Gurbet Hanım, sıkıntımı büyütmemek için üstüme varmıyor. Yalnız bir ara, "Azıcık eğlenmenc bak," diyor. "Üstüne kalacak değil ya, alt tarafı beş gün, her çocuk gibi bu da büyür."

"Daha nasıl büyüyecek Gurbet Hanım?" diyorum. "Bunun büyüyecek yaşı mı kalmış! Görmüyor musun, olmuş bu!"

Gurbet Hanım omuzlarını kısa kısa gülmesini bastırmaya çalışarak içeri kaçıyor. Kanepeye yayılıp, şu geçici yalnızlık duygusunun yarattığı ruh haliyle, kendi evimi bir yabancının gözleriyle taramaya başlıyorum. İri zambakların durduğu şeffaf cam vazonun içindeki suyun biraz yeşillenmiş olduğuna takıyorum, duvardaki tablolardan birinin çerçevesinin azıcık yana kaykıldığına takıyorum, bunlara takıyor olmamın asıl nedeninin içinde bulunduğum ruh hali olduğuna takıyorum. Kalkıp kendime –biraz da sinirlerimi yatıştırsın diye– bir müzik koymak istiyorum. Ne istediğimi bilmediğim böyle zamanlarda nc dinlemek istediğimi de bilemem; onca CD'nin, plağın başında öylece kalakalarım. Elime birini alır, birini bırakırım, hiçbiri kesmez. Çünkü aslında istediğim, bir müzik değil, bir mucizedir. O da bir türlü gerçekleşmez. Banyoda inim inim inleyen Tuğde'nin canhıraş sesine karşılık olarak, dünyanın gelmiş geçmiş en çirkin kadın seslerinden biri olan, ama Teksaslı çok zengin bir petrolcünün kızı olduğu için, parasıyla Amerika'nın en iyi opera salonlarını kiralayıp, konserler veren, plaklar dolduran ve haklı bir üne kavuşan Florence Foster Jenkins çalmak istiyorum. Kadının o kadar feci bir sesi var ki ve o feci sesiyle o kadar iddialı ki, insanın inanası gelmiyor. Baştan aşağı ağır bir şaka olan bu kadın, bir kendini bilmezlik ve bir fütursuzluk örneği olarak, zamanla "kült" olmayı başarmış bile.

Görüyorsunuz ya, bende bile CD'si var! İnsan duyduklarına o kadar inanamıyor ki, ille bende de bulunsun istiyor. Evime gelenlere dinletirim bazen, hayretler içinde dinler, eğleniriz. Birden aklıma Gurbet Hanım geliyor. Ben Tuğde ile itişeceğim diye, kadına eziyet etmeye hakkım yok. Gurbet Hanım, benim Maria Callas' larıma bile dayanamazken, Florence Foster Jenkins kadını gerçekten mahvedebilir. Wilhelmenia Fernandez'in "La Wally"sini kendimden geçip yirmi kez üst üste dinlediğim bir keresinde, "Nerminim, n'olur ben yokken dinle şu avaz avaz kadınları," demişti. "Valla başım kaldırmıyor."

Oysa şimdi, değil Gurbet Hanım'ın, hiç kimsenin başının kaldıramayacağı avaz avaz kadınlara ihtiyacım var benim. CD raflarında içimin fırtınasına tercüman olacak gürül gürül kadın seslerine bakıyorum; Renata Scotto'dan, Inessa Galante'ye, Mirella Freni'ye kadar bir çok CD'ye gidiyor elim. Hayır, hiçbiri olmuyor. Çünkü, aslında balkona çıkıp, kendim avaz avaz haykırmak istiyorum. Francis Ford Coppola ve benzerleri bize yalan söylemiyorsa eğer, şimdi İtalya'da olsam, hiç olmazsa kapımın önünden geçen opera meraklısı bir mafya babası beni keşfeder, bu hayattan kurtarırdı, ama ne yazık ki ben Türk mafyasının keşfedebileceği tipte bir kadın bile değilim!

Sonunda insan sesi yerine, keman sesi yeğliyor, Bruch'ın keman konçertosunda karar kılıyorum. Ben de biliyorum, adamın konçertoları içinde en popüler olanı 1 numaralısıdır (op.26), üstelik sabah sabah ille de evin içinde bir kadın olsun diyorsam, Anne-Sophie Mutter'dan, Kyung-Wha Chung'a kadar çalacak bir sürü kadın bulabilirim ama ben, Kurt Masur şefliğindeki Salvatore Accardo'nun solist olduğu kaydıyla 3 numaralısını çalıyorum (op.58)

Hoş, hayattaki seçimlerimde de hep böyledir. 1. ve 2. şık arasında vicdan azapları içinde gidip gelirken, 3. hep aradan sıyrılarak tacı kapıp birincilik tahtına oturur. Niye iki yakamın bir araya gelmediği konusunda bir örnek işte! Mehmet dışındaki bütün beraberliklerim de aynen böyle olmuştur. 3. tercihlerimin 1. kadını olarak sonunda evde kalmışımdır. (Galiba başım ağrıyor! Kimsenin işine yaramayan bu kadar bilgi, insanın başını ağrıtır tabii...

Benim başımı ağrıtan, elin adamının başını ağrıtmaz mı?)

Tuğde ile didişmek, kendimden uzaklaştırıyormuş gibi görünse de durum ortada. Aslında pek iyi değilim. Olmam için de bir neden yok. Bir süredir kendimi iyi mi, kötü mü hissettiğimi bile bilmiyorum. Sanki biriyle konuşursam, nasıl olduğumu anlayacağım. Bir süredir içimi askıya aldığımı, kendi hakkımda bir karara varmak istemediğimi duyumsuyorum. Kendimi bekletiyorum. Ne için olduğunu bilmediğim bir nedenle bekletiyorum. Beni iyi tanıyan biriyle konuşmaya gereksinimim var. Sanki o biriyle konuştukça kendi hakkımda aydınlanacağım. Hatta bir karara varacağım. Kimi zaman susmak bizi kendimizden saklamaya yarar. Bir süredir yaptığım şeyin bu olduğunu düşünüyorum, dışarıdan görünen dinginliğim, hiç güven vermeyen tekinsiz bir dinginlik aslında.

Aklıma Güngör geliyor hemen.

Böyle zamanlar için birebirdir. Güngör lezbiyen bir arkadaşımdı. Zeki, duyarlı, dikkatli, ciddi, hatta fazla ciddi bir insandı. En büyük kusuru, mizah duygusunun zayıflığından mıdır nedir, neşesizliğiydi. Asıksuratlı ya da somurtuk biri değildi, yalnızca düzdü, dümdüz. Şimdilerde fazla görüşmüyoruz. Onun yanında neşelendiğinizde nedensiz yere suçluluk duyar, eğlenmeye kalkıştığınızda hevesiniz kırılırdı. Sanki hep ciddi şeyler konuşmak ve ciddi sorunlar tartışmak için yaratılmıştı. Hiç tatili, bayramı olmayan insanlardandı. Hep yatıştırıcı bir sesle tane tane konuşur, ne kadar huysuz, kızgın ya da öfkeli olursanız olun, sizi sakinleştirmesini bilirdi. Gerçek anlamıyla kötü gün dostuydu. Ne zaman bir sıkıntınız, bir derdiniz olsa, Güngör hemen yanı başınızda biter, kendini helak edercesine size yardımcı olur, yanınızda durmayı bilir, sorunlarınızı halleder, keyfiniz yerine geldiğindeyse, hemen uzaklaşıp ortadan kaybolurdu. İnsanları iyi ve keyifli görmeye dayanamıyordu neredeyse.

Kimi arkadaşlarım, Güngör'ün lezbiyenliğinin açıkça bilindiğini, onunla bu kadar sık görüşmemin, benim için de benzer şeyler düşünülmesine yol açacağını, yok yere adımın çıkacağını düşünerek kaygılanıyorlardı. İçimde şu kadarcık bir eğilim olsa, sırf halalarımı kudurtmak için, bu fırsatı kaçırmak istemezdim ama ben gerçekten katıksız bir karşıcinseldim. Erkeklerden hoşlanıyordum. Allah kahretsin! Her ne kadar göstermesem de fazla hoşlanıyordum! Bu çeşit itirazlarsa bende hep ters teper, bu yüzden Güngör'le daha sık görüşüyordum. Güngör, erken kırlaşmış saçlarını hep kısacık kestirir, geniş omuzlarını daha da geniş gösteren vatkalı ceketler giyer, filtresiz cigara içer, hoşuna giden kızlara, erkeklerden tanıdığımız bakışlarla çekincesiz bakardı. Bir zaman sonra, kimileri, Güngör'ün bana âşık olduğunu iddia etmeye başladı. Bana açılmış mıydı, ya da bir biçimde belli etmiş miydi, küçük dokunuşlar ve temaslarla beni yoklamış mıydı, ya da açıkça beni sevdiğini söylemiş miydi, gibi manasız sorularla sık sık karşılaşmaya başladım. Belki bir ölçüde hoşlanıyordu benden, belki ufacık bir eğilim göstersem bir şey yaşamak isteyebilirdi, ama âşık olduğunu sanmıyordum. Daha önceden hiç bilmediğim bir yakınlaşma türü de olsa bu, âşık birini, hele âşık bir kadını tanıyabileceğimi sanıyordum. Hayır, en küçük bir adım bile atmamıştı bu konuda, hatta, benim her karşılaşmada hemen kucaklaşıp öpüşen kadınlardan biri olmadığımı, bundan özellikle hoşlanmadığımı bildiği için, her zaman el sıkışmakla yetinmiş, kimi yan yana düşüp sokulduğumuz durumlardan, arkadaşça yakınlaşmalardan yararlanarak bir başlangıç yaratmaya kalkışmamıştı. Bana karşı bir şey hissetmişse bile, ben bir şey yapmadan asla bir adım atmaya kararlı olmalıydı. Hep ölçülü, mesafeli, saygılıydı. Onun yanında hep korunduğunuzu, kollandığınızı hissederdiniz ki, hiç de azımsanacak bir duygu değildir bu, herkese iyi gelir.

Bir süre sonra, Güngör'le arkadaşlığımın hesabını sürekli çevreme vermek zorunda kalmaktan sıkıldığımı fark ettim; bu çeşit manasız merakları ve ısrarlı soruları, kendimi korumak için değil, Güngör'ü aklamak adına yanıtlıyordum. Oysa, insanlar, nedense bir eşcinsel kadınla, bir karşıcinsel kadının sahiden arkadaşlık edebileceğine inanmak istemiyor, sonunda benim bir gün, "Sonunda bana asıldı," ya da "Zorla koynuma girmeye kalktı," gibi bi bir şey söylememi bekliyorlardı. Ben ne dersem diyeyim, onları ikna edecek tek yanıt buydu ve ben onların istediği yanıtı bir türlü vermiyordum.

Sonra bir gün fark ettiğimde, şaşırmıştım: Güngör, arkadaşlarının neşelerini, sevinçlerini paylaşmayı bilmiyordu; sahiden bilmiyordu. Mutluluk duygusunu tanımıyordu. Neşe ona yabancıydı. Her çeşit mutluluk ona yapmacık geliyor, her sevinci bir çeşit bilinçsizlik hali gibi alımlıyordu. Arkadaşlarını sıkıntılıyken, üzüntülüyken seviyor, ancak böyle zamanlarda onların kendisine ihtiyacı olduğunu düşünüyor, insanların yalnızca kederliyken değil, sevinçliyken de başkalarına ihtiyacı olabileceğini akıl edemiyordu.

Ona çok kızdığım bir seferinde, "Bana bak Güngör, benim bir arkadaşa ihtiyacım var," demiştim. "Bir acil servise değil! Ben de dünyanın en neşeli, en gamsız insanı sayılmam ama, ne zaman üç kuruşluk bir keyfim olsa, yanımdan sıvışıyorsun!"

Elinde değildi belki. En olmadık zamanda, bilerek ya da bilmeyerek bütün neşenizi kursağınızda bırakırdı. Birlikte alışverişe çıktığınızda, çok beğendiğiniz bir kazağın, bir eteğin defosu varsa, ilk o görürdü; bir tabağın, bir bardağın çatlağını ilk o fark ederdi; herhangi bir şey karşısında, "Güzel", "Çok güzel" sözlerini ağzından duymanız neredeyse imkânsızdı; böyle durumlarda, en fazla, "Fena değil," derdi. Birine hayranlık ya da bir şey karşısında heyecan duymayı bile, bir çeşit kendini küçültme gibi alımlıyordu.

Ne zaman neşelensen, bunun geçici bir hal olduğunu, boş bir hayale kapıldığını, ama zamanla düzeleceğini sabırla bekleyen anlayışlı bir havaya bürünürdü. Sanki bütün sevinçler geçici, bütün mutluluklar uçucuydu. Dünyada tek gerçek olan şey, hayal kırıklıkları, düşbozumları, mutluluk sonrasının kederli zamanlarıydı. Gerçek hayat, bir rüyadan uyanır gibi mutluluklardan, neşelerden, sevinçlerden uyandığımız anlardı. Hayata devamlılığını sağlayan tek şey, hüzünlü bir dinginlikti ona göre. Bütün bunları senin de anlayacağın bir günün geleceği umuduyla sabırla durup beklerdi yanında. Onun bu yanlarını gördükçe, açıkçası canım sıkılmaya başlamıştı.

Kimi zaman bir sevgilimle yaşadığım ayrılık sonrasında, ki-

223

mi zaman beraberliklerimde karşılaştığım önemli sıkıntılar sırasında, Güngör'ün omuzunda uzun uzun ağladığım olmuştur. Güngör, gerçekten yaralarınızı çekinmeden gösterebileceğiniz, gözyaşlarınızı ve kederinizi rahatlıkla emanet edebileceğiniz bir insandır. Elbette, bir erkek için ağlamanın ne demek olduğunu anlamasını beklemiyordum ondan, ama aşk acısını tanıdığını umuyordum. Kaldı ki, bu çeşit durumlarda kendi içime kapanırım. Sanırım başkalarına da oluyordur. Hani, birinden yeni ayrıldığınızda, hangi arkadaşınızla buluşsanız, yalnızca sevgilinizden ve ilişkinizden konuşmak ister, başka bir konunun konuşulmasına bile tahammül edemezsiniz. Başka şeylerden söz edilmesini, duygularınıza hürmetsizlik diye yorumlayacak kadar ileri gittiğiniz alınganlık halleri yaşarsınız. Bunun karşı taraf için nasıl sıkıcı bir şey haline geldiğini fark eder, bundan ötürü fena halde mahcup olur, ama gene de kendinizi alamazsınız. Sonunda, yeniden aynı durumlara düşmemek için, bu kez de arkadaşlarınızdan kaçmaya, kimselerle görüşmemeye başlarsınız. İşte Güngör, bu çeşit durumlar için ideal arkadaştı. Bu konularda asla sizde mahcubiyet uyandırmadan kendini ve zamanını size feda ederdi. Hiçbir şey söylemeden, hiçbir yargıda bulunmadan, yalnızca senin yanında durmanın, sürekli aynı şeyleri anlatıp durduğun halde, hiç sıkılmadan seni dinlemenin, sana çorba ya da içki hazırlamanın, seni uyutmanın, usulca üstünü örtmenin mutluluğunu yaşamak ona yetiyordu. Güngör, arkadaş olmaktan çok, galiba "ebeveyn" olmayı seviyordu.

Sonra bir şey daha fark ettim: Güngör, aslında dünyada bütün kadınların lezbiyen olduğunu, yalnızca bunu anlamalarının bir zamanlama işi olduğunu düşünüyordu. Bütün o erkeklerle yaşadığım hayal kırıklıklarının, mutsuzlukların benim sonunda özüme dönmeme, yani lezbiyen doğamı keşfetmeme yardımcı olacağına inanıyor, bütün şu yaşadıklarıma, beni o noktaya ulaştıracak olan yolun deneyimleri olarak bakıyordu. Zamanla kimi sorularının, kimi zihinsel yönlendirmelerinin hep buna yönelik olduğunu kavradım. Cinsellik benim öyle aman aman düşkün olduğum bir şey değildi zaten, ama erkekleri katıksız seviyordum, bunu sorgulamam için en ufak bir nedenim, kişiliğimin gölgede kalmış bir yanı, içimin kuytusunda bekleyen en ufak bir soru işareti yoktu. Kadın bedeni bana özel olarak hiçbir şey söylemiyordu, kadınların yalnızca güzel olduklarını görebilir ve bunu söyleyebilirdim. Güngör ise, bunun gerçekte benim doğam olmadığını, şartlandırılmalar sonucunda böyle hissettiğimi düşünüyordu. Bunların yarattığı rahatsızlıkla o sıralarda her şeyi açıkça konuşmaya, tartışmaya başladık. Güngör bir kadının sahiden karşıcinsel olabileceğine, erkekleri sevcbileceğine inanmıyordu. Lezbiyen olsaydım, kim bilir, belki de hayat benim için daha kolay olurdu, ama gerçekten değildim, erkekleri seviyordum, erkeklerin beni mutsuz etmiş olmaları, geçmişteki ilişkilerimde onlarla bir türlü dikiş tutturamamış olmam, erkek-kadın ilişkisinin yüzyıllardır yaşadığı sorunları, bir kadın olarak benim de yaşıyor olmam, beni lezbiyen yapmaya yetmiyordu. O ne denli aksine inansa da, bütün bunların sonunda Güngör'ün gerçeği, beni yolumun üzerinde beklemiyordu. Birkaç hayal kırıklığı, birkaç mutsuzluk, birkaç yıkım sonrasında ben de sonunda lezbiyen olup çıkmayacaktım. Benzer deneyimler bazı kadınları buraya çıkarmış olabilir ama, ben o kadınlardan olmadığımı biliyordum ve geleceğimi, kim olursa olsun, herhangi bir arkadaşımla bir inatlaşma, bir bahis sorunu olarak yaşamak istemiyordum.

Güngör'ün, lezbiyen doğamı keşfedeceğim günü bekleyişindeki "tevekkül" sinirime dokunmaya başlamıştı. Kendimi, ona karşı, sürekli bir aksini ispat etme halinde hissetmeye başlamıştım. Dostluğumuzun kendiliğindenliği ve rahatlığı giderek yerini hesap yapma ve denetim kurmaya bırakmış, arkadaşlığımızın tadı tuzu kaçmış, içtenliği azalmış, sasılaşmıştı. Belki de birbirimizi tüketmiştik. Giderek daha az görüşür olduk. Güngör'ü uzağımda tutacak şey belliydi: Ne zaman karşılaşsak, hiç olmadığım kadar neşeli, mutlu ve sevinçli görünüyordum. O da benim ona ihtiyacım olmadığına karar vererek uzak duruyordu benden.

Zorla solcu, zorla feminist, zorla Müslüman, zorla lezbiyen olunmuyordu. Zorla hiçbir şey olunmuyordu. Galiba dünyanın bir tek büyük gerçekliği var: O da dünyada birçok gerçeklik oldu-

ğu ve bunların bir arada yan yana yaşayabilme zorunluluğu...
Dünya, bizi ille de kendilerine benzetmeye çalışan ana-babalarla dolu. Ki, bunların çoğu, kendi ana-babalarına karşı çıkarak yola çıkmış kişiler ne yazık ki... Sonunda her biri, kendi macerası içinde bir başkasının ana-babası olmaya yazılıyor.

Deneyimler yalnızca bize ne öğrettikleriyle değil, çoğu kez bizim onlardan ne öğrenmek istediğimizle de ilgilidir.

Böyle aforizma şiddetinde sözler, yaşadıklarımızı anlamaya yarasa da, değiştirmeye yetmiyor ne yazık ki...

Evet, şu günlerde Güngör'e değilse de, Güngör gibi birine ihtiyacım var. Biri bana neler olduğunu söylemeli.

Son zamanlarda bana, "Nasılsın?" diye soranlara hep, "Bilmiyorum," diye yanıt veriyorum. "İyi mi, kötü mü olduğum hakkında hiçbir fikrim yok. Biri bana nasıl olduğumu söylemeli."

Herkes espri yaptığımı sanarak, yanıtıma gülüyor ya da gülümsüyor. Oysa ben, sahi söylüyorum.

Bu sırada Tuğde, turkuaz havludan başına türban yapmış, belindeki kuşağı iyice sıktırmış, minik bir vamp halinde bornozuna sarılmış olarak banyodan çıkıyor ve parmakuçlarında yükseldiği manken adımlarıyla kırıta kırıta bana yaklaşıyor. Sesinin kesildiğini fark etmemişim demek ki... Ardında bıraktığı su damlalarının Gurbet Hanım'ın canını sıkacağını biliyorum. Aklıma Tikli Gülçin'in Saadet Halası geliyor gene. Salonu daha fazla ıslatmasına fırsat bırakmadan yerimden kalkıyor, onunla o günkü giysisini seçmek üzere odasına kapanıyorum. Aklımda Saadet Hala.

XV

Paşmina şal

TİKLİ GÜLÇİN'in bir Saadet Halası vardır. Hikâyeleri anlat anlat bitmez. Kadını hiç görmedik ama, Tikli Gülçin sayesinde hepimiz yakından tanıyoruz. "Fenomen" düzeyinde temizlik, titizlik hastası bir kadındır. Benzerlerinin yanında Saadet Hala kolay aşılmaz bir klasiktir. Bilindiği gibi, kadınlar arasında temizliğiyle, titizliğiyle övünmek yaygın bir davranıştır. Sonuçta bu çeşit kadınların temizlik uğruna neler yapabilecekleri de, bu konudaki hikâyeleri de bellidir. Saadet Hala'nın farkı da burada ortaya çıkar. Saadet Hala'nın titizliği, yalnızca ev temizlemekle ilgili bir şey değildir, aynı zamanda bütün bir evin, hayatın, hatta kafa işleyişinin düzenini ona göre kurmuştur. Örneğin, evde fazla toz olmasın diye sınırlı sayıda eşya barındırır. Bütün eşyalar milimetresine kadar bulundukları yerlere sabitlenmiştir. Hiçbir şeyin yeri asla değiştirilemez. Kimse onun izni olmadan eve bir çöp bile sokamaz. Çünkü ev, hemen her gün baştan aşağı yeniden temizlendiği için, eşya sayısının işini zorlaştırdığını düşünür. Örneğin, yeni bir bardak ya da tabak alınması için, eskilerinden birinin kırılması ya da atılması gerekir. Evdeki herkesin giysisi bile belli sayıda tutulmuştur. Örneğin, oğlu yeni bir pantolon alacağı zaman, eskisini atmak zorundaymış. Aynı şeyler gömlek, kazak, ayakkabı gibi şeyler için de geçerli tabii. "Dolap çok kalabalıklaşıyor, başedemiyorum," diyormuş. Kolay kolay konuk kabul etmez. Kabul etmek zorunda kaldığı durumlarda, kendine de, konuklarına da işkence etmede üstüne yoktur. Konuklarına verdiği değere göre, kimilerini oturma odasında, kimilerini misafir odasında ağırlayarak ayrım yapar. Örneğin, o sıralar yeni evlenen "en sevdiği yeğeni" karısıyla ilk ziyaretini yaptığında, oturma odası ile misafir odasının kapılarının önünde dakikalarca kararsızlık çcktikten sonra, "misafir odası soğuk oluyor" bahanesiyle, onları bile oturma odasında ağırlamış.

Koltuk, kanepe, sandalye üzerlerini kaplayan örtüler ve onların temizliğiyle ilgili Hint sagalarını andıran efsanevi hikâyeleriyse apayrı bir konu. Çünkü, o evde kimi örtülerin de örtüleri vardır. Üzerlerine oturulabilir örtülerle, oturulamaz örtüler ayrı ayrı yıkanır. Konuğuna göre, kimilerinin ilk örtüsünü açmakla yetinirken, kimilerinin iki örtüsünü birden açar. Evinde çamaşır makinesi bile iki taneymiş, çamaşırları bile çeşitlerine ve temizlik derecelerine göre ayrı ayrı yıkar. Hemen hiçbir şeye dokunmamasıyla ve sürekli el yıkamasıyla ünlüdür. Kendi ellerini sürekli çamaşır suyuyla yıkadığı gibi, konuklarına da, "Dışarıdan geldiniz, kirlenmişsinizdir," diyerek kolonya ikram eder gibi, çamaşır suyu ikram eder. Çarşı-pazar alışverişine çıktığında, paraya eli değmesin diye, yanında hep bir naylon poşet taşır, esnaf parayı o torbanın içinden alıp, para üstünü gene o torbanın içine atar. Kendi mahallesinin çarşı-pazar esnafı artık onun bu hallerine alışmışken, yeni karşılaşanlar, bir "kamera şakası" programındaymış gibi tutukluk çeker, inanmaz gözlerle etrafa şüpheli bakışlar fırlatırlar. Kimi evlere konuk gittiklerindeyse, tezcanlı biri olarak hep önden koşuşturan Saadet Hala, kapının önüne geldiğinde duralar, ardındakileri beklermiş. Onun kapı ziline dokunmamak için bekleyeceğini bilen ardındakiler, inadına yürüyüşlerini iyice ağırdan alır, kadını dakikalarca kapıda bekleterek işkence ederlermiş.

Çoktan "Fıkra" düzeyine ulaşmış olan Saadet Hala'nın temizlik ve titizlik hikâyeleri, anlat anlat bitmez. Ama bu hikâyelerin şahikasını sona sakladım. Eğer bu hikâyeyi, Tikli Gülçin'in mazbut, mutaassıp, muhafazakâr annesinden kendini tutamayıp patladığı bir günde duymamış olsaydım, inanmakta güçlük çeker, Saadet Hala'nın temizlik cinnetinden bunalmış kadınların hayal gücünün bir yakıştırması olduğunu düşünürdüm. Hiçbir şeye dokunmamasıyla ünlü bu temizlik ve titizlik hastası Saadet Hala, kocasına "oral seks" yaparken bile, "beyininkini" eliyle değil, kâğıt mendille tutuyormuş. Tikli Gülçin'in annesi, bize bu hikâyeyi öfkeden kendini kaybetmiş bir halde anlatırken, Saadet Hala'yı taklit ederek bir eliyle kâğıt mendil ve "şey" tutuyormuş gibi yapmış, havada asılı kalmış elini, olayı canlandırmak amacıyla tam ağzına götürürken, birden yaptığı şeyin tuhaflığını fark ederek kıpkırmızı olmuş, içeriki odaya kaçmıştı ki, benim için en az bu hikâye kadar komiktir. Bu hikâyeyi dinleyen biz kızlar, uzun süre birbirimize kâğıt mendilli espriler yapmıştık.

Aklımdan geçen Saadet Hala hikâyelerinden yüzüme yayılan mütebessim ifade, Tuğde'yi bana göstermek için seçtiği giysiler konusunda yanıltıyor anlaşılan. Birbirinden iddialı, birbirinden frapan giysiler seçip duruyor kendine. Bugün için ne hayaller kurduğunu bilmiyorum ama, gezmeye gitmekten çok, sahne almaya hazırlanır gibi bir hali var. Sonunda, "Sen nereye gideceğimizi sanıyorsun Tuğde?" demek zorunda hissediyorum kendimi. "Gideceğimiz yerler belli, önce Beyoğlu'na ineceğiz, ufak tefek birkaç işim var, sonrasında Kaktüs'te bir arkadaşımla randevum var, biraz da orada otururuz. Bir ara avukatımın bürosuna uğramam gerekiyor, daha sonra da Boğaz'a, okuldan kızların yıllık toplantısına gideceğiz, açık hava, bol gıda, bahçe, sana göre arkadaşlar falan ve sonra ne yazık ki, akşam olacak ve biz eve döneceğiz. Bir gün yirmi dört saat ve senin önünde daha uzun yıllar var, bu kadar aceleci olma!"

Birdenbire kendisine nereden geldiğini anlamadığım bir güvenle, ağzını eğe eğe, "Belki Ömer ağbiye uğrarız, diye düşünmüştüm," diyor. "'Vaktiniz olursa, bir kahveye uğrarsınız, belki senin de fotoğraflarını çektiririz bu arada,' dedi."

"Ne zaman dedi?"

Sesimdeki dehşeti sezmiş, susuyor.

Bir daha soruyorum: "Ne zaman dedi?"

"Hem dün gece dedi, hem de bu sabah."

Gücümü toparlamak için derin bir soluk alıyorum.

"Bu sabah sen mi aradın, o mu aradı?"

"Hatırlamıyorum."

"Bir an önce hatırlasan iyi olur Tuğde. Çünkü, bundan sonrası vereceğin cevaba bağlı."

"Galiba ben aradım."

"Bu daha iyi. Çünkü, Ömer'de benim telefonum yok ve onun adı, olmasını istemediğim kişiler listesinin başlarında geliyor. Eğer bu evin telefonunu ona verdiysen, geri kalan üç günü sokak yüzü görmeden bu ev içinde geçireceğinden hiç kuşkun olmasın!"

"Yoo, hayır, hayır, valla billa telefon falan vermedim ben. Gerçi o istedi, ama ben Nermin ablam çok kızar, dedim."

"Onun bunu isteyebileceğini tahmin edebiliyorum. En azından kendi evimde güven içinde olmak isterim Tuğde. Anlaşıldı mı?"

Daha sözüm bitmeden telefon çalmaya başlıyor.

Bu çeşit sevimli zamanlamalara alışması gerektiğini artık kabullenmiş biri olarak, bu kez sinirlenmemeyi başarıyorum.

"Telefon eminim sanadır koş bak," dememe kalmadan yerinden fırlıyor.

"Kimmiş," diye soruyorum döndüğünde.

"Serkan," diyor.

Benim sorum da, onun yanıtı da aynı manasızlıkta tabii...

"Peki, Serkan kim?" diyorum. "Reklamcı mı, yönetmen mi, fotoğrafçı mı?"

Gözlerinden bir an kin çakımları geçiyorsa da, kendini hemen toplamayı başararak önüne bakıyor.

"Dün Ortaköy'de tanıştığım arkadaş vardı ya, o işte!"

"Ha, o mu? Sabırsız çocuk! Yani yeni kurban!"

Sonunda biraz onun dediği, biraz benim dediğimden üst-baş yapıp salona çıkıyoruz. Böyle geçiştirdiğime bakmayın. Bu kısa cümlenin gerçek hayattaki karşılığının 1 saat 20 dakika olduğunu söylemeliyim. Yalnız, üzerinde çeşitli sevimli hayvanların ve masal yaratıklarının renkli resimleri bulunan transparan çoraplarından ve saç örgülerine takmak zorunda kaldığım birbirini tutmayan renklerdeki küp ve küre şeklindeki şeffaf saç tokalarından da söz etmeden geçemeyeceğim. İnsan bunların bu gezegende üretildiğine inanamıyor. Ben, önceki gün Akmerkez'de her şeyi gördük, tükettik sanıyordum. Hanım kızımızın bugün göstereceği şey saç tokalarıymış.

"Şimdi de benim hazırlanmama izin ver bakalım küçük hanım," diyorum. "Seninki kadar uzun sürmeyeceğinden emin olabilirsin."

Kendi odama doğru yöneldiğimde, Tuğde'den gözünü alamayan Gurbet Hanım ardımdan seğirterek, alçak sesle ve sahici bir kaygıyla: "Ben bilememişim Nerminim," diyor. "On üç, diye çok demişim sana, bu cimcime, dokuzunu çıkarmaz baba evinde, bağlasalar durmaz bu. Böyleleri kazasız gerdeğe girmez. Ne diyeyim Allah anasına-babasına acısın!"

Salona döndüğümde, telefonun başından kalkıp, kanepeye oturuyor. Yüzündeki sabırsız ifadeden kiminle konuştuğunu sormamı beklediğini anlıyorum. Bunu anladığım an, yüzüme Catherine Deneuve yüzünün buzul ifadeler katologundan son derece kayıtsız bir ifade beğeniyor, hiç oralı olmuyorum.

Beni şöyle bir tepeden tırnağa süzerek aynı rengin dört ayrı tonundaki pastel çeşitlemesinden oluşan giysimi gözden geçiriyor, onun için fazla sade, fazla düz, fazla sıradan göründüğümü biliyorum. Hem de bütün okul arkadaşlarımla karşılaşacağım benim için önemli olması gereken böyle bir günde! Beni hiç tasvip etmediği çok belli. Bir dudak bükmediği kalıyor. Bunun da farkında değilmiş gibi yapmayı başararak, hevesini kursağında bırakıyorum. Bu çeşit durumlarda hangi kadın pes eder ki, Tuğde etsin! Boynumu dolayan paşmina şalın değerini anlayabileceğini elbette ummuyorum ama, paşmina şalıma uygun olsun diye taktığım sallantılı yakut küpelerime takılıyor gözleri bir tek. Ondan ötesi hiçbir işe yaramazmış tonuyla, "Küpeleriniz çok güzel," diyor. Söylediği cümle bu. Söylemediği ise, "Derhal git üzerine doğru-dürüst bir şeyler giyin! Ne bu hal böyle benim yanımda?"

Kızımız gözleriyle konuşmayı biliyor.

Bir süre daha kıvrandıktan sonra, benim sessizliğimle başedemeyeceğini anlıyor, "Ben de telefon etmek zorunda kaldım," diyor. Bana soru sorma fırsatı tanıyan bir sessizlik koyuyor söz-

231

lerinin arasına, hiç ses çıkarmadığımı görünce ekliyor: "Bugün gelemeyeceğimizi söylemek zorunda kaldım Ömer ağbiye. Size çok selam söyledi."

Dönüp yalnızca bakıyorum. Ama ne bakış! Hani filmlerde nice kavga-gürültü, ayrılıp-barışmadan sonra, içini onarmış, gücünü toparlamış kadının, erkeğe, "artık bana bir şey yapamazsın," anlamına gelen kararlılık dolu sessiz bir bakışı vardır ya, tam öyle! Kendimi bir kere daha "Oscar"a aday gösteriyorum.

Nitekim, sanat gücüm Tuğde üzerinde de etkisini gösteriyor. Birdenbire bu oyunu daha fazla sürdüremeyecekmiş gibi çözülüyor Tuğde. Küçük bir kız çocuğu oluveriyor. Bana yaranmaya çalışıyor. Küçük bir kız gibi. Küçük bir kız olduğu halde, küçük bir kız gibi yaranmaya çalışıyor.

"Yarım saatliğine uğrayamaz mıyız Nermin ablacığım, biliyorsunuz benim için çok önemli."

"Uğrayamayız Tuğdeciğim," diyorum. "Ömer benim sevmediğim bir insandır, bunu kendi de bilir. Bazı insanlardan uzak durmaya çalışırım ve kurallarımı kimse için bozmam; bilmem anlatabiliyor muyum?"

"Ama ne olur, lütfen, yarım saatlik, benim hatırım için."

"Tuğdeciğim bazı durumlar söz konusu olduğunda, bana kimsenin hatırı sökmez. Peki, bunu anlatabiliyor muyum?"

Ben İngiliz dizilerindeki merhametsiz mürebbiyeler gibi, soğuk, katı ve öyle kurallı kurallı konuşmayı sürdürdükçe, onun ısrarlı halleri daha da çocuklaşıp, daha da alaturkalaşıyor.

Tuğde'nin bu yüzü, birden çok tanıdık geliyor bana. Benimle konuşurken ilk kez bu yüzünü bu şiddette kullanıyor. Çünkü, kendisi için önemli bir şey istiyor. Bu isteği, yerine getirilip getirilmeyeceğinden emin olmadığı bir şey ve bu sayede kesinlikle emin olmak istiyor. Yüzündeki o yapmacıklı ifadenin gücünü görmek, etkisini sınamak istiyor. Bu konudaki genel bir kadınlık tutumunun tanıdıklığından çok, daha önceden bildiğim ve sinir olduğum bir yüzü hatırlatıyor sanki. Her iki nedenle de Tuğde'ye, "Hayır," diyor ve direniyorum. Hem ben, "Hayır," dediğim için, o bu ısrarcı tutumunu sürdürerek hatırlamama zaman kazandırıyor, hem de ben, bu yapmacıklıklara her seferinde olumlu bir yanıt alınamayacağını bir kere daha birilerine kanıtlamış oluyorum. Kendisine bir şeyler kanıtlanacak bu "birinin" Tuğde olması, tahmin edilebileceği gibi, ayrı bir zevk veriyor bana. "Cezalandırma hakkımı" kullanıyorum.

Birinden bir şey isterken, kimi kadınların yüz ifadesi fazlasıyla değişir, ağır bir riya perdesi iner yüzlerine... Suratları birdenbire çok kaynatılmış reçellere benzer. O kadar ki, istediğini yerine getireceğiniz varsa bile cayarsınız. İki şeydir sizi kızdıran: Bir, insanın kendini o hale düşürmesi ağrınıza gider, onun adına utanırsınız. İki, bu kadar aptal yerine konmak hiç de hoşunuza gitmez. Onun isteklerini karşıladığınızda, sanki o çok akıllı, çok uyanık da, siz çok salakmışsınız gibi bir rol dağılımı çıkacaktır ortaya. Bu rolü oynamak istemezsiniz.

Bir gün Mısır Çarşısı'ndan çıkmış, alt geçitten geçerek yeni Galata Köprüsü'ne yönelmiştim ki, köprüye çıkan merdivenlerin basamaklarında oturmuş küçük bir kız çocuğu ilişti gözüme. Üzerinde rengi solmuş, uçuk mavi bir elbise vardı ve sımsıkı tuttuğu avuçlarında birkaç şam fıstığıyla, biraz bozuk para gözüküyordu. Orhan Kemal hikâyelerinden fırlamış gibi iç sızlatan bir görünüşü vardı; kaybolmuş gibi, ama sanki burada değil de dünyada kaybolmuş gibi dalgın ve umutsuz, orada öylece oturuyordu. Sahiden içim sızladı. Çantamı omuzumdan koluma düşürdüm, çantamı açmış içinden para çıkarmaya çalışıyordum ki, beni gördü, düğmesine dokunulmuş gibi, birdenbire bütün ifadesi değişti, yüzüme çok tekrarlandığı için hiçbir sahiciliği kalmamış bir mahzunlukla bakarak, o malum merhamet uyandırıcı ezber sözleri, bildik dilenci sesi ve tonuyla, kurulmuş gibi arka arkaya tekrarlamaya başladı. Uçuk mavi melek uçup gidivermiş, aniden kaşar bir "kibritçi kız" oluvermişti karşımda! Az önce, o basamakların orada öylece otururken, benim mahzunluk, boynu büküklük sandığım şeyin, aslında sıradan bir dalgınlık ânı olduğunu anladım. Bir "boş zaman" ânı... Diğer zamanlarda ise "çalışıyordu". Gerçek yaşını ancak dalgın olduğu zamanlar yaşıyordu demek. Dünyayla ilişkisi ise, dilenmek, istemek, ısrar etmek, üstelemek, kısacası sonuç almak, para kazanmak anlarıydı. Hayatı elinden erken alınmış, kendi büyümeden içi büyümüştü. Yoksulların başka türlü büyüdüğünü unutmuşum. Kızın görünüşündeki ani değişiklik, kendimi aldatılmış hissetmeme yol açmıştı; panikle çantamı kapatıp omuza attım ilkin; ısrarlı adımlarla bir süre ardımdan seğirtti. Kısa bir süre sonra aslında karşılığı olmayan bir şeyi cezalandırmaya çalıştığımı, şu halimin pek burjuva olduğunu düşünüp yeniden çantama davrandım ve hızla uzaklaştım oradan. O da avucunda verdiğim parayla yeniden basamaklarına döndü.

İşte şimdi Tuğde'nin yüzünde gördüğüm şey, tam da o gün o kızın yüzünde gördüğüm ifadenin aynıydı. Aynı dilenme tonu, aynı merhamet mıncıklama numaracılığı!.. O günkü hayal kırıklığımın anısını görmüştüm Tuğde'nin yüzünde. Ben ayaktaydım, o kanepede oturuyordu; o kız da merdiven basamaklarında, ben ayaktaydım. Açılar arasındaki bu benzerlik, çağrışımdaki örtüşmeyi de sağlamıştı. Kızgınlıklarımın benzeşmesini de...

Aslında kime kızacağımı bilmiyordum. Kadınların birbirlerine kızgınlığına çoğu kez çaresizlik neden olur. Birbirini anlamanın çaresizliği, birbirine kızmanın kolaylığını da beraberinde getirir. Kadınlar bu role mahkûm edilirler. İsteklerini açıkça belirtmekten, görüşlerini serbestçe dile getirmekten, düşündüklerini dosdoğru söylemekten mahrum edilmişlerdir. Kararları erkekler verir. Onlara kalan, yalnızca hemen herkesin bildiği "kadınca entrikalar" ya da "kadın kurnazlığı" diye tabir edilen, alttan alarak, yaltaklanarak, ağzından girip burnundan çıkarak, dolap çevirerek, cilveleşerek, kendi isteklerini erkeğin görüşleriymiş sanmasına yol açacak oyunlardır. Buna mahkûm edilmişlerdir. Ta çocuk yaşta bunu öğrenirler, öğrenmek zorunda kalırlar. Yüzlerindeki o merhamet uyandırıcı dertli boynu büküklük havası, seslerindeki o kaderin sillesine açık rüzgârlar, davranışlarındaki sahte tevekkül, ta o zamanlar yerleşir benliklerine ve bu, onların kaderi olur artık. Halk arasında, "işini bilen akıllı kadın," diye de bunlara denir. Erkeklerin iktidarını sarsmadan, onlarla yarışmadan, erkeklerin gururlarını ve egolarını okşayarak, pohpohlayarak, görünüşü kurtararak, hep kendi isteklerini bu tür numaralarla erkeklere yaptırabilen kadınlar herkesin gözünde "akıllı kadın" olur, bizim gibiler de "problemli, mutsuz kadın"...

Hem kendi olmak, hem kadın olmak, asıl gerçekçi olup imkânsızı istemek budur. Her insan, kendi olması karşılığında topluma bir bedel öder. Az ya da çok, ama mutlaka bir bedel. Kimse bedelsiz kendi olamaz. Bu bedel çoğu kez yalnızlıktır.

Bir ayaklarıma kapanıp yalvarmadığı kalan Tuğde'nin, giderek köprüaltı yetimesi yakarışlarına dönüşen ısrarcılığından sıkılıp, birdenbire sert bir sesle azarladım: "Annen-baban döndüğünde, alır onları gidersin Ömer ağbinin yanına. Bu konuda asla bana güvenme! Tamam mı Tuğde? Sen üç kuruşluk bir reklam filminde saç savuracaksın diye, ben yıllardır yüzlerine bakmadığım piyasa pislikleriyle muhatap olamam!"

Bu sert çıkışımla birlikte birdenbire yüzüme mahvolmuş bir çocuk gibi değil, mahvolmuş bir kadın gibi baktı. Kısılmış gözlerindeki zehirli bakışlarda, fakir ama gururlu bir kızın, günün birinde bize günümüzü göstereceğinin yemini vardı.

O an kapının çalmasıyla birlikte, bu dramatik sahnenin kesintiye uğramasını fırsat bilip kapıya koştum. Kapıcıydı. Servis saati değildi, biz çağırmamıştık. "Hayrola?" dedim.

"Postacı size bunları bıraktı," dedi.

Bir anlam veremedim. Önce özel bir zarf arandım, baktım her zamanki ıvır zıvır... Anladım ki, postacım dünkü yaşadıklarından sonra bana küsmüş, "mana yapıyor".

"Bunları kutuya da bırakabilirdi," deyip, gülerek içeri geçtim. Şu saçmasapan kenar mahalle delikanlısı küslüğünde bile, içimi gıcıklayan bir şey var. Duygularını bir kasaba delikanlısı gibi ifade ediş tarzı hoşuma gitmese de, şu ısrarda doyurulmamış kadınlığımı okşayan bir yan var. Bakalım beni görmemeye ne kadar dayanacak bu küs postacı!

Sonunda bu postacıyla evlenmek zorunda kalmaktan korkuyorum.

235

Ben salona dönerken, Tuğde telefonda birini azarlıyor, çatallaşan sesi koridordan duyuluyordu. Belli ki, hezimetinin acısını çıkaracak birini aramış, sinirlerini boşaltıyordu. Bir cephedeki mağlubiyetini, başka bir cephedeki galibiyetiyle dengelemeden gününü geçiremez böyleleri. Tanrım, bu kız tam bir kötü huylar katalogu! Gerçekten o an, onu evimden kovmak ve sokaklara düşüşünü izlemek istedim. Hatta isterse, Mısır Çarşısı'nın oralarda dilenebilirdi bile... Çünkü, size yalnızca şimdiki zamanını yaşatmakla kalmıyor, ileride yaşayacağı çeşitli yaşlarını da bir bir gösteriyordu. Kadınlığın zaman makinesi gibiydi bu kız. Şimdisine katlanmak zorunda kaldığınız yetmiyormuş gibi, geleceğine de kızabiliyordunuz. Onu yalnızca bir çocuk olarak göremeyişim, benim hatam değil. Nedense bana yeterince hak vermediğinizi düşünüyor, bu yüzden yeniden açıklama yapmak zorunda hissediyorum kendimi.

Kapıyı çekerken, "Biz çıkıyoruz Gurbet Hanım, sana kolay gelsin," diye sesleniyorum.

XVI

Wenge masa

GÖNÜL'ün Harbiye'deki hukuk bürosuna gidecektik ilkin. Gönül, benim avukatımdı. "Arabayı AKM'ye bırakır, Taksim'den Harbiye'ye yavaş yavaş yürürüz," dedim Tuğde'ye. "Hava güzel!" Elinde pembe pembe çubuklu pamuk şekeriyle Harbiye'de "piyasa yapmak" onun da hoşuna gidiyor. Pamuk şekerin pembesinin giysisine çok yakıştığını düşünerek hemen bitmesinden korkuyor, elindeki çubukla oyalanıp duruyor.

Gönül'ü ne zamandır görmüyordum. İmzalamam gereken bazı kâğıtlar varmış, "biraz da laflarız" diye not bırakmış, hem de özlemiştim. Gönül, bana her zaman ilginç şeyler anlatır. Asıl anlatmadıklarını merak ederim. Bu yüzden bencilce bir nedenle, onun bir an önce yaşlanıp köşesine çekilmesini ve biz okuyalım diye anılarını yazmasını bekliyorum.

Bir keresinde, mesleğiyle ilgili olarak yaptığımız bir konuşma sırasında, Gönül, bir kadın avukat olarak, kadın savcı ve yargıçlarla yaşadıkları sorunlardan söz etmiş, ilginç bulduğum önemli bir çelişkiye değinmişti: Herhangi bir erkek savcı ya da hâkim için, karşısındaki avukatın erkek olup olmaması, tutumunda bir değişikliğe yol açmazken, ne yazık ki, kadın hâkim ve savcılar için, karşılarındaki avukatın kadın olması, daha en başta bir rekabet duygusu uyandırıyor, kendiliğinden ortaya çıkan bir zıtlaşma, bir gerilim yaratıyormuş. Kadın hâkimler, kadın avukatların savunmalarına daha baştan güvensiz bir tutum takınıyor; inanmaz gözlerle, daha çok açık yakalama ümidiyle dinliyorlarmış onları. Daha kötüsü, diğerlerinin sırf erkek oldukları için, anlamayacaklarını düşündükleri kadınca yalanlar, kadınca numaralar bulmak amacıyla özel iz sürmeye başlıyor, kuşku uyandırıcı olmayan durumlarda bile, kadın avukatlara çeşitli zorluklar çıkarıyorlarmış. İşlerini iyi yapmanın gereğini yerine getiriyormuş gibi, hemcins olmanın avantajını kullanarak, kadınlığın bu çeşit kirli ve karanlık yanlarını mahkemenin "erkek üyelerine" tercüme ederek göze girmeye çalışıyorlarmış. Kadınlık bilgisi alanına nöbetçi olmanın bir çeşidi tabii bu. İhanet duygusu güçlü bir çeşidi. Gönül, ne yazık ki, bu yüzden, çoğu kez kadın avukatların, erkek hâkimler ve savcılar karşısında kendilerini daha rahat hissettiğinden söz etmişti. Şaşkınlıkla dinliyordum anlattıklarını. Hemcins olmanın gizli bilgileriyle donanımlı kadınların, karşı karşıya kaldıklarında külyutmaz tavırlar takınmalarına hayatın diğer alanlarında da rastlamak pekâlâ mümkündü elbet, ama adalet dağıtılması gereken mahkeme salonlarına bu çeşit rekabet komedyaları taşımak hazin ve gülünç kaçıyordu. Üstelik bunun toplumsal hayatta daha çok yer alması gerektiğine inandığımız kadınlar eliyle olması yarayı derinleştiriyordu. Ayrıca olağan koşullarda, mahkeme salonunda hiçbir erkek avukatın saçı başı, giysisi, medeni durumu sorun yaratmazken, bir kadın avukat için bütün bunlar dikkat edilmesi gereken şeyler haline gelirmiş.

Gönül'ün anlattıkları, bana bir kez daha, iktidardan bunca uzak tutulmuş kadınların, kendi ellerine geçirdikleri iktidar olanaklarını hemcinslerine karşı kullanmak konusunda erkeklerden daha zalim olduğunu düşündürüyordu. Bu konu üzerinde düşündükçe, durum benim için birdenbire mahkeme salonunun dışına taşıp, hayatın değişik alanlarından hatırladığım çeşitli banka müdiresi kadınlar, gazete ve dergi yöneticisi kadınlar, çeşitli iş kadınları gibi zengin örneklerle geniş bir yelpazeye yayılarak ümitsizliğimi büyütüyordu. Yaralı kimlikler, sistem içinde yeni yaralar alıyordu. Kadınlar gerçekte ümitsiz yaratıklardı. Erkekler, kendilerini sırf erkek oldukları için sevmemezlik etmezler, ama sırf kadın olduğu için kendini sevmeyen ne çok kadın vardır.

Gönül, bir aralar her karşılaşmamızda bana yeni kadın hâkim hikâyeleri anlatırdı. Hepsinin öyle olmadığını bilmek, gene de yürek hafifletmeye yetmiyor tabii.

Kadın hâkimlerin kadın avukatları nasıl dinlediklerini gözlerimin önüne getirebiliyordum. Karşısındakini inanmaz gözlerle dinleyerek, ona eziyet etmenin ne demek olduğunu halalarımdan iyi bilirim. Kendinizi sürekli suçlu hissetmenize neden olan bir işkence türüdür bu. Daha küçük bir çocuk olduğum sıralar, her şeyi uzun uzun anlatarak ikna etmeye çalışırdım halalarımı. Ben ne anlatırsam anlatayım, dudaklarının kıyısında kuşkulu kıvrımlarla külyutmaz bir ifade takınır, inanmaz gözlerle dinlerlerdi söylediklerimi. Sonunda inanmış görünmeleri bile, içimi yatıştırmaya yetmezdi. Sahiden inandıklarından değil de, artık sıkıldıkları, konuyu kapatmak istedikleri için öyle yapıyorlarmış izlenimi verirlerdi. Onlar öyle davrandıkça, en ince ayrıntıya kadar, bir kere daha, bir kere daha anlatmak isterdim. Bu yüzden açıklamalarım, çoğu zaman ümitsiz çırpınışlara dönerdi. Gerçeği anlatmak, gerçeği söylemek, gerçeği bilmek daha o zamanlar bile derin derdimdi. Her konuda doğru sözcükleri seçmek, doğru ifade etmek isterdim. Kimi zaman konuşma ânında aklıma gelmeyenlere gece yatağımda hayıflanırdım, uykularım kaçardı, çeşitli durumlar için kafamdan diyaloglar yazardım. Kullanılmaları gereken yerde ve zamanda değerlendirmek üzere kelimeler ve diyaloglar biriktiriyor, uygun durumlar için onları aklımın bir yerinde hazır kalıplar halinde tutmak istiyordum. Halalarım yalnızca bana karşı değil, dünyaya karşı böyleydiler, hatta kendi aralarında da böyleydiler, yalana karşı korunmanın en iyi yolu, hiçbir şeye inanmamaktı onlara göre. Bense her şeye karşın, kelimelerin beni koruyacağına, hatta yalnızlığımdan kurtaracağına inanıyordum. Bu yüzden çok kelime öğrenmek, anlamlarını bilmek ve onları doğru yerlerde, etkili bir biçimde kullanmak gerektiğini düşünüyordum.

Onlara karşı en etkili silahın suskunluk olduğunu keşfetmem zaman aldı. Zamanla sorularını yanıtsız, ısrarlarını karşılıksız bırakmayı, yüzümü ifadesizleştirmeyi, her söylediklerini karşı koyucu bir sessizlikle geçiştirmeyi öğrendim. İstekleri karşısında gönülsüz davrandım; hiçbir konuda kuşkularını gidermeye çalışmadım. Müstehzi olmayı, hep bir şey saklıyormuş gibi görünmeyi, zorunlu kaldığım durumlardaysa, asla içlerini tamamen rahatlatmayacak, tersine kaygılarını diri tutacak "muğlak açıklamalar" yapmayı öğrendim. Onlara kelime cimrisi oldum; ağzımdan çıkacak bir tek söz için kaygılar içinde kıvranırlardı. Parmak kemikleri çarpılarak bozuşmaya başlamış, pençeye dönüşmüş ellerini karınlarının üstünde birleştirip, yalvarmaya ramak kalmış kaygılı, kuşkulu bakışlarla, çaresizlik içinde uzun uzun bakarlardı bana. Bakışlarındaki güvensizliği ve kaygıyı çözecek hiçbir sızıntıya izin vermiyordum. Kendim hakkında sürekli bir bulanıklık hali yaratmayı başarmıştım, bu da onları delirtmeye yetmişti. Bir kez ellerinden kaçırmışlardı beni. Benimse tekrar ele geçirilmeye hiç niyetim yoktu. Aydınlığa bakan penceresinden, içeriye hep kirli bir ışık vuran, evimizin iç karartıcı mutfağında, ölgün ampul ışığının altında karşıma dizilmiş halalarımla tutuştuğum nice açık ya da örtük sinir savaşı sırasında, kadınlar arasındaki iktidar savaşlarının ne olduğunu ve gizli inceliklerini birçok akranıma göre çok daha erken yaşta öğrenmiş oldum. Yeniyetmeliğimde çok önemsediğim bu taktiksel başarılar zamanla anlamını büsbütün yitirdi. Artık kimseye kendimi anlatmak ya da kanıtlamak gereksinimi duymadığım zamanlar geldiğinde, bu öğrendiklerimi kullanamayacak kadar yorgundum. Yorgunluğun çeşitleriyle erken yaşta tanışmak, daha da yorar insanı.

Halalarım yıllarca yargıçlığımı yaptılar. Nasıl unuturum?

Ne zaman Gönül'ün Harbiye'deki bir tenis kortu büyüklüğündeki avukatlık bürosuna gelsem, New York'un pahalı bir semtinde, şık bir hukuk bürosundaymışım gibi hissederim kendimi. Gelenleri daha kapıdan başlayarak şiddetle etkilemek ve hayran bırakmak üzerine kurulu olan buradaki hemen her şey, tıpkı Amerika'da olduğu gibi çok geniş, çok büyük, çok iridir ve bunlar karşısında adaletin sizin yanınızda olduğuna inanmamanız için hiçbir neden yoktur. Dava konusu ne olursa olsun, haklı olduğunuza daha kapıda inanır, karşılaştığınız bu görkem karşısında bir yandan ezilir, öte yandan sonsuz bir güven duyarak adım atarsınız içeri. Buraya kadar söylediklerime bakarak, bir hukuk bürosu başarısından çok, bir iç mimari ve dekorasyon başarısından söz ettiğim sonucu çıkarılabilir. Ama haksızlık etmek istemem, işlerinde de çok başarılıdırlar. En azından bilenler öyle söylüyor. Hatta onları sevmeyenler, bu başarılarının, avukatlık başarısı olmaktan çok, sahip oldukları güçlü karanlık ilişkiler sayesinde olduğunu iddia ederler. Sonuçta başarı başarıdır ve bizim neye "başarı" dediğimize göre değişir.

Çift kanatlı geniş bir kapıyla girilen odasında, ta adalara kadar boydan boya deniz gören penceresinin önünde gemi güvertesi büyüklüğündeki wenge masanın gerisinde her zamanki geniş, aydınlık gülümseyişi ve birbirinden şık, iyi dikimli döpiyesleriyle oturan Gönül'ün dava konusu ne olursa olsun, mutlaka kazanacağınıza sizi daha ilk anda inandırmaması için hiçbir neden yoktur. Yeter ki, el sıkışın.

Hani bazı insanlar hakkında çok az şey bilseniz de, onların, bazı güçlükleri ve sorunları halletmek konusunda neredeyse doğal bir yetenekleri olduğuna inanırsınız ya, Gönül de insanda bu duyguyu uyandıranlardan biridir işte. Sanırım, üzerindeki o tuttuğunu koparır kadın havasının mesleğindeki hızlı yükselişiyle ciddi bir ilgisi vardır. Hayatın katı gerçeklerine karşı teslimiyet düzeyinde geliştirdiği kayıtsızlık, hayatı bütün zalimliğiyle olduğu gibi kabul etmek, onda bir güce dönüşmüştü. Sanırım bu da onu pratik çözümler bulmak konusunda başarılı kılıyordu. Zalim ve kirli gerçeklerden utanmayanlar, onlarla başetmek konusunda daha yetenekli oluyorlar. Benim davam önemli bir dava değildi. Eski ajansımla bir alacak-verecek meselesi. Başka zaman olsa, üzerinde bile durmazdım ama, nedense o sıralar içinde bulunduğum alıngan ruh hali nedeniyle olsa gerek, gurur meselesi yapıp haklarında dava açtım. Rahatlıkla kazanacağım söyleniyor. Herhangi bir avukatın halledebileceği sıradan bir dava için böyle iddialı bir büroya gelmem gerekmezdi ya, bu çeşit durumlarda alışkanlıkların kolaylığına sığınırım hep. Tanıdığım, bildiğim, biraz da nazımı çekecek bir yer diye Gönüllere geldim. Onların çok daha büyük, halli güç, hatta daha karanlık davalara baktığı düşünülürse, belli ki, onlar da hatır için kabul ettiler.

Gönül, bir tek boşanma davalarından hoşlanmaz. "Boşanma davaları, kadın-erkek ilişkisini hatırlatır," diye yakınır. "Üstelik hatırlamak istemediğin bütün yanlarıyla. Bir üçüncü kişi olarak bile, bulaşmaya gelmez! Eğer büyük işadamlarının trilyonluk nafakaları söz konusu değilse, uğraştığına değmez!" Gönüllerin bürosunun bir özelliği, tam dokuz kadın avukattan oluşması. "9", Gönül'ün uğurlu rakamıymış, ciddiyetle sahip çıktığı batıl itikatları var ve bunları herhangi bir mahcubiyet duymadan yaşamayı seviyor, bu yüzden ne sekiz, ne on oluyor bürodaki avukatların sayısı, ne de aralarına erkek alıyorlar. Salt bu özelliklerinden ötürü birçok gazetenin "kadın eki"ne konu ve haber olduklarını hatırlıyorum; dev bir toplantı masasının çevresine kelebekler gibi öbeklenmiş dokuz kadının, kalabalık kadrolu filmlerin tanıtım karelerine benzeyen görüntüleri canlanıyor gözlerimin önünde. Ama asıl Gönül'ün basında yer alan fotoğrafları, mafya babalarının karanlık davaları, işin içine polisin ve üst düzey devlet görevlilerinin karıştığı kaçakçılık, rüşvet, büyük çapta yolsuzluklar nedeniyle tutuklanan politikacı ve yüksek bürokratlar yüzündendir. Yeraltı dünyasıyla, polisin ve adalet mekanizmasının kirli yüzüyle yakın ve ürkütücü ilişkiler kurduğu söylendiği için, belli bir kesim ondan ve bürosundan özellikle uzak durmaya çalışır. Benim ahbablığım ise, benim de anlamadığım nedenlere dayanır. İlle de bir açıklama getirmeye çalışarak, hayat, insanlar ve kendim hakkında her şeyi bildiğimi düşünmenizi istemem.

Hakkında söylenenleri onunla konuşmaya çalışmadım bile. Ama gerçeklik payını hep merak ettim. O da kendini savunma ihtiyacı hissetmedi. Bazı cevapları hayata yaymak gerekir. Hele doğru cevapların ancak yıllar sonra geldiği düşünülürse, en çok ihtiyaç duyulan şey, hemen her konuda olduğu gibi gene zamandır. Ayrıca zamanında alamadığınız bazı cevapların zamanla hiçbir anlamı kalmadığını bilirsiniz. Bunun için, bir zamanlar eski sevgilinize sormaya can attığınız, içinizi kavuran soruların, sonraları nasıl anlam kaybına uğradığını şöyle bir hatırlamanız yeterlidir. Hayat, birçok şeyi elinizden aldığı gibi, o kavruk soruları da alır; "O gece gerçekten evine mi dönmüştü" ya da "mesaiye kal-

dığı akşam, niye bürosunun telefonu yanıt vermiyordu", "o kadın-
la daha önceden mi tanışıyordu" gibi soruların yanıtlarına içiniz-
de en ufak bir yer ve merak bırakmış mıdır hayat? Her neyse ha-
yatla ilgili hemen her hesaplaşmayı gönül ilişkilerindeki ayrıntı-
lara çekmenin bir anlamı yok. Gene de nankörlük etmeyip, haya-
ta ilişkin öğrendiklerimizin çoğunu gönül yaralarımıza borçlu ol-
duğumuzu da unutmayalım.

Escada döpiyeslerin hangi rengini giyerse giysin, hep o ren-
gin buzlu tonlarını yeğler Gönül. Buz grisi, buz mavisi, buz yeşi-
li, buzul bej, buzsu pembe gibi. Bu süre içinde rengini bile değiş-
tirme gereği duymadığı saçlarını on beş yıldır hep aynı biçimde
kestirir ve tanıdım tanıyalı bir kilo olsun aldığı görülmemiştir. Ya-
şamındaki bu "istikrarın" bir açıklaması olduğunu düşünmüşüm-
dür hep. Oysa, kendi hakkında konuşmaktan hiç hoşlanmaz. Ta-
nışıklığımızın on beş yılı geçmiş olmasına, bu çeşit konulardaki
ketumluğumla, şaşmaz bir biçimde çevremizdeki kadınlarda ay-
nı güveni uyandırmış olmama karşın, bana bile bunca kapalı kal-
mış olması ilgimi çekmiştir. Bana yavaş yavaş açılmaya başlama-
sı, son birkaç yıllık olaydır. Ya onun, ya benim evimde biz bize
geçirilmiş, çok miktarda beyaz şarabın içildiği kimi akşam ye-
meklerinin içten atmosferine borçlanılmış anlardır onlar da...

Bir keresinde, "Nedir bunun sırrı?" diye sorduğumda, "Haya-
tımda hiçbir sürpriz olmaması!" yanıtını vermişti bana. Kendine
hiç sürpriz yapmadığını, başkalarının da ona sürpriz yapmasına
izin vermediğini söylemişti. "Sürpriz kötüdür. Özellikle de insa-
nın kendi kendine yaptığı sürprizler. İnsan kendini şaşırtmamalı-
dır. Bu tehlikelidir; içindeki taşlar yerinden oynar. İnsanın kendi
hakkında yanlış da olsa bir kararı olmalıdır. Ben buyum, dediği
bir kararı. Benim hayatımı kararlar yönetir."

Sonra birdenbire havadan-sudan söz eder gibi bundan yirmi
küsur yıl önce bir keresinde nasıl çok kötü âşık olduğunu, aylar-
ca acı çektiğini anlatmaya başlamıştı. Şaşırmıştım.

"Çok canım yanmıştı, intiharın eşiğine gelmiştim ve bundan
hiç hoşlanmadım. Senin şu yazarın dediği gibi, 'Aylar ağır bir has-
talık gibi geçmişti.'" Sinan'ı kastediyordu. Ondan hep öyle söz

ederdi: "Senin şu yazar". Bence, Sinan'a özel bir saygı duyuyor, ondan ve yazdıklarından etkileniyor, ama bir biçimde ondan çekiniyor, "Senin şu yazar," diyerek kendinden uzak tutuyordu.

Ne kadar içlenirse içlensin, yıllar sesini kurutmuştu. Aşktan söz ederken bile, baktığı bir davadan söz eder gibiydi. Gene de sesine hafif bir taraz gelmişti:

"Hayatın kıyısında yaşıyordum. Her an çekip gidebilecekmiş gibi bir halim vardı. Sana da olmuştur, bilirsin. Kendimi çok değersiz hissediyordum. Kendime acımaya katlanamıyordum. Zor günlerdi, çok zor günler."

Duralayıp, o zor günleri yeniden yaşıyormuş gibi derin bir soluk aldı. "Sonra bir gün hepsi bitti, içimin kuruduğunu, kanımın koyulaştığını, kalbimin kapılarının kilitlendiğini hissettim. Bak bunlar herkese anlatılacak şeyler değil Nermin. Yaptığım çocukça bir şeydi biliyorum. Bazen hatırladığımda, o kadının ben olduğuna bile inanasım gelmiyor ama, yeni bir hayata ancak böyle dramatik bir yeminle başlayabilirdim. Bir gece güzel bir sofra kurdum kendime, şarap açtım, karşıki sandalyeye büyücek bir ayna oturttum, bütün gece kendime bakarak kadeh kaldırdım, gözlerimin içine baka baka, bütün gece kendimle konuştum, yeminler ettim. Hayatımın geri kalanında sonuna kadar tutacağım yeminler. O gece deliliğimden kurtuldum. Bak o gün bugündür, aşk nedir bilmem! Bir daha kimseyi sevmedim. Hoşlanırım, beğenirim, flört ederim, yatarım kalkarım, ama hepsi o kadar. Bu, bir karardı, sonra bu karar benim hayatım oldu. Şimdi başkalarının aşk acısına ne imrenirim, ne küçümserim, oralı bile olmam aslında. İnanır mısın, bir aşk şarkısı çaldığında, düşündüğüm hiç kimse yoktur. Ve bu bana bir boşluk duygusu bile vermez. Yalnızca neye karşı olduğunu bilmediğim ince bir zafer duygusu yaşarım. Bu, benim kişisel zaferimdir. Uğruna neler kaybettiğinin hesabını yaparak hiçbir zaferin tadını çıkaramazsın. Bu yüzden nelerden vazgeçmiş olduğumu düşünmem bile! Kazandıklarıma bakarım."

Anlattıkları karşısında ilgimi göstermekle birlikte, sessizliğimi koruyordum.

"Gene yirmi yıl önce biliyorsun solcuydum. Benim de o zamanın bütün gençleri gibi öfkelerim, ideallerim, hayallerim vardı. Sonra arkadaşlarım öldüler, tutuklandılar, işkence gördüler, çoğunun hayatı mahvoldu, ben daha yolun başındaydım, bu yüzden hızla geri dönme şansım vardı, onu kullandım. Bilirsin o zamanlar evler basılıp, kitaplar toplanır, insanlar götürülürdü. Herkes kitap yakıyordu. Ben, kitaplarımı yakarken, birçok kişiden farklı olarak yalnızca yakalanma korkusuyla yakmadım, o kitapların bana öğrettiklerini de yaktım. Bir günde vazgeçtim solcu olmaktan. Oysa insanın en zor vazgeçilebildiği başlıca şeylerden biri sayılır inançları... Benim için öyle olmadı. Bağlılık yaratan her şeyden caydığım gibi, inançlarımdan da caydım. O zamanki sevgilim beni terk edip giderken, bana bağlanma korkusunu bırakmış olmalı. Onun gibilerin dünyasında ancak onun gibi olursam ayakta kalabilecektim. Hiçbir inancın yükünü taşımak istemedim artık. Hayat karşısında zafer kazanmanın yollarını öğrendim. On yıllık köpeğim bir gün ansızın öldüğünde, birden içim o kadar yandı ki, o an verdiğim ilk karar, öldüğüne üzülmemek oldu. Bu, yaşadıklarımın en zoruydu belki de... Artık genç değildim ve beklenmeyen bu durum, kurduğum dengeleri tehdit ediyordu. Biliyordum, bir üzülmeye başlarsam, hayatımdaki her şey için birden üzülecektim ve belki bir daha geri dönemeyecektim. O gün biraz ağladım, ondan geriye kalan ıvır zıvırları hemen kaldırdım ortadan, ertesi gün hızla evi değiştirdim ve bir daha köpek almadım. Bir daha hiç köpeğim olmadı. Onu o kadar hızla unuttum ki, sanki hiç olmamıştı. Her şey yolunda giderken hayat, hep sana çelme takıp yere düşürür, yapılacak şey, hemen düştüğün yerden kalkıp, üstünü başını silkeleyip, yoluna devam etmektir. Yoksa hayatı kaçırırsın. Şimdi bütün bunlar artık bana acı vermediği için anlatabiliyorum sana. Acılarım tazeyken, kimseyle konuşmazdım. İnsanların acıları onlar çok konuştukları için uzun sürüyor. Unutmak mutluluktur Nermin, ben hep buna inandım. İnanır mısın, fotoğraf albümüm bile yoktur. Fotoğraf çektirmekten de hoşlanmam. Ben ayna karşısında içip içip, kendimle konuştuğum o gecenin sabahında, sihirli bir değnek değmiş gibi, ansızın bambaşka biri olmuştum. Olmak istediğim insan olmuştum. Birdenbire içimde o güne kadar hiç tanımadığım bir güç keşfettim. Olağanüstü bir güç! Bana her şeye yeniden başlama ve başarma arzusu veren bir güç. Hayatımın ondan sonrasında bir tek korkum oldu diyebilirim: Bir gün, bu gücü kaybedebileceğim korkusu. Şimdi bile şu anlattıklarım fazla romantik geliyor bana. Bir yandan anlatıyorum bir yandan da, 'Bu ben değilim ki,' diyor içimin bir tarafı. 'Hayat daha dümdüz, her şey çok daha dümdüz. Niye böyle acıklı bir şeymiş gibi anlatıyorsun?'"

Tek bir kelime bile etmeden, neredeyse soluk almadan dinlemiştim onun geceye koyu bir kıvamla yayılarak uzun bir tirad gibi akıp giden konuşmasını. Sustuğu yerlerde hiç ses çıkarmayıp, yeniden konuşmasını beklemiştim. Onu kendi hakkında hiç böyle uzun uzadıya ve kesintisiz konuşurken görmemiştim. Gece ilerliyor, Gönül anlatmayı sürdürüyordu. Gönül'ün o geceki içtenliği, yalnızca güvenilir bir dostun yanında olmanın getirdiği daha rahat yaşanan bir sarhoşluğun sonucu değildi. Kararlılıkla anlatıyordu kendini ve bana kilitlerini gösteriyordu. Haksız sayılmazdı. Kendi ölçüleriyle bakılacak olursa, konuşmasına fazla duygusal bile denebilirdi. O gece Gönül kendini kaptırmış, kendi anlattıklarından kendi büyülenmiş gibi konuşurken, onu aslında ne kadar az tanımış olduğumu fark ettim. O güne kadar bilmediğim yanlarını görmüş olmanın getirdiği ruh haliyle fazladan bir şefkat duymuştum ona. Bazı insanların hüznünü görür, ama onların kendi hüzünlerinin ne kadar farkında olduklarını anlamazsınız. Ben de hep Gönül'ün dışarıdan görünen hüznünün ne kadar farkında olduğunu merak ederdim. O gece bunun yanıtını da almıştım. Daha çok Amerikan filmlerinde rastlanan kariyer düşkünü, hırs küpü kadınların gerçek hayattaki bir temsilcisiymiş gibi görülen; birçok insan tarafından sevilmeyen, birçoklarında kızgınlık, öfke uyandıran Gönül'ün beni bu kadar yakınına kabul etmiş olması hoşuma gitmiş, anlattıkları içime dokunmuştu. Benim kendisi ve hayat seçimleri için neler düşündüğümü azbuçuk tahmin edebiliyordu elbet. Aynı kumaştan insanlar olmadığımızı da biliyordu. Aynı kumaştan olmayan insanların ahbaplığında gene de tuhaf bir sağlamlık vardır. Benzerliğin tuzaklarına düşmezler. Birbirlerini tamamlayan yanları, hayata ait farklı bir nesnellik duygusu sağlar onlara. Gönül konuştukça, aslında çevremizin ne çok saklı roman kahramanıyla dolu olduğunu, tanıdığımız yüzlerin, hikâyelerini hiç bilmediğimizi düşünüyordum. Çok gevezelik eden bir toplumduk belki, ama aslında hiç konuşmuyorduk. Sahiden konuşmuyorduk. Kelimelere inançsızdık, belki de bu yüzden dilimizdeki kelime sayısı birçok dile göre daha azdı. Kelimeler kendilerine inananlarla çoğalır. İnsanların birbirleriyle sahiden konuştukları akşamlar gerçekten azdır; onların değerini bilmek, hatıralarını iyi saklamak gerekir. Kim bilir, belki de kadınlar bu yüzden beyaz şarabı erkeklere göre daha fazla seviyorlardır.

"Hiçbir zaman kendime şu sorunun cevabını veremedim," demişti. "Çocuk sevmediğim için mi çocuk yapmıyorum, yoksa çocuğum olursa başka biri olmaktan mı korkuyorum?"

İçimin bir yanı onun bu kuşkusunda haklı olduğunu söylüyorsa da, biraz onu yatıştırmak için, biraz da kendi düşüncelerime sadakat adına, "Anneliğe fazla inanıyorsun," demiştim. "Bazı kadınların anneliği, kedilerin anneliğine benzer, yavrularını çabuk unuturlar. Hayatın çelmelerinden bu kadar korktuğuna göre, sen bununla da başedebilirdin."

"Hiç emin değilim," demişti. "Sen de olma!"

Sekreterin randevu saatimize kadar Tuğde ile beni aldığı bekleme odası bir başka görkemler galerisiydi! Endonezya ipeği şeffaf perdeler, Chesterfield deri koltuklar, tavanda ahşap bir pervane, Quimper vazolarda uzun saplı bembeyaz irisler, ağaç büyüklüğünde dev çiçekler, etli yapraklı kararık bitkiler, tavana kadar yükselen benjaminler; içinde hep aynı acı kırmızı renkte ciltlenmiş hukuk kitaplarının cetvelle çizilmiş gibi aynı çizgide durduğu İngiliz stili geniş bir kitaplık, geleneksel değerlere saygılı bir modernliği simgelemesi için duvarlarda özenle yan yana getirilmiş eski elyazmaları ile son dönem modern resimler; kısacası, gücü, parayı, kudreti bir kerede anlatsın diye yapılması gereken her şey eksiksiz yapılmıştı. Bu büroyu kimin dekore ettiğini bilmiyorum ama, Güngör değilse bile, onun gibi birinin eli değmiş olmalı.

Tuğde ile biz odaya girdiğimiz andan itibaren Cecila Bartoli'nin aryalarının çalıyor olması da Gönül'ün bir inceliğiydi elbet. Kabul salonuna alınan insanlara beklerken oyalanmaları için, hoşlandığı bilinen ya da hoşlanabileceği düşünülen müzikler alçak seslc çalınıyor burada. Diyelim, Tuğde yalnız gelmiş olsaydı, bu iddialı salonun birkaç dakika içinde Türk pop müziğiyle inleyen benim zavallı banyoma döneceği kesindi. Ortadaki geniş masanın üzerinde farklı siyasal görüşleri temsil eden günlük gazeteler vardı ve bunların varlığı bile büronun kurumsal kimliğine "tarafsızlık" vurgusu getirmeye çalışan anlayışın bir parçasıydı. Sehpa üzerlerindeki Lalique küllükler kadar kendileri için seçilmiş bir tasarımın ayrıntılarıydı. Her şey bir markaydı ve kendileri hakkında kurulmasını istedikleri bir büyük cümleye çalışıyorlardı.

Ne zaman bir bekleme odasına alınsam, gözlerim başka tür bir seyircilik duygusu kazanarak etrafı tarar. Sessizlikte ve beklerken sanki eşyalar, diğer zamanlarda görülmeyen bir güç kazanarak, kendilerinde gizli kalmış bir tarihi istemeden açığa vururlar. Size onları görmek ve "okumak" için dikkat göstermek kalır yalnızca.

Çocukken kimi arkadaş evlerinde böyle olurdum, bir süreliğine yalnız kaldığım kimi durumlarda, ben etrafa baktıkça, o ailenin mahrem tarihi kendini açığa vurmuş ve ben haklarında hiç bilmemem gereken şeyleri öğrenmiş gibi hissederdim kendimi. Benim için aile demek, çocukken bile bir kirli sırlar yumağıydı; dışarıya söylenmeyenlerin, gösterilmeyen gizlerin, saklı tutkuların, ölümüne yalanların barındığı bir suç çetesi. Adını çok sonra koyabildiğim bir düşmanlık duygusu besledim bütün o oturma odalarına, salonlara, yalancı bir kibarlığın ve sözde dayanışmanın örttüğü adına aile denilen o zehirli saklambaça...

Bütün bunları düşündükçe evlenme merakımı anlamakta güçlük çekiyorum. Çoğu kez kendimden bile saklamaya çalışsam da, işi ironiye vursam da, gerçekten evlenmek istiyorum ve bunu niye istediğimi ben de bilmiyorum. Alın size kendim hakkında bilmediğim bir şey daha! Kendimi ille de bir açıklama yapmak için sıkıştırdığım kimi durumlarda, en fazla birinin artık bana sahip çıkmasını istediğim sonucuna varıyorum. Kendimi yalnız kendim taşımaktan yoruldum belki. Şimdi biri ortaya çıkıp, bana sahip çıksın istiyorum. Galiba bu, ya da bu, dedim ya, aslında bilmiyorum. Hayatıma giren erkekler içinde evlenmeye en uygun olanı Mehmet'ti. Uzun sayılabilecek bir süre birlikte olduk. Sonrası gelmedi. Mehmet hep ruhunda bir yara olduğundan söz ediyordu. O yarayı ben bulamadım, kendi de bilmiyordu. Sonunda yaralı yaralı ayrıldık.

Şu bekleme salonunun pahalı ve görkemli şıklığı, Gönül'ün bana çeşitli zamanlara yayılmış konuşmalarda çocukluğu ve gençliğine ilişkin bölük pörçük anlattıklarının bilgisi ışığında bambaşka bir anlam boyutu ve toplumsal derinlik kazanıyor. Türkiye'nin son yirmi yılında zengin olmuş, zenginliklerini askeri ihtilallerin yağma düzenine borçlu insanların neleri sevdiğini, nelerden hoşlandığını, onları nelerin, nasıl, ne kadar etkileyeceğini iyi biliyor Gönül. Çünkü bunu kendi hayatından ve yakın tanıklıklarından biliyor. Belli bir zenginliğin, refahın ve konforun içine doğmuş, zaten bunlarla büyümüş insanların gerçeklik duygusu ve gerçeklikle kurdukları ilişki biçimleriyle, paraya ve onun getirdiklerine sonradan sahip olmuş insanların gerçeklik duyguları da, gerçekleri de aynı değildir. Bu ikinci gruptakiler, kendilerini yeni gerçekliklerine ikna etmek için, çok daha fazla gösterişe, daha fazla tekrara, daha fazla vurguya gerek duyarlar. Görgüsüzlük denen şey, bu yüzden çok sahici bir şeydir. Yeni hayatlarına, sahiden zengin olduklarına inanmak için yaparlar bütün bunları; kendilerini her an uyanabilecekleri bir rüyanın güvensizliği içinde hissettiklerinden uykusu tedirgin zehirli bir mutluluk içinde yaşarlar.

Gönül, kendi kişisel malzemesiyle dönemin eğrisine denk düşüyor. Dönem zengini kapkaççı müşterilerinin ruhunu, ihtiraslarını, yalanlarını, korkularını ve amaçlarını iyi biliyor. Yükselmek, her şeyimizle yükselmek, hak edip etmediğimizi bile düşünmediğimiz bütün lükslere talip ve sahip olmanın sarhoşluğunun yaşandığı çılgın bir dönemin histeri düzeyindeki bütün sınıf atlama arzularını, marazi iştahını, dönem eğrilerine denk düşen yükselmek ülküsü uğruna mübah sayılan, göze alınan bütün karanlık ve kirli yolların doğasını iyi biliyor. En azından kendinden biliyor, kendi çocukluğundan, kendi geçmişinden ve kendi tanıklıklarından...

Yoksulluğun birbirine düşman ettiği aile üyelerinden, akşamları oturduğu divanda sürekli ya göğsünün kıllarını yolan ya ayak parmaklarını karıştıran babasının çubuklu pijamasından nasıl nefret ettiğini, sürekli geğiren ve her seferinde geğirdikten sonra eşarbını sıkılayan annesinden nasıl nefretle utandığını ve buna benzer kendini kendi çocukluğuna düşman eden nice kirli ayrıntıyı unutmak uğruna ne çok şeyi unutmak zorunda kaldığını bilince, buradaki bütün eşyalar bana, pençesinden kurtulmak istediği maziden belirsiz bir geleceğe fırlatılmış başka bir uzayın boşluğunda birbirine kenetleneceği günü bekleyerek dönüp duran bilimkurgu nesneleri gibi gözüküyor. Paraya, refaha, lükse sonradan kavuşanların birbirlerini anlamak, etkilemek, kışkırtmak, zayıf düşürmek konusunda, diğerlerinin hiçbir zaman bilemeyecekleri doğal bir yetenekleri ve birbirinden acımasız nice hatıranın saklandığı hatıra depoları vardır. Toplumun şiddetli değişimler gösterdiği böyle kara delikleri andıran boşluk dönemlerinde hemen her popüler alanda bu çeşit insanlar başarılı olurlar. En çok oyu onlar alır, en çok satan kasetleri onlar yapar, en çok parayla onlar transfer olur, en çok gişe yapan filmleri onlar çekerler. Halk bunu istiyor, dedikleri şeyler, aslında kendi istedikleridir. Gözle görülür başarıları, bir yeteneğin, bir akıl etme bilgisinin, ya da bir pazarlama stratejisinin ürünü değil, bu kaba doğrudanlığın, bu birebir malzeme örtüşmesinin sonucudur.

Ben gene içimin "maşallah" hiç susmayan sesine, çağrışımlarımın gürül gürül seline ve yakamdan düşmek bilmeyen Türkiye sosyolojisine kapılmış giderken, Tuğde, hayranlık, şaşkınlık ve elbette kıskançlıktan alt dudağını kemirmekle meşgul. "Yeryüzündeki bütün güzel şeyler normalde kendisinin olması gerekirken, başkalarının elinde ne arıyor?" anlamına gelebilecek hoyrat bir dikkatle, çevresinde gördüğü hemen her nesneyi elliyor, dokunuyor; onlara yakından bakıyor. Ve onlar hakkında yüksek sesle fikirler yürütüyor. Tuğde'ye baktıkça, kimi mağazalarda bazı eşyaların ve nesnelerin üzerine neden "Lütfen Ellemeyiniz" diye yazdıklarını anlıyor insan. Bu çeşit ellemelerde tanıma, anlama, merakını giderme gayretinden çok, kirletme, bulaştırma, sıvaştırma arzusunun yattığı görülür.

Tuğde bir yandan her şeyi kurcalarken, öte yandan takılmış plak gibi sürekli aynı cümleyi yineleyip duruyor:

"Ne güzel yer diğğ mi Nermin ablacığım?"

"Ne güzel yer diğğ mi Nermin ablacığım?"

Ben fazla vaktinizi almayayım, siz bu cümleyi alt alta sıralayıp, sonsuza dek çoğaltabilirsiniz.

Az sonra sekreter, "Gönül Hanım sizi bekliyor," diye bir kurtarıcı gibi giriyor odaya da ayaklanıyoruz.

XVII

Ringde beyaz köşe

"SİZLER için ne yapabilirim hanımlar," diye kapıda karşılıyor bizi Gönül. Bildiğim kadarıyla pek kimseleri kapıda karşılamaz. Özel olmak hoşuma gidiyor. Biz kapıdayken, Tuğde'nin şaşkınlıkla ağzından çıkan "Aa!" sesine o an pek bir anlam veremediysem de, iş sonradan anlaşılıyor. Birlikte içeri geçerken, camlardaki güneş ve açık denizin ışıltısı gözümüzü alıyor. Gemi güvertesi büyüklüğündeki masasının önündeki geniş, rahat Regency deri koltuklara oturduğumuzda Gönül, hatırlamaya çalışan bir yüz ifadesiyle, "Ben küçük hanımı bir yerden tanıyorum ama," diyecek gibi oluyor. Gönül'ün, Tuğde'nin annesiyle tanıştığını sanmıyorum. "Nerden olabilir bilmem ki," anlamında dudak büküyorum. Benim daha bir şey söylememe, Gönül'ün belleğini yoklamasına fırsat kalmadan, Tuğde heyecanla atılıyor: "Beni hatırladığınıza çok sevindim Gönül ablacığım. Yoksa ben unutulacak bir tip miyim, diye çok üzülecektim."

Sonra susup, kendi çok değerli bir bilmeceymiş de, biz iki koca salakmışız gibi ikimize muzip muzip bakıyor.

Yarattığı etkiden memnun ekliyor sonra: "Hani ben mahkemede şahitlik yapmıştım size."

"Kusura bakma küçük hanım," diyor Gönül. "İşim gereği her gün o kadar çok insan görüyorum ki, insan bazen senin gibi güzel bir kızı da hemen hatırlamayabiliyor."

Bunu yaparken, sahiden mi söylüyor, şaka mı yapıyor, belli değil.

Gönül, gözlerini abartılı bir dikkatle iyice kısarak bakarken, ben tamamıyla dumura uğramış bir halde, ağızlarından çıkacak olan sözleri havada kapmaya çalışıyorum. Kendimi dışarıda bırakılmış hissettiğim bu yeni durum, az önceki kapıda karşılandığımız kendini özel hissetmek halinden sonra hiç iyi gelmiyor.

"Ha, evet şimdi hatırladım," diyor Gönül.

"Ben görgü şahidiydim."

"Ya sahi, dur bakalım adın neydi senin?"

"Görgü şahidi mi? Tuğde mi? Ay bu kızın oynamadığı hiçbir Hollywood yapımı yok mu Allahaşkına?" diyorum haykırışa benzeyen bir tonla.

"Adım, Tuğde!"

"Ha, evet şimdi tamamen hatırladım Tuğde. Öyle ya bize çok yardımcı olmuştun."

"Vazifemdi."

Birden patlıyorum: "Ay, geçmiş zaman kipi kullanıp durmayın! Daha beş yaşında bu kız! Şu işin aslını bir anlatıversene Gönül sen de!"

"Birkaç ay önceydi. Tuğde'lerin mahallesinde küçük bir kıza taciz davasıydı. Tuğde olayı görmüş. Zaten aynı şahıs daha önce de Tuğde'ye tacizde bulunmuş..."

Dönüp soran gözlerle Tuğde'ye bakıyorum, dudaklarını büzerek güya unutması zaman almış üzüntülü bir olayı hatırlamış gibi, gözlerini kısarak baş sallıyor. Dikkatleri üzerinde toplamış olmaktan fazlasıyla memnun, bacak bacak üstüne atarak ellerini dizinde birleştiriyor.

Tuğde'yi biraz tanıyınca insan, onun hayatında bir dördüncü t'ye yer açamıyor doğrusu. Telefon, tuvalet, televizyon tamam da, taciz? Yoo, hayır. Doğrusu kulağa pek inandırıcı gelmiyor!

"Aslında sanık zengin bir ailenin çocuğu olduğu için, başta aile fazla diş gösterip edepsizlik etmişti ama, Tuğde'nin tanıklığından sonra süngüleri düştü. Çocuğun yaşı da küçüktü, cezai ehliyeti yoktu. Psikiyatrik tedaviye yollandı, olay da kapandı, gitti."

Tuğde kendini çok etkileyen bir olayı yeniden yaşamış gibi sahte sahte iç çekiyor.

"Mahkemede jüri olmaması çok kötüydü," diyor sonra. "Hep

jüri karşısına çıkacağımı hayal etmiştim. Hem sonra beni fazla da konuşturmadılar."

Manzarayı gözümün önüne getirmeye çalışıyor, "o gün ne giymişti acaba?" diye düşünmeden edemiyorum. Doğrusu, onun böyle bir fırsatı kaçıracağını hiç sanmıyorum.

Etrafa bakarken, hayranlıktan kendini alamayan Tuğde, dev saksılar içindeki hindistancevizi ve muz ağaçlarının bulunduğu köşedeki cam bölmeye giderek inanmaz gözlerle onları ellemeye başlıyor.

Gönül bize kahve, Tuğde'ye de kola söylüyor.

"Kola gelmeden tuvalete gidebilir miyim?" diye soruyor Tuğde. Pavlov'un "Şartlı Refleks" teorisi gereğince, bir süre sonra kola ile çiş arasında dolaysız ve zorunlu bir ilişki kurmaktan ve bunun bütün hayatıma yayılmasından korkuyorum. Dahası, etki gücünü şimdiden hesaplayamadığım, Tuğde ile birlikte hayatıma sızmış olan bazı ayrıntıların sinsice zamana yayılarak Tuğde'yi unutmamı zorlaştırmasından korkuyorum. Çeşitli olasılık kurgularıyla kendimi dehşete düşürmek konusunda ne kadar yetenekli olduğumu artık anlamış olmalısınız. Hemen bu karanlık düşünceleri aklımdan kovuyor, gözümü karşıda görünen adaların iç açıcı görüntüsüne dikiyorum. Masmavi bir deniz, Boğaz'dan geçen römorklar, denizin üzerinde serpiştirilmiş gibi dağınık düzen duran sandallar, motorlar, puslu bir ışıltıyla parıldayan güneş!

Gönül, Tuğde'yi tuvalete götürülmek üzere sekreterine teslim ediyor. (Bu büronun tuvaletinin nasıl bir yer olduğunu bilmesem de olur. Tuğde sayesinde kendimi, "Tuvalet Birincisi" seçecek belediye jürisinin bir üyesi gibi hissediyorum.)

Onlar çıktıklarında Gönül'e, Tuğde'nin yanımdaki varlığını açıklıyorum birkaç cümleyle. O da çocuk sevmeyen kadınlardandır. Tuğde hakkında fazla bir açıklama yapmama gerek kalmıyor. Ona bir telefon bağlanıyor. Ben, sekreterin getirdiği, davayla ilgili imzalamam gereken kimi kâğıtlarla uğraşıp dururken, telefonu kapatmış olan Gönül, "Ya senin şu eski komşun bir travesti vardı ya," diye söz açıyor.

Başımı kaldırmadan, "Zirve Zeren mi?" diyorum.

"Ha, evet o. Ya sen o kıza da komik bir isim takmıştın," diyor.
"Neydi o?"
"Tam takma adı, Takunya Çeneli Natır Zirve'ydi ama, hepsini bir kerede kullanmak zor oluyordu tabii. Gerçi Zirve Zeren adı öyle takmaydı ki, yeni bir ilave kaldırmıyordu ama, beni bilirsin."
"Bilmez miyim," diyor. "Bana taktığın adı da unutmuş değilim."
Sahte bir mahcubiyetle, "Ya öyle mi hiç hatırlamıyorum," diyorum.
"Ben hatırlatayım istersen," diyerek bir şey söymeden iki eliyle yüzünü uzatan bir hareket yapıyor.
Gönül'ün yüzü fazla uzun ve çene kemikleri sertçedir. O zamanlar ona "Keser Suratlı Gönül" adını takmıştım. Babasının marangoz oluşuyla da uyum gösteriyordu.
Gülüşüyoruz.
"Gene adam mı dövmüş?" diyorum.
"Tam isabet!" diyor.
"O kadar çok adam döven biri, nasıl olur da erkek sever hiç anlamıyorum," diye ekliyorum.
"Ee, erkek dediğin döver de, sever de," diyor Gönül.
Daha yüksek sesle gülüşüyoruz.
"Bu sefer kendi işi değil arkadaşlarının başı dertteymiş sesi çok kaygılıydı, bir cinayet davası, gazeteler günlerce yazdı, görmedin mi?"
"Biliyorsun, gazeteler son yirmi yıldır okunmak için değil, bakılmak için yayımlanıyorlar Gönülcüğüm, gözüme çarpmamıştır ya da üzerinde durmamışım demek ki... Hem o kadar çok cinayet işleniyor ki, kanıksadık herhalde."
"Gece kulüplerinin birinde bir cinayet işleniyor, iki kişi öldürülüyor, kuvvetli bağlantıları olan karanlık kişiler bunlar. Mafya, çete, polis birdenbire herkes işin içine giriyor, ortalığı toz duman götürüyor, işin aslı hâlâ tam bir muamma, üstelik eşcinsellerin, travestilerin gittiği bir gece kulübü olması ayrıca dikkat çekiyor. Zirve'nin iki 'gay' arkadaşı olayın tanıkları, katilleri görüyorlarsa da o hengâmede kaçıp kurtulmayı başarıyorlar. Polis bütün Istan-

bul'u hallaç pamuğu gibi atıyor ama, ortada yoklar, şimdi herkes peşlerinde, mafya, çeteler, polisler her yerde onları arıyor. Olayın ertesi gün Zirve'yi aramışlar, 'ne yapalım?' diye akıl danışmak için, korku içindelermiş."

"Eh korkulmayacak gibi değil," diyorum.

"O da telaşla beni aramıştı. Bazı akıllar verdim ama, bir daha ses çıkmadı. Sonradan öğrendim kaçanlar Zirve'yi tekrar aramamışlar bile, öldüler mi, kaldılar mı, belli değil. İşin içinde çok karanlık yön var, bence istemeden büyük bir belaya bulaştılar, iş daha da büyüyecek, burada kalmayacak, öyle görünüyor," diyor Gönül.

Olayı anlatırken Gönül'ün gözle görülür bir heyecana kapıldığını, ayrıntılardan tat aldığını fark ediyorum. Sanki kendi elleriyle boşalttığı hayatını başkalarının heyecanlarıyla dolduruyor. Cinayet davaları, büyük entrikaların ve dolapların döndüğü sırlarla yüklü işler ilgisini her şeyden daha fazla çekiyor. Hayatın anlamını ne zamandır başka yerlerde arıyor olmalı. "Suçluların dünyasına büyük yakınlık duyuyorum," demişti bir seferinde. "Suçtan benim kadar zevk alan bir hukuk adamı yoktur." "Hukuk kadını," diye düzeltmiştim, gülümsemişti.

"Zirve, olay gecesi kulüpte değil miymiş?" diye soruyorum.

"O gece hastaymış, kulübe gitmemiş. Nedeni de elbet kendine göre. Her geldiğinde bana nezle-grip bulaştıran bir müşterim vardı, bir gece önce gelmişti kör olasıca herif, dedi. Ben de, bak bu seferki hiç olmazsa bir işe yaramış, hayatını kurtarmış herif senin, dedim."

Birden hiçbir zaman inceltmeye çalışmadığı boğuk, kalın sesini duyar gibi oluyorum Zirve'nin.

"Bu arada seni de sordu," diye ekliyor Gönül.

"Yıllar var ki, görmüyorum," diyorum.

"O da öyle söyledi," diyor.

"Ne zor bir hayat yaşıyorlar," diyorum. "Ne zaman bir travesti öldürülse, sıra Zirve'de mi, diye ürperirim."

Yıllar önce Zirve gene polisin eline düştüğünde, Gönül'ü aramıştım. Görüştüklerini bilmiyordum. Zamanla aralarında öyle bir hukuk doğmuş demek ki...

"Zirve iyi bir kızdır," diyorum. "İyi komşudur."

"Evet ama, içince sapıtıyor galiba. Kayıtlara geçmiş yüzü aşkın adam dövme dosyası var ki, travestiler arasında bile, bu bir rekor sayılır."

"Bizim yüzümüzden de adam dövmüştü," diyorum. "Cihangir'de kendi başımıza ev tuttuk diye özgür olduk sanıp, gece gezmelerine çıktığımız zamanlardı, gece yarısı iki kız yalnız başımıza tin tin eve dönüyoruz, peşimize üç serseri düştü, türlü rezilliklerden sonra işi elle tacize kadar dökmüşlerdi. Aniden önümüzde duran bir taksiden, 'Yettim kızlaaar, sıkı durun!' diye bir hışımla fırlayan Zirve'nin, adamların tepesine yıldırım gibi bir inişi vardı ki, görecektin! Hiç unutmam, üzerinde öyle bayrak kırmızısı içinde kımıldaması mümkünsüz daracık bir mini etek, üstünde durulması imkânsız yüksek topuklu ayakkabılar, başında ortası taşlı Anjelik topuzu bir sarı peruk, adamları evire çevire dövmeye başladı. Adamlar neye uğradıklarını şaşırdılar. Elindeki kırmızı omuz çantasının zincirden sapı adamların suratlarının ortasında şaklayıp duruyor. O yüksek topuklu ayakkabıların, sivri topuklarıyla, adamların her birinin kafasında koca birer delik açmayı başardı. Düşün, sonunda adamları Zirve'nin elinden biz kurtarmak zorunda kaldık. Yoksa kadın düpedüz katil olacak! Bir yandan döverken, bir yandan da avaz avaz bağırıyor: 'Kadınsak sokağa çıkamayacak mıyız ulan sizin yüzünüzden? Yeter eziklediğiniz bizi! Yeter eziklediğiniz! Kadın olmak suç mu? Söyleyin ulan, kadın olmak suç mu?' Adamlar yedikleri dayağa mı şaşırsınlar, kadınlık adına hesap soran Zirve'ye mi, bilemiyorlar. Bir kültür şoku, bir akıl yarılması halinde yedikleri dayakla kaldılar. Bu arada millet salkım saçak pencerelerde bizden açıklama bekliyor. Mahalleye rezil olduk. Ertesi sabah bakkal, emlakçı, muhtar, konu-komşu kim varsa, 'Ya neydi dün geceki olay,' diye önümüzü kesiyor." İç çekiyorum. "O Cihangir günlerimiz apayrı bir roman," diyorum.

"Kim demiş, yüksek topuklu ayakkabıların bir işe yaramadığını," diyor Gönül. "Bak yerine göre nasıl da silah oluveriyor."

"Evet," diyorum, "ama o bile erkeklerin elinde silah oluveriyor."

"Öyle deme, yüksek topuklar dişiliğin simgesidir," diyor Gönül. "Nice kadın yüksek topuklu ayakkabılar üzerinde yükselir."

"Hiç o kadar emin olma şekerim," diyorum. "Bu yüksek topuklu ayakkabılar hayırlı bir şey olsaydı, erkekler asla bırakmazlardı bize onu. Yüksek topuklar hız yavaşlatır. Unutma, erkekler çabuk çabuk giderler."

Sekreter odaya girip kahvelerimizi getirdiğinde, yaranmaya çalışan bir ifadeyle, "Tuğde bizim yanımızda merak etmeyin," diyor bana.

"Yatıya da kalabilir," diyorum, "Hatta bu arada ona birkaç görgü şahitliği işi ayarlayabilirseniz sevinirim."

Söylediklerimden pek bir şey anlamamakla birlikte gülümseme ihtiyacı hisseden sekreter çıktığında, "Senin işler nasıl gidiyor," diye soruyorum Gönül'e.

Yüzünde kırık bir tebessüm beliriyor. Ne sorduğumu anlıyor. Şu aralar basında üzerine gidildiğini biliyorum.

Kemküm etmeden doğrudan konuya giriyor. "Son darbeyi indirmek için fırsat kolluyorlar. Sistemli bir saldırı başlattılar bana karşı, ama bir şey çıkaramayacaklar. Kuru gürültüye pabuç bırakacak değilim. İşin aslı çok karışık, yukarılara kadar uzanıyor. İnsan her şeyi söylemiyor. Söyleyemiyor."

Gözleri dalıyor. Uzaklara gidiyor bakışları. Onda fazla rastladığım haller değil bunlar. Müdahale etmeden bekliyorum. Sonra hem benimle, hem kendiyle konuşur gibi, "Adalet varmış sanıyorlar," diyor. "Sanki adalet varmış, hatta adalet mümkünmüş de bizler bozuyormuşuz gibi."

Sesine benim önceden tanımadığım bir acılık iniyor, belki benim yanımda olduğu için başkalarından sakladığı bir yanının açığa çıkmasına izin veriyor.

"Mahkemeler yalnızca gerçekler üzerine kurulmaz. Hatta çoğu kez gerçekler üzerine kurulmaz. Kısıtlı bulgular, gözden kaçırılmış delillerle yalnızca strateji ve taktikler üzerine kurulur. Diğer memleketleri bilmem ama, bu memlekette adalet bir oyun, tam bir tiyatro, içindekiler biliyor zaten bunun böyle olduğunu, soyut bir adalete inanmak isteyenlerle, adaletin aslında ne mal olduğunu iyi bilenler arasındaki ezeli kapışma bu! Zeki bir avukat daha ikinci yılına kalmadan anlar her şeyin boktan bir komedi, avukatlığın da esnaf işi bir oyunculuk olduğunu. Adaletsizlik her yerde var, mahkeme salonlarında niye olmasın? Adaletsizlik, olayların bir parçası değil mi, hatta belki de en önemli parçası..." Birçok yönden birbirine benzemeyen insanlar olduğumuz halde aramızda tuhaf bir ortaklık görürüm Gönül'le. Ben, onun zekâsına hayranımdır; nasıl kullandığı ayrı konu. Kadınlarda zekâ hemen kurnazlığa dönüşür, düşük kalite bir el işçiliğine, bir süsleme sanatına, küçük entrikalara, çapsız oyunlara, kadınsı bir cilveleşmeye. Kadınlar zekâlarını bir baştan çıkarma silahı olarak kullanırlar, en nefret ettiğim okumuş kadın tipidir bu. Zekâları bile kendi başına bir değer olarak değil, erkeğin nasıl baştan çıkarılacağına göre konumlanır. Erkeklerdeki zekâ ise daha doğrudandır. Hamdır, işlevseldir. Gönül'ün zekâsı da böyle erkek enerjisi taşıyan zekâlardandır. Zaman kaybetmez.

"İşkenceci polislerin davalarını almış olman benim de hoşuma gitmiyor Gönül," diyorum. "En çok bu yüzden üstüne gidildiğini biliyorum." İstemeden sesime bir hesap sorma tonunun geldiğini fark ediyorum.

"En çok bu yüzden değil," diyor. "Banka batırma hikâyelerindeki görünmeyen dengeler yüzünden bütün bu gürültü, işkenceci polislerin davalarını bu kadar öne sürmeleri asıl bunu kamufle etmek için. Türkiye'de para o kadar hızlı el değiştiriyor, insanlar o kadar kısa zamanda kısa yoldan zengin oluyorlar ki, o hızda düşüncesizce hareket ederek çok açık veriyorlar. Herkes zamanı geldiğinde kullanmak için, birbirinin dosyasını tutuyor. Türkiye'de sermaye hâlâ at sırtında gidiyor, hâlâ ganimet ve yağma peşinde, bu yüzden hâlâ talan ekonomisi sürmek zorunda. İşkenceci polislerin davası bahane, ben bakmasam başkası bakacak bu davaya, böyle şeylere yalnızca sol çevreler takar. Büyük medya kuruluşları, sol çevrelerin hassasiyetlerini ne zaman göz önüne aldı ki, şimdi alsın. Asıl bu olayı paravan olarak kullanıp, beni kimi sol örgütlere hedef gösteriyorlar. Düşünsene, bana bir şey olursa, hem benden kurtulmuş olacaklar, hem sol örgütlerin terörist yüzlerini bir kez daha açığa çıkarmış olacaklar. Bir taşla iki kuş hesapları. Kaba hesaplar bunlar, ama sen de bilirsin ki, bu memlekette hep kaba hesaplar sonuç verir."

Bu konuda çok dolu olduğunu anlıyorum, çabuk çabuk konuşuyor. Sürekli güçlü görünmenin onu yıprattığını düşünüyorum. "Gene de senin bu polislerin davalarını almanı açıklamaya yetmiyor bunlar," diyorum.

Yüzü bulutlanıyor. Onu çok sıkıştırmak istemediğimi, bu tartışmaların bir yere varamayacağını bildiğim için, fazla kurcalamayacağımı, ama gene de kendine ya da başkalarına bulduğu bahaneleri bana karşı kullanmasına izin vermeyeceğimi anlamasını istiyorum.

Yüzündeki bulut sanırım bu yüzden.

"Ama birileri bunların davasını almalı değil mi? Savunma hakkı diye bir şeye inanıyorsak tabii..."

"Ben de bunu söylemeye çalışıyorum zaten, o biri niye her seferinde sen oluyorsun?"

"Onlara inandığım için almadım ki bu davayı. Bak ben bir inanç insanı değilim Nermin. Avukatlık dediğin bir çeşit kiralık katillik benim için. Ben avukatlığa bile inanmıyorum ki, onlara inanayım."

Sigara paketine davranıyor, ben almıyorum. Kendi bir sigara yakıyor. Yüzünün bir yanında kalın bir gölge var. Yorgun bir gölge.

"Bizler devlet tiyatrosu sanatçıları gibiyiz, verilen rolü oynamakla yükümlüyüz yalnızca. Rol beğenmemek, rol reddetmek gibi lükslerimiz yok. Sahneye çıktıysan, oynayacaksın, başka çaresi yok!"

Yüzüne, "bana başka şeyler söyle," dercesine apaçık bakıyorum.

O benim bu bakışlarımı iyi bilir.

Yüzü alabildiğine sadeleşiyor. Gözleri matlaşıyor. Sanki artık, "Tamam artık, duymak istediklerini söylüyorum," der gibi.

"Borcum vardı. Polislere borcum vardı. Anlıyor musun? Hepimiz aynı gemideyiz ve hepimiz birbirimize karşı gebeyiz. Hangi alanda olursa olsun, hiçbir büyük kuruluş borçsuz ayakta duramaz, hep birilerine borçlanırsın. Bunu en az sen de benim kadar biliyorsundur. Bir hukuk bürosunu para basan bir fabrika haline getirmek başka türlü mümkün mü, şu gördüğün cilt cilt kanun kitaplarıyla olmuyor bu işler. Her şey gibi adalet de alınıp satılıyor. Ne sanıyorlar, o büyük ve saygın hukuk kuruluşları farklı mı çalışıyor sanki, bizim hünerimiz, adalet denen bu komediyi kitabına uydurmak yalnızca. Hem medya patronları dediğin ne, hepsi birbirinden hırsız, bilmiyor muyuz sanki? Herkesin namusu yakalanana kadar! Sorun da bu zaten. Bütün mesele dürüst olanlarla olmayanlar arasında değil. Hırsızlar arasında. Hırsızlıkların ortaya çıkıp çıkmamasında. Biliyorum ümitsizlik insanı öldürür. İnsanlar bu yüzden ümit etmek istiyorlar. Bir yerlerde doğru dürüst insanların yaşadığına, onların engellenmiş olduğuna, bazı insanların namuslu, bazı insanların hırsız olduğuna inanmak istiyorlar. Ümit pahasına yalan istiyorlar. Ümitsizlik insanı öldürür. Beni öldürmüyor. Eğer ortada bir suç varsa, hepimiz bu suçtan pay alıyoruz, herkesin elinde bir parça kan var. Sizler reklamcı olarak yalnızca ürün mü pazarlıyorsunuz sanki? Düpedüz sistemin kendisini pazarlamıyor musunuz? Bu sistemi polis olmazsa nasıl ayakta tutacaksınız? Polis devletinde yaşayıp, polis yokmuş, onun açık ya da gizli kanunları yokmuş gibi davranmaya ancak 'Cumhuriyet' gazetesinin okurları inanır. Eskiden insanlar banka soymak için yüzlerine bir mendil takar, ellerine bir silah alır, banka kapısına dayanırlardı; şimdi banka soymak için banka kurmak yetiyor."

Gönül'ün gözlerinde daha önceden görmeye alışık olmadığım öfke parıltıları görüyorum. Anlaşılan bu son olaylar sinirlerini iyice yıpratmış. Önceden hazırlanmış bir konuşmanın sözlerini hatırlar gibi konuşuyor benimle. Aslında ben, hiçbir zaman tartışarak ortada bir yerde buluşamayacağımızı bildiğim için, bu konular bir an önce kapansın istiyorum, ama anladığım kadar o içini dökmek ihtiyacında. Belki bu üç kuru kâğıdı imzalatmak için beni çağırtması bile, bunun bir parçası. Gücünü toparlamak için bir yerlere yaslanmak ister gibi.

Bana kalbini açtığı gecelerdeki yüzünden ve sesinden çok farklı şimdiki yüzü ve sesi.

"Seni suçlamıyorum," diyorum. "Zor günler geçirdiğini tahmin edebiliyorum. Daha borsa skandalı kapanmadan üstüne bunların gelmiş olmasını insanların tesadüf diye açıklamayacağını sen de kabul ediyorsundur."

Sesime bir ima tonu geliyor yeniden: "Borsa hikâyesinde de herhalde bir yerlere ödemen gereken borçlar vardı."

Anlattıklarını kendisine karşı kullanıyormuşum gibi, bir an incinmiş gözlerle bakıyor yüzüme.

Amacımın bu olmadığını anlaması için sesimi iyice yumuşatıyorum: "Bak, sonunda herkes seçimlerini ve sonuçlarını yaşıyor. Sistemin içinde ayakta kalmaya çalışmakla, sistemin taşıyıcılığını yapmanın aynı şey olmadığını ikimiz de biliyoruz. Hiçbir şey yapmamakla, birilerine işkence yapmak aynı şey değil! Biliyorsun bunları pek konuşmadık seninle, anlattığın kadarını dinledim hep. Birbirimize yakın olduğumuz kadar, uzağız da. Bu uzaklığı kapatmaya çalışmadık hiç. Gene çalışmayalım. Böylesi daha iyi değil mi?"

Yüzünde yarım kalan bir tebessümle gülümsemeye çalışıyor. "Öyle," diyor. "Çok fazla gerçekle yüklendim ben. Sizin deyiminizle öte tarafa geçince çok fazla çiğ ve çıplak gerçekle yüklendim. Kimsenin bilmediği şeyleri biliyorsun. Hiç kimseye söyleyemeyeceğin sırlarla yatıyorsun akşamları yatağa. Bütün sistem hırsızlık, yalan, düzen, rüşvet ve eşitsizlik üzerine kurulu. Bunları bilmek için solcu olmaya gerek yok. Zaten solcular da bundan daha fazlasını bilmedikleri için, devrim mevrim olduğu yok bu memlekette! Benim devrime vaktim yoktu. Ben para kazanmayı seçtim. Kimseye idealleri için para vermiyorlar. Bilmiyorum belki ben de suç işliyorum, çünkü suç iyi para getiriyor. Bu memlekette dürüst, namuslu ve inançlı kalıp, zengin bir avukat olamazsın. İnan, diğer büyük hukuk bürolarından ne daha fazla kirliyiz, ne daha fazla düzenbaz! Ama bu büro yalnızca kadınlardan oluşuyor ve ben de bir kadınım. Kurtlar sofrasında karı başımıza ne arıyoruz ve bunca gücü, bu kadar kısa zamanda nasıl elde ettik? diye öfkeden kudurmuş bir erkek sürüsüyle başetmeye çalışıyoruz. Erkekler kulübü bizi aralarında istemiyor, çünkü kaybettikleri her dava, ya da her müşteride, yalnızca rakip hukuk bürosunun karşısında değil, aynı zamanda kadınlığın karşısında bir mağlubiyet aldıklarını düşünüyorlar; hazmedemedikleri şey bu. Avukatlık gururlarından çok, erkeklik gururları yara alıyor. Başarılı olunca da affedilmiyorsun, başarısız olunca da, çünkü kadınsın ve aslında temelde affedilmeyen şey kadınlık! Öte yandan okumuş kadınlar da bu kurtlar sofrasındaki bize erkekleşmiş kadınlar gözüyle baktığı için, orada da dönek cinsiyet muamelesi görüyoruz. Bak Nermin dışarıdan nasıl göründüğümüzü biliyorum. Masum olmadığımızı da. Ama başkalarının bana masumluk taslamasından hiç hoşlanmıyorum. Kendimi kimseye karşı savunma ihtiyacı hissetmiyorum. Suçlanmaktan sıkıldım. Polisler beraat eder, medya patronları dışarı çıkar, bankaların borcunu devlet üstlenir, her şey unutulur gider. Unutma Türkiye unutkanlıkla ayakta kalıyor, başka bir şeyle değil."

Susunca birkaç yaş birden yaşlanmış gibi çöküyor omuzları. Gönül'ün asistanlığını yaptığı hocasını hatırlıyorum birden. Ünlü hukuk profesörü, Gönül'den her yerde "Hayattaki tek utancım," diye söz ediyormuş. Gönül, bir keresinde ondan, gene de sevgiyle söz etmişti:

"Beni çok severdi. Bana, avukatlık yeteneklerime inanıyor, bana geleceğini emanet etmek istiyordu ama, ben başka bir yol seçtim kendime. Beni gerçekten evladı gibi severdi, sonra kendini evladını reddetmiş bir baba gibi hissetti, her şeyi aşırı dramatize etti. Ben onu hâlâ çok severim, üstümde hakkı vardır, ondan çok şey öğrendim. Benim için o kadar üzülüyordu ki, sırf o rahatlasın diye, bir gün ona, 'Ben size değil, belki de kendime ihanet ettim hocam,' dedim. '70 romanlarında vardı böyle süslü itiraf cümleleri, çok hoşuna gitmiş bu sözlerim, benden söz açıldığında, 'Böyle böyle,' dedi diye yineliyormuş, oysa yalnızca onun hoşuna gitsin diye söylenmiş sözlerdi onlar. Solcular kelimelere çok inanıyorlar. Adalet öldü, diyorlar ama zaten hiç olmamış ki! Yalnızca vahşetin kanunlarını kabul etmekte zorlanıyor insanlar."

Gönül, ringde beyaz köşesinde maç arası soluklanır gibi konuştukça, bütün bu konuşmalardan aslında çok sıkıldığımı fark ediyorum. Gördüğüm kadarıyla herkes kendi kıstırıldığı köşesinde hayata yumruk sallıyor.

"Belki boş laf ama, gene de kendine dikkat et," diyorum. "Yorulmaya başlamışsın."

Gönül, bizi geçirmek için dış kapıya kadar çıkıyor. Birbirimize sarılıyoruz.

Tuğde, bana sevinçle yeni kolyesini gösteriyor. Sekreter kız vermiş!

XVIII

İstiklal'de yürüyüş

HER güzel havada her çeşit yürüyüş fırsatını değerlendirmek isterim. Istanbul'da yürürken sahiden görmeye değecek yerler vardır. Ama özellikle şehrin merkezine doğru geldikçe, Istanbul gibi her hafta bir sokağı, bir meydanı kazılarak sonunda barsakları çıkartılmış tekinsiz bir kadavraya benzetilen bir şehir, çoğu kez bu konudaki hevesinizi kursağınızda bırakır, keyfinizi kaçırır; solunuz çukur, sağınız duvar, önünüz metal, arabalar arasında ilerlemeye çalışırken derin bir ümitsizliğe kapılırsınız. Gene de yürüyüş yürüyüştür. Mutluluklarıyla mutsuzluklarını kendi içimde dengeleyerek her fırsatta Istanbul yürüyüşlerine çıkarım. Çünkü bilirim ki, gene de Istanbul benim için dünyanın başkentidir. Yürümenin benim için bir diğer yararlı yanı da, işimle ilgili birçok yaratıcı fikrin bana bu yürüyüşler sırasında gelmesidir. Hem zaman zaman duvarlarda, "billboard"larda, insanın yaptığı afişleri görmesinin kendine göre bir keyfi de vardır tabii.

Gönül'ün bürosundan çıktıktan sonra, Tuğde'ye, Taksim'e kadar yürümeyi öneriyorum. Konuştuklarımızın, düşündüklerimin ağırlığını hissediyorum üzerimde.

Kimi zaman insana sebepsiz neşeler ilham eden ılık bir esinti var havada. O kadar "yerli" bir esinti ki bu, insanın "sadece Istanbul'da görülen" diyesi geliyor. Ne zaman havaya ilişkin bir şeyler düşünsem, sevdiğim yazarların kitaplarının sayfaları arasında bulurum kendimi. Sanki önceden tarif edilmiş bir ânın, bir iklimin, bir zaman diliminin içinde yer alıyorumdur. Kimi zaman Sait Faik, Orhan Veli, Reşat Nuri ya da Abdülhak Şinasi ile birlikte yaşarım; içinde olduğum zamanı onlardan hatırladıklarım derinleştirir. Edebiyat sevmek için ne çok neden olduğunu düşünürüm. İstanbul, edebiyatıyla birlikte sevildiğinde ayrı tat veriyor insana. Sizden önce yaşayanların, İstanbul'a kattıklarıyla da seviyorsunuz İstanbul'u. Birçok mahalleyi gezerken, aynı zamanda nice romanın, hikâyenin sayfalarında geziyorsunuz. Yürüdükçe hafiflediğimi hissediyorum. Hatta, Tuğde'nin çeşitli konulardaki yersiz yorumlarını duymamayı bile başarıyorum.

Şişli-Mecidiyeköy otobüs hattının Taksim'e indiği yerde sağa dirsek yapan, devamında Tarlabaşı Caddesi olan ilk kavşakta, Fransız Hava Yolları'nın önündeki ışıklarda duruyoruz. Arkasında Şehit Muhtar Caddesi, arka çaprazında Yapı Kredi Bankası'nın bulunduğu kavşak bu. Daha tarif edeyim mi, yoksa bilenler için bu kadarı yeterli mi, emin değilim, ama en azından İstanbul bilenlerin göz önüne getirmesini istemekte bunca ısrarlı oluşumun nedeni, bu kavşaktaki trafik ışıklarının, İstanbul'un en uzun kırmızı yanan ışıkları olduğunu belirtmek içindir. Hatta, belki de bu ışıklar yalnızca İstanbul'un değil, bir zamanların moda deyişiyle söyleyecek olursak, "Ortadoğu'nun ve Balkanlar'ın" en uzun kırmızı yanan ışıklarıdır. Bu yüzden buradaki trafik ışıklarını, oraya dikilme nedeninin yanı sıra bu özelliğinden ötürü de bir anıt haline getirerek sonsuzlaştırmak gerektiğini düşünürüm. Bildiğiniz gibi, dünya üstündeki bütün trafik ışıkları, üç aşağı beş yukarı belli bir sürede görev değişiminde bulunurken, buradaki ışıklar sonsuza dek kırmızı yanar, bu arada saçınız başınız dağılır, makyajınız akar, üstünüz-başınız eskir, memlekette meteoroloji, hatta iklim değişir, sevgiliniz sizi terk edebilir, siz yaşlanabilirsiniz, hatta, kırmızı ışığın gününe göre emekliliğiniz bile gelebilir. Yüz yıllık yalnızlık zaman dilimine benzeyen bu uzun bekleyiş süresi içinde, yazsa mutlaka ekşi ekşi ter kokan biriyle, kışsa mutlaka burnunuzun dibine kadar soktuğu akıp duran lanet olasıca burnuyla size de nezle, grip bulaştırmaya yeminli kırmızı ışık kurbanı bir kader ortağınızla omuz omuza bir ömür parçası geçirmek zorunda kalırsınız.

Bence, aslında İstanbul Trafik Müdürlüğü'nün kötü bir şakasıdır —bu kadar laftan sonra artık "trafik ışıkları" diyemeyeceğim— bu "kırmızı ışıklar"... Çünkü, durumu birilerine ciddi ciddi söylemeye kalkışacak olursanız, size inanmayıp, "deli" diyecekleri kesindir. Memlekette delirmek için bunca haklı neden varken, böyle saçmasapan bir şey yüzünden adınız deliye çıkmasın diye, ses çıkaramayacağınızı düşünerek, ışıkların kırmızı süresini yeryüzünde bulunmuş en uzun zaman dilimine göre ayarlamışlardır. Buradaki asıl amaç, benim gibi tutturukları delirtmektir tabii. Deli sanılmak pahasına bu durumu başkalarına söyleyip söylememek ikilemine kıstırarak işkence etmektir... (Siz de benim gibi yapın, bunlarla vakit kaybetmeyip doğrudan kitaba yazın. İntikamsa intikam!) Bir ilin trafik müdürlüğünün nelere kadir olduğuna bakar mısınız?

Nitekim Tuğde ile Taksim'e doğru yürüye yürüye o "menhus" kırmızı ışıklara vardığımızda, nasıl olsa önümde daha uzun yıllar var, diyerek oraya bir tabure atıp, kaç yıldır bir türlü bitiremediğim Orhan Pamuk'un *Yeni Hayat* adlı romanına kaldığım yerden devam mı etsem acaba, diye geçiriyorum içimden. Bu arada iki sevgili, üç ev değiştirdim ama, bu kitabın 70. sayfasını geçmek nasip olmadı bana.

Istanbul Trafik Müdürlüğü, bana bu kadar cezayı çok görmüş olmalı ki, birden kırmızıdan biraz daha kısa, ama kesinlikle yeşilden çok uzun olan sarı ışıklar yanıyor; biz de sarı-marı demeden can havliyle karşıya geçip, İstiklal Caddesi'ne yöneliyoruz.

İstiklal Caddesi'ne daha girdiğimiz anda, burada yürümenin nasıl da mayınlı bir tarlada yürümeye benzediğini hatırlıyorum; daha doğrusu hatırlatıyorlar. Caddenin ağzında bizi ilkin aman vermez anket teröristleri karşılıyor, ağzının iyi laf yaptığından fazlasıyla emin, çabuk çabuk konuşmayı düzgün konuşmak sanan birtakım gençler, önünüzü kesip ellerindeki anket kâğıtlarını gözünüze gözünüze tutarak, sizi ille de bazı manasız soruları cevaplamaya zorluyorlar. Bu kadar manasız sorunun nasıl olup da hazırlanabildiğine dair ayaküstü bir başka anket yapasınız geliyor. Bu anket teröristlerinin her seferinde "ölçülü bir itiraz" karşısında nasıl da "ölçüsüz bir ısrara" başvurduklarını önceki deneyimlerimden bildiğimden, "ölçülü bir itiraz" bölümünü hızla atlayıp, "ölçüsüz bir azarla" karşılık veriyorum çeşitli anket taleplerine. Bu da bir kurtuluş demek değil, çünkü üç adım ötede başka bir kuruluş için çalışan diğer anketçi çetesi bekliyor sizi. En azından sizin ömrünüzün bilmeye yettiği iki askeri ihtilal sonrasında, genlerine emir-komuta kipleri iyice sinmiş bu "ırkın ahfadına" başka türlü dert anlatmanın mümkün olmadığını öğrendiğinizden bu yana hep yaptığınız gibi, ancak azarlaya azarlaya ilerleyebiliyorsunuz İstiklal Caddesi denilen hayat yolunda. (Bu çeşit uzun, ırmak cümleleri seviyorum. Ruhumun akışına uygun buluyorum.) Azarlanmış anketçiler ardımızda kalıyor, her şeye karşın ilerlemeyi sürdürüyoruz.

Ne zaman birileriyle azar tonuyla konuşacak olsam, bu Tuğde'nin pek hoşuna gidiyor, gözle görülür biçimde gururlanıyor. Tam paşa karısı olacak kumaşı var bu kızın. Aklıma Kızılcık Sopalı Sulhiye geliyor yeniden. Onu gören, asıl paşa kendisi de, kocasının kalbi kırılmasın diye öyle davranıyormuş sanırdı.

Yoldan geçen oğlanlarla çeşitli vitrinler arasında "mekik diplomasisi" şeklinde gidip gelen Tuğdc'nin yorulmak bilmeyen işlek gözleri, hiçbir ayrıntıyı atlamıyor ve İstiklal Caddesi'ndeki şu kısa seyahatimiz, onun uzun ve manasız yorumlarıyla üstünkörü çekilmiş TRT yapımı ruhsuz bir "Beyoğlu" belgeseline dönüşüveriyor. Neyse, hiç olmazsa artık her dediğine cevap bulmaktan vazgeçmeyi öğrendim üçüncü günün ortasında. Bu da bir şey!

Üç adım sonra sesindeki keman teli kıvrımları insana 1945'lerin ağdalı Arap melodramlarını hatırlatan bir delikanlı yave yave sesleniyor: "Gözlükk bağlarığ! Gözlükk bağlarığ!"

Karşılık olarak sizin de, "Hayat bağlarığ! Hayat bağlarığ!" diye seslenmek geliyor içinizden. Bize hayat bağlarının önemini hatırlatan böyle yürekten yapılmış bir seslenişe, hatta yakarışa kim karşı koyabilir ki, memlekete ait birçok bağın dağılıp gittiği İstiklal Caddesi'nde?

Eteklerinizi çekiştire çekiştire kâğıt mendil satmaya çalışan el kadar çocuklar, yeni açılan ya da indirim yapan çeşitli mağazaların el ilanlarını, broşürlerini zorla elinize tutuşturmaya çalışan, almadığınız zaman da nedense onurlarıyla oynamışsınız gibi, yüzünüze incinmiş nazarlarla küs küs bakan gençler bu caddede ilerlerken bir bir ardınızda bıraktığınız masal engelleri gibi.

Eskiden daha çok iş çıkışı sularında ya da gecenin ileri saatlerinde rastladığınız "rocker" görünüşlü, modern ve dağınık gençlerin "yüz bin liranız var mıydı," ya da "otobüs biletiniz var mıydı?" sorusuyla artık günün her saati karşılaşmanız mümkün. Onların deyimiyle "sinyal çekmeye" erken başlıyorlar. Anlaşılan bu işin de saati kalmamış. Kimsenin hiçbir şeye fazla zamanı kalmamış... Her şey hızlı, çabuk çabuk ve zamansız...

Eteklerinize yapışan yalnızca sokağa itilmiş yoksul çocukların elleri değil, siz ne kadar kendinizi kayıtsızlaştırmaya çalışsanız da, dipte derin bir damar gibi sızlayan bir yoksulluk bilgisi aynı zamanda... Sait Faik zamanında, Istanbul'da Sait Faik duyarlılığıyla yaşamak belki daha kolaydı, en azından nüfus açısından. Bizim vicdanımız nasır bağladı diye geçip gitmiyoruz bunca sefaletin yanından. Nüfus artışına oranlı yoksul çocuk artışı, günümüzde her sümüklü çocuğa şefkat ve yardım göstermenizi engelliyor tabii. Tabiat kanunları kadar sertleşen toplumsal çaresizliğin çemberinde dileseniz de, gerektiği kadar yardımsever ve cömert olamıyorsunuz. Kendinizi bir ölçüde de olsa kayıtsızlaştırabilirseniz, ayakta ve hayatta kalabileceğiniz konusunda hayat dayatıcı oluyor. Ne cebinizdeki para, ne içinizdeki merhamet artık hayata yetmiyor.

Ne zaman bu çocuklara rastlasam, gözlerim, içlerinden birini, henüz büyük kent gerçeğiyle yırtıklaşmamış o bir tek çocuğu arar. Belki, daha ilk günüdür İstiklal Caddesi'nde. Dilenmeye benzeyen bu oyunu sürdürmekte zorlanıyordur. Ona yardım etmek, Sait Faik'in, Orhan Kemal'in çocuklarından birine yardım etmek anlamına gelecektir. Yırtıklık, arsızlık, ısrar, başetmenin başlıca yollarını öğrenmişlerdir diğerleri; onlar bir biçimde ayakta kalabilirler. Bense, bir gün onca çocuk arasında karşıma çıkar da, o sokağa yeni düşmüş, gerçekten yardıma muhtaç, korunmasız, çaresiz, sessiz çocuğu tanımaz da, yanından geçer gidersem, diye korkarım.

Yoksulluğun romantik bir yanı vardır. Yoksulluk gerçeği değildir romantik olan; içeriden anlatılamaz. Çünkü yoksulluğun gerçeği katıdır. Yoksul olmayanlara ait, daha çok hayal gücüyle elde edilmiş, yakıştırma bir romantiklikten söz ediyorum. Kötü bir şey değildir bu, yalnız doğru adlandırılması gerekir. Her çeşit sınıf ilişkisi, aynı zamanda bir suçluluk ilişkisidir çünkü. Bunun barındırdığı her çeşit duygusal karmaşa, ikilem, şiddet, örtük adlandırmalarla saklanmış nice duygu, içimizde sürekli yer değiştirirken yoksulluk gerçeğinden payımızı almak istemez, bunu, "dünyanın sorunu" gibi görmek isteriz. Yoksulluk gerçeği, çeşitli yüzleriyle bizi sıkıştırarak, bize sorumluluğumuzu hatırlatır. Bu çocuklar da bunlardan biri yalnızca...

Kimi arkadaşlarım, benim sakin sakin yaşamak dururken, hayatı kendime cehennem etmede bir "uzman yetenek" olduğumu söylüyorlar. Söylediklerinde haklılık payı yok değil ama, kim ister ki her an "gerçek nedir, hakikat nedir, ben kimim, burası neresi, sonumuz ne olacak," gibi soruların pençesinde kıvranarak yaşamayı? Ama burası Türkiye, sen istediğin kadar kaç, fokur fokur kaynayan bu memleket sonunda seni bir yerde kıstırıp sordurtuyor bu zalim soruları. Hele bir zamanlar solculuk denen o Allahın belası musibete bulaşmışsan!

Siyah-beyaz melodramlarda sürekli ağlaşan kadınları seslendirerek ömrümüzün fonunda çınlayıp duran, çocukluğumuzda kulağımıza hıçkırıklarıyla yer etmiş ünlü dublaj sesleri vardır. Son yıllarda en az onlardan biri kadar kulaklarıma yerleşen sesini duyuyorum daha kendini görmeden. İstiklal Caddesi'nin, bizler için sesi en az Adalet Cimcoz ya da Jeyan Mahfi Ayral kadar tanıdık, popüler ve ünlü kadın dilenci bu: "Oğluum! Oğluum! Bi yardım edin oğluum!" Hep aynı perdeden sürekli bu sözü yineler. Yolu İstiklal Caddesi'ne birkaç kez düşmüş olanların bu sesi tanımaması mümkün değildir. İlle de "oğullara" seslenişindeki ısrarına bakılacak olursa, bu kadına sadaka veren hiçbir kadının olmadığını düşünürsünüz. Sürekli, "Oğluum! Oğluum!" diye dilenmesinde nasıl bir "hedef kitle" gözettiği ilgimi çekmiştir. İlk akla gelen, herhalde oğullara annelerini hatırlatmayı amaçladığı tabii... Özellikle de analarından ayrı düşmüş oğullara kadının bu seslenişi, "memleket havası" gibi geliyor olmalı. Ya da kadınca bir duyguyla, kadınları kandırmanın daha güç olduğunu hesaplıyor olmalı. Sizler de bilirsiniz ki, kadınlar kandırılacaklarsa eğer, bunu bir erkeğin yapmasını isterler, bir kadının değil! Dilenci kadının bu tercihini yönlendiren güdülerle, Gönül'ün kadın hâkim ve yargıçların, kadın avukatlara gösterdikleri tepkisel tutuma, aşırı hassasiyete ilişkin anlattıkları arasında kendiliğinden bir koşutluk kuruyorum. Aynı güdülenme farklı biçimlerde işliyor.

Bu kadına ve sesine takan bir tek ben değilim Allahtan! Sordum, soruşturdum: Günün çeşitli saatlerinde İstiklal Caddesi'nin çeşitli köşelerini mesken tutan bu kadının, bugüne kadar yoldan geçenlere "Kızıım! Kızıım" diye seslendiğini duyan olmamış. Bu ne kadar ayrımcılık sayılır, bilemeyeceğim, ama kadının, kadın cinsinden "sadaka bile istememesindeki" köklü red, bana ilginç geliyor! Onun, "Kızıım! Kızıım!" diye seslendiğine ilişkin bilinen yalnızca bir tek olay var. Ender rastlanan bu ânın önemli tanığının ifadesine göre, ardından "Oğluum! Oğluum!" diye seslendiği pantolonlu kişilerden birinin, yüzünü çevirdiğinde ayası boyası yerinde, travesti olmaya beş dakikası kalmış biri olduğunu görmesiyle birlikte, seslenişini "Kızıım! Kızıım!" diye değiştirmiş olmasının dışında bilinen bir vukuatı yok. Bu "yanlışlık eseri"nin ne kadar "Kızıım!" diye seslenme "istisnasına" örnek teşkil edebileceği ayrı bir tartışma konusu tabii. Bu kadar sözden sonra, "kadın sevmeyen kadınlar, sadaka istemek için bile olsa, kadın sevmezler," sonucuna varabilir miyiz artık? Çünkü, İstiklal Caddesi'nin eskisinden farklı olarak artık günün her saatinde tıklım tıkış olan kalabalığında konuşa konuşa ilerlemenin zor olduğunu siz de tahmin edersiniz.

Galatasaray'a kadar yürüyoruz, sahaflara verdiğim bir siparişi alacağım.

Ne zaman, konusu kitapçıda geçen bir film seyretsem, ya da bir roman okusam, hemen ertesinde sahaf gezmek isterim. Bence, insanları kitap okumaya özendirmek istiyorlarsa, daha çok sayıda kitapçıda geçen ya da kahramanı kitapçı olan filmler yapmalılar. Örneğin, ben böyle yaparak, hem o filmlerde bir rol kapmış gibi hissederim kendimi, hem de filmdeki kitapçıların en azından maddi sorunlarını halletmek konusunda onlara yardımcı olduğum duygusuna kapılırım.

Tuğde'yi, hiç ilgisini çekmeyeceğini düşündüğüm o tozlu kitap rafları arasında saatlerce tutmak eğlenceli olabilirdi ama, maalesef bunun için fazla zamanımız yok. Sahafların bulunduğu pasaja girmemizle çıkmamız bir oluyor. Halit Ziya Uşaklıgil'in *Sepette Bulunmuş* adlı hikâye kitabını kim bulmuş ki, ben bulayım?

Galatasaray Lisesi'nin önüne çıktığımda, artık benim için lisenin demir parmaklıkları kadar oraya ait olan "Cumartesi Anneleri" geliyor gözlerimin önüne. Aynı zamanda, anneler ve annelik konusundaki görüşlerimi sağlamlaştıran bir gerçeklik olarak da anıyorum onları. Analık ve annelik duyguları sabit değerler olsaydı eğer, demir parmaklıkların önündeki bir avuç yalnızlıklarına bırakılmazdı bu kadınlar.

İstiklal Caddesi'nde aynı yolu geri dönerken, Çiçek Pasajı'nın içine bir göz atalım diyorum. Günün bu saati tenha olur. İnsan bakmanın tadını çıkarır. "Hadi biraz da biz 'nostalji' yapalım!" diyorum Tuğde'ye. O ise bana, "Nostalji ne demek?" diye sormuyor bile. Günün her çeşit modasına o kadar vakıf bir kız işte!

Düşünüyorum da, –aslında az düşünsem ne iyi olacak!–, geçmişe hüzünlenmek bile, safiyetini yitirip, bir "trend" oldu nicedir. "Nostalji modası" deniyor şimdilerde; zamanı "değer"lerle tartanların sahiden soylu bir iç sızısıyla andıkları geçmişle, günün modası gereği sığ bir mazi yardakçılığıyla üretilip tüketilen "nostalji" arasındaki derin fark ayırt edilemiyor. Her sümüklü sızlanış nostalji sanılıyor. Herkesin bir geçmişi vardır sanılıyor. Yazık ki, geçmiş bile herkesin değildir. Kimileri yalnızca hatırlar. Hatırlayanlar başkadır, mazisi olanlar başka. Mazi edinilir. Mazi de birçok şey gibi emek ister insandan. Hatırlamak sanıldığı kadar kolay değildir. Yaşıma göre yıllarımı ve hayatımı bunca ağırlaştıran şeyin, hatırlama gücüm olduğunu düşünüyorum.

Üniversite yıllarında, yani onca sıkıntıya rağmen gene de gözlerimizin ümitle ışıl ışıl parladığı yıllarda, bazı hafta sonları gelirdik Çiçek Pasajı'na. Daha ucuz şarap, daha ucuz meze bulunan başka pasajlar, başka meyhaneler de vardı civarda. Krepen Pasajı'ndaki meyhaneyi hiç unutamam örneğin, sonra Vilado'yu. Her seferinde tuzlu badem aldığım yaşlı amca, masalarda keman çalan madama, çiçek satan ergen kızlar her yerde aynıydı. Biz daha az şeyle daha çok eğlenecek kadar gençtik. O yılların meyhane gecelerinin tadının bambaşka olduğunu düşünüyorum. Biz daha genç, daha günahsız olduğumuz için değil, o zamanlar öyle olduğu için. Sahiden öyle olduğu için.

Pasajdaki birçok meyhane günün bu saatinde yalnızca birkaç müşteri ağırlamakla birlikte, belli ki asıl geceye hazırlanıyor; garsonlar, komiler "müşterinin yanında ayıp olur," demeden temizlik yapıyorlar etrafta; kapı önlerini süpürüyor, orayı burayı siliyor, ıvır zıvır pat-patlıyorlar.

Ben pasajın, geçmişim, anılarımla daha rahat baş başa kalmamı sağlayan insansız, şu boş halini daha çok seviyorum. İnsansız mekânlar, insanlı zamanlarını düşündürürken ağızda hüzünlü bir tat bırakır, belki o hüznü seviyorum. Öbür türlü, sevmediğim o kalabalıklar hem mekânla, hem anılarımla arama giriyor hep. Yalnızca varlıklarıyla değil, hiçbir zaman tamamını bilmedikleri, boza boza söylemeye çalışarak kirlettikleri şarkılarla da... Gündelikte, bize geçmişi en kolay hatırlatan şeylerden biri şarkılar değil midir? Neden, nicedir, doya doya "Akşam oldu hüzünlendim ben yine" şarkısını sahici bir içtenlikle söyleyemez olduk. Ya da "Dönülmez akşamın ufkundayız vakit çok geç"i... Her konuda repertuarı sığ olan kaba, kıyıcı ve yağmacı bir kalabalığın, "eski" diye bilebildiği birkaç şarkıdan biri olarak, nostalji modasının gündelik tezgâhında içi boşaltılmış birer tüketim nesnesi oldular nicedir. Sözleri solduruldu, çağrışımları kirlendi. Popülerleşmenin engin ve sığ batağında, ruh ve anlam kaybına uğradılar. Dünü ve yarını olmayan, açgözlü bir hırsla şimdiyi kurtarmaktan başka bir şey düşünmeyen bu kalabalığın "azıcık da hislendiği" kısıtlı zamanlar için kurutularak bekletilmiş mazi nesneleri oldular. Bir şarkının anısında sizin emekle kazandığınız duygular, tüketim toplumunun dudaklarında kolaycı ve çoğaltmacı bir hız ve hazla öğütülerek sonsuza savruluyor.

Geçmiş kimseye kalmıyor.

Geçmiş, gelecekle derdi olanların işidir çünkü.

Istanbul'u yalnızca şimdiki zamanıyla sevenlerle, Istanbul'u geçmiş zamanlarıyla sevenler arasında önemli bir fark vardır. Tarih sevmek, zaman sevmektir. Zamanı sevenlerin hayatları çok daha fazla şeyle doludur.

Istanbul ve zaman söz konusu olduğunda böyle iri iri konuşmaktan hiç çekinmem. Hayat yalnızca alçakgönüllü cümlelerle geçmez...

Bazı geceler Çiçek Pasajı'nın önünden geçişlerimde, çoğu zaman gördüğüm, oturdukları masanın etrafında birbirlerine yaslana yaslana iki yana salınıp duran, içkili gözleri hafif nemli ve kayık, şakakları kır, yüzlerinde yılların hak edilmemiş çizgileriyle buruşa buruşa, "Eski dostlaar, eski dostlaaaar" şarkısıyla kalbi çarpan kalabalıklar bana hiçbir şey söylemiyor. Onların geçmişlerine de inanmamıştım, şimdi yaşadıklarına da; geleceklerinin de olmadığını biliyorum. Bütün bu gösterişçi içlenmeler, sahte kederlenmeler, iki el çırpmasına bakar! Kasap havasına, gerdan kırmaya, bel kıvırmaya, kalça çalkalamaya koşarlar. Azıcık sıkıştılar mı, "Geçmişe mazi, yenmişe kuzu," diyenlerdir aslında bunlar. Geçmişe mazi diyip, kuzu yiyeceklermiş! Çocukken de nefret ederdim bu sözden, o zaman da hep, "bok yiyesiceler" demek gelirdi içimden. El çırpmayı, kalça kıvırmayı küçümsediğimden değil, eğlenmenin de hak edilmesi gereken bir şey olduğunu düşündüğümden...

Evet, ne var? Profesyonel bir kötümserim ben. Bu gerçeği kabullendiğimden ve kendime yüksek sesle söylediğimden beri, hayatımın bir yanı hafifledi hiç olmazsa. Hesap vereceğim hiçbir merci kalmadı. Daha önce bağlandığım inançlarım gereği ait olduğumu sandığım makamların ağırlığı yok hayatımda.

Kimsesizliğin acı özgürlüğüne kaldım.

Umutsuzluğun özgürlüğü bu, bir anlamda korkusuzluğu. Belki bu yüzden bakmaktan, görmekten, didiklemekten, eşelemekten korkmuyorum. Göreceğimden fazlasını gördüm.

Kötümserler davalarını daha haklı olarak savunabilirler –eğer savunma gereği duyabilecek kadar bile, bir tartışma isteği kalmışsa içlerinde tabii–; onların arkasında, onları her seferinde haklı çıkaran, olanca karanlığı, suçu, günahıyla kaç yüzyıllık engin bir insanlık tarihi vardır.

Kimse anasından kötümser olmak için doğmaz. Yaşadıkça, gördükçe, bildikçe, anladıkça kötümser olunur. Elbette kötümserlik kimseye iyi gelmez. Bana da gelmiyor.

Çiçek Pasajı'nın önünden geçerken, çoğu kez onu anarım; Sinan'ı. Ne kadar az görüşmeye başladık. Onunla bir gün pasajın önünde karşılaşmıştık. O sıralar büyük bir coşku içinde yazmakta olduğu, bilinen eski bir masalın yalnızca Beyoğlu'nda geçen yeni bir çeşitlemesi için, her gün düzenli olarak İstiklal Caddesi'ne çıkıyor, tek tek her binanın önünde durup notlar alarak, caddeyi boydan boya defalarca katediyor, akşamına Istanbul ve Beyoğlu üzerine çeşitli kitaplar karıştırıp, notlarını ve hayallerini yeniden gözden geçirerek ertesi gün yeniden sefere çıkar gibi İstiklal Caddesi'ne çıkıyordu. O günlerin birinde, o, gene binaların tepesine tepesine dalgın dalgın bakarken mahsus çarpışıyormuşuz gibi yapmıştım. Beni görünce çocuk gibi ışıdı yüzü ve kendi kafasında kaldığı yerden devam edercesine, sanki yalnızca bana değil okurlarına da anlatır gibi anlatmaya başladı; yazdıklarının içinde kaybolmuş gibiydi; hareketlerinde şimdilik bir tek kendinin gördüğü rüyanın dalgınlığı vardı:

"Eskiden buranın adının, Hristaki Pasajı olduğunu biliyorsun değil mi? Kemerli giriş alınlığının tam ortasına yerleştirilmiş şu oymalı saati görüyor musun? Taş kesilmiş, hep aynı zamanı gösteriyor. İnsan bu saate bakınca zamanı anlamaya çalışıyor. Alınlığın iki yanındaki kabartma deniz külalılarından dökülen mevyeler taş kesildikleri yerde dökülmeye devam ediyorlar gibi."

Başımı kaldırıp eliyle gösterdiği ayrıntılara bakıyorum. Kim bilir, kaç kez önünden geçtiğimiz ama bir kez bile zaman ayırmadığımız ayrıntılara... Zaman sizden dikkat istiyor. Siz taş kesmeden sizin zamanınızı istiyor.

Sonra birdenbire kendi hikâyesinin uzayından çıkıp, "Ee, anlat bakalım şimdi, neler yapıyorsun?" demişti.

Sonra da, Tünel'den başlayarak, Taksim Meydanı'na kadar dersini ne kadar iyi çalıştığını gösterircesine, caddenin iki yanındaki belli başlı bütün binaların 30'lu, 40'lı yıllardaki hallerinden söz etmiş, topladığı bilgileri kendi hikâyesinde nasıl bir teknikle kurguladığını anlatmaya başlamıştı. Malzemesiyle o kadar doluydu ki, dinleyip dinlemediğim bile umurunda değildi sanki. Aslında heyecanı bana da bulaşmıştı. Bazı insanlar kendi duygularını, heyecanlarını, ruh hallerini karşı tarafa geçirmek konusunda başarılıdırlar. Sinan da öyledir. Onunla ne zaman iki çift laf etsem, koşa koşa evime kapanıp yazı yazasım gelir. Onun bu enerjisinin bile benim tembelliğimi aşmaya yetmediğine bakılırsa, yıllardır niye hâlâ "kendi çapımda bir şeyler" karalamaktan kurtulamadığım anlaşılır. Anlattıkları karşısında, içinde yaşadığım zamandan sıyrılmış, daha geniş bir zamanın erincinden bakıyordum dünyaya, hafiflemiştim. Üzerinde durduğumuz cadde tarihe doğru uzayarak farklı bir derinlik kazanırken, birdenbire onun masalının içine girmiştim sanki. Edebiyatın insana yaptığı şeyin bu geniş zaman büyüsü olduğunu bir kez daha hissettim. Mekânın ve zamanın araçlarından yeni zamanlar ve yeni mekânlar yaratabildiği için, edebiyat hâlâ vazgeçilmezimizdi. Bu yüzden sizin şimdi gördüğünüz pasaj ile metindeki pasaj arasında kayda geçerken oluşan hem aynı ve hem farklı olmanın uzayında ortaya çıkan yepyeni bir zaman duygusu, sizin şu an kendi içinde yaşadığınız zamanı da başkalaştırarak daha derin, daha anlamlı kılıyor, size yaşarken yakaladığınız bir ölümsüzlük duygusu tattırıyordu. Bu yüzden yazıya geçmiş şimdiki zamana ait her mekân, nesne ve benzerleri daha sizinle yaşarken bir geniş zaman derinliği kazanır.

O gün bana da öyle olmuştu. Hem içinde yaşadığımız zamandan, hem caddenin bütün tarihinden bakıyorduk şu an üzerinde durduğumuz caddeye. Dünyanın yazıya geçmek için var olduğunu söyleyen edebiyatçıları böyle zamanlarda daha iyi anlıyor insan.

Başımı kaldırıp yeniden deniz külahından dökülen yemişlere ve oymalı saate bakıyorum.

Saat, bu kez de bu kitabın saatini gösteriyor.

Akmerkez'i gezerken edindiğim sınırlı deneyim bile, vitrinlere yapışıp kalan Tuğde'yi, oralardan çekip almak konusunda bana bir maharet kazandırmış. Ben ne kadar hızlansam da, o yavaşlamanın bir yolunu buluyor. Ama az ileride gördüğüm bir manzara sonucu, bu kez ben yavaşlıyorum. Daha iyi görebilmek, hatta daha iyi düşünebilmek için yavaşlıyorum. Kafa tıraşları ve tenlerinin rengi yüzünden olsa gerek, bana Alman olduklarını düşündüren iki misyoner, aralarına aldıkları bir "evsiz"i sokak ortasında, özenle, merhametle, şefkatle tıraş ediyorlar. Üzerlerindeki tişörtlerde "I Love Jesus" yazıyor. Üstü başı kir-pas içinde, ayağındaki delinmiş botlardan parmakları gözüken ayyaş garibansa, başını onlara emanet etmiş, saygılı bir sessizlikle, paltosuna sımsıkı sarınmış, neredeyse hiç kımıldamadan öylece duruyor. "Bunlar ne yapıyor," diye boş boş bakan, olan biteni anlamaya çalışan bir insan kalabalığı sarmış çevrelerini. Arada içlerinden biri, aklı sıra bir espri yaparak, ortalığı şamataya boğmaya kalkışıyorsa da, sokaklarımızda görmeye alışık olmadığımız bu manzaranın herkeste uyandırdığı saygılı sessizliği delemiyor.

Olan biten bir şey yok aslında. Gerçek bu kadar yalın. Gerçek bu kadar savunmasız. Yoksullar ve yoksulluk, burnumuzun dibinde, orada, öylece duruyor ve bizler her gün onların yanından geçip gidiyoruz; hiçbir şey yapmadan, kimseye hiçbir yararımız olamayacağına sonsuza dek inanmış olarak, her şeyin bizi aştığını, kimse için hiçbir şey yapamayacağımızı düşünerek... Gerçeklerin bilinmesi hiçbir hayatı değiştirmiyor artık. Bilinmekle değil, ancak adanmakla aşılacak gerçekler gözümüzün önünde kayboluyor.

Birden fazlasıyla duygulandığımı hissediyorum. Saçı başı birbirine karışmış yoksul, ayyaş garibanın yavaş yavaş yüzü ortaya çıkmaya başlıyor, misyonerlerin yüzünde, neredeyse İsa zamanından kalma, dünyanın hiçbir halinin onlara ilişemeyeceği bir aydınlık var.

Bizlerde olmayan ve artık olmayacak olan bir aydınlık.

Bizler sayıp döktüğümüzle, saptadığımızla, incelediğimizle, irdelediğimizle, tahlil ettiğimizle, adlandırdığımızla kalıyoruz.

Hayatsa başka yerde.

Saçı başı birbirine karışmış bir sokak ayyaşının, kirli, bitli kafasına merhamet duyuyor olmayı, birkaç asır öncesinin romantikliği sayacak kadar sarkastik, sinik, her şeyi aşmış modern bireyleriz biz.

Dervişlerini unutmuş sokaklarda toplaşan kalabalık, misyonerlerin merhametini anlamaya çalışıyor.

Tuğde bile hiçbir yorumda bulunmadan, kendinden beklenmeyecek ölçüde sessiz seyrediyor adamları.

İşlerini bitirdiklerinde, çevrelerini saran insan kalabalığı alkışlıyor onları. Alkışlardan mahcup oluyor, gülümsemelerini bile saklama gereği duyuyor, tıraş takımlarını çantalarına koyup uzaklaşıyorlar.

Kilitli dünyasından, kayıtsız görünüşünden dışarı çıkamamış ayyaş gariban, elini başında gezdiriyor. Çok uzun zamandır ilk kez bugün hayatında güzel bir şey olduğunu hissediyor olmalı.

İçim uzun süredir unuttuğum yabanıl bir mutlulukla doluyor.

"Kaktüs"e doğru yaklaşıyoruz. Cadde boyu gördüklerimden sonra şöyle koyu bir "double espresso" iyi gelecek bana. İstiklal Caddesi'nde düz bir çizgide kesintisiz bir yürüyüşün olanaksız olduğunu artık hepimiz biliyoruz. Bu kez de önümüzü daha çok bağırırlarsa daha çok inandırıcı olacaklarmış gibi, emperyalizmden, kapitalizmden söz ederek çığıra çığıra sol bir gazete satmaya çalışan, çoğu lise ve üniversite öğrencisi olan asık suratlı, hınçlı ve hırslı gençler kesiyor. Yoldan geçenlerin çoğu değil gazete almak, bu gençlerle göz göze bile gelmemeye çalışarak yan kırıyor. Daha o zamanlar bile sol içinde ipliği pazara çıkmış, hakkında bin bir türlü şaibe bulunan, ne yazık ki benim solcu olmaya karar verdiğimde, ilk ilgi duyduğum en çamur Maocu fraksiyonun şimdiki hali bu. O kadar oportünistler ki, "şimdiki haline" varana dek dümen kıra kıra çok "hal" değiştirdiler. Değişmeyen tek halleri, sığlıkları, şablonculukları, darkafalılıkları, indirgemecilikleri, her çeşit kalleşliğe açıklıkları oldu...

Türkiye'nin bu oportünist, kişiliksiz, bitmiş, tükenmiş siyasal çizgisi nasıl oluyor da, bir avuç da olsa hâlâ yanına adam toplayabiliyor, nasıl hâlâ kimi gençler arasından kendine sempatizan bulabiliyor, diye şaşırıyorum. Sanki zaman geçmemiş, öğrenilmesi gerekenler öğrenilmemiş!

Bu gençlerin yüzünde bir zamanlar bizim de yüzümüzde olan, diğer insanların göremediklerini görüyor olduğunu sanmanın inat karası derin imanı var. Hiçbir karşı düşünceye en ufak bir tahammülün olmadığı kilitli yüzler bunlar. Çok tanıdık, fazla tanıdık, bir o kadar da umutsuz yüzler... Biliyorum: Beni bu gençlere karşı tepkili kılan şey, onlarda kendi gençliğimin çalınmış zamanlarını görüyor olmak. Bizden ve bizim zamanımızdan farklı olarak, bir dolu şeyi görmede ve anlamada, onlar çok daha büyük olanaklara, fırsatlara, şanslara sahipken, yaşananlar hiç yaşanmamış, olanlar hiç olmamış gibi onların bizim kaldığımız yerden aynen sürdürmeye çalışmalarındaki çabanın yarattığı umutsuzluğa katlanamıyor olmak. Zaman onlar için hiç işlememiş sanki. Dahası bizim kuşaktan farklı olarak, kendi gençliklerinin zamanlarını gönüllü olarak çaldırıyorlar gibi. Ben aralarına sıradan bir sempatizan olarak katıldığımda bile ancak birkaç hafta dayanabilmiştim.

Onların yanından hızla geçerken sanki doğrudan yüzlerine bakarsam, düşündüklerim anlaşılacak ve benimle bağıra çağıra tartışmaya başlayacaklarmış gibi hissediyorum kendimi. Sorun haklı ya da haksız olmanız değil, onların zamanı ile sizin zamanınız arasındaki uçurumun yarattığı iletişim olanaksızlığında hissettiğiniz hayata ilişkin derin bir kader duygusuyla, bu duygunun sizde yarattığı kederle nasıl başedeceğinizi bilememeniz. İçlerinden hiç olmazsa birkaçının bir gün nasıl olsa bilebileceklerini şimdiden bilmeniz. Bir zamanlar oyuncusu olduğunuz bir oyunun şimdi seyircisi olmanız... Ve kendi kaderinizin yanından geçer gibi, yanlarından artık yalnızca geçip gitmeniz. Bir yanım kendini hâlâ ve şiddetle solcu hissettiği için, bu denli öfkeleniyor olsam gerek. Yoksa niye bu kadar kurcalansın içim?

Tuğde onlar hakkında saçmasapan bir şeyler söyleyecek de, kime kızacağımı bilemeyeceğim, diye adımlarımı hızlandırıyorum, hatta Tuğde'yi biraz çekeleyerek uzaklaşıyorum onlardan.

XIX

Kaktüs

SONUNDA Kaktüs'ün bulunduğu sokağa sapıyoruz.

Cephesi ve bir yanı acı yeşile boyanmış, girişin solunda bar, duvar diplerini kuşatan koyu renk yapay deriden yapılma bir L kanepe, geride, dar mekâna genişlik duygusu versin diye cephe duvarına boydan boya döşenmiş ayna, gündüzleri bile yanan lale başlıklı aplikler, sokağa bakan pencerelerinde yarım dantel tüller; kendimi evimde hissettiğim sıcak bir kafe Kaktüs. Her gittiğinizde, en az birkaç tanış bulursunuz. Hallerinden birini bekledikleri belli olan tek tük insanlar var. Bu saatte tenha oluyor burası. En Istanbullu olmuş halleriyle bile kendilerini Tunceli'nin düzlüklerinde sanan gam yüklü müşterilerinin henüz akınına uğramamış karşıdaki Alevî barların tımbır tımbır sazları kafa ütülemeye başlamamış daha... Hiç unutur muyum, buradaki birkaç akşamüstümü zehir etmişlerdi bana. Ortadaki birbirine yakın küçük masalarda tanıdık yüzler var. Çoğu gazetelere, dergilere, kitap sayfalarına dalıp gitmiş yüzler, gene dip bucak bir masa beğeniyorum tabii, geçip en dipteki masaya çantalarımızı bırakıyor ve gittiği her yerin ilkin tuvaletiyle tanışan Tuğde'yi, tuvalet için alt kata indiriyorum. Dönerken dergi askılığından Tuğde'nin bakması için bazı kadın dergileri alıyoruz, yerimize geçtiğimizde, kendime bir "double espresso" söylüyorum; bilin bakalım Tuğde ne içiyor?

Öğle tatiline yaklaşıyor zaman. Masalar hafif hafif dolmaya başlıyor, Sibel henüz ortalıkta gözükmüyor. Randevulara hep biraz erken gelmek gibi bir huyum vardır. Sibel ise dakikliğiyle ünlüdür. Öğle saatinde yemeğe gelenler çabuk çabuk veriyorlar siparişlerini. Tuvalete inen merdivenin başındaki gazete ve dergilerin bulunduğu askılığın yanında, müşterilerini şehirdeki çeşitli etkinliklerden haberdar etmek için asılmış çeşitli afişler göze çarpıyor. İçlerinden birinin başlığı tanıdık geliyor. Fazla tanıdık. Bu ucuz ve sevimsiz afiş beni geçmişten kalmış tartışmalara ve anlara götürüyor.

Kendi gördükleri hasarları bütün bir insanlığa paylaştırmak, hatta sıvaştırmak isteyen insanlardan kendimi uzak tutmayı beceremediğim, hatta konuşarak, tartışarak bir şeyleri anlatabileceğimi sandığım zamanlara...

Bir söyleşi duyurusu olan afişteki başlık şu: "Türkiye'de Kadın Olmak, Ekalliyetten Olmak, Ekalliyetten Bir Kadın Olmak". Bir başlık için fazla uzun ve manalı tutulmuş. Üzerinde konuşmacının adı yazılı olmasa bile, kim olduğunu şıp! diye bilirdim. Anna bu. Ben, bildim bileli bütün konuşmalarının konusu budur çünkü. Hoş başka konusu da yoktur. Bir kendini tekrarlama harikasıdır. Hâlâ bu kadının söyleyeceklerini merak edip de, konferanslarına giden var mı acaba? Ben de o tartışmaya katılmak, söz almak ve Anna'ya, "Senin kişisel olarak sorununun, aslında kadın olmak ya da ekalliyet olmakla doğrudan bir ilgisi olmayabilir, daha doğrusu senin sandığın kadar olmayabilir. Belki de asıl sorun, senin sevimsiz, aksi ve kötü ruhlu bir kadın olmanla ilgilidir," demek isterdim. "Elbette azınlık olmakla bir ilgisi olan bir dolu sorun vardır, ama bunlar senin sorunlarını tarif etmeye yetmiyor olabilir. Seni açıklamak ve anlamak için çok daha fazlası gerekiyor olabilir."

Onu hatırlamak bile insanın içini daraltır. Dünyanın en sıkıcı, en yorucu, en iç kapayıcı kadınlarından biridir Anna. Kendini yenilemek, geliştirmek, derinleştirmek gibi bir derdi hiçbir zaman olmamıştır. Akıldışı bir özgüven içinde kendinden ve ulaştığını düşündüğü yerden o kadar memnundur ki, daha ötesi olabileceğini hayal bile edemez. O çoktan olmuştur zaten, olabileceği başka bir şey kalmamıştır. Şimdi bütün beklediği dünyanın ona ayak uydurmasıdır. Hep aynı klişeleşmiş lafları, entelektüel sakızları yineler durur. Yıllar, kimi insanların bilgisini, görgüsünü değil, öfkesini ve hırsını artırır yalnızca. Anna da onlardan biridir. Feminizmin bazı okumuş ya da yarı okumuş kadınlara bu çeşit bir kötülüğü oldu aslında. Yaşadıkları hemen her sorunu tamamıyla kendilerinin dışında aramaya başladılar. Bu halleriyle hayattaki bütün fenalıkları, başlarına gelen hemen her şeyi, feleğe ya da kadere yükleyen sıradan insanlardan bir farkları kalmadı... Anna gibi bir kadının, hayatla ilgili sorunlarının niye yalnızca "kadın" olması ya da "azınlık" olmasıyla açıklayarak kişisel sorumluluklarından kurtulmaya çalışmasına izin verelim ki? Sorunları gerçekten bunlar olan diğer kadınlara niye haksız edelim ki? Tıpkı Şemsa gibi Anna da feminizm için kötü bir örnektir. Feminizm karşıtlarının arayıp da bulamayacakları kadar kötü bir örnektir. Genel olarak Anna'yı kötülemek isteyenler onun için, "erkek düşmanı" derler, doğru ama eksik bir yargıdır bu. Anna da tıpkı Albay Şemsa gibi aslında "insan düşmanıdır". Hatta onda genel olarak hayata karşı bir düşmanlık görülür. Bu çeşit insanların, kötülük tohumlarıyla dolu şişkin egoları ve karanlık ruhları, yalnızca bir şeye düşman olmakla asla yetinemez. Daha fazlası gerekir. Bazı insanlarda öfke ve nefret doyumsuzluğu vardır. Dünyaya karşı dipsiz bir öç alma duygusuyla doludurlar. İnsanın içini yoksullaştıran isli, yağlı duygularla beslenir; öfkelenmeye, nefrete, hasede, kıskançlığa doyamazlar. Bütün kötü ve karanlık duyguların oburu olan kalplerinde hiçbir aydınlığa yer yoktur. Kayıp ruhlardır aslında bunlar. Hiçbir entelektüel malzeme ruhlarındaki derin kaybı kapatmaya yetmez. Kendi ruhumuzun yaralarını sarmaya yaramayan bilgi, başkalarının ruhlarını yaralamakta kullanılır.

İnsan, Anna ile Şemsa'ya bakınca, onların çok iyi arkadaş olacaklarını sanır, değil mi? Tam tersi, kanlı ikizlerdir bunlar. Birbirlerine o kadar benzerler ki, dost olmaları imkânsızdır; aslında birbirlerinden nefret ederler demek daha doğru. Aralarında Türkiye' deki feminizmin "başkomutanı" olmak gibi ezeli bir çekişme vardır. Bir tarihte Ankara'da yapılan büyük bir feminizm toplantısının, düzen partilerinin kongresinden bir farkı kalmaması için ellerinden geleni yapmış, birçok kadının feminist dayanışma duygularına hiçbir erkek egemen iktidarın açamayacağı yaralar açmışlardı.

Üstelik kadınlar erkeklerden daha çabuk, daha derin küserler. Anna, hemen her konuyu "münakaşaya dökmeyi" entelektüel olmanın bir gereği sayar. Sakin sakin konuşmayı, herhangi bir karşılaşmayı kavga etmeden bitirmeyi beceremez. Başlangıçta yumuşak görünür, zıtlaşacağı bir konu bulana kadar çeşitli konularda daldan dala konuşur. Aynı filmi, aynı kitabı beğendiyseniz, hemen konuyu değiştirir; bir konu hakkında aynı düşünceleri paylaşıyorsanız üzerinde durmaz. Onun aradığı bu değildir. Onun için önemli olan, tartışma yaratacak, hatta kavga çıkaracak "netameli" bir konu bulmaktır. Üstelik bunu, "çelişkileri suyüzüne çıkarmak, sahte beraberliklerin üstünü kazımak, kolay anlaşmaları çürüğe çıkarmak" gibi şatafatlı adlandırmalarla bir entelektüel cesaret gösterisi haline getirir. Eh, bu camiada bundan çok bulunan bir şey yoktur.

Anna, seyirci olarak katıldığı çeşitli panel, açık oturum ve söyleşilerde soru soracakmış gibi söz alıp, bitmez tükenmez açıklamalarla sahnedekilerden daha fazla konuşarak kendini göstermeye çalışan "fikir müteşebbisi" insanlardandı. Daha öğrencilik zamanlarından başlayarak, yıllar yılı o kadar çok panele, açık oturuma katılıp insanları canından bezdirmişti ki, sonunda oraya buraya konuşmacı olarak çağrılmaya başlamış, böylelikle de daha genç yaşta, hiçbir mesleki "titri" olmadan fikir hayatımızın "sohbet sektörü"ndeki yerini almıştır.

Zehirli bir zekâsı, kötü niyetli bir takibi, hata bulmaya ayarlı bir dikkati vardır. Manavın terazisine atmaca gözlerle bakan, her hesap pusulasını garsonla birlikte yeniden gözden geçiren, kuyruğa sızmaya çalışanları ilk azarlayan ve her yere dirsekleriyle giren kadınlardandır. Her an onun hakkını yemeye, başkalarını kayırmaya çalışan dünya karşısında yılmaz bir savaşçı, bir dişi cengâverdir. Onun bulunduğu bir ortamda, durduk yerde havada negatif elektrik akımları dolaşmaya başlar, insanlar niye birdenbire gerildiklerini anlayamazlar. Gerçi yanılıp da onunla tartışmaya başlamak gafletinde bulunanlar, çok geçmeden hem niye gerildiklerini anlayacaklardır, hem de keyifleri kaçacak, günleri berbat olacaktır ya, artık geçmiş olsun!

Onun gerginliğini anlatmak için en iyi örnek, Anna'nın bitmez tükenmez evlerini kiraya veren emlakçısının söyledikleridir: "Abla ben müşterilere ev gösterirken gelme. Müşteriler sen gelmeden önce evi rahat rahat gezerlerken, sen gelince çabuk çabuk bakıp arkalarına bakmadan gidiyorlar." "İyi de, ben hiçbir şcy yapmıyor, bir şey söylemiyorum ki," diyormuş. "Abla bir şey demişsin, dememişsin fark etmiyor, sen gelince, müşteri birdenbire hızlanıyor, doğru dürüst bakmadan gidiyor."

Anlayacağınız, kadını gören nedenini bile anlamadan kaçıyor!

Anna'nın kötü huyları say say bitmez. Yıkanmayı sevmez, pis kokar, koltuk altlarının kıllarını hiç almadığı gibi, sürekli kolsuz giysiler giyerek o çirkin kıl yumağını görsel bir manifestoya dönüştürür. Sürekli değiştirip durduğu halde, çirkin gözlük seçmede üstüne yoktur. Gözlük camlarını silip durduğu bez parçasıyla inanın ayakkabınızı silmezsiniz. Her kökten on kıl birden fışkırdığı için, kendi gibi bir türlü yatışmayan saçlarına şekil veremez. Bu yüzden sürekli bir eli saçlarındadır. Kimseyle kavga etmediği zamanlar, saçlarıyla kavga eder. İngiliz kadınları gibi kışın bile arkası açık ayakkabılarla sokağa çıktığından, topuklarının karası, ruhunun karasıyla yarışır. Kendi gibi evi de pistir, yemek masasının üzerinde terliği, saç fırçası ve yemek tabağı yan yana durabilir. Ki, o fırçanın hangi saçlarda dolaşmış olduğunu artık biliyorsunuz!

Kadından matematikçi çıkmaz görüşünü çürütmek için, yıllar yılı kendini matematiğe vermiş, adını "Dişi Cahit Arf"a çıkartmıştır. Kendisinin aynı zamanda bir matematik dâhisi olduğuna inanır ama, bu konudaki yeteneği, hesabının kuvvetli olmasından öte gitmez. Her aybaşı kiralarını kendi eliyle tek tek toplar. Kimseye güvenmez. Kimsenin gözünün yaşına bakmaz. Merhametsizdir. Kiracılarını kış ortasında sokağa attırdığına ilişkin nice üzücü hikâye anlatılır. Bu kiracıların arasında düşkün kadınlar, kimsesiz kızlar olduğu da söylenir. Kısacası para söz konusu olduğunda, sosyalizm, feminizm gibi zihinsel yüklerinden kurtulur, hafifler. Bu kadar evin, ev sahipliğinin yumuşak yüzle yapılamayacağını, askeri bir disiplin gerektirdiğini, bütün kiracılarının aslında onu istismar etmeye çalıştığını dinlemek zorunda kaldığım kişisel bir konferanstan sonra, zaten hiçbir zaman barışmamış yıldızımıza rağmen sürdürdüğüm sınırlı ilişkimizi büsbütün kesmiştim. Uzak selamlaşmalar zamanla görmezden gelmelere dönüştü.

Anadan babadan kaldığı söylenen bu evlerin bir kısmının, Türkiye'den kaçmak zorunda kalan "ekalliyetlerden" gaspedildiği, hatta bu konuda ciddi marifetleri ve ilişkileri olduğu söylenen ailesinin, kimi yaşlı, bunamış, kimsesiz insanlara çeşitli kâğıtlar imzalattırarak mallarını kendi üzerlerine geçirdikleri yolunda ciddi söylentiler vardır. Yani üzerine oturduğu şaibeli ve kirli mirasla "ekalliyetler" hakkında konuşurken biraz daha dikkatli olması gereken Anna'nın bu konudaki öteden beri sinirlerime dokunan pervasızlığı ve cüreti, bir afişten yola çıkarak bu kadar çok söz söylememe neden oldu. Boş yere ümitsiz olmadım ben. Yoksa bir afişten ne olacak, afiş dediğin her yere asılır.

Tam saatinde geliyor Sibel. Anna'yı düşünmekten kirlenmiş zihnim hafifliyor. "Fazla vaktim yok," diyor. "Benim de," diyorum. "Bizim okulun kızlar toplantısına gideceğim." "Ne o, sen gitmezdin öyle toplantılara?" diyor. "Sorma işte ne yaparsın," diyorum.

Sibel hep meşguldür, hep oradan oraya koşuşturur. İşini iyi yaptığı halde sessiz yaptığı için, kıymeti bilinmeyen gazetecilerdendir. Bu sırada, öğle tatilini burada geçirenlerin boşalttığı masalara, zamanı daha bol olan insanlar oturuyor.

Tuğde, karıştırdığı dergileri ve kolasını bitirmiş, camdan dışarı bakıyor. Sibel'le konuşmaya daha yeni başladığımız sırada, kapıdan Ömer giriyor içeri. Başını kaşıya kaşıya şöyle bir etrafa bakınıyor. Günün bu saatinde, onun gibi bir işadamının burada ne işi var? Birden yüzümü al basıyor. Bir rastlantı mı bu? Yoksa? Buraya geleceğimizi Tuğde haber vermiş olabilir mi? Kendimi tuzağa düşürülmüş gibi hissediyorum. Kapıldığım paniğin gözlerimden okunmamasını sağlamaya çalışarak, dönüp Tuğde'nin yüzüne bakıyorum. Gayet kayıtsız görünüyor. Yüzünden Ömer'i görüp görmediğini bile anlamıyorum. İşaretparmağı penceredeki dantel tülün halkalarını genişletmekle meşgul. Ya numara yapıyor –ki, yapıyorsa zaten böyle bir kabiliyeti götürüp, kendi ellerimle teslim etmem gerekir– ya da sahiden görmedi. Beni gören Ömer, ölçülü bir selam verip, kendine bir yer bulduktan sonra açıp gazetesini okumaya başlıyor. Bu haliyle soğuk savaş dönemi filmlerinde casus olduğu anlaşılmasın diye ilgisiz davranan insanlara benziyor. Artık bundan sonrasında, dikkatimi Sibel'e vermekte zorlanıyorum. Ondan, benim için bir konuda araştırma yapmasını istemiştim, bununla ilgili gelişmeler hakkında bilgi veriyor bana. Tuğde ise hâlâ Ömer'i görmüşe benzemiyor. Ben, onun böyle bir karşılaşma sahnesini bu kadar heyecansız yaşayacağını zannetmiyorum. Bu kadar oyuncu olamaz bu kız. Şu ana kadar görmemiş olması, gene de onun bu konuda masum olduğu anlamına gelmez tabii. Birden bana daha önce bir-iki kez saati sormuş olması geliyor aklıma. Arada bir kapıya dikkatli mi bakmıştı, yoksa şimdi ben mi öyle yorumluyorum? Buraya geldiğimiz andan itibaren Tuğde'nin yapmış olduğu bütün hareketleri hızla gözlerimin önünden geçirmeye, ipucu olabilecek bir kanıt bulmaya çalışıyorum. İnsanlar böyle böyle paranoyak oluyorlar, değil mi? Sabahki telefonunda buraya geleceğimizden söz etmiş olabilir, ya da gelemeyeceğimizi söylemek için açtığı ikinci telefonda sözleşmiş olabilirler. Burnuma bir kumpas kokusu geliyor. Ya da tamamen bir rastlantı bu, Tuğde'yi seven şans perilerinin ona bir sürprizi! Onun gelecekteki başarısının tesadüflerini hazırlıyorlar. Kıza baktıkça, onun bu konuda melekler kadar masum, benimse zincirlik bir paranoyak olduğuma karar veresim geliyor.

Durumu bir belirsizliğin kontrolüne bırakmak istemiyor, birden Tuğde'ye dönüp "Ömer ağbin gelmiş gördün mü," diyorum. Kimden söz ettiğimi anlamamış gibi, "Görmedim," diyor. Ardından ekliyor, "Hangi Ömer?" "Dünkü hayranlarından, bugün senin fotoğraflarını çekmek isteyeni." Seviniyor. "Aa nerede?"

Sevincinde gene de bir yapmacıklık var. Bir, görmemiş gibi yapması bir numara olduğu için şimdiki sevinci yapmacık olabilir. İki, bu kız zaten yapmacık biri olduğu için, sevincinin de yapmacık olması çok normal. Kısacası bu muamma gene benim için çözülmüş olmuyor. Ömer'in bizim masaya olan kayıtsızlığı daha da dikkat çekici. Gazetesine gömülmüş başını bile kaldırmıyor. Benim okuyacak hiçbir şey bulamadığım gün günden kötüleyen o gazetede, böyle ciddi ciddi okuyacak ne bulduğunu merak ediyorum. Birbirinden manasız o köşe yazarları boşuna para almıyorlar herhalde, onları da böyleleri okuyor anlaşılan.

Kendini Ömer'e göstermeye niyetli Tuğde'nin boynu kopacak gibi. Farklı nedenlerle de olsa, eminim şu anda o da Ömer'in elindeki gazeteden en az benim kadar gıcık kapıyordur. Oturduğu yerde kıvranıyor aslında. Her şeyi şans perilerinin eline bırakmak niyetinde değil. Üzerine düşeni de yapması gerekli. Kendince en iyi çözümü buluyor. "Gene çişim geldi Nermin ablacığım," diyor. (Bu cümledeki "gene" beni yumuşatmak için olmalı.) Belli ki, geçerken kendini Ömer'e gösterecek. Oyunun kurallarına göre oynandığı böyle durumlarda numarayı çaktığım halde, kurallara riayet ederim. Çişse çiş! Kuralsa kural! Yapacak bir şey yok! Oyunlara saygılıyımdır. Bir tür oyun ahlakı taşırım. Nitekim, Ömer'in masasının önünden geçerken, gözucuyla masasına bakıyor, Ömer'in başını kaldırdığı falan yok. Bense kendimi tutamayıp hangi sayfayı okuduğuna bir göz atıyorum: Para, ekonomi, borsa, bir şeyler... Tahmin etmeliydim bu açgözlü canlının bu kadar ilgisini çekecek başka bir konu olamayacağını. Tuvaletten dönüşte, gene işi şansa bırakmak niyetinde olmayan Tuğde, kendini hâlâ görmeyen Ömer'e sesleniyor: "Merhaba Ömer ağbi." "Aa, merhaba. Sen de mi burdaydın Tuğde?"

Aman Allahım Ömer de numara yapıyor galiba! Tam o sırada, Tuğde'yi seven şans perileri olduğu gibi, sevmeyen cinler de olmalı ki, "Aa n'aber Ömer yağğ!" diye ünleyen Pavorotti kılıklı gürültücü biri, Ömer'in masasına çöküyor. Çökerken masadaki sandalyelerden birini deviriyor. Bu ânı fırsat bilip yüzümde sahte bir tebessümle, arkasından kış kışlar gibi oturduğumuz yere doğru iteliyorum kızı. Bozuluyor ama, belli etmemeye çalışıyor.

Sonrasında Ömer'in bizim masamıza ilgisinin arttığı belli. Arada bir öyle göz göze gelişleri var ki, işte diyorum, işte! Belli ki, daha sabahtan sözleşmişler. Tuğde mutlaka ona Kaktüs'e gideceğimizi söylemiş olmalı. Adam da ardımızdan damlamış! Ardından, yok yok, diyorum. Ben iyice paranoyak oldum. Koskoca adam bacak kadar kızın lafıyla hareket eder mi? Sonra bir düşünüyorum: Bu adam herkesin lafıyla hareket edecek tiynette biri. Üstelik bizim kız da bacak kadar falan değil. Bu kadar işi becerdiğine göre, basbayağı bir kadın! Anlayacağınız durum hayli ümitsiz. Öyle olabilir de, olmayabilir de... Elimde sağlam kanıtlar yok. Bu çeşit durumlar en kötüsüdür, sizi meraklarınız ve kuşkularınızla baş başa bırakır ve gerçek durum hakkında hiçbir ipucu barındırmaz.

Arada bir, Tuğde ile Ömer'in birbirlerine belirsiz gülümseyişlerini yakalıyorum. Tanrım, birdenbire geçmişe ait kanatıcı görüntüler düşüyor gözlerimin önüne. Hani bazılarınızın başına gelmiştir, sevgilinizle bir arkadaşınız ya da tanışınız arasında belli belirsiz bir gerilim fark edersiniz. Belli belirsizdir ama gene de fark edilir; elbette arada siz varsınızdır, apaçık bir şey olamayacağını bilirsiniz. Ama gene de onların birbirlerini merak ettiğini düşünürsünüz, aralarında cinsel bir çekim olup olmadığından kuşkuya düşer, kıvranmaya başlarsınız. Aralarında sizin sandığınız ölçüde bir şey olmasa bile, en azından birbirlerini merak ediyorlardır. Ama merak dediğimiz şey de durduk yerde edilmez! Kişilere duyulan merakın, karşı konulmaz bir çekim alanı yarattığını unutmamalı insan. Örneğin, sevgiliniz sizi çok sevse de, sizin her şeyinizi zaten biliyordur, ama ötekini de merak ediyordur işte. Onun bir biçimde kendisine yasak olması, merakını daha da kışkırtıyordur. Öteki yeni olandır, bilinmeyendir. Böyle zamanlarda kendinizi yenilemeye, sevgilinizin size yönelik ilgisini diri tutmaya çalışır, çoğu kez budalaca şeyler yaparsınız. Örneğin, hemen saçınızla-başınızla uğraşır, normalde hiç giymeyeceğiniz iç çamaşırları giymeye başlarsınız. Sırf ona yeni görüneceksiniz diye, davranışlarınıza müphem bir ifade kazandırmaya çalışırken, kendinize yabancılaşırsınız. Onun için yeniden "merak edilen kişi" olmak istersiniz. Oysa boşuna bir gayrettir bu, ne yaparsanız yapın, siz yaşanmış olan bir şeyin parçasıyken, öteki yeni olmanın, bütün bilinmezlerini korumanın merak ve çekim alanını kuşatır. Kadınların merakıyla, erkeklerin merakı arasında ciddi farklar vardır, siz de bilirsiniz bunları, size öğretecek değilim. Erkekler merak etmekle yetinmezler. Sonunda görmek isterler. Hoş kadınların da, arkadaşlarının olan her şeyi merak etmek konusunda zalim bir yetenekleri vardır.

Bu ikircikli duyguların salıncağında bir öyle, bir böyle gidip gelirken, hiçbir şey yokmuş gibi davranmaya özen gösterir, ikisini de çaktırmadan göz hapsine alır, bakışmalarını, konuşmalarını deşifre etmeye çalışır, kimi zaman olmadık anlamlar yüklersiniz. Her ikisiyle de, hatta kendinizle de ilişkiniz samimiyet kaybına uğrar. Bir kez kuşku tohumu serpilmiştir yüreğinize ve bir sonuç almadan asla ondan kurtulamazsınız. Ki, kadınların çoğunun o "bir sonuç"tan anladığı şey, mutsuzlukları pahasına da olsa, bir ihaneti keşfetmenin kesinliğidir. Gene de içiniz elvermez; onların birçok davranışını yanlış yorumlayabileceğinizi hesaba katarak, sevgilinize de, arkadaşınıza da, kendinize de haksızlık etmemek için, insanüstü bir gayret sarfeder; yorgun, bitkin düşersiniz. Kimseye haksızlık etmeden gerçeği öğrenmenin yollarını ararsınız. (Oysa hiçbir gerçek haksızlık edilmeden öğrenilmez.) Bütün bunların sonucunda, birçok bileşkenin aynı anda devreye girdiği bir işkencenin ortasında bulursunuz kendinizi. (Allahım, Ömer'le Tuğde'nin bakışmalarında ne kadar tanıdık bir şey var! Bir suç ortaklığının, paylaşılan bir gizin kaçamak bakışmaları bunlar. Önceden tanıdığım bir resim bu, önceden tanıdığım bir duygu.)

Bu kadarla da kalmaz, şüphe dolu günler acımasızca geçer. Durumun daha ileri gittiği konusunda kuşkular duyduğunuz dönemler gelir. Düpedüz buluştuklarını, gizli gizli seviştiklerini düşündüğünüz ve bunların bir biçimde ipucu şeyi olabilecek kanıtlara ulaştığınız dönemler...

Şimdi Ömer ile Tuğde'nin masadan masaya bakışmalarında, geçmişe gömmeye çalıştığım ve bir daha asla hatırlamak istemediğim ne kadar görüntü varsa hepsi bir bir diriliyor. Düşünün ki, hafızası güçlü birinin unutmaya çalışmasıyla, hafızası zaten gevşek birinin unutmaya çalışması arasında ciddi bir "performans" farkı vardır. Tuğde'nin o muzur işaretparmağı, dantel tülün halkaları arasında gezinmekle kalmıyor, o parmak, ruhumu karartmış, içimi acıtmış ne kadar olay varsa, hepsini birden zalimce hatırlatan kirli bir çağrışım ağını da kurcalayıp duruyor şimdi. Söylemiştim size bu kızın bana hiç iyi şeyler hatırlatmayacağını... Bütün hayatımın delik deşik olduğunu, daha doğrusu bütün hayatımın yalnızca unutulmaya çalışılan şeylerden oluşacak kadar boş olduğunu, hakkı verilmemiş yıllarla geçtiğini, her şeyin beyhude olduğunu, hatta benim işe yaramaz bir pislik olduğumu, hayatımın da, kendimin de hiçbir değeri olmadığını... (Biraz daha abartayım mı, yoksa bu kadarı yeterli mi?)

"Sen beni dinlemiyorsun," diyor Sibel.

"Doğru, içimin sesini dinliyorum," diyorum, işi espriyi boğmaya çalışarak.

"İçinin sesini başka zaman dinlersin," diyor. "Benim fazla vaktim yok."

"Haklısın, af edersin," diyorum. "Ben, pek konuşkan biri değilimdir bilirsin, ama içimin sesi fazla konuşur."

Sıkıldım. Gerisini çabuk çabuk anlatmak ve buradan kalkıp gitmek istiyorum.

Tuğde elbette tekrar çişe gitti. Bu kez Sibel götürdü onu. Dönüşte, Ömer'lerin masasına takıldı, ayaküstü konuşmaya başladılar. Güya kendi istemiyormuş da, onu lafa tutmuşlar gibi, arada bir bana dönüp sahtekâr bakışlar attı, sıkılmış gibi pofurdayarak soluyormuş gibi yaptı.

Güçlükle masaya döndüler.

Artık o masada ne konuştularsa, Sibel'in, Tuğde'ye bakışlarında onu yeni görüyormuş gibi hal vardı. Merak ettiysem de soramadım.

Bizden sıkıldığı belli olan Sibel, gitmek üzere toparlanırken, "Bu sahne için benim figüranlık görevim bittiyse, artık gidebilir miyim?" dedi.

Sibel'i uğurladıktan sonra, biz hesabı beklerken, Ömer bizim masaya geldi, yanındaki şişman tenor kılıklı, kirli sakallı, ceketinin yakası yağlı, gürültücü bir sesle sürekli geğirir gibi konuşan beyin, (Tanrım! Adamdan ne çok nefret etmişim!) Tuğde'yi reklam filminde oynatmak için beğendiğini söyledi. Tam da Tuğde gibi bir kız çocuğu arıyorlarmış. Bizi masalarına davet ettilerse de, ben bizim hemen gitmemiz gerektiğini ve çok geciktiğimizi, hatta hiç gerekmediği halde, masaların zaten çok küçük olduğunu, hepimizin sığmayacağını falan söyledim. Bunun üzerine Tuğde, artık benimle bir işi kalmamış gibi, nefretini açıkça belli etmekten çekinmedi. Tecrübe filmi çekimleri için, elbette Tuğde'nin annesiyle babasının dönmelerini beklemeleri gerektiğini sözlerime eklerken telefonlar alınıp verildi. Sonuçta Tuğde de, onlar da biraz bekleyebilirlerdi. Şunun şurasında iki gün vardı. Birden o iki günü, bu hareketlilik, bu gerginlik ve bu çağrışım seliyle kaldıramayacağımı hissettim. Bu iki gün, farklı nedenlerle de olsa, bana da Tuğde'ye dc iki asır gibi gelecekti. Zaten ben, bu asrın insanı değildim. Ben, bu yüzyılın, hatta bu binyılın insanı bile değildim. Ben, bir reenkarnasyon hatası olmalıyım. Hatta hiç olmamalıyım.

Kaktüs'ten çıktıktan sonra, uzun süre Tuğde'nin sesini duyamadım. Yanımda olup olmadığından emin olmak için, birkaç kez elini avucumda sıkmak ihtiyacı hissettim. Yanımdaydı.

Bütün gününü onlarla geçirmek, fotoğraf çektirmek, övgüler duymak istiyordu. Bense, onu alıp koskoca bir kızlar ordusunun arasına salmaya götürüyordum. Masallardaki fena kalpli üveyanneler gibi görünüyor olmalıydım ona. Somurtuk bir ifadeyle, yanım sıra aksi aksi yürüyor ve eminim "Neyin var Tuğde?" dememi bekliyordu. İlerki yıllarda kocasını surat asarak cezalandıran kadınlardan biri olacağı belliydi. Şöhrete giden yolda onu engellediğimi düşünüyordu herhalde. Suskunluğu uzayınca, çaktırmadan yüzüne bakma gereği hissettim. Hem artık aksi aksi yürümüyor da, sanki şöhrete giden yolu ağır ve emin adımlarla katediyordu. Bana kızgınlığını unutmuş, yakın şöhretinin hülyalarına dalmıştı. Aman iyi, çok iyi. Sussun da nasıl susarsa sussun.

Meydana yaklaştığımızda, önümüzü çevre dergisi satan çevre korumacı gençler grubu kesiyor. Çevre koruma bilincini artırmak amacıyla çevre dergisi satanların bile, bu işi çevreyi rahatsız etmeden yapmaları gerektiğinin bilinmediği bir ülke burası! Boşuna söylenip durmuyorum ben!

Adeta zorla önümüzü kesiyor, ellerindeki dergiyi burnumuza dayıyorlar: "Hanımefendi, çevreye karşı duyarlı mısınız?"

"Artık hiçbir şeye karşı duyarlı değilim," diyorum ve Tuğde'yi elinden çektiğim gibi kurdukları barikatı aşıyorum.

Bakıyorum da, benim bu aksilikle aşamayacağım barikat kalmamış!

Olmuşum ben!

XX

Taraça

İSTİKLAL Caddesi'nden meydana çıkıp, otoparkına bıraktığımız arabayı almak üzere AKM'ye yöneliyoruz. Klasik müzik konserleri için Taksim'e indiğim günlerden kalma bir alışkanlıkla hep buraya park ederim arabamı. Alışkanlıklarımdan kolay vazgeçemem.

Boğaz'a doğru giderken, Dolmabahçe'ye, deniz kenarına indiğimizde, kafama üşüşen sıkıntılı soruları ve sorunları biraz olsun rüzgâra vermek istiyor, arabanın camlarını aralıyorum, denizden esen rüzgârın taşıdığı iyot ve belli belirsiz yosun kokusu iyi geliyor, biraz olsun gerginliğimi hafifletiyor. Deniz kenarı her zaman iyi gelmiştir bana. Sırf bu yüzden bile Istanbul'dan vazgeçemem. Radyoyu açıyorum, kanal ararken tosladığımız kimi "günün sevilen" manasız ve maraz şarkılarına Tuğde'nin can havliyle atılarak arsızca eşlik etmesine aldırmadan dilediğim türde bir müzik bulana kadar gezinmeyi sürdürüyor, sonunda hiç olmazsa "Acid-Jazz" türü şeyler çalan bir kanalda karar kılıyorum. Araba sürerken tempo iyidir.

Eski arkadaşlarla çoğu kcz bir rastlantı sonucu orada burda karşılaşmalar, ya da kimi ayaküstü buluşmalar bile, çoğu kez her şeyi anlamaya yeter. Bunun için yılda bir kez toplanmanın ne gereği var? Yollar çoktan ayrılmış, köprülerin altından çok sular akmış, hayat size farklı yerlere savurmuştur. Ama bunu bilmek kimseye yetmez. Herkes ayaküstü de olsa, karşılaştırmalar yapmak ister. Kadınlar bu çeşit karşılaştırmalarda bulunmaktan ve döküm yapmaktan hoşlanırlar. Şimdi karşısında duran eski arkadaşından,

293

neyinin eksik ya da fazla, neyinin yanlış ya da doğru olduğunu anlamaya, daha doğrusu için için üstünlük kurmaya çalışır. Çoğu kez fazlasıyla belli eder, hatta saklamaya bile çalışmazlar. Bir an düşünüyorum: Sırf Tuğde kendine uygun arkadaşlar bulup eğlensin diye kendime bir işkence sahası mı yaratıyorum? Ama artık yola çıkmıştık bir kez.

Her nasılsa, trafiğe fazla takılmadan, vaktinden önce Boğaz sırtlarına tırmanıyor, korulukların başladığı tepelerde, eskiden kim bilir hangi paşanın konağı olup şimdi lokal olarak kullanılan büyük, gösterişli bir binanın önünde duruyoruz. Bizi gören otopark kâhyaları fırlıyorlar bulundukları gölgeli yerden. Arabanın anahtarını üzerinde bırakıyor, süt akı kabartma pencere pervazları, motifli alınlıklarıyla uyum içindeki uçuk yeşile boyanmış cephesiyle gözalan üç katlı binaya giriyoruz.

Girişte, gerisinde gelenleri karşılayan fazla ciddi görünüşlü iki görevli kızın bulunduğu geniş bir masanın üzerinde konukların adları yazılı çeşitli zarflar var; adımı arayıp buluyor, ne işe yarayacağını anlamadığım zarfı alıyorum. Kızların zarfları göstere göstere ikna edici olmaya çalışan bir yüzle yaptıkları birtakım açıklamaları doğrusu yarım kulak dinliyorum. Kafam gereğinden fazla lüzumsuz bilgiyle yüklü. Bu zarfların ne işe yaradığını bilmesem de olur!

Tavana kadar yükselen devasa pencerelerinden vuran gür ışığın yeni cilalanmış parkeleri kamaştırdığı hayli büyük, yarı yarıya boşaltılmış bir salondan yankılanan ayak sesleriyle geçerek, göz alabildiğine büyük bir bahçeye açılan geniş, ferah bir taraçaya çıkıyoruz. Tuğde, taraçaya, kaderi şimdiden belli olmuş geleceğin büyük bir starı gibi adım atıyor. Yüzünde hülyalı bir kibir; kendi geleceğinin ufkuna dalmış gözlerinde yaşından büyük bir dalgınlık var.

Bahçenin üzerinden –hep öyle denir ya–, "bütün görkemiyle Boğaz görünüyor". Taraçanın çeşitli yerlerine serpiştirilmiş birbirini tutmayan mobilyalardan oluşan oturma grupları: Ahşap, bambu ya da cam masalar, hasır, metal ve ahşap iskemleler, geniş, rahat koltuklar, yüzü azıcık eprimiş kanepeler, çığırtkan renkler taşıyan desenli, desensiz dev minderler "tasarlanmış" bir serserilik, hafif bohem bir hava veriyor ortalığa ve kız kıza geçirilmesi amaçlanmış bu özel günü anlamlandırıyor. Bahçedeki çiçek ve bitki bolluğunun varlığıyla yetinilmeyip, taraçanın dört bir yanına dev saksılarda rengârenk çiçekler, çeşitli ağaççıklar, gür bitkiler serpiştirilmiş. Gerilerde bir yerde, kaskatı kolalanmış, kâğıt akı beyazlığında yerlere kadar inen örtüsüyle, boydan boya uzanan zengin çeşitle donatılmış bir açık büfe masası, konukları ağırlamaya hazır bekliyor. Taraçada ve bahçede hazırlanmış masaların bir bölümü şimdiden dolmuş, özellikle taraça parmaklığına, dolayısıyla manzaraya yakın olanları.

İnsanlar yavaş yavaş gelmeye başlıyor. Böyle zamanlarda sıkıntılı bir gerginlik gelir üzerime. (Hoş, üzerime sıkıntılı bir gerginlik gelmesi için, fazla bir şey olması gerekmez ya... Bakın o konuda çok kalenderimdir; ufak bahanelerle bile yetinmeyi bilirim.) Daha girer girmez münasebetsiz biri tarafından esir alınmaktansa, en azından başlangıç için görmekten hoşnutluk duyacağım tanıdık bir yüz arıyorum etrafta. Gördüğüm kadarıyla, etraftaki çocuk sayısı kısa bir "Tuğde tatili" yapacağım konusunda ümit veriyor. Hale ile kızını aranıyor gözlerim. Ana-kız belki dünün rövanşını almak isterler.

Şöyle alıcı bir gözle baktığımda, etrafta hakkında konuşacağım, hem de uzun uzadıya konuşacağım ne çok kadın var; ne çok gözlem, ne çok saptama, ne çok çağrışım ve anımsama olanağı... İnsan, o güne kadar bilmiyorsa bile, bu kadınlara baktıkça, "bilinç akımı"nı yeniden keşfeder. Burada gördüğüm kadınların hepsine kitabın harcına karılacak birer unsur gözüyle baktığımı fark ediyorum. (Bilmem ki, bu benim yavaş yavaş yazar olmaya başladığımın bir göstergesi sayılabilir mi?) Daha dememe kalmadan, ilk "unsur" bütün haşmetiyle karşımda bitiveriyor: Müheyya.

Bütün kalabalıklar içinde ilk görülen kadındır hep; bu kural bugün de değişmiyor. Uzun boylu, geniş omuzlu, atletik yapılı, hayli gösterişli bir kadındır. O kadar gösterişlidir ki, size güzel olup olmadığını düşünecek zaman bile bırakmaz. Erkeksi denebilecek sert, köşeli hatlarına karşın, çok dişi bir havası vardır. Karşı tarafta merak uyandıran acı bir dişiliktir bu. Nedense, Antonioni'nin, Jean Luc Godard'ın koyu kıvam filmlerine yakıştırırım ben onu. Aynı tarz kadın olmasalar da, bana bir parça Aranjman Aysel'i de hatırlatır. Bu, belki de cinselliklerini pervasızca yaşamadaki gözüpek üsluplarından ötürüdür. Ancak şıklık düşkünü kimi filmlerde olur sandığınız şeyleri yapmaktan, örneğin gösterişli şapkalar takmaktan ve dirseklerine kadar eldivenler giymekten korkmayan kadınlardandır. "Ne var bunda," demeyin. Gerçek hayatta bu çeşit kadınlardan çok yoktur. Nedense şapka devriminin ilk şaşaalı yıllarından sonra, şehirli kadınlarımızın çoğu şapkayı gündelik hayatından uzaklaştırmıştır. Şapka görülmeyi, fark edilmeyi bunca kolaylaştıran bir şey olduğu halde, görülmeye, seyredilmeye bu kadar meraklı olan kadınlar, bundan neden vazgeçmiş olsunlar ki? En akla yakın açıklama bence şu: Şapka insanın kafasına işaret eden bir şeydir; erkeklerse "kafalı" kadınlardan hoşlanmazlar. (Ona bakarsanız, erkeklerin omuzları ağlamak içindir ama, erkeklerin çoğu, omuzlarında bir kadının başını taşımaktansa, hayatın yükünü taşımayı tercih eder.)

Müheyya'nın renkleri ve modelleri giysilerine göre değişen başta geniş kenarlılar olmak üzere gösterişli şapkaları her yerden fark edilir. Sürekli siyah ve kırmızı giymesiyle, yıllardır ölçüsü değişmeyen ince beliyle, iyi bir tango ustası olmasıyla, gümüş takıları ve deri kemerleriyle ünlüdür. Bilebildiğim kadarıyla, şu koca Istanbul'da en fazla küpesi, yüzüğü, takısı olan kadın odur. Bir gün taktığını ertesi gün çöpe atsa bile, ömrünün sonuna kadar yetecek yüzüğü, küpesi, takısı vardır. Müheyya, kulaklarını normal insan kulağı boyutlarına indirebilmek için, tam üç kez kestirmek zorunda kalmıştır. Başının iki yanında koca koca sargılar ve bandajlarla geçirdiği günleri toplasanız başkasına bir ömür çıkar. (Okuldayken de, edebiyat derslerinde "abartı sanatını" en iyi ben açıklardım.) Sanki o koca koca küpeler kulaklarını daha küçük gösterecekmiş gibi, yıllarca iri küpeler takıp durmuştur. (Neden bazı kadınlar, kusurlarını kendi elleriyle abarttıklarında kusur olmaktan çıkacakmış sanırlar?)

Müheyya'yla karşılıklı hal hatır soruyoruz, bize bulunduğu

masayı gösterip birlikte oturabileceğimizi söylüyor. Erkek bulunmayan bir ortamda Müheyya'nın çok fazla kalmayacağını biliyorum. Bu yüzden bu teklife "sıcak bakabilirim" ama, benim gözüm, şu ta en köşedeki gözlerden uzak boş masada, ağaç altında kuytu bir yer olduğu için, emimim oraya oturmak isteyen çıkmayacaktır. Müheyya'nın başlıca özelliği, ömrü boyunca hiç çalışmamış olmasıdır. Öyle kadınlar vardır, ne iş yaptıkları belli değildir ama hep ortadadırlar. Başlarından bir ya da iki evlilik geçmiştir, sonra evlilikle de uğraşmaz, birlikte yaşamalarla idare ederler, babalardan, kocalardan bir şeyler kalmıştır, her sıkıştıklarında ya satacak bir şeyleri ya el uzatacak bir yakınları vardır. Kimi zaman ilk evlilikten olma çocuğun hatırına ilk kocanın eve katkıları falan olur. "Yaşama standartlarını" asla düşürmeden bütün bir hayatı geçirirler. Çok sıkıldıklarında bazı işler yapıyormuş gibi yaparlar, örneğin biriyle ortak butik falan açarlar, antikacılık, dekorasyon ya da emlak işlerine kalkışırlar. Yaşamlarındaki hiçbir şeyi düzenli olarak sürdüremedikleri için, yarısı yolda kalmış maceralarla yeniden hiçbir iş yapmadıkları başıboş günlerine dönerler. Onları yeniden iş saatleri dahilinde Boğaz'daki balık lokantalarında kafa çekerken ya da tekne sefalarında gezerken görebilirsiniz. Siz kıyıda yürürken, hayatla dalga geçer gibi el sallar, geçerler. Müheyya da böyle bir kadındır. Vicdanını hafifletmek için Müheyya'ya karşı gereğinden fazla bonkör davranan eski kocasının cüzdanını epey hafifletmiş, paraların suyunu çekmesine yakın artık bir iş kurmak istemiş, tahmin edebileceğiniz gibi, "takı" işine kalkışmıştı. Çok da başarılıydı, neden sürdürmedi bilmiyorum.

Bilebildiğim kadarıyla, Müheyya'nın diğer bir temel özelliği, hayatında sürekli anlamda hiçbir erkeğin olmamasıdır. Çok genç yaşta çılgınlar gibi sevişerek evlendiği ilk kocasının, genç bir kıza âşık olup Müheyya'yı terk etmesinden sonra, Müheyya kırılan kadınlık gururunu yıllarca onaramamış, anladığım kadar, yeniden terk edilmek ve yeniden aynı biçimde acı çekmek korkusundan ötürü hayatına bir daha erkek sokmamıştır. Sanki bir gurur kaybıyla birlikte, bir hayat kaybına da uğramıştır. Hep başkalarının erkekleriyle idare eder. Çoğu kez tanıdıklarının, bildiklerinin, arkadaşlarının erkekleridir bunlar. Fazla uzağa açılmaz, hep yakın çevrede çalışır; kaçamak yapma meraklılarının, hayatında günah tadı isteyenlerin macerası olmuştur. Sanki böyle yaparak, bir zamanlar uğradığı ihaneti anlamak, bir daha hiç onaramadığı derin bir yarayla dışına sürüldüğü hayata bir de öteki taraftan bakmak ister. Kimsenin elinden kocasını almaya kalkmaz. Kimsenin hayatında birinci kadın olmak istemez. Hep birinci kadınların korkusu, kuşkusu, tedirginliği olarak kalmayı yeğler. Herkesin hayatındaki şüpheli figürdür. Çevresindeki kadınlara kocalarının ya da sevgililerinin Müheyya ile bir ilişkisi olup olmadığı kuşkusunu taşıtarak, bir zamanlar çektiği acıları dünyaya mı paylaştırmak ister, nedir? Bu çeşit ilişkilerinin ortaya çıkmasıyla birlikte, başlangıçta tanıdıkları ve arkadaşlarıyla arasında büyük kavgalara, dargınlıklara yol açan bu durum, şeytan tüyü taşıyan Müheyya'nın ısrarlı girişimleriyle her seferinde çeşitli barışmalarla sonuçlanmıştır. Müheyya, bu konudaki ahlaksızlığını, kural tanımazlığını kabul edilebilir ve artık kızılamaz bir hale getirmeyi, bu yüzden de bir çeşit dokunulmazlık kazanmayı başarmıştır. Herkes Müheyya'nın "böyle biri" olduğunu bilir. Kadınlara kalan, kocalarını ondan uzak tutmaktır yalnızca. Müheyya, her evin dışında durup, pencereden içeri bakan yalnız kadındır artık. Güvenli ev içlerine güvensizlik korkusu salmanın yara almaz yerinde durup, her an çekip gidebilmenin sızılı özgürlüğüyle, hayata, insan zaaflarına ve ihanet çeşitlerine uzaktan bakar. Kimseye rövanş alma şansı tanımaz, çünkü elinden alınacak ne bir kocası, ne bir sevgilisi vardır.

Bu yanıyla benim için ilginç bir insandır Müheyya. Tabii bütün bu özellikleri herkes tarafından bilinince, çevresindeki kadınlar da önlemlerini ona göre almaya başlamış ve Müheyya'nın işini zorlaştırmışlardır. Bu yüzden bir ara Istanbul'dakilerden artık iş çıkaramaz hale gelince, civar kentlere, Ankara'ya, İzmir'e, hatta yurtdışına gitmelere, orada yaşayan arkadaşlarının kocalarına, sevgililerine çengel takmaya başlamış, hatta bir keresinde Lizbon'daki bir arkadaşının, Oğuz Atay taklidi kitaplar yazdığı için "Oğuz Atay Jr." diye anılan işe yaramaz kocasını baştan çıkarmak üzere kalkıp ta Lizbon'a kadar gitmiş, gittiğinin ertesi sabahı, zavallı ev sahibesinin işe gitmesini fırsat bilip kadının daha soğumamış yatağına girerek Oğuz Atay Jr. ile "tehlikeli oyunlar"a dalmış, "Türkiye'den misafirim geldi," diye işten izin alıp bir sevinç, bir coşkuyla eve geri dönen kadın, kendi yatağında kocasından ve arkadaşından oluşan bu "yakın manzarayla" karşılaşınca, ağır bir şok geçirerek hastaneye kaldırılmıştır. Kabul edin ki, gece memleketten misafir gelen arkadaşınızı, sabah kocanızın koynunda bulmak, başınıza her zaman gelebilecek bir felaket değildir. Alın size "'Beyaz Kentte' Bir Aile Faciası!"

Fakat kadında da başka bir tuhaflık var, çünkü şimdiki kocası da Paul Auster taklidi romanlar yazdığı için, "Paul Auster Jr." diye anılan bir romancı. Düşünün, adamın üçlemesinin adı bile "Istanbul Üçlemesi". Istanbul'un şimdisinde ve tarihinin labirentlerinde gizemli gizemli dolaşarak, ikizini ve kendini arayan, kimselerin anlamadığı, aşırı sıkıcı, içe kapanık, bir yanı gölgede kalmış esrarengiz adamların yalnızlığını, bunalımını falan yazıyor... Tabii gayet postmodern bir biçimde! (Ben bu adamların gerçek hayattakilerine katlanamıyorum, romandakilerinin kahrını niye çekeyim? Ayrıca, erkeklerin modernlerinden ne hayır gördük ki, postmodernlerinden görelim?) Her neyse, tek korkum, günün birinde, kadıncağızın bu seferki kocasını da yıllardır arayıp durduğu ikiziyle aynı yatakta basması! Bilirsiniz, kader kendini hep aynı yerden tekrar eder. Üstelik "kader" dediğimiz şey, gayet klasiktir, öyle modern, postmodern falan dinlemez!

Müheyya'ya ilişkin bu bilgilerin ışığında bakıldığında, onun şimdi beni görür görmez ilk sorusunun pek de masum olmadığını, beni düşündüğü ya da benim adıma kaygılandığı için sorulmadığını anlarsınız:

"Ne o şeker, hâlâ evlenemedin mi sen?"

Gülüyorum.

"Canım," diyorum. "Benim evlenebileceğim erkekler ya evliler ya da birbirleriyle yaşıyorlar. Anlayacağın benim durumum hayli umutsuz. Sen benden ümidi kessen iyi olur! Genç yaşta karısını bir trafik kazasında kaybetmiş kişilerden medet ummaktan başka yapacak bir şey kalmıyor bana."

Gülüşüyoruz.

"Biz şu masaya geçelim en iyisi Müheyya," diye gözüme kestirdiğim masayı gösteriyorum.

Ayaküstü azıcık lafladıktan sonra Müheyya, "Görüşürüz," diyerek açık büfeye yöneliyor. Çabuk adımlarla, sağa sola birkaç selam verip tam gözüme kestirdiğim köşedeki kuytu masaya oturacak gibi oluyoruz ki, "Neye gülüşüyordunuz bakalım?" diye güçlü pençeleriyle bir el tutuyor kolumu ve sarsalamaya başlıyor. Dönüp yüzüne bakmasam bile "pençelerinden" tanırım: Haberci Cemile bu! Akşamına kolumun orasında bir morluk bulacağımdan eminim. Daha önce de oldu, biliyorum. Hem ben, hem başkaları tarafından defalarca uyarıldı, faydasız! Sözünü dinletmenin bir gereğiymiş gibi, bir şey söylemek istediğinde, mutlaka insanın kolunu kavrayıp sarsalar. Onunla konuşurken, sürekli geri geri gitmek ihtiyacı hissedersiniz. İlkin hemen şunu söyleyeyim: "Haberci Cemile" adını ben takmadım. Ona bu "unvanı" halk verdi. Sahibine o kadar yakışan bir ad ki, benim yenisini bulmak için yaratıcılık zorlamaya kalkışmam fuzuli bir gayretkeşlik olurdu. Hem bence o, bundan daha fazlasını hak edecek bir kadın da değil. Düzayak, sıradan bir ad nesine yetmiyor? Haberci Cemile, Haberci Cemile'dir, o kadar! Gerçi okuldayken, ben ilkin, "Müzevir Cemile" adını takmıştım ama, bana babamdan kalma zengin Osmanlıca lügat bilgim, geniş kitleler tarafından pek benimsenmediği için, herkesin anlayabileceği dildeki çevirisi "Haberci Cemile" daha geniş bir ilgi gördü.

Her yıl sınıf mümessili seçilirdi. Tahmin edebileceğiniz gibi, hocalarla arası hep iyi, öğrencilerle arası hep kötüydü. Birbiriyle arası iyi olanların arasını bozmaktaysa üstüne yoktu. Her nasılsa, hemen herkesin her şeyinden ânında haberi olur, bunu bilmesi gereken ve gerekmeyen yerlere büyük bir hızla yetiştirmede gösterdiği başarılardan ötürü ödüllendirildiği üstün liyakat ve hizmet madalyalarıyla dolu koca memeli göğsünü gere gere ortalıklarda dolanırdı. Hayat onun bu yanını hep ödüllendirdi. İlerki yıllarda ilkin bir gazeteci olarak, daha sonra bir televizyon habercisi olarak hak ettiği üne, paraya, kariyere sahip oldu. Şimdi büyük bir televizyon kanalının haber müdürü. Ama bilirsiniz, bir eliyle verdiğini, diğer eliyle almada hayatın üstüne yoktur. Bütün dünyadan haberdar olsan ne fayda! Her seferinde kocasının yatıp kalktığı kadınlar konusunda en son Cemile'nin haberi olur! (Allahın sopası teorisi!)

Eskiden de çok hırslı bir kızdı, ülküsü yükselmek, yükselmek, ileri gitmekti! Türkiye'de solun en kızışmış zamanlarında "dişi Lenin" gibiydi. Görseniz, bir keçi sakalıyla, boynunda kırmızı kaşkolu eksik derdiniz. Ona baktıkça sosyalizmin saflarını terk edip gidecek en son kişinin o olacağını sanırdınız. Oysa 12 Eylül 1980 sabahı sol safları terk eden ilkler arasında olduğundan eminim.

Erkek tiplidir Cemile, giydiği döpiyesler, üzerinde "erkek takım elbisesi" gibi durur. Kendisinden "harbi kız" diye bahsedilmesi için elinden geleni ardına komaz. Yeniyetmeliğinde, oğlanlarla mahalle arasında top koşturduğu günlerde kendisinden "Penaltıcı Cemile" diye söz edildiğini duymuştuk. Kahvede bağıra çağıra tavla oynar, okeyde çifte döner, küfürlü konuşur, yakın arkadaşı olan kadınlara, "Lan kaltak" diye seslenmeyi samimiyet zanneder. Bir zamanlar Cemile'nin erkek kardeşiyle evlenip ayrılan, ama şimdi onunla aynı televizyon kuruluşunda çalıştığı için, ondan kurtulamamış bahtsız bir arkadaşımız, ondan hep "Kayınbiraderim," diye söz eder. Şu saydıklarımdan sonra, normalde onun kadınlara düşkün bir "Ablacı Cemile" olması gerekirken, üstüne üstlük bir de "normaldir". ("Politically correct" meraklısı eşcinseller, bu cümleden yola çıkarak, kendilerini "normal" görmediğim alınganlığına kapılmasınlar lütfen. Çünkü Cemile, karşıcinsel bile olamayacak kadar normaldir. Ayrıca normallik, zaten olunması gereken bir şey değildir. Bu yüzden, hiçbir aklı başında eşcinselin, "normal" olup olmamayı kendine dert edineceğini sanmıyorum. Normalliği, normallere bırakın. Siz "makul" olun yeter.)

Cemile'yi kimse sevmez, ama bu onun umurunda değildir. Hayatının hiçbir döneminde "sevilmek" gibi bir derdi olduğunu sanmıyorum; kocaları tarafından bile sevilip sevilmediğini merak etmediğine bahse girerim. (Şu haliyle üç koca aldığını söylemeliyim.) Yalnızca, yanında kimse yoksa, canı sıkılır onun, yalnız kalmaktan hoşlanmaz, yanında iki çift laf edeceği birileri olsun, gittiği yerlerde tek başına kalmasın, her zaman her yerde herkesle selamlaşsın, bu ona yeter. Bu arada ilk kocasından olma bir kızı var ki, herhalde annesine baka baka "ikrah getirdiğinden" olsa gerek, tam bir dişilik "hipertrofisidir"! 6 yaşında ciddi ölçüde makyaj yapmaya başlayıp, 12 yaşında da bekâretini kaybetmiştir. Nereden mi biliyorum? Çünkü, gazetelere "haber" oldu. Hem de üçüncü sayfadan değil, birinci sayfadan. (Gene Allahın sopası teorisi!) O zamanlar için bile dağ başı sayılabilecek Sarıyer sırtlarında, gayet ağaçlıklı ve kuytu bir yerde, akşam vakti gene öyle "full makyaj", ayağında yüksek topuklu ayakkabılar, gerdanı salkım saçak incik-boncukla dolu, hafif bir dekolte giysiyle otostop yaparken kaçırılmış. Kaçıran genç, yakışıklı ve üstelik nişanlı şoför, suçunu kabul etmekle birlikte "Valla kendi istedi," deyip durmuş, artık siz hangisine inanmak isterseniz inanın, ben bir yorum yapamayacağım.

Birden, bu sabah Gurbet Hanım'ın, Tuğde için, "Bu kız 13'ünü evde çıkarmaz," derken neyi anlatmak istediğini kavrıyorum. Tuğde, hep bana birini fazla hatırlatıyor, diye düşünürken, bu kız hiç aklıma gelmemişti doğrusu, öyle ya, ikisi de aynı kumaştan yapılmışlar. (İçimden gizli gizli Tuğde'nin 12 yaşında olmaya daha 7 senesi var, hesabı yapıyorsam da, doğrusu yıl hesabına fazla güvenemiyorum. Nasıl bizim zamanımızın 18 yaşı ile şimdinin 18 yaşı aynı değilse, bu da aynı olmayabilir. Hem bizim kızın daha becerikli olmadığı ne malum?) Her neyse, Haberci Cemile'nin kızı şimdi "manken-şarkıcı" oldu, aslında bizatihi kendisi her an ayaklı bir haber oldu demek daha doğru olur. On parmağındaki çeşitli marifetler nedeniyle, televizyon dizilerinde oyunculuktan, reklam filmlerine, televizyonlardaki sabah bonbonlarından, gece salıncaklarına varana dek her çeşit gösteri sanatının içinde; beyazcam sayesinde evimizin bir ferdi gibi aramızda yaşayıp gidiyor. Cemile öyle bir kızı yokmuş, ya da hiç olmamış gibi nasıl davranıyor, anlamıyorum. Duyduğum kadar ana-kız görüşmüyorlarmış artık. Erkekler, kendi aralarında benim hiçbir zaman takamayacağım bir adla söz ediyorlarmış kızdan: "Kadife Ağız".

Etli, kırmızı, hep yarı aralık ve ıslak duran güzel dudaklarından ötürü değil, "oral seks"te göstermiş olduğu üstün performanstan ötürü takılmış bir admış bu! Anasının hiç kapanmayan ağzından sonra, bu da Allahın sopası değilse, ne peki? Biliyorum, fazla maço bir espri oldu ama, unutmayın ki, maço kadınlar en çok bu esprilerden anlarlar.

Nihayet gözüme kestirdiğim kuytu-köşe masamıza, Cemile'yle birlikte yerleşiyoruz. Bu arada, Haberci Cemile'nin bizimle fazla kalamayacağını bildiğim için, yanımızdaki varlığından dertlenmiyorum, istese de duramaz, çünkü bu masada laf yok, bu anlamda onun hayattaki hayal kırıklıklarından biriyimdir, en müsait olduğum zamanlarda bile beni konuşturmayı başaramamıştır. Beni başka insanlara tanıştırırken, artık övmek için mi, yermek için mi, bilemem, başka bir özelliğim yokmuş gibi, söylediği ilk söz hep aynıdır: "Bu kız hiç laf-söz sevmez, hiç dedikodu bilmez." Ne bilsin gafil kadın benim, için için kitap yazdığımı ve asıl haberlerin hep sonradan geldiğini. Hatta söz uçar, yazı kalır, dendiğini.

Masaya oturur oturmaz, "Kimleri görüyorsun?" diyor bana. "Anlat bakalım." Sesinde daha çok bir röportaj tonu var.

"Kimseyi," diyorum. "Bilirsin ben biraz yabaniyimdir."

Yüzünde "tahmin etmiştim" anlamına gelen bir hoşnutsuzluk, daha şimdiden bir sıkılmışlık ifadesi var.

Tuğde'nin oturduğumuz masayı sevmediği, pek gözlerden uzak bulduğu belli. Boynunu uzata uzata taraça parmaklığının yanındaki masalara bakınıp duruyor. Onun gibi geleceğin büyük starının, ortada yüksekçe bir yerde oturması ve çevresini nedimelerinin alması gerekirken, onu bu ağaç dibi köşeye tıkıştırdığım için benden bir kez daha nefret ediyor olmalı.

"Kız Nermin! Pek kabuğuna çekildin sen," diyor Haberci Cemile.

"Lan kaltak," demeyip, "Kız Nermin," demesi, bana belli bir ölçüde saygısı olduğunu gösteriyor Cemile'nin.

"Ne yapayım, iş güç," diyorum.

En iyi savunma cümlesidir bu: İş güç! Kimseyi ikna etmeden herkesi yatıştırır.

"Ya, hep öyle, hep öyle," diyor. "Şu senin Berrin'i duydun değil mi?"

"Berrin Baran'ı mı?" diyorum. (Görüyorsunuz ya, kadının gerçek soyadını sahiden hatırlamıyorum.)

"Ne bileyim, senin Berrin işte!"

Söze, "Duydun değil mi," diye başlamak, Cemile'nin temel cümle kalıbıdır. Kendinden önce hiç kimsenin duymamış olduğuna emin olduğu şeyleri bile, aynı biçimde dile getirir.

Sorusu karşısında fazla meraklı görünmemeye çalışıyorum. "Yıllardır görmüyordum. Geçen gün tesadüfen rastladım ona, diyorum. Akmerkez'deydi, ama konuşamadık. Ne olmuş?"

"Ağır bir trafik kazası geçirmiş, topal kalmış kızcağız, ne bahtsız karıymış ağbii yaa..."

Topal kalması kendi kabahatiymiş gibi kızıyor Berrin'e.

Birden o gün Berrin'in ardından bakarken, ayağının aksaması geliyor gözlerimin önüne. Kuşkulanmış, ama ihtimal vermemiştim, doğruymuş demek! Yazık!

"Kadın nerede bir felaket varsa, paratoner gibi çekiyor üstüne ağbii yaa... Bu kadarı da olmaz ki!"

Gören de onu, Boğaz tepesinde bir kızlar toplantısında değil de, İkitelli'nin cam kulelerinden birinde, öğle yemeğinden dişlerinde maydanoz kalmış, göbeği kemer tutmayan kalın bıyıklı köşe yazarlarından biriyle tavla oynuyor sanır.

"Bu toplantıyı haber vermek için aradım Berrin'i. Gelemeyeceğini söyledi. 'Biraz insan içine çık kızım,' dedim. 'Nedir bu dünyadan bezmiş halin!' O kadere küstükçe, kader de ona küsüyor, farkında değil. Ya asıl geçenlerde şu senin Aranjman Aysel'i nerde gördüm biliyor musun?"

"Ne zamandır görmüyorum onu da," diyorum. "Sahi nerede gördün?"

"Atina'da. Uluslarası bir toplantı için gitmiştik. Bir baktım bu kaltak baş köşeye kurulmuş, oturuyor. Meğer, Yunanlı bir armatörle evlenmiş. Para içinde yüzüyor, bir lüks, bir ihtişam!.. Bakma sen, adam da dut gibi âşık bizimkine, gözünü ayıramıyor kaltaktan..."

"Bak bu iyi olmuş," diyorum. "Onassis zamanlarına yetişemedi diye pek üzülüyordu. Ara kapatma ya da rövanş alma konusunda üstüne yoktur Aysel'in. Valla dış politika konusunu bizim Aysel'in eline bıraksalar, nafaka diye on iki adayı alır da öyle döner memlekete."

Cemile gür bir kahkaha patlatıp, pantolonunu çekiştirerek, kemerini düzeltiyor. Utanmasa, Türk erkeklerinin pantolonlarına bir türlü yerleştiremediği şeyi, o bulup yerleştirecek.

"Aysel eğlenceli kızdır," diyorum. "Memleket hudutlarının ona dar geleceği belliydi zaten. Artık bir dahaki sefere Hollywood'da rastlarsın ona. Benim tanıdığım Aysel'i ne Atina keser, ne on iki adalar..."

"Senin şu Güngör'ü de uzun zamandır görmüyorsundur," diye sitemli bir alaycılıkla soruyor.

"Haklısın, onu da uzun zamandır görmüyorum. Dolayısıyla 'senin şu' diye sorduğun kişiler, uzun zamandır 'şu benim' olmaktan çıktılar Cemileciğim."

"Bizim patronun Sarıyer sırtlarındaki villasının dekorasyonunu o yapmış, bir görsen rüya! Mesleğinde doruğuna çıkmış kaltak!"

Gördüğünüz gibi, Haberci Cemile'nin dilinde "kadın olmak" ile "kaltak olmak" aynı şey! Onun "kaltak" diye söz etmediği tek kadın, herhalde annesidir.

Cemile'nin patronunun villasına ait iştahla anlattıklarına şaşırmıyorum. Güngör'ün bir iç mimar olarak başarısını, olumsuzlukları görmede, kusur bulmada hayli yetenekli olan gözlerine borçlu olduğunu düşünmüşümdür hep. Her şeyin kusurunu, hatasını görmeye bunca ayarlı gözler, elbette iç mimari ya da dekorasyon gibi sıkı bir titizlik gerektiren işlerde insana çok yardım eder. Yoksa bu memlekette inşaatçılarla, ustalarla uğraşmak, onların kahrını derdini çekmek, en önemlisi akıllara gelmeyecek yanlışlıklar, hatalar yapmadaki "üstün yetenekleriyle" başetmek kolay iş değildir. Bir de Güngör'ün tıpkı Metin gibi, kendinden aşağı gördüğü insanları, özellikle de erkekleri azarlamaktan, haşlamaktan hoşlandığı düşünülürse, mesleğinin sağladığı bu avantajın ona ayrı bir zevk verdiği tahmin edilebilir...

Az önceki uyarıyı hiç yapmamışım gibi, gene cümlesine aynı biçimde başlıyor Haberci Cemile: "Senin şu Güngör'ün ne yaptığını duydun değil mi?" "Duymadım Cemile," diyorum, "Biliyorsun her şeyi en son ben duyarım. Hatta çoğu kez duymam. Sen rahat rahat anlatmana bak!" "Eski ortağının karısını ayartmış ağbii yaa. Adam Güngör'e silah çekmiş, karakolluk falan olmuşlar. Kadın bayağı tutulmuş Güngör'e, kocayı, çocukları bırakıp Güngör'ün evine taşınmış. Şu işe bak sen! Ne karıymış yaa!" Güngör'ün onca çabasının, gayretinin, sabrının hiç olmazsa bir yerlerde sonuç veriyor olduğunu görmek, insanın adalet duygusunu güçlendiriyor.

Hızını alamamış, "Sen Leyla'yı tanır mıydın," diyor bu kez de... "Hangi Leyla?" diyorum. "Antikacı Leyla mı?" "Yok canım bizim okuldan değil, tanırsın mutlaka, Leyla işte canım," diyor, "Adalı Leyla. Kocasından ayrılıyormuş. Üçüncü koca bu eskittiği. (Sanki kendisi daha azını eskitmiş gibi.) En son Ada'ya gittiğimizde görmüştük. Çok güzel bir evleri vardı, öyle çiçekler içinde, koca bir verandası var. Adanın en güzel verandası ağbii yaa!.. Öyle Amerikan filmlerindeki gibi, salıncaklı falan! İnsan bir yaştan sonra koca boşamamalı, idare etmeli artık. Üç koca aldı, üçü de birbirinin zıddı. Biri birini tutmuyor. Bundan sonrasında işi çok zor kaltağın. Erkek dediğinde o kadar çok çeşit yok ki... Hepsi aynı aslında ama, anlamak zaman alıyor işte."

Birden Haberci Cemile'yi o haliyle erkeklerden söz ederken dinlemek komiğime gidiyor. Gülmeye başlıyorum. "Neye gülüyorsun?" diyor. "Hiiç," diyorum. "Erkeklere gülüyorum." O da beni hiç olmazsa bir esprisine güldürebilmiş olmasına sevinerek, gevrek gevrek gülmeye başlıyor.

Sonra benim ilgilenip ilgilenmediğime aldırmaksızın, Leyla adındaki tanımadığım bu kadın hakkında bir dolu şey anlatmaya başlıyor.

Sözü fazla uzatmasını engellemek için, "Bu kadını tanımıyorum Cemile," diyorum.

"Tanısan seversin," diyor.

"Şu yaşıma gelmiş olmama rağmen, sevebileceğim bütün insanları henüz tanımamış olmak, beni hem üzüyor, hem de hayatımın geri kalanı için bir ümit kapısı oluyor Cemileciğim," diyorum.

"Amaan sen de," diyor, "Hiçbir şeyi ciddiye almazsın!" Hiçbir şeyi ciddiye almayan ben oluyorum öyle mi? Demek Cemile de beni öyle biri sanıyor. Şu dünyada kimse kimseyi tanımadan ölüyor aslında.

Kendi anlatacakları tükenmeye yüz tutup, benden de hiç laf söz alamayacağını anlayan Haberci Cemile, bir süre yüzüme "bu kızdan adam olmaz" dercesine baktıktan sonra, "Bana müsaade," diyor. "Çok kalamayacağım zaten, iş güç beni bekliyor, birkaç masa daha yapayım bari. Hadi eyvallah!"

Hiçbir erkek Cemile kadar iyi "eyvallah" çekemez. Sırf bu son sözü duymak için bile, onunla bir süre sohbet edebilirsiniz. Hele kendini iyice kaptırdığı bazı zamanlar, bir eline göğsüne götürüp, boynunu hafifçe kırarak bir "eyvallah" deyişi vardır ki, gerçek bir hayat mizanseni harikasıdır.

Karşılaştığımız andan itibaren şaşkın ve küçümseyici bakışlarını Cemile'nin üzerinden bir an bile eksik etmemiş olan Tuğde, Cemile'nin ardından alaycı bir ifadeyle soruyor:

"Bu amca kim Nermin ablacığım?"

Bir kahkaha koyveriyorum.

"Ay, o amca kimin annesi bir bilsen!" diyorum.

Bu sırada uzaktan birileri el sallıyor ama, kim olduklarını seçemiyorum. Ben de el sallıyorum. İçlerinden biri İris olmalı. Turist İris! Bu memlekette bu kadar zayıf çok kadın yok! 34 beden, 48 kilo İris! Daha ortaokuldayken adını "Turist İris" taktığım bu kızın, "büyüyünce" turizmci olması, benim ne kadar uzakgörüşlü bir kadın olduğumun bir kanıtı sayılabilir mi?

"Sen acıkmadın mı Tuğde," diyorum. "Hadi sana şöyle güzel bir tabak hazırlayalım. Hem burada arkadaşlık edeceğin çok çocuk var görüyorsun. Bir an önce onların arasına karışmaya bak!"

Tuğde, masadan sevinçle ayaklanırken, ben onlara gösteririm, dercesine gülümsüyor.

Biz açık büfeye yöneldiğimizde, ortalık hareketlenmiş, masalar yeni gelenlerle daha da kalabalıklaşmıştı. Kimileri açık büfenin üzerini donatan yiyeceklere, karınlarını doyurmak için yemek beğenmeye değil de, tabldot yoklaması yapan huysuz "gurmeler", mutfak müfettişleri gibi eğilmiş, hata kusur yoklayıcı gözlerle mırın kırın ediyor, masa başında duran garsonların asla cevap veremeyecekleri karmaşık sorular sorup duruyorlar. Siz elinizde tabak onları bekliyorsunuz. Bunların yanındayken, bir yemeği beğenmeye gelmez, sizin gibi ağzının tadını bilmeyen eksik damak gafillerin anlamayacakları bir hata bulup çıkararak, sizi küçümsemeye kalkışır, lokmalarınızı boğazınıza dizerler. Onların yanında, her şeye "fena değil" demeniz gerekir ki, itiraz ettiklerinde, "aslında öyle tabii," diyerek dümen kırabilesiniz. Bu gibi durumlarda hep üzerlerine yanlışlıkla bir şey dökmek isterim. Ama biliyorsunuz, ben hayalleriyle yaşayan bir kadınım. Gerçi nadiren de olsa hayallerimi gerçekleştirmeyi başardığım olmuştur. Öyle zamanlarda, kaşlarınızı çatıp, alt dudağınızı ısırarak, "Ahh çokk aff edersiniz," diye özür dilemenin apayrı bir zevki vardır. Sakarlık, huyunuz değilse bile, arada bir zevkiniz olmalı!

Tahmin ettiğim gibi, bu çeşit toplantılar, uzun zamandır görmediğin okul arkadaşlarını yıllar sonra bir kerede tanımak için pek uygun bir ortam değildi aslında. Herkes az çok değişmişti. Bazı insanların yüzleri benim için tamamen silinmişti. Çok kilo almış ya da erken yaşlanmış olanlar, karşılaşır karşılaşmaz, sizin tarafınızdan tanınmak istiyor, böylelikle de, fazla değişmemiş olduklarına kendilerini inandırmak istiyorlardı. Bazı yüzlerse, tamamen silinmişti. Benim için "hiç kimse" kadar yabancıydılar. Hatıralarında fazla yer tuttuğunuz biri, sizin hatıralarınızda onun bir yeri olmadığını anlayınca bozuluyor, artık size mi, hayata mı küstüğü anlaşılmayan bir bozgun ifadesi takınarak yanınızdan uzaklaşıyordu.

Açık büfenin önünde küçük bir kuyruk oluşmuş, yakın masalarda oturanlar, büfe önünü kollayarak oturup kalkıyor, masadaki eksiklerini tamamlıyorlar. Modern, eğitimli anne ikazlarına karşın, gene de çocuk gürültüsü sarmış ortalığı.

Masa ile büfe arasında gidip geldiğimiz sırada, karşılaştığım kimselerden önceden beklediğim, paket olarak hazırlanmış bütün cümleleri teker teker duymak zorunda kalıyorum. "Hiç değişmemişsin ayol, valla hep aynısın," bir klasik olmakla birlikte, gene de duymaktan en hoşlandığım cümleydi. "Ay sen ne hayırsız çıktın," ise aynı klasiklikte olmakla birlikte, duymaktan en sıkıldığımdı. "Ay, bir gün arkadaşları Nermin'e bir şaka yapacak oldular," gibi cümlelerle başlayıp, unutmak için en az on yılımı verdiğim kimi olayları ayaküstü hatırlatmakta ısrarlı ve kararlı münasebetsizlerin yanındansa zor sıyrıldım. Belli ki zamanında samimi, ya da aynı dönemden olmadığım, gözümün ısırdığı ama kim olduklarını bir türlü çıkaramadığım bazı yüzler vardı; onları benzetiyor da olabilirdim; her neyse bu çeşit durumlarda hep yapıldığı gibi, yüzümde her anlama gelebilecek belirsiz bir tebessümle karşılık veriyordum.

Her zamanki gibi yeryüzünde olmayan ve henüz icat edilmeyen renklerden oluşan giysisiyle dikkatimi çeken Çılgın Şebnem'e tam o sırada rastladım. Burada görmeyi akıl edebileceğim en son insandı. Çok şaşırdım! Ben, en son onu Kamçatka yarımadasında bırakmıştım. (Bakın o Kamçatka'nın bir ada mı, yoksa bir yarımada mı olduğundan bile emin değilim.) Şebnem, oradan çoktan ayrılmış bile. Hint Okyanusu'nun ortasında haritada bile görülmeyen küçük bir adada yaşıyormuş şimdi. (Bu kadar zaman sonra daha aşağısına ben de razı olmazdım doğrusu.) On beş günlüğüne gelmiş Türkiye'ye, dönüşte zaten başka bir yere taşınacak mış. Bu başka yer, Avustralya'nın doğusundaki açık denizde bir yerlerdeymiş. Ki, ben Avustralya'nın doğusunda artık başka gezegenler başlar sanıyordum. Aslında ben bu kızın her nerede olursa olsun, bir buzdolabında yaşadığından eminim. Hatta bir derin dondurucuda. Ancak sürekli derin dondurucuda yaşayan bir insan bu kadar genç ve taze kalabilir. Görseniz, daha üniversiteyi bitirmemiş olduğuna yemin edersiniz.

İlk karşılaşma sevincinin ardından Tuğde'nin yanımdaki varlığını fark edince, küçük bir çığlık atarak: "Ne zaman yaptın bunu kız?" diye soruyor. Tuğde'yi göstererek, "Ben bu kadarını yapmış olamam!" diyorum. "Bana haksızlık etme!" Şebnem'in üstüne başına giydiklerine bakılırsa, bu kız Türkiye'yi iyice unutmuşa benziyor. Uçuk kaçık tanımının pek hafif, pek serin kaçacağı bir halde kendisi. Hani ancak kimi deli modacıların defilelerinde gördüğünüz tuhaf giysiler vardır da, bunu kim giyer, diye şaşar kalırsınız ya, işte bütün o giysileri "ferah feza" sırtına geçirip, güpegündüz sokağa çıkar Şebnem. Üstelik sanki herkes de böyle giyiniyormuş gibi yapar. Bütün zengin, hoppa, şımarık kızlara "çılgın" dendiği bir dönemde, ona da "çılgın" denmesi büyük bir haksızlıktır. Çünkü, Şebnem gerçekten çılgındır! Beş kıtada birden yaşamış kaç kişi tanıyorsunuz bu memlekette? Hatta bu dünyada? Babasının ilkokul sıralarında ona içi ışıklı bir masa yerküresi aldığı ilk günden başlayan dünyayı gezip görme sevdası bugüne kadar aynı tutkuyla sürmüştür. Kuş uçmaz kervan geçmez tabir edilen yerlere bile bakkala gidiyormuş rahatlığıyla gidip gelmiştir. "Çöle bıraksanız, yön duygum sayesinde yolumu bulurum," der. Öyledir de gerçekten. Bir tarihte ben ona, "Senin içinin pusulası güçlü," demiştim. Bu, onun çok hoşuna gitmiş, hep tekrar eder. Onunla her yere gözükapalı gidebilirsiniz, çünkü kaybolmayacağınızdan eminsinizdir. Adres bulmakta da üstüne yoktur. Istanbul'da bile!

Yeryüzünde bu kadar yer değiştiren birinin, kendinin bu kadar değişmemesi ise anlaşılır bir şey değildir. Bir tek üniversite sıralarında bir ara devrimci olmaya kalkmıştı. Hayatındaki en büyük değişiklik provası odur. Devrimciliği bıraktığı gün ise, aynen kaldığı yerden hiçbir şey olmamış gibi eski hayatına devam etti. Bir film aktristi gibi, sanki rolünü oynamış, işi bitince de gene eski kendisi olmuştu.

Devrimci olmaya karar verdiği sıralarda, iki fraksiyon arasında bir türlü karar veremeyen Çılgın Şebnem, sonunda bizim fraksiyona meylettiğinde onunla iyice yakınlaştık. Sınıfsal kökenimizin taşıdığı ortak dil nedeniyle birbirimizi daha iyi anlıyor, sorunlarımızı daha iyi tanıyorduk. Bu yüzden gecekondu bölgelerindeki eğitim çalışmalarına da birlikte gitmeye başladık. Cesur giysilerinden, cesur saç modellerinden, Nişantaşı için bile frapan kaçan makyajından arınması, sadeleşmesi zaman aldı. Herhangi bir sempatizan kızın Şebnem'in onda biri kadar giyinmesi ya da makyaj yapması, onun hayatının sonuna kadar devrim dışına sürülmesine neden olabilecekken, nedense Şebnem'e karşı pek hoşgörülü, pek sabırlı davranıyorlardı. Şebnem'de şeytantüyü vardır gerçekten. Ne yaparsa yapsın, ona kızamazsınız.

Tuncelili bir Alevî ve Kürt oğlana âşık olmasıyla birlikte, gözlerimizin önünde değişim demenin hafif kaçacağı bir "mutasyon" yaşamaya başladı. Neredeyse bir gün içinde bambaşka biri oldu. Hepimizi "küçükburjuvalıkla" suçlamak için hiçbir fırsatı kaçırmıyor, herkesi kıyasıya eleştiriyor, insanlarla ağzına hiç yakışmayan bir biçimde "Hemşerim, hemşerim," diye konuşuyordu. Şah adındaki bu Tuncelili Kürt ve Alevî oğlanın elindeki tesbihi ikide bir elinden kapıp ondan çok kendi şakırdatıyor, arada bir ayaklanıp elinde tesbih volta attığı bile oluyordu. O aralar üç aşağı beş yukarı herkes biraz öyleydi ama, herkesin yaptığını Şebnem yaptığında, alay edermiş gibi bir durum çıkıyordu ortaya. Oysa sorun, Şebnem'in samimiyetinde değil, kendisindeydi. Samimiyeti sugötürmezdi ama, kendi şaka gibiydi kızın. İşin tuhafı, âşık olduğu oğlanla arasında da hiçbir şey olmuyordu, oğlanın devrimle nikâhlanmış bir hali vardı ve bunu değil Şebnem, kimse için bozacağa benzemiyordu. Âşık ve devrimci olunca, erkekler konusunda bizim Çılgın Şebnem'in devrim öncesi atılganlığından da eser kalmamıştı. Hoşlandığı erkekten önce kendinin davranmasıyla ünlü o "freak" Nişantaşı tazesi, ilk heyecanını yaşayan albasmış bir kasaba dilberi gibi tir tir titriyordu oğlanla her karşılaşmasında. Ayaküstü iki çift laf etseler boynuna kadar kızarıyor, diğer zamanlarda da zaten hafif peltek olan dili iyice birbirine dolaşıyordu. Aslında ortadaki manzara o zaman da komikti, gülünebileceğini saptadığımız, ama durum ve konum gereği, hemen hiçbir şeye gülemediğimiz zamanlardı. Ciddiyet sıtmasına tutulmuş çatık kaşlı gençler ordusuyduk. Oğlanın her konuşmasında görüşlerini desteklemek için seçtiği içimizi bayıltan meşhur örneğini anımsıyorum: "Et kokarsa tuz basarsın bacım, ya tuz kokarsa?" dedikten sonra, bir süre eli havada asılı kalır, sonra etrafı şöyle bir tarayarak, insanların yüzlerinden, açıklama gücünün yüksekliğine ve derinliğine çok inandığı sözünün yarattığı etkiyi okumaya çalışırdı. Kabul etmek gerekir ki, verdiği örnek ne kadar manasızsa, gözleri o kadar manalıydı çocuğun. Bizim kaş göz delisi Şebnem'i baştan çıkartan da, oğlanın duvar halısı gazeline benzeyen gözleri olmuştu. Ama bu bakışlar, biraz fazla çalışılmış, fazla hesaplanmış, etkiye ayarlanmış bakışlardı. Hani haksızlık etmeye kalksam, "Kadir İnanır gibi bakardı," diyesim geliyor ama, bu kadarı gerçekten haksızlık olur; çünkü daha o kadar sahteleşmemişti bakışları, taşrası bozulmamış bir safiyeti, bir mahcubiyeti vardı. Tunceli dağlarından kopup gelmiş temiz ve yeşil bir rüzgâr eserdi bakışlarından. Kendi halinde, efendi, saygılı bir çocuktu, birçoğunun tersine üstü başı her zaman tertemizdi, dünyaya yetişmeye çalışan taşralı erkeklerin nasıl oldukları hakkında ilk fikir edindiğim insanlardandır.

Gecekondulara gitmeye başlamıştık. Gecekondu demek, bizim için en fazla "Keşanlı Ali Destanı"nın geçtiği yerlerdi, birkaç siyah-beyaz Türk filminde seyrettiğimiz bizden uzak tepelerdi. Şimdi her Allahın günü o uzak tepelere tırmanıyor, gecekondu gerçeğiyle tanışmaya, dahası gecekondu gerçeğini değiştirmeye çalışıyorduk.

Eğitim programı gereği, halkı bilinçlendirmek için gittiğimiz ilk mahalleler, Eyüp sırtları ve Silahtarağa bölgesiydi. Dizlerimize kadar çamurlara bata çıka çıktığımız tepelerde, eşiğinde ayakkabımızı çıkardığımız derme çatma kapılardan giriyor, pazen kaplı minderlerde oturuyor, duvarlarında gazeller ile bağdaş kurmuş kahve falı bakan kadınlarla göz göze, ince belli cam bardaklarda tavşan kanı sıcak çaylar içiyor, kapısında peynir tenekelerine dikilmiş çiçeklerin beklediği bizden uzak baharları vaat ediyorduk ufacık bir umuda bile çoktan razı olmuş bu çaresiz, yoksul, savrulmuş insanlara... Gerçek yoksulluğun ne olduğunu o günlerde anladım. Sınıfsal vicdanımı o zaman edindim. Sınıfsal vicdan insana sınıfsal bir utanç da yükler; bütün hayatınız boyunca suçluluğunu duyacağınız bir utanç... Yoksulluğun hiçbir çeşidine katlanamayacağıma da o zaman karar vermiş olsam gerek. Kaynaşmamız için bir devrimin yetmeyeceğini için için bilmenin sızısı vardı bende, dönemin herkesi kuşatarak alıp götüren havasına ne denli kapılıp gitmiş olsam da, içimde uyanık bir umutsuzluk, beni ve dikkatlerimi diri tutuyordu. İnançsız değildim ama, inancımın beni sarhoş etmesine, gündeliğin ham, yalın ve katı gerçeklerinden koparmasına izin vermiyordum. Birçokları devrime olan inançlarını, inançlarının gücünden çok, burjuva sınıfını tanımamalarından alıyorlardı. Bense, burjuva sınıfını iyi tanıyordum. Dünyayı bu insanların eline kolay kolay vermeyeceklerini, vermemek için her şeyi yapabileceklerini biliyordum. Yaptılar da. Art arda gelen darbelerle askeri cuntalar yönetti ülkenin karanlık kaderini.

Gene de Şebnem'le sabahları otobüs durağında buluşuyor, bambaşka bir ülkeye gider gibi gidiyorduk o mahallelere. Bambaşka bir sınıfın çocuklarıydık biz. Bütün çocukluğum Nişantaşı, Teşvikiye civarında geçmişti. Dünyanın daha büyük bir yer olduğunu, hayatın daha büyük bir genişlik ve derinlik taşıdığını biliyordum elbet ama, bir otobüsle on-on beş durak sonra bambaşka bir dünyanın başladığını bilmiyordum.

Benim için başka bir sorun, herkesin avaz avaz, haykıra höyküre söylediği halk türkülerine katılmak sorunuydu. Birkaç türkü ben de bilirim; bilgisi, uzun kış öğle sonralarında, evin ışığı kıt salonundaki büfenin üzerinde duran açık unutulmuş radyoya borçlanılmış türkülerdir bunlar. Hiçbirini sonuna kadar bilmem, çünkü türkünün daha ortasına gelmeden, halalarımdan birinin eli radyonun düğmesini çevirirdi, sonrası da öyle geldi. Hayatında tarla-toprak görmemiş birinin, "Tarlaya ektim soğan" türküsüyle havasını bulamayacağını sizler de kabul edersiniz. Oysa o sıralar hayatımızın her ânında duyduğumuz sınıfsal suçlulukla, köyden kırdan gelmiş arkadaşların yanında duyduğumuz eziklikle, bütün türkülerden etkilenmeye çalışıyor, biz burjuvalardan saklanmış, halkın bağrında yeşermiş bir hazine değerindeki bu eserlere abartılı bir coşkuyla, gereğinden fazla ilgi ve sevgi gösteriyorduk. Civar bölgelere bilinç yükseltme ve eğitim çalışmaları nedeniyle gittiğimiz zamanlar, bir otobüs dolusu insan bu türkülerle coşuyor, öğrenci evlerinde söylenen Çökertme'den çıkan Halil gibi, teri ilaç Lümüne gibi, Drama köprüsünden birlikte geçilen Hasan gibi, ya da oy bir ataş verip de cigarasını yaktığımız çeşitli yiğitler gibi gözüpek delikanlıların bu engin ve derin erkek repertuarı, onların gölgesinde oturacak bir minder bulmuş biz kadınların kendi halindeki gökyüzünü kuşatıyordu.

Bu türkülerin asıl mirasçıları neyse ne de, Istanbullarda büyümüş, varlıklı ailelerin çocuğu olarak iyi eğitim almış ve günün birinde solcu olunca feleğini ve sağduyusunu şaşırmış kimi kentsoylu şarkıcıların, çıktıkları sahnelerde piyanolarının başında hop oturup hop kalkarak "Faşizmin de... faşizmin de... faşizmin de... anasını... anasını... anasını..." diye tepine tepine söylediği türküye koro olarak katılımdaki devrimci coşku neydi peki?.. Bir şeye karşı olmanın, faşizmle mücadele etmenin, bir sisteme savaş açmanın hesabı niye hâlâ anaların üzerinden görülüyordu? Dünyayı değiştirmek üzere yola çıkanlar bile niye anaların üzerinden inmek istemiyordu? Savaş her gittiği yerde ilkin anaları düzmüyor muydu sanki? Savaş tecavüzlerinin meşruiyetinde uygarlık ölçütleriyle gözden geçirilmemiş bu geleneksel, zengin halk repertuarının hiç mi payı yoktu?

Sonunda onlar avaz çığlık türkülerini söyledikleriyle kaldılar ve hepinizin bildiği gibi, faşizm gelip hepimizin anasını düzdü. Geçmişin hesabını verirken, "Evet ama günün koşulları ya da dönem özellikleri," deyip geçmek kolay geliyor, ancak o dönem de bunları hisseden, kalbi kanayan, cılız da olsa itirazlarını dillendirmeye çalışan ve hoyratça susturulan insanlar vardı. Diğerleri öğrenmek istemiyorlardı. Çünkü, daha yenilmemişlerdi ve öğrenmesi yenilmeye ayarlı bir ulusun çocukları olarak hayat hakkında, devrim hakkında, hatta kendileri hakkında bir dolu şeyi öğrenmek için yenilmeyi bekliyorlardı. Maşizm gözden geçirilmeden, hangi faşizmle mücadele edilebilirdi ki, bunlar etsin?

Şu aklımdan çağıl çağıl geçenlerin binde birini hatırlamadığına eminim Şebnem'in. O hiç geçmişe dönüp bakmayanlardandır. Hep yürür gider. Hiçbir şeyin kaydını tutmaz. Belki gençliğini, tazeliğini de buna borçludur. Unutmak kolaylığına. Belki de bu yüzden bütün dünyayı geziyor. "Geçiciliğin tadı" diye bir şey varsa, bunu en çok Şebnem çıkarıyor olmalı. Hafızası güçlü olanların mutsuz olmaları da kaçınılmaz. Şimdi ben ona, Şah'tan söz edecek olsam, "Şah kimdi ya?" diye soracağına eminim. Ne Şah'ın gözleri kalmıştır aklında, ne duvar halıları... Bu kadın mutlu olmaz da, kim olur?

Kolundan tutup onu çekiştirenlere kapılıp uzaklaşan Şebnem, gitmeden mutlaka beni göreceğini ve baş başa bir gece geçirmemiz gerektiğini söylüyor. O bir uçurtma gibi benden uzaklaşıp kalabalıkta kaybolurken, ben Avustralya açıklarındaki bir adada günbatımını hayal ediyor, onu böyle yolculuklara kışkırtan şeyin, nasıl hülyalar olduğunu anlamaya çalışıyorum.

Yalnız gitmeden önce, o sırada kendini tutamayıp o ünlü işaretparmağıyla, Şebnem'in bileğindeki çeşitli boncuklardan yapılmış bilezikleri kurcalayan Tuğde'nin kıskançlıkla karışık hayranlığına karşılık olarak, ince bir deri kayışa geçirilmiş bir dizi renkli boncuk armağan ediyor Tuğde'ye. Ben, ganimetini o meşhur çantasına koymasını söylüyorsam da, kızımız Şebnem ablasının elleriyle bileğine bağlatıyor. Güney Amerika'nın bilmem ne dağlarındaki yerlilerin, kendilerini kötü ruhlara karşı korumak için taktıkları boncuklarmış bunlar. Sanki Tuğde'nin ihtiyacı varmış gibi! Hangi kötü ruh Tuğde'ye bir şey yapacakmış, şaşarım!

Birçok anne çocuğunu taraçanın altındaki bahçeye indiriyor, biraz gözlerden uzak olsunlar, kendi aralarında oynasınlar, kendileri de rahat etsin diye. Çocukların bazıları yeniyetme sayılacak yaşlardalar. Tuğde, özellikle erkek olanlarına niyetlense de, sonunda yaşıtlarıyla yetinmek zorunda kalıyor. Tuğde'nin gözüne kestirdiği bir çocuk grubuna katılmasıyla ben de biraz olsun yalnız kalabiliyorum. İstediğim de buydu zaten. Taraçanın altındaki geniş bahçede, ağaçların altında oynuyor çocuklar. Kendi aralarında önceden kaynaşmış olan gruba yeni katıldığı için başlangıçta daha çekingen duran Tuğde, her baktığımda biraz daha kontrolü ele geçirmiş görünüyor. Oyunu o yönetiyor, rolleri o dağıtıyor, ebeyi o cezalandırıyor, herkese o akıl veriyor. Eminim, her seferinde oyunun kurallarını da gönlüne göre değiştiriyordur. Tuğde onlara katıldıktan sonra, birkaç çocuk ya küstü –ki, bunların çoğu güzel olan kızlardı– ya başkalarına katıldı, ya da oyunu bırakarak annesinin dizinin dibine döndü. Herhangi bir işyerinde, kuruluşta, dernekte mutlaka görmüşsünüzdür, yeni başladığı ilk zamanlar yalnızca iyi niyetli, alçakgönüllü, çalışkan, uysal, herkese yardıma hazır, kendi için hiçbir şey istemiyor gibi görünüp, ilk yönetim değişikliğinde doğrudan müdür koltuğuna oturanları! Hiçbir şeyden haberleri yokmuş, her şey onların dışında gelişmiş gibi görünürler. Onlar yönetim koltuğuna oturana kadar kaç kişinin ayağı kaymış, kaç arkadaş birbirine küsmüş, kaç yıllık dostluklar bozulmuştur, o ayrı bir konu. Anladıklarında da iş işten geçmiştir zaten.

Böyle kendine hırsından hayat yapan insan çoktur. Tuğde de belli ki böyle biri olacak.

Gözlerimden daha Çılgın Şebnem'in renklerinin yorgunluğu gitmemişken, bir "Discovery Channel" belgeseli olarak kendini aşan rengârenk giysisiyle ayaklanmış bir "bungalov" şeklinde Tikli Gülçin çıkageliyor. Öyle bir girişi var ki, insanın gözleri, kadının ardında Afrika tamtamları arıyor. Her halinden gecikmiş olmanın kaygısı, filmin başını kaçırmanın telaşı belli oluyor. Eh tiklene tiklene onca yol, ancak bu kadarda gelinebilirdi.

Tek tek her masaya uğrayarak tek tek herkesle el sıkışıyor, tek tek herkesi öpüyor, tek tek herkese hal hatır soruyor; ay bazı kadınlar nasıl sıkılmazlar bundan. Üzerindeki gürültülü giysi, varlığını tek başına duyurmaya bunca yeterliyken, ne gerek var bütün bu merasime? Onu seyrederken, ben yoruluyorum. Bizim masaya doğru yaklaştığında, el ediyorsam da görmüyor, konuştuğu masadakilerden işaretimi gören biri, ona beni gösterince dönüp bakıyor. Dünden beri şu meselenin aslını çok merak ediyorum. Tuğde masaya dönmeden konuşmalıyım.

Beni görür görmez, gözleri hemen etrafımı tarıyor; Tuğde'ye bakındığını anladığım için gülüyorum. Neye güldüğümü anlıyor. Hiç konuşmadan anlaşmanın keyfiyle uzaktan uzağa gülüşüyoruz. Az sonra yanıma geliyor.

"Anlat," diyorum. "Bana Tuğde'yi anlat."

"Nerde o küçük yılan, nerde?"

"Çocuklarla oynuyor bahçede," diyorum.

"İnşallah büyüyene kadar orda kalır," diyor. "Ben seni daha uyanık bilirdim. Nasıl sardırdın başına bu kızı?"

"Oldu bir kere. Sen gerisini anlat!"

"Ay inşallah tiklenmeden her şeyi bir seferde anlatabilirim," diyor.

"Kısa kısa anlat," diyorum. "Başlıklar şeklinde olsun, o kadarı yeter bana."

"O bile uzun sürer," diyor.

Öyle bir "uzun sürer" deyişi var ki, beş yaşındayken vampir olduğu için, üç asırdır aynı boy, aynı yaşta kalmış bir kızın hikâyesini dinleyeceğim kuşkusuna kapılıyorum. Bu kadar kâbusun üstüne bir de Anne Rice romanının içinde kaybolmak düşüncesi gözümü korkutmaya yetiyor.

İçini çekip, "Tuğde kimin hayatına girdiyse, bir aile faciasına yol açmadan edememiştir," diye gösterişli bir biçimde söze başlıyor Gülçin...

"Masal güzel başlıyor," diyorum. "İyi bir başlangıç cümlesi."

"Sen dalga geç bakalım," diyor. "Kız kardeşimi nişanlısından ayırdı!"

"Nasıl yani?" diyorum.

"Bizimkinin salaklığı tabii; bir nişanlısı var, bir de konuştuğu oğlan varmış. İkisi arasında henüz karar veremiyormuş haspam. Nişanlıyı aile tanıyor tabii, diğerindense kimsenin haberi yok. Herkesin yanında telefon falan da edemiyor. Tutuyor, nasıl olsa Tuğde anlamaz, diye Tuğde'yle bir pusula gönderiyor çocuğa. 'Arkadaşlarınla kapıda oynarken köşedeki dükkâna bırak,' diyor. Kız kardeşimin demodeliğine bak! İnternet çağında pusulayla haberleşen bir salağın başına ne gelse yeridir! Gene de kardeş, kıyamıyor insan! Bu arada Tuğde güya oğlanları karıştırmış gibi yaparak pusulayı ilkin nişanlıya götürerek, onu bu buluşmadan haberdar etmeyi başarıyor. İki erkek aynı saatte aynı pastanede oluyorlar. Gerisi Türk filmi!.. Bizim salak, 'ben hangisini seçeyim,' derken sonunda ikisinden de oldu."

"Belki de Tuğde içlerinden birini beğenip, kendine ayırmıştır," diyorum.

"Pekâlâ mümkün, o kızdan her şey beklenir."

"İkinci olay da başka türlü. Bilmem hatırlar mısın, bizim mahallede bir Nihal vardı..."

"Hatırlamıyorum," diyorum.

"Hani annesinin çiçekçi dükkânı olan."

"Hatırlamıyorum Gülçin!"

"İşte her neyse, Nihal'in bir oğlu var Boğaçhan diye. Tuğde kızımız da oğlana hafif yanık galiba."

"Oğullarına Boğaçhan adını koyan bir aileye fazla acıyamayacağım," diyorum.

"Öyle deme," diyor. "Erken yaşta ölen ülkücü amcanın hatırasına, oğlanın adını Boğaçhan koymuşlar. Her neyse, işte bu Boğaçhan evde yokken, Tuğde etrafı toplamak bahanesiyle girdiği oğlanın odasındaki kilitli çekmeceleri kurcalıyor, sonra da ordan bulup çıkardığı gözkalemi, fondöten, allık gibi çeşitli makyaj malzemelerini, sevinçle Nihal teyzesine yetiştiriyor, 'Boğaçhan ağbinin çekmecesini düzeltirken sizin şeylerinizi buldum getirdim teyzeciğim,' diyerek."

"Anlamıştım," diyorum. "Bu kızın bütün numarası, güya hep iyi niyetle yaptığı şeylerin felaketle sonuçlanması üzerine kurulu. 'Şeylerini bulmuşmuş'! Sevsinler!"

"Aile, biricik oğullarının ne mal olduğunu bu sayede öğreniyor."

"Oğullarının adını Boğaçhan koyan aile," diye düzeltiyorum Gülçin'in cümlesini. Benim bu çeşit müdahalelerime çoktan alışmış, aldırmıyor bile. Sürdürüyor: "Bununla da kalmıyor tabii. Çünkü annesi bir kurcalamaya başlayınca, öteki kilitli çekmeceden de renk renk, model model g-string külotlar çıkıyor. Bir çek-

318

mece dolusu tüylü tüslü g-string!"

"Ayol, kaç yaşında ki bu Boğaçhan?" diyorum.

"14 falan ama, şimdiki zamanın 14 yaşı Nerminciğim."

"Nereden bulmuş o g-stringleri 14 yaşındaki bir oğlan?" diye sorarken, birden kendimi zamana akıl erdirmeye çalışan eski kadınlar gibi hissediyorum.

"Ayol ailesi de bu konuda en çok merak edilmesi gereken şey buymuş gibi, tutturmuş 'Bu g-stringleri nereden buldun?' diye. Oğlan elden gitmiş, bunlar takmışlar g-stringlere! Hepiniz bir tuhafsınız sahiden, bu hikâyeyi kime anlatsam g-stringlere takıyor ayol!"

"Sahi, nereden bulmuş?" diyorum.

"Ayol nereden bileyim, tanıdığı bir Aslan ağbisi mi ne varmış oğlanın, internette tanışmışlar, herkes bizim salak gibi pusulalaşmıyor, millet çat çat internetlerde, her neyse işte g-stringleri o Aslan ağbisinden almış. Artık nasıl Aslan ağbiyse! Sorma aile perişan, perişan!"

"Yeğeninin adını Boğaçhan koyduran ülkücü amcanın ruhu da 'muazzep' olmuştur bu durumdan herhalde," diyorum, mezardaki adama nispet verircesine.

"Bana bak, sen şu g-string muhabbetinden çıkamazsan Tuğde'nin melanetlerini bitiremeyeceğiz abla!"

Gülçin'e, "Tamam, tamam anlat," derken, bir yandan, bu Boğaçhan hikâyesini mutlaka Sinan'a anlatmalıyım, diye geçiriyorum içimden.

"Gene tanıdığımız bir başka ailenin çok küçük yaşta evlat edindikleri bir kız çocukları var Selin diye. Ama kız bilmiyor!"

"Eyvah!" diyorum, hikâyenin sonunu tahmin ederek!

"Eyvah tabii, kızın bir şeyden haberi yok, garibim anasıyla babasını öz anası, babası sanıyor. Bil bakalım, kim sayesinde öğreniyor?"

Söylemeye gerek yok, dercesine başımı sallıyorum.

"Kıza doğrudan kendi söylemiyor tabii, o kadar aklı var küçük yılanın, bütün mahalledeki çocuklara, 'Ay çok üzülüyorum Selin için, biliyor musunuz herkes onun evlatlık olduğunu söylüyor, kızcağızın kulağına gidecek, üzülecek diye çok korkuyor, üzülüyorum,' diye her önüne gelene söyleye söyleye, sonunda bu kara bilginin talihsiz yavrunun kulağına gitmesini beceriyor. Çocuk perişan, perişan! Ana baba dersen, iki göz iki çeşme! İşte böyle melanet bir kız bu abla!"

"Sen bunların hepsini nereden biliyorsun Allah aşkına," diyorum. "Tuğde hikâyeleri koleksiyonu yapıyor gibisin."

"O kızın üç yaşından beri hikâyelerini toplarım," diyor sıkı bir koleksiyoncu edasıyla. "Bende birikmiş çok Tuğde hikâyesi vardır daha, aklıma geldikçe, tanıyan, tanımayan herkese anlatırım. Hem gözünü korkutmak gibi olmasın ama, Nerminciğim, kızımızın kısacık geçmişinde bir de cinayet var galiba!"

"Yoo, hayır artık bu kadarı beni aşar, herkesi aşar, hatta hayatı aşar," diye itiraz edecek oluyorum.

"Öyle deme, öyle deme," diyor. "Hikâyeyi dinle de, kendin karar ver. Komşularının hizmetçisinden nefret eden Tuğde'nin kızı suçlandırmak için, ailenin ata yadigârı değerli bir elmasını çaldığı söyleniyor."

"Yok artık, daha neler," diyorum.

"Dinle, dinle," diyor. "Aile, hırsızlığı ilkin gariban hizmetçiden biliyor, başlıyorlar kızı sıkıştırmaya, suçlamalara dayanamayan kız sonunda kendini balkondan aşağı atarak intihar ediyor. Tuğde de muradına eriyor."

"Canım, kim nereden biliyor, Tuğde'nin çalmış olduğunu," diyecek oluyorum.

"Hizmetçi söylüyormuş, en son odada Tuğde vardı, diye."

"Bu, gene de hizmetçiyi temize çıkarmaz," diyorum. "Belki sıkıştırılınca korktu kızcağız. Suçu, nasıl olsa çocuk diye Tuğde'ye attı. Nedense, Tuğde sanki her şeyi yapar da, hırsızlık yapmazmış gibi geliyor bana."

"Bence zaten hırsızlık yapmak için değil, hizmetçi kızı mahvetmek için çalmıştır," diyor Tikli Gülçin.

"Evet, biliyorum, Tuğde melun bir kız ama, gene de bu hikâyelerin çoğu yakıştırma gibi Gülçin."

"Ay ömürsün Nerminciğim," diyor Gülçin. "Yakıştırmaysa

bile, niye bir başkasına değil de, Tuğde'ye yakıştırıyorlar Allahaşkına?"

"'Casting' doğru çünkü," diyorum. "'Bu rolü en iyi kim oynar,' diye kime sorsan, 'Tuğde,' der. Bence yine de, Tuğde'nin bu hırsızlık olayıyla bir ilgisi yoktur."

"Belki sahiden bir ilgisi yoktur ama, sen de takdir edersin ki şu kısacık ömrüne bu kadar çok vukuat sığdırmayı başarmış bir kızdan herkes şüphelenir abla! Üstelik o elmas mücevher hâlâ bulunamadı."

"Belki kızımız on sekizine geldiğinde, gittiği bir partide takmak için saklamıştır," diyorum. "Gördüğüm kadarıyla Tuğde varını yoğunu bir kerede gözler önüne seren kadınlardan değil, sabretmesini biliyor. Mücevher ondaysa, gününü bekliyordur. Hem Gülçin ne olmuş bugün sana böyle, pek fazla 'abla' demiyorsun artık."

"O kadar laf söz ettiniz, artık der miyim? Onun yerine 'ayol' demeye karar verdim."

Eh, çok uzağa gitmiş sayılmaz ama, olsun bu da bir şeydir.

"Sana gerekmez ama gene de söyleyeyim. Yanında konuşulan her şeyi sahiplerine yetiştirmekte bu kızın üstüne yoktur. 'Çocuktur anlamaz,' diye yanında konuşulanlar yüzünden annesini az zor durumda bırakmadı küçük cadı! Söylediklerine göre, apartıman toplantısına bile konu olmuş marifetleri... Koca apartıman bu kızın lafı sözü yüzünden toplanmış. Gerisini sen düşün!"

"Merak etme sen Gülçin," diyorum. "Kız bu sefer fena kayaya tosladı. Hakkından geliyorum küçük cadının."

Birdenbire susuyor. Bir şey söylemek için uygun sözler arıyor gibi; dün akşamki "ipotek" konusunu açacağını sanıyorum. Göz göze geliyoruz. Söylemek istediği artık neyse vazgeçtiğini anlıyorum. Havada beliren o tuhaf elektrik dağılsın diye atılıyorum: "Senin Saadet Hala ne yapıyor? Sen asıl ondan haber ver."

Yeni Saadet Hala hikâyeleriyle biraz içim açılsın istiyorum.

"Sorma hep aynı," diyor. "Kapı önü, apartman aralığı, derken sokağa başlayacak diye korkuyoruz."

Tikli Gülçin, tam ağız tadıyla yeni bir Saadet Hala hikâyesine başlayacakken, Tuğde'nin masaya geri dönüş hamlesi üzerine, lafını tamamlamadan apar topar kendini bir başka masaya atıyor. Tuğde çevremizde var olduğu sürece, onunla hiçbir sohbeti sonuna kadar götürmek mümkün olacağa benzemiyor. Tuğde'yi görmesiyle birlikte, tiklenmesi bir oluyor Gülçin'in. Yüzü seğirmeye, dalgalanmaya başlıyor. Ben de yeni bir Saadet Hala hikâyesinden olduğumla kalıyorum.

Tikli Gülçin'in kendisine ait tatsız bir şeyler anlatmış olabileceğinden kuşkulanmış bir ifade takınan Tuğde, hiçbir şey söylememekle birlikte, "daha hesabımız bitmedi, filmin sonuna kadar nasıl olsa senin hesabını görürüm" anlamına gelen "filmin kötü kızı" bakışlarıyla Gülçin'in ardından zehirli zehirli bakarken, kolasından "fırk fırk" diye yudumlar çekmeyi de ihmal etmiyor. O, yeniden arkadaşlarının arasına döndüğünde, ben de biraz masa gezmeye çıkıyorum. Bir daha kim bilir ne zaman göreceğim şu "kadın kalabalığı" arasında kaybolmak istiyorum.

XXI

Ayrı masalar

HEMEN her masada bir ya da iki tanıdık yüz var. Masalarda hem aynı şeyler konuşuluyor, hem farklı şeyler; biraz eskilerden, geçmiş günlerden, ortak anılardan dem vuruluyor, biraz da güncel konulardan, şimdiki zaman dedikodularından ve özellikle televizyondan... Böyle günlerde bile, şu bir kez daha anlaşılıyor ki, televizyon tahmin edilenden çok daha fazla karışmış gündelik hayatımıza. Ondan hiç hazzetmez görünenler bile, ondan söz etmeden duramıyorlar. Bizim gibi "şifai" toplumlar için, televizyonun ayrı bir önemi var: Başlı başına bir söz üretme makinesi...

Masadakilerin ne dediğini, ne yaptığını tek tek sayacak değilim. Çoğu kayda değer şeyler değil. Çocuklarının okulları, kocalarının başarılı iş hayatları ve bolca dedikodu. Hemen her masanın vazgeçilmez konusu fazla kilolar tabii. Ben de birçok kadın gibi, bu dertten mustaribim. Ben de birçok kadın gibi yaza girerken yapılması gereken özel diyetlerden geçerim. Ben de birçok kadın gibi, yılın belli zamanlarını, yeniden spor salonuna mı başlasam, bir otelin havuzuna mı gitsem, Belgrad Ormanları'nda uzun yürüyüşlere mi çıksam, soruları ve seçenekleri arasında geçirir, içine giremediğim çeşitli bluz, etek ve pantolonları vicdan azabı olsun diye yatak odamın görünür yerlerine serpiştirerek kendime işkence eder, buzdolabımın üzerine birbirinden sevimli mıknatıslı tutturgaçlarla tutturduğum birbirinden sevimsiz şişman insan görüntüleriyle kendimi tehdit ederek etrafımda ölümüne bir dikkat sahası yaratırım.

Anlayacağınız, benim de birçok kadın gibi "kilo problemim" vardır ve bana bunu hatırlatan her çeşit durumdan nefret ederim.

323

Ayrıca kimi insanların ilk fırsatta bunu size hatırlatmaktan özel bir zevk duyduklarını, "Sen biraz kilo mu aldın canım, yoksa üstündekiler mi öyle gösteriyor," cümlesinin ne anlama geldiğini bilirsiniz. (Bu çeşit, insanı mutsuz etme konusunda ihtisas sahibi olan kadınların ikinci "elmas cümlesi" de, dikkatli oldukları diğer bir konu hakkındadır: "Diplerin gelmiş şekerim." Kimse ya görmez, ya üstünde durmazken, boya vaktinizin geldiğini de ilk bunlar görürler.)

Bunları hatırladıkça buzdolabı bir tabut, bütün yiyecekler kötülük çiçekleri gibi görünür gözüme.

Morg çekmecesine benzesin diye gidip kendime metalik bir buzdolabı aldım. Şık ve pahalı. Böyle zamanlarda içinde yalnızca beyaz leblebi ve diyet yoğurt bulundurmak için epey pahalı! (Leblebiyi dolaba koyunca, o da yemek gibi gözüküyor insanın gözüne.) Üstelik geniş ekran televizyonum gibi onun da taksitleri bitmedi. Tuğde'nin bu evde en beğendiği şeyler, taksitleri henüz bitmemiş şeyler...

Öte yandan ne zaman birinden ayrılsam, en yakın arkadaşım buzdolabı olur. Sofranın başından kalkamaz, kendimi yemekten alamam. Bunun nasıl çirkin bir "savunma mekanizması" olduğunu, benim gibi aklı başında bir kadına hiç yakışmadığını çok iyi bilir, ama gene de ağlaya ağlaya yemeğe devam ederim. Her ayrılık sonrasında epey kilo alırım. Kaçınılmazdır bu. Aldığım kiloları kendimi utandırmak için, ilkin koca koca rakamlarla defterime yazar, hemen ardından ayrılık yasını hafifletmek amacıyla ve bütün gücümle "yeni bir Nermin yaratma operasyonu" başlatırım. Bu operasyonun ilk sırasını hep "fazla kilolar hemen verilecek" maddesi işgal eder. Her operasyon sonunda ne kadar yeni bir Nermin olduğum tartışılır tabii, yalnızca her seferinde fazla kilolarını verme başarısını göstermiş bir Nermin olarak çıkarım bu operasyonlardan. Hiçbir şeyin harikası değilsem de, bir kilo alıp verme harikasıyımdır. Eh, bu da bir şey!

Yeniyetmeliğimden başlayarak, tuttuğum defterlerdeki kilo listesi, geçmişim hakkında beni hep derin kuşkulara sürükler... Ahmet: 8 kilo. Ferit: 4 kilo. Murat: 3 kilo. Suat: 5 kilo. Mehmet:

16 kilo. Yavuz: 6 kilo. Bülent: 2 kilo. Bu listeden hangisini ne kadar çok sevmiş olduğum da ortaya çıkar. Şekilde görüldüğü gibi, ben en çok Mehmet'i sevmişim. Tam 16 kiloluk yer tutmuş hayatımda. Kilo vermeye çalışan kadınlar iyi bilirler ki, hiç de azımsanacak bir rakam değildir bu.

Mehmet'e gelince. O apayrı bir öykü konusu... Onu tamamıyla unutmuş olduğumu söyleyebilmeyi çok isterdim.

Sürekli yiyip içtikleri halde hiç kilo almayan kadınlar haset ve kıskançlıkla çekiştiriliyor, onlara ait çeşitli hikâyeler anlatılıyor masada. Biri Nurşim'i örnek gösteriyor, diğeri İris'i. Gerçekten her ikisi de yıllardır kilolarını ve beden numaralarını aynen koruyan kadınlardır. İştahlarına gelince, yalnızca benim burada bulunduğum süre içinde, üç masa ötedeki Nurşim'in üç kez yerinden kalkıp tabağını doldurduğunu gördüm. İştahını kendi de saklamıyor zaten, "Tavuk yerken, balık düşünürüm," der, sonra işaretparmağıyla gırtlağını gösterir: "Yediklerimi daha mideye inmeden burada yakıyorum." Nurşim'i sevmeyenler, bu durumu onun metabolizmasının çalışma sistemiyle değil de, başka türlü açıklıyorlar: "İçinin fesadından kilo alamıyor." Ne zaman Nurşim'i düşünsem, hep avurtları şiş bir kadın yüzü gelir gözümün önüne. Sürekli ağzında bir şeyler geveler, bir şeyler tıkınır. Hiçbir şey yemediği zamanlar bile, sakız çiğniyormuş gibi yapar. Nedenini sorduğunuzdaysa —zamanında kadın dergilerinin birinde okumuş— bunun gıdısının sarkmaması için bir çeşit egzersiz olduğunu söyler. Zaten hemen her yaptığını kadın dergilerinde okuduklarıyla açıklayan kadınlardandır Nurşim. (O dergilerden niye bu kadar çok var ve niye satılıyor sanıyorsunuz?) Bazı kadınların o dergilerde her yazılana bu kadar inanmalarını anlamakta zorluk çekerim. (Hele o dergileri çıkaranların çoğunun çevreden tanıdığımız kişiler olduğu düşünülürse...) Ayrıca bizim hiçbir dediğimizi yapmayan Nurşim'in, o dergilerde her yazılanı yapmasını da bizlere yapılmış bir haksızlık olarak görürüm. Nurşim'e herhangi bir görüşünüzü kabul ettirebilmeniz için, sözlerinizi kadın dergilerindeki herhangi bir yazıyla desteklemeniz gerekir. Yoksa imkânı yok ciddiye almaz. Bu arada İris, kendinden söz edildiğini hissetmiş gibi, oturduğu masadan kalkıp bu yana geliyor. Masaların birinden uzanan el, onu yolundan alıkoyuyor. Başka bir masaya oturuyor.

Bizim masadakiler, kendilerini iyice konuya kaptırmış, televizyon kanallarında görülüp ısmarlanan, şu evde kendi kendinize çalışabileceğiniz spor aletlerinden söz ediyorlar. Kadınlar, yaptıkları alışverişler konusunda asla yanılmış olmak istemezler. Bunlardan bir tane alan, doğru yapıp yapmadığından emin olmak için, ille de başkalarına da bir tane aldırmaya kalkışır. Herhangi bir itiraz durumunda ise, o malın pazarlamacısından bile daha militan kesilir. Yaptığı alışveriş konusunda yanılmışsa bile, bu yanılgıyı tek başına yaşamak istemez, ortadaki yanlışlığı başkalarına da paylaştırmaya çalışır. Eh, kişisel hayal kırıklıklarına dayanmakla, toplumsal hayal kırıklıklarına dayanmak arasındaki farka dikkat çeken küçük bir örnektir bu. Şu an gene öyle yapıyorlar: Aldıkları aletlerden ne kadar memnun olduklarını, büyük bir iştahla anlatıp duruyorlar birbirlerine. Oysa adım gibi biliyorum ki, o aletler bu üşengeç kadınlar yüzünden en çok iki hafta sonra yatak altına, kapı arkasına, dolap dibine saklanarak zamanla unutulacak, ancak çeşitli temizlikler sırasında ortaya çıktıkça, nasıl bir yük oldukları anlaşılarak küçük çapta kızgınlıklara yol açacaktır. Her ne kadar şimdi hiç ses çıkarmasak da, biz de zamanında ısmarladık o aletlerden eve. İlk hevesle birkaç gün nasıl düzenli olarak kullanılıp, ardından "oram ağrıdı, buram sancıdı," diyerek boşlandıklarını iyi bilirim o aletlerin. Sonrasında onlar evde yatak altında, kapı arkasında, dolap dibinde küs küs dururken, insanlara katlanamasak da, yeniden spor salonlarına koşturup durduk...

Onca salon değiştirdikten sonra en rahat ettiğim mütevazı spor salonumu, cüce bir kız yüzünden bırakmak zorunda kalmıştım. Onunla karşılaşmamak için, sık sık devam saatlerimi değiştiriyordum ama, bu kez de o benim saatlerimde gelerek yeniden içimi sıkmayı başarıyordu. Ondan bir türlü kurtulamıyordum. O gelecek diye bir gözüm kapıda tedirgin zamanlar geçiriyor, bunları hissettiğim için kendime kızıyor, ama kendimi bundan bir türlü alamıyordum. Kendisini güzel bulmakla birlikte Demi Moore' un yüzünde hiç sevmediğim bir ifade vardır. Fitneci, ispiyoncu kız yüzüdür o. Çivi gibi bakışları vardır. Sizin başkalarınca bilinmesini istemediğiniz, ya da sakladığınız, gizlediğiniz şeyleri görmeye ayarlı zeki bakışlardır bunlar. Başkalarının asla anlayamayacağı şeyleri bir bakışta anlayacağına inanan derin bir özgüvene sahip, kötü niyetli bir zekâdır bu. Saklınızı, gizlinizi görmeye ve günü geldiğinde bunları size karşı kullanmaya yarar. Böyle fena kalpli kızlar vardır. Zekâ yüzlerine, gözlerine yakışmaz; zekâ, onların karanlığını ve kötülük kullanmadaki yeteneklerini besler yalnızca.

Bu cüce kızın salona ilk geldiği günü hatırlıyorum. (Tabii bir kâbus gibi.) Bir arkadaşım ondan uzun uzadıya söz etmiş, "O da buraya devam ediyor, tanısan çok seversin," demişti. Bugüne kadar kim, ne zaman birinden, "Tanısan çok seversin," diye söz etmişse, sevmek şöyle dursun, nefret etmişimdir. Allah bilir Haberci Cemile'nin, "Tanısan çok seversin," diye söz ettiği şu Adalı Leyla'dan da öyle nefret edeceğim. "Tanısan çok seversin," diyenlerden uzak durmak gerek; bunu diyenlerin, sizi hiç tanımadıkları ve neleri sevip, neleri sevmediğinizden hiç haberlerinin olmadığı böyle durumlarda ortaya çıkar. Çok emin olmadan, "Tanısan çok seversin," diye insan tanıştırmaya kalkışmayın. Puan kaybettiğinizle kalırsınız. Bırakın herkes "seveceğini" kendi bulsun.

Bir gün spor sırasında, arkadaşım, "İşte o geldi," dedi. "Hangisi?" dedim. "İşte orada," diyerek uzak köşede bir yeri işaret etti. Gösterdiği yerde yalnızca bir sürü spor aleti gözüküyordu. "Nerde?" dedim. "Orda ya," dedi. Çeşitli ağırlık aletlerinin ve makinelerin arasında kaybolmuş bir et parçası gözüme çarptı, meğer oymuş. "Bu şey, o mu?" dedim. "Evet," dedi. "Peki, bu kızın geri kalanı nerede?" dedim. Karşımızda "cüce" tanımını zorlayan biri vardı ve benim manasız arkadaşım bu kıza ait onca şey anlatmışken, boyundan hiç söz etmemişti. (Ayrıca bu gördüğüm şeye "boy" denip denmeyeceğinden de emin değilim.)

"Sakın bizi tanıştırmaya kalkma," dedim. "Ben kısa boylu kadınlardan çok korkarım. Bizim Aranjman Aysel'in dediği gibi, 'Onların bir o kadarı da yerin altındadır' ve yerin altındaki kökleri zehirli sarmaşıklarla kaplıdır. Cüce bir kadının iyi olması, dünyanın en zor şeylerinden biridir. 'Evliya Kadın' mertebesine erişmemişse eğer, iyi olması neredeyse imkânsızdır. Dedim ya, dünya sürekli olarak dağıtım eşitsizliği yaşanan çok adaletsiz bir gezegen, biz de çeşitli tanıştırmalarla onu zorlamayalım."

Arkadaşım, dediklerimi anlamamış, bana, "sahi mi söylüyor, şaka mı yapıyor" gibi tartmaya çalışan bakışlarla bakıyordu. Sahi söylediğimi anlamasını sağladım. Onunla o gün tanışmadım ve hiç tanışmamaya karar verdim.

Yüzünde, her zaman herkese haddini bildirmeye hazır beklettiği, herkesi küçümseyen, dünyayı aşağılayan bir ifade vardı bu kızın. O kadar kibir biriktirmek için bir ömür yetmez, ancak dünyaya birkaç kez üst üste "kraliçe" olarak gelmek gerekirdi. Bütün dünya ona hizmetle yükümlüymüş gibi, bazı zenginlerin yüzünde neredeyse anadan doğma taşıdıkları bu ifade, o kadar da zengin olmayan insanların yüzünde iyice iğreti kaçıyordu. Herkesin açığını rahatlıkla yakalayabileceği, kimsenin ona yalan söyleyemeyeceği, hiçbir numarayı yutmayacağı, onu aldatmaya kalkışanlara nasıl da haddini bildireceği gibi maddeler yüzünün manifestosunda asılı duruyordu. Hemen her konuda fikri olan kadınlardandı ve bunu yüksek sesle dünyaya duyurmaktan geri durmuyordu. Hemen her konuda çözüm bulucuydu. Onun aklına gelmeyen hiçbir çözüm, dünyada başkasının aklına gelemezdi. Dünya onun sıkı takibindeydi ve neredeyse ondan habersiz hiçbir şey olmuyordu şu gariban gezegende.

Birbirini tutmayan saatlerde, yüzünde hep o aksi ve bilmiş ifadeyle bir hışım geliyor, spor hocalarıyla tartışacak, zıtlaşacak konular bulmakta zorluk çekmiyor, orada çalışan çocukları yerli yersiz azarladığı yetmiyormuş gibi, zırt pırt çalan cep telefonu aracılığıyla dünyanın geri kalanına da yetişerek, azar kıyamet herkesi hizaya sokmaya çalışıyordu. Sürekli salonun klima ayarlarına, çalınan müziklere karışıyor, sık sık CD değiştirtiyor, aletlere kusur buluyor, hiçbir şeyden memnun olmuyordu. Kendini çok beğenip de, kendinden hiç memnun olmayanların cehenneminde yaşıyor ama, yazık ki bunu kendi de bilmiyordu. Hayata ve dünyaya ait o kadar şey bilip, kendini bilmemek de onun trajiği olsa gerek. Tam bir denetleme budalasıydı. Her şey onun istediği gibi olsun istiyordu. Herkes zamanını ona göre ayarlamalıydı. Herkes onun önünden ve yolundan çekilmeliydi. O duş yapacağı sırada duşlar boş olmalı, o istediği zaman istediği aletin başına geçmeliydi. Her aletin başında dakikalarca dikilir, o anda çalışmakta olanı bakışlarıyla taciz ederdi. Sanki aslında bütün aletler onunmuş, bize yalnızca izin veriyormuş da, bizler onun iyiniyetini istismar ediyormuşuz gibi davranırdı. Hatta aslında spor salonunun tamamı onundu da, bizler istediği zaman kovabileceği arsız, yüzsüz kancıklardık.

Onun bütün bu halleri yalnızca benim değil, başkalarının da sinirlerine dokunmaya başlamış, herkes arkasından konuşur olmuştu. Ama, gene de kimse yüzüne karşı bir tavır almaya cesaret edemiyordu. Boyundan beklenmedik ölçüde, insanlar üzerinde otorite kurmayı beceren tuhaf bir gücü vardı o cüce kızın. Yalnızca kas, sinir ve hırstan yapılmış gibiydi. "Boyum kısa olabilir ama, hiç önemi yok, gördüğünüz gibi gayet mütenasip ve sportmenim" edasıyla gerine gerine ortalıkta geziniyor, boynundan eksik etmediği pembe havlusuyla pat-pat terini siliyordu. İncecik bir beli, lastik top gibi yusyuvarlak bir kıçı vardı kızın, en ufak bir sarkma yoktu ve kıskanılacak ölçüde yuvarlaktı. (Tahmin edersiniz ki, kalça toplamaya yarayan "tırmanma hareketi"nin yapıldığı aletin üstünden hiç inmiyordu.) Birkaç kez onu çalıştığı ağırlık aletlerinin altındayken "yanlışlıkla" sakatlamayı planlamadım desem yalan olur. Kadınlardan "seri katil" çıkmadığı hep söylenir ya, düşünüyorum da, ben bunun ilk örneği olabilecek bir potansiyel taşıyorum aslında. Beni engelleyen şey, belki de bütün kadınları engelleyen şeyle aynıdır: Kadınların en önemli erdemlerinden biri olarak, birkaç adım sonrasına akıl erdirebilme yetisi. Kadınlar doğal stratejistlerdir. Şiddetin toplumsal silahları olmadığını bilirler. Fiziksel şiddet toplumsal gramerde erkeklere aittir. Onu kullanmaya kalkışıp görüldükleri, ortaya çıktıkları anda bu silahın kendilerine daha büyük zararlarla geri döneceğini bilirler. Bu yüzden hayallerini uygulamak yerine, yazmakla yetinirler. Polisiye yazarı kadınların çokluğu, hem bu potansiyele işaret eder, hem de onların bu potansiyelin taşıdığı tehlikelerin ne denli farkında olduklarını gösterir.

Bu cüce kıza nefretim ve tahammülsüzlüğüm gün günden artıyordu. Ondan o kadar nefret etmeye başlamıştım ki, artık onunla ahbap olmaktan başka çarem yoktu. Bu kıza duyduğum öfke ve kızgınlıkla öbür türlü başedemiyordum çünkü. Arkadaş olursam, bunun azalacağını, en azından içimde dengeleneceğini düşündüm. Bilirsiniz, yabancılık öfkeyi ve kızgınlığı artıran bir duygudur. Kimi durumlarda, düşmanınızı uzak tutmaktansa, yanınızda taşımak iyidir. O günden sonra onunla konuşmaya, ahbap olmaya can atar oldum. Sanki geç kalmışım da, hakkımı kaybetmişim gibi, bana uzak davranıyor, fazla yüz vermiyordu. Ben de Dostoyevski'nin kimi yüzsüz kahramanları gibi ısrarcı ve üsteleyici olmayı denedim. O, birden yoğunlaşan ilgime bir anlam veremediyse de, bunun tadını çıkardı. Tahmin edebileceğiniz gibi, tanışıp, ahbaplık kurunca hiçbir şey düzelmedi, yalnızca ben nefretim ve öfkemle başedebilir oldum. En azından kızın katili olmaktan kurtuldum. Ben ki, zamanında Albay Şemsa'yı öldürmemeyi başarmış bir kadınım, yalnızca sinirlerime dokunuyor diye, neden cesedi ufak bir poşete sığabilecek bir kızın katili olayım?

Pembe renkli 1957 Chevrolet arabası olan yakışıklı bir sevgilisi vardı bu kızın ve 1.90 boyundaydı, öncekilerin de öyle 1.90'lıklar olduğunu öğrendim. (Sevgilisini değil ama 1957 model Chevrolet arabayı kıskandığımı itiraf etmeliyim.) 1.90 boya gelince, psikolojik süreçlerin birçoğu, hiçbir yoruma yer bırakmayacak ölçüde kaba ve çıplak işler ne yazık ki... Cücelerle sırıklar arasında işleyen yerçekimi kanunlarına bizim aklımızın ereceğini sanmıyorum.

Kız borsacıydı, o zırt pırt çalan cep telefonlarının çoğu bununla ilgiliydi, sonsuz ve sınırsız sayıda yardımcısı vardı ve birçok konuda olduğu gibi, para konusunda da tepeden tırnağa bir merhametsizlik anıtıydı; –ki, o tepeden tırnağa dediğim şeyin bir metre bilmemkaç santim olduğuna bakmayın– merhametsizliğin ölçüleri çok farklıdır. Ne borsa dünyasındaki parlak kariyeri, ne 1.90'lık sevgililer, ne '57 Chevrolet kesmiyordu kızı. Onun, herkesin burnundan getirmeye ant içmiş gibi bir hali, kendisinden otuz santimi esirgemiş bu dünyaya karşı dinmeyen bir kini ve nefreti vardı. Bu memlekette borsa niye bu kadar inip çıkıyor sanıyorsunuz? Benimse güçbela biriktirdiğim biraz param vardı, tuttu borsada batırdı. Bu kadar parlak bir borsacının bunu bilmeden yaptığına beni kim inandırabilir? Derhal spor salonumu değiştirdim.

Masadaki kadınlar "fazla kilolar" muhabbetini bırakmış, estetik operasyonlar konusuna geçmişlerdi. Anlaşılan, konuşarak yeterince kilo verdiklerini düşünüyor, şimdi küçük operasyon dokunuşlarıyla gençleşip güzelleşmeyi umuyorlardı. Doğrusunu söylemek gerekirse, benim fiziğim değil, ruhum yaşlanmıştı. Ruha yapılan estetik operasyonlar olup olmadığını sordum, yokmuş, ben de bunun üzerine izin isteyip yan masaya geçtim.

Geçtiğim diğer masaya hemen Tuğde damladı. Nedenini anlamakta güçlük çekmedim. Kırmızı yanaklı, yuvarlak yüzlü, akça pakça, topalak bir oğlan çocuğu, höt höt sesiyle çevresindeki çocuklara buyruklar yağdırıp duruyor, arada bir büyük erkekler gibi, dişlerinin arasından tıs tıs yere tükürüyordu. Anlaşılan, kızımız kendine layık ve kraliçeliğine uygun bir kral bulduğunu, onunla birlik olup dünyadaki bütün çocukları yönetmeyi, kral kraliçe olarak yedi cihana korku salıp, kan kızılı, ateş kırmızısı buyruklar yağdırmayı düşünüyordu. Tuğde masaya gelince, oğlanın höt höt sesi de pek duyulmaz oldu. Kızımızın vahşi hayvan terbiyeciliği konusundaki daha bu yaşta serpilip gelişen yeteneklerini görmezden gelmek olmazdı. Belli ki, oğlanı pıstırmıştı. Bir ara, "neler konuşuyorlar," diye kulak kabarttığımda, şaşkınlığa uğradım.

Tuğde, sesini daha da çocuklaştırarak, boynunu kıra kıra, fısır fısır bir şeyler anlatıp duruyordu.

"Demek geceleri tek başına ve karanlıkta yatmaktan korkmuyorsun ha? Ne güzel!" diyordu oğlana. Başını ona doğru hafifçe eğip çaktırmadan oğlanın boynuna sokuldu. "Ben geceleri karanlıktan çok korkarım, biliyor musun?" dedi. "Hiç yalnız uyuyamam."

Oğlan, onu teselli etmek istercesine uzanıp, acemice yanaklarına dokundu. "Merak etme ben seni korurum," der gibi bir havası vardı. O an kan beynime sıçradı. Bu kız değil miydi, evime daha ilk geldiği gün, gece lambasının o kahrolası düğmesini şak diye bulup, "Ben karanlıktan hiç korkmam!" diye yüzüme kükreyen! Şeytan, oğlana dönüp, "Yalan! Yalan söylüyor bu küçük cadı, sen inanma ona, de," dedi. "Bu küçük canavar ne geceden korkar, ne karanlıktan. Seni kandırıyor işte! Siz erkekler hep böylesiniz zaten!"

Baktım, ikisi de durumlarından çok hoşnuttular. Onların mutluluk kaleleri benim gibi "gerçekçiler" tarafından yıkılamayacak kadar sağlamdı. Erkekler kandırılmak ister. Gerçekçi olacaksın da, ne olacak? Öğrenemedim gitti.

Bu masada konular güncel politikanın hareketli sularında seyrediyordu. Onlar konuştukça, kimi eskiden hafif serseri takılan arkadaşların geçen zaman içinde nasıl laik, Atatürkçü ve Cumhuriyetçi azimli kadınlar kesilmiş olduklarını öğreniyordum. Üniversitelere sokulmayan türbanlı kızların eylemlerinden söz açılmış, sonradan konu ülkeyi tehdit ettiği söylenen İslam devrimi dalgasına kadar gelmişti. Böyle durumlarda itişip kakışmaktansa, hiçbir fikriniz yokmuş gibi davranmak, bir tür bağışıklık ve konfor sağlar. Çoğu, İslami yükselişe ya da yobaz hareketlere karşı laikliğin ve cumhuriyet ilkelerinin savunulması gerektiğini "sinirceli sinirceli" savunurken, nasıl birer sofu kesildiklerinin farkında değildi. Sofuluğun bir tek çeşidi yoktur, neyi savunduğu önemli değildir, o var oluşunu bir sofuluk olarak yaşamayı seçmiştir. Bunu seçtikten sonra sofuluğa elbet bir nesne bulunur.

Doğu-Batı ikileminin şu aziz anavatanında, gerçekte olup biten nedir, bunu sahiden merak eden var mı? Bu toz duman içinde kimsenin hakkını yemeden, herkese hakkını dağıtmak mümkün mü? Kimi türbanlı kızların isterisiyle, kimi Atatürkçü kadınların isterisi arasında kaç desibellik isteri farkı var? Çoğu durumda, fikirlerden önce, bu isterinin tartışılması gerekir ki, fikre giden yol sahiden açılsın. Kendi içlerinden bu kadar söz açmayan kapalı insanların ülkesinde, fikirlerden söz etmek gerçekten mümkün müdür? Bu soruları çoğaltmak demek, birbirine katlanarak çoğalan sarmal sorunların yüreğine yolculuk etmek demektir. Kimsenin uzun yola hali kalmadığı gibi, hep kısa vade umutlar ve parça başı çözümlerle hayat ertelenmiyor mu bu memlekette? Kimse bu tür sahici yolculukları göze alamadığı için, hâlâ en can alıcı konularda bile, tartışma eşiği bu kadar alçak bir yerden başlanıyor konuşmaya, çoktan halledilmiş olması gereken sorunlara.

Onlar öyle car car konuşurken, dinlemek bile gelmiyor içimden.

Masadakiler, birbirlerini onaylaya onaylaya konuşurlarken, türbanlı kızların üniversiteye girme hakkını savunan birkaç cılız sesi, Türkiye gerçeklerini bilmemekle, bu kişileri, uzun süre yurtdışında kalmış olmalarından ötürü memleket gerçeklerine yabancı kalmakla suçluyor, hatta küçük görüyorlar. Hep Avrupa gibi olmak isterken, böyle konular açıldığında, birdenbire buranın Avrupa olmadığını, şartlarının bambaşka olduğunu anlatmaya çalışıyorlar. İşimize geldiği zaman batılı, işimize gelmediği zaman doğulu olmak istiyoruz. Coğrafyasını ve pusulasını bu kadar şaşırmış bir ülkede, insan, bu kadar çıplak görünür çelişkilerin kolaylıkla yüze vurulabildiği kolay kazanılır tartışmalarla bir yere varılmayacağını anladığı yaşlara geldiğinde, karşısındakiyle konuşmaktan çok, içinin sesine kalıyor galiba. Yorgunluğun bir çeşidi de bu.

Ben, bütün bu konuşulanların beni çektiği yere dalıp gitmiştim bile.

Onu düşünüyorum: Uzak akraba kızı.

Onu böyle tanımlıyordum. Ailenin pek varsıl olmayan üçüncü, dördüncü halkasından olmalıydılar. Bu yüzden soyluluğa pek meraklı halalarım onlardan söz etmemeye çalışırlardı. Benim onlara bir parça daha yakınlık gösterme gayretimdeyse, bu bilginin payı olmalı.

Daha görür görmez sizde acıma duygusu uyandıran, insanın içine dokunan bir hali vardı kızın. Çeşitli nedenlerle birkaç kez ondan söz edildiğini duymuştum elbet. Hikâyesini duyduğunuzda, merhametiniz de artıyordu. Çocuk sayılabilecek çok genç yaşta bir evlilik geçirmiş, iki çocuk, çapkın ve içkici bir koca, ara sıra dövüyor da kadıncağızı. Adam günün birinde gencecik bir kıza âşık olup evi terk edince, iki çocukla bir başına kalıyor. Hem bir işe girip hem dışarıdan okul bitirme sınavlarına katılıyor kız; üvey kardeşleri, akrabaları yardım etmeye başlıyorlar ona. Hiç olmazsa bu bakımdan şanslı sayılır. Şimdi anımsamadığım bir işi düşmüştü bana, telefon etmiş, ben de eve uğramasını söylemiştim. Sabahın erken bir saatinde gelmiş, beni uyandırmıştı. Uykusu açılmamış gözlerle ona kapıyı açtığımda, çok mahcup olmuş, ezilip büzülmüştü ama, açıkça söylemek gerekirse, beni uykumdan uyandıran, asıl onun görünüşü olmuştu. Halk arasında "mutaassıp" denilen aile kızlarından biri olarak, üzerindeki giysi çok şaşırtmıştı beni. Örneğin, annesini, dudaklarında dualarla gezen hep başörtülü bir kadın olarak anımsıyordum. Üzerinde, sutyenini belli eden neredeyse tül inceliğinde kolsuz bir bluz, altında en moda olduğu zamanda bile, boy ölçüsü kolay kabul görmeyecek, vücudunu sımsıkı saran bir mini etek vardı. Giysisinin iddiasıyla hiç bağdaşmayacak biçimde kendine güvensiz, çekingen, tedirgindi; zor duyulan bir sesle konuşurken sürekli parmaklarını çıtırdatıyor, her an kaçıp gidiverecekmiş gibi davranıyordu. Onu rahatlatmaya çalışmaktan, konuşmasını izleyemiyordum bile. Beni uykudan uyandırdığı için, kapımı çaldığı için, evime geldiği için, hatta var olduğu için kendini bağışlamıyordu neredeyse. Titreyip duran çatallı bir sesle konuşuyor, konuşurken sesinde yırtıklar dalgalanıyordu.

Sesleriyle derdim olan bir kadın türü vardır. (Bence onların da kendi sesleriyle dertlerinin olması gerekir ama, hiç öyle görünmüyorlar.) Ses, dümdüz gırtlaktan yukarı süzülmez de, kimi yırtıklara, boğumlara takılarak çatallanır, hep tiz perdeye yakın bir yerde tonlar, hele bu kadınlar sinirlendiklerinde, ses yayıldığı geniş yelpazenin bütün çeşit zenginliğiyle asfalt delicisi gibi kulak kazımaya başlar. Azıcık psikoloji kitaplarına meraklı biri, bu seste, bastırılmış bir çocukluğun, ezilmiş bir kişiliğin ve tamamlanmamış deneyimlerin bütün ipuçlarını bulabilir. Kadınların tıp ve teknoloji sayesinde onca yerlerini değiştirebilirlerken, seslerine bir şey yapamamaları gerçekten çok üzücü! Her neyse, işte bizim kadıncağızın sesi de bütün zor duyulurluğuna karşın böyleydi. Bu yırtık ve titrek ses, başörtülü annesinin, dayakçı kocasının, hakkında hiçbir şey bilmeseniz de rahatlıkla tahmin edebileceğiniz çocukluğunun bütün izlerini taşıyordu. Bu çeşit sese sahip olan kadınlar için hayatta en önemli şey hep haklı olmalarıdır. Aksini iddia etmeye kalkışsanız bile, tartışırken çıkardıkları "o sesten" ötürü vazgeçersiniz.

Daha sonra onunla bir kez daha karşılaştığımda, daha önceden bilmeme karşın, üzerindeki giysiye gene şaşırmadan edememiştim. Üzerindekiler, bir gündüz giysisi olarak fazla iddialı kaçan bir gece dekoltesi taşıyordu.

Günün birinde, onun İslamı seçip örtündüğünü duyduğumda çok şaşırmıştım. Gözümün önünden o yarı çıplak hali gitmiyordu. Bir gece rüyasında Hazret-i Muhammed'i gördüğünü, peygamber efendimizin onu İslama çağırdığını söylemiş, o da uyandığı sabahtan başlayarak, artık İslami bir hayat tarzını seçmiş, ona göre yaşamaya başlamıştı. Herkesin şu gezegendeki var oluşuna seçtiği yollar farklıydı elbet. Zaten gevşek olan ilişkimiz tamamen kopmuştu.

Onu yeni haliyle son bir kez gördüğümde, şaşkınlığım iyice arttı. Düpedüz kara çarşaflar içindeydi; o kadar çıplaklık öteki uca savrulduğunda, bu kadar siyahlık getiriyordu demek! Alışık olmadığım bir bilgi türü değildi bu. Kendimden de pay biçebilirdim. Solcu olmaya karar verdiğimde, varlıklı bir burjuva ailesinin, Nişantaşı-Teşvikiye sosyetesinin bir kızı olarak gidip en çamur Maocu gruba sempatizan olmuştum. Bu çeşit sivri tercihlerle yılların farkı kapatılmaya çalışılıyordu belki de.

O uzak akraba kızının kapımın önünde titreyerek duran geçmişteki hayali, şimdiki kapalı haliyle aramda duruyor ve onu rahat dinlememi engelliyordu. Şimdi karşımda kara çarşaflar içinde, kanat açan kara bir çöl kartalı gibi, geniş el kol hareketleriyle, büyük bir kendine güvenle konuşan bu kadını tanımaz gözlerle izliyordum. Sesi değişmemişti ama, yalnızca sesine önceden kullanmadığı bir genişlik, hareketlerine saldırganca denebilecek bir serbestlik gelmişti. Sesindeki yırtıklar aynen duruyordu tabii, ama daha geniş bir perdeden, daha rahat kullandığı için, yırtıkların eni genişlemişti yalnızca. İnancı, ona kendini ifade etme, kendi varlığını duyma ve duyurma gücü kazandırmıştı belki de. İsterisi de olduğu gibi duruyordu, yalnızca isterisinin ifade biçimi değişmiş gibiydi. Onca açık saçık giyinirken kazanamadığı güveni, örtündüğünde bulmuştu. Saklamaya ya da göstermeye çalıştığı neydi, bunun ne kadarını kendi biliyordu, belirsiz; bu birbirine karşıt iki görünüşün altında kadınlığın çözümlenmemiş tarihi yatıyordu belki de. Kadınlar görünmek ya da saklanmak için neler yaşıyorlardı! Sesini, pervasızlık ölçüsünde yüksek perdeden kullanan bu kadının varlığında, yalnızca kişisel bir tarihin dönemeçlerine ait işaretler değil, bütün bir kadınlığın izlerine ait ipuçları bulmuş gibi sersemlemiştim. Söylediklerine karşılık vermekte zorlanıyordum. Onu gözlemek ve incelemekten ötürü uğradığım şaşkınlığı, fikirlerinin gücü karşısında ezilmiş olmama bağlamış olmalı ki, her cümleden sonra yüzünde "muzaffer bir edayla" beni süzüyor, arkasını getirmek için şimdi söylediklerini hazmetmemi beklercesine duralıyor, sözlerinin arasına kendi seçtiği uzunluklarda sessizlikler koyuyordu. Ona bu güveni sağlayan şeyin yalnızca "iman" olmadığını bilecek kadar psikoloji okumuştum doğrusu. Kara çarşafının kara kanatları altında kendine başka bir hayat bulmuştu; sanki artık dünya ona ilişemez, kimse ona hiçbir şey yapamazdı. En önemlisi, kimse ona artık dokunamazdı. Dokunulma korkusunun kazandırdığı bir dokunulmazlığın tadını çıkarıyordu. Yaşlanan kadınların, cinselliğin dışına sürüldüklerinde, erkekler için artık birer "arzu nesnesi" olmaktan çıktıklarında, duydukları o dokunulmazlık erincini yaşıyordu kara kabuğunun içinde. Çözümsüzlüğün farklı görüntüleriyle, yalnızca çözümler erteleniyordu belki. İnançlar, belki de bütün bunların bir üst metniydi sadece...

Kullanım perdelerindeki değişiklik nasıl sesinin hamında gizli olanı değiştiremediyse, sorununun yüreği de değişmemişti. Gizlenmekle görülmekle, dokunulmakla ilgili dertlerle yüklenmiş bütün bir kadınlığın koyu, kilitli gölgeleri, şimdi aydınlattığını sandığı yolunu bir kez daha karartıyordu.

O gün oradan çıktıktan sonra, bir süre yürüyerek bütün bunları düşündüm. Hangi inanç olursa olsun, kadınlardan kendi saçını esirgeyen dünyanın bir parçası olmayı kabullenemiyordum. Türbanlarının altına sakladıkları şeyi, kadınlığın utanılması gereken bir parçası olarak alımlayan bir dünyaya hiçbir kadının söyleyebileceği bir şey olduğunu zannetmiyorum. Halalarımın bana bir şey söylemeden kadınlığıma tıkamaya çalıştıkları aybaşı pamuklarıyla, onların türbanları altına sıkıştırmaya çalıştıkları günahsız saçları arasında derin bir suçluluktan oluşmuş koskoca bir tarih bağı var.

Dünyayı ayakta tutan fikirlerin neresinde durursak duralım, bu bağı kopartmaya henüz kimsenin gücü yetmiyor.

Kadınlığı saçının teline bağlamış yarılmış bir coğrafyada, ayaklarımız üstünde durmaya çalışırken, örtünmekle açılmak arasında hâlâ erkek dünyaya poz veriyoruz.

Masada konuşulanlara gerçekten daha fazla katlanamayacaktım. İyice hararetlenmişlerdi. Benim suskunluğum bazılarını tahrik etmiş, çeşitli sorularını yanıtsız bırakan kayıtsızlığım sinirlerine dokunmuştu. Az sonra hep birden ayağa kalkacak ve "Onuncu Yıl Marşı" okuyacaklarmış gibi kızışmış bir ruh hali içindeydiler.

O sırada yanımızdan Bıralev geçiyordu, tabii gene masalara çarpa çarpa. Onu bahane ederek yerimden kalktım. Beni görünce bir çığlık attı. Bu bir şey demek değildi. Biralev, kimi görse bir çığlık atar. Sevindiğini göstermenin en etkili yolu diye kim bilir kaç yaşındayken öğrenmiştir bunu ve bir daha değiştirme gereği duymamıştır. Bazı insanlar ilk öğrenmelerle bütün bir hayatı idare ederler. Öte yandan bunlar, zamanında öğrenmediklerini, hayat boyu öğrenmemekte de kararlı olan tiplerdir. Biralev'in sakarlığı, kendini bilmezliği de böyleydi. Biralev'in en başta öğrenemediği şey, kendi basenidir. Kendi baseninin çapı ve hacmi konusunda en ufak bir fikri yoktur. (Beden numarasını bilmediğine bahse girerim.) Çeşitli sakarlıklarının, oraya buraya çarpmalarının çoğunu o bir türlü yönlendiremediği basenine borçlu olduğunu anlamak, kabullenmek istemez. Sınıfta sıraların arasından geçerken, kiminin defterine, kiminin cetveline, kiminin kalemine çarpar, herkesten azar işitirdi. Tahmin edersiniz ki, bu gibiler büyüdüklerinde, otobüste, uçakta koridordan geçerken iki yanda oturanların omuzlarını basenleriyle dürtükleyen kişiler olurlar. Biralev, bir pastaneye, kafeye gittiğimizde, kimseyi rahatsız etmeden geçebileceğini sanarak, masaların, sandalyelerin arasından geçmeye kalkışırdı. Sanki soluğunu tutmak, karnını içine çekmek ya da ayak parmaklarının üzerinde yükselmek, bütün bunları daha kolay yapmasına izin verecekmiş gibi, her seferinde yeniden dener, kiminin çayının, kahvesinin dökülmesine, masanın üzerindeki herhangi bir şeyin yere düşmesine, ya da oturan birinin sertçe öne doğru kaykılmasına neden olduğu için, her seferinde bir kere daha azarlanırdı. Gördüğünüz gibi, "kendini bilmeme"nin çeşitleri çoktur. İnsanların huy, kişilik, ruhsal yapı gibi, gözle görülmez özelliklerine ilişkin konularda kendilerini bilmemeleri hadi neyse bir yere kadar anlaşılır ama, bir ayna yardımıyla bile rahatlıkla görebilecekleri fiziksel özelliklerine ait konularda bunca kendini bilmezlik insanın sinirlerine dokunuyor doğrusu.

Bu arada bakıyorum, Biralev'in elindeki tepeleme doldurulmuş tabakta, çeşitli tuzluların yanında kocaman bir frambuazlı, çikolatalı pasta dilimi var. Ki, bir pasta dilimini, bir kadının hayatı boyunca baseninde taşıdığı üzerine atasözü kıymetinde, darb-ı mesel ağırlığında onca uyarıcı söz varken, Biralev'in bu rahatlığı da akıl erdirilir şey değil. Anlaşılan, yalnızca baseni değil, gönlü de geniş kızımızın. Bu arada şunu da itiraf etmeliyim ki, bu tepkimde biraz da kıskançlık payı saklı; çünkü hayatta en sevdiğim pasta, frambuazlı ve çikolatalı olanıdır.

Yeniyetmeliğimde, Rumeli Caddesi'ndeki Ömür Pastanesi'nden çıkmazdık. Okul çıkışları, cumartesiler Dilberler'in önündeki, bizi yağmurdan ya da güneşten koruyan girintili bölmede arkadaşlarla buluşur, sonra da ya Konak Sineması'na 14.45 seansına gider, ya da Ömür Pastanesi'nin sotalı masalarında gözünün içine içine baktığımız oğlanlarla "manalı manalı" konuşurduk. O günlerden ağzımda hep bir frambuazlı, çikolatalı pasta tadı kalmıştır. Hem hoş, hem buruktur. İnsan yeniyetmeliğinde yaptığı birçok şeyi iyi hatırlamaz, hatta kimi zaman bazı olayları düşündükçe, yeniden mahcup olur, ama gene de o zamanlar sahip olduğu bir duyguyu çok özler. İleride ne olacağımızı bilmediğimiz, geleceğimizin bizim için belirsiz olduğu o yaşlara özgü temel bir duygudur bu. Hayatımızın belirsizliği karşısındaki o ümit dolu sarsak halimizi özleriz. Yeniyetmeliğimi değil, ama o zamanlar sahip olduğum o belirsizlik duygusunu, geleceğe duyduğum ümidi, hayallerime eşlik eden kalp çarpıntılarını, hayatın henüz başlamamış olduğu bilgisinin diriliğini özlüyorum.

Kendi huzursuzlukları yetmiyormuş gibi arkadaşlarını da kışkırttığı için, arkadaş anneleri tarafından fazla sevilmeyen, en azından kendisine dikkat edilen bir kızdım o sıralar. Fazla gezer, tozardım. Halalarım, "Oğlan çocukları gibi, hep sokaklarda, hep sokaklarda," diye babama şikâyet etmeye başlamışlardı. Saldırganlığımla başetmeye çalıştığım, tuhaf bir mahcubiyetim vardı. Sonraki yıllarda saldırganlığım gitti, mahcubiyetim kaldı. Bütün o rahat, modern, yırtık genç kız hallerime karşın, arkadaşlarım arasında bekâretini en geç kaybeden ben oldum. Onca romantik kavuşma sahnesinin hayalini kurduktan sonra, kaybettiğimi bile anlamadığım tatsız, tuzsuz bir deneyimle –pis bir akşamüstü, kapalı bir hava, tükürür gibi yağan sinsi bir yağmur; kasvetli bir Topağacı evinin, duvarlarında motosikletli, yarış arabalı, boks eldivenli posterlerin asılı olduğu dağınık bir oğlan çocuğu odasında– kızlığıma veda ettim. Rahatlamak için içtiğimiz biralar nedeniyle, sık sık tuvalete gitmek zorunda kalarak bölünmüş anlar... Bacaklarımın arasında ikinci kan...

Kadınların dört kanı olduğu söylenir. Bu ikinci kandı. İlk kanı, halalarımın bacak arama tıkadıkları pamukların utancı, korkusu, dehşetiyle hatırlıyordum. İkinci kanı ise, beni şefkatiyle tavlamış, ama yatağa attıktan sonra, başta şefkati olmak üzere birçok duygusunu unutmuş, üzerimde soluyup duran ve gereğinden fazla terleyerek beni bunaltmış semiz bir oğlan çocuğunun altında, ne olduğumu bile anlamadan akıttım. Üçüncü kan için aday değilim, çocuk doğurmayı düşünmüyorum. (Bu kanı çok istiyorsa, Hale'ye bağışlayabilirim.) Dördüncü kan, yani menapoz zamanım geldiğindeyse, umarım çoktan evlenmiş olurum. Hâlâ evlenmemişsem eğer, o zaman da beşinci kanı akıtmam gerekecek: Bileklerimi keseceğim!

Biralev, beni masasına çağırıyorsa da, hem gönülsüzüm, hem zaten benim az önce kalktığım masayı gösterdiği için gitmiyorum. Gözüm tabağındaki pasta diliminde kaldı. Yılın yarısını diyet yaparak geçirenler, bunun anlamını iyi bilirler.

Biralev'in adını sizler de yadırgamış olsanız gerek. Keşke o buradayken sorsaydınız, "adının hikâyesini" bayıla bayıla anlatırdı size. Hayatta çok az orijinalliğe sahip olduğu için, adının orijinalliğine fazla yaslanır. Annesiyle babası aşklarının şarkılarından almışlar bu adı. Orhan Seyfi Orhon'un "Hani o bırakıp giderken seni," diye başlayan şiirinden yapılmış bu şarkıda, "Bir alev halinde düştün elime," mısraından yola çıkan bu duygulu anne ile bu duygulu baba, aşklarının semiz bir semeresi olan biricik kızlarının adını "Biralev" koyarak aşklarını kutsamışlar! Çocuklarına orijinal isim koyma meraklısı anne-babaları bilirsiniz, isterseniz sözü daha fazla uzatmayalım. Zaten Biralev de geçen yıllar içinde, alevlerine alev ekleyip, o devasa baseniyle şimdi daha çok bir olimpiyat meşalesine dönüşerek, ailesinin temiz hislerine yeterince hürmetsizlik etmiş oluyor bana kalırsa!

Tuğde, pıstırdığı höt höt sesli oğlanı yanına alarak, yeniden bahçeye iniyor. Elinden tutup çekiştirdiğine bakılırsa, yönetimi çabuk ele geçirmiş kızımız; oğlan hafif arkada kalmış, ardı sıra gidiyor. Bu kadar çabuk süngüsü düşen bir erkeği, fazla elinde tutacağını sanmıyorum.

Erken zaferler, erken ayrılıklar getirir.

"Kendi masama mı dönsem, biraz bahçede mi gezinsem," diye ortalık yerde hafif şaşkın bakınırken, ilerideki masaların birinde Hülya'yı görüyorum. Kalabalıkta bir an gözüme çarpmış, sonra kaybetmiştim. El sallayarak masalarına çağırıyorlar beni. Bakıyorum eğlenceli tipler var orada, bir sandalye çekip yanlarına oturuyorum. Yanılmamışım. Eğlenceli tipler, gayet eğlenceli bir konuda konuşuyorlar, yani erkekler hakkında...

Masaya yeni katılan benimle kısa tutulmuş bir hoş-beşten sonra, konuşmalarını kaldıkları yerden aynı heyecanla sürdürüyorlar.

Feryal, "Erkeklerle konuşmak gerekir," diyor. "Erkekleri konuşturmaya çalışacaksınız."

"Boşa çaba," diyor Figen. "Mutsuz olduğunla kalırsın."

Masaya oturmamla beraber, "Doğru," diye atılıyorum birden. Herkes dönüp bana bakıyor.

"Biz kadınlar, erkeklerin konuşmasını değil, duymak istediklerimizi söylemelerini isteriz yalnızca. Hangi kadının kalbi, erkeklerin sahiden söyleyeceklerini kaldırabilir ki?"

Herkes gülüyor. Ben de tabii. Yalnız ben söylediklerime değil, kendime gülüyorum. Bakıyorum da, onca memleket meselesi tartışılırken ağzını bıçak açmayan ben, konu erkekler olunca bülbül kesilmişim, masaya oturmamla, söz almam bir olmuş! Sonra fark ediyorum ki, masadaki bütün kadınlar iyi-kötü evliler, doğal olarak kendi hayatlarından bir dolu örnek veriyorlar. İçlerinde tek bekâr olduğum halde, "erkeklerle konuşmak" üzerine car car konuşan benim. Bunun üzerine benim bu düşündüğüm başkalarının da aklına gelebilir, diye hafif geri çekiliyorum.

Erkeklerle her şeyi konuşmanın zararları ile yararları üzerine bir dolu örnek veriliyor. Ne olursa olsun, gene de konuşmanın öneminden söz ediyor Roza: "Anlaşamasanız bile gerginlik atarsınız," diyor.

"Konuşulacak şey var, konuşulmayacak şey var," diyor Figen.

Feryal, "Kadınla erkek arasında konuşulmayacak hiçbir şey olmamalıdır," diyor.

Figen, belli ki evliliğin formülünü çoktan çözmüş, hayata karşı temkinli kadınlardan. "Yaşadıkça insanın görüşleri değişiyor," diyor. "Daha yumuşuyor, daha uzlaşmacı, daha hoşgörülü oluyor." Feryal inatçı, "gerçekler, gerçeklik" falan diye tutturmuş! Belli, azıcık benim kafada. "Bir ilişkide asla yalana yer olmamalı," diye ayak diriyor.

"Hayat kitaplardaki gibi ilerlemiyor," diyor Figen. Zamandan, zamanın getirdiklerinden, ilişkide değiştirdiklerinden söz edecek oluyor.

Feryal, zaman-maman bilmiyor, varsa yoksa doğrular! "Yalansız, kaçamaksız evlilik olur mu," diyor Figen. "Görmezden gelmeyi, üstünde durmamayı öğreneceksin. Erkeğin üstüne fazla varmayacaksın, evli kalmak istiyorsan tabii..."

Asıl sorun bu galiba. Evliliği istemek. Sonra da evli kalmayı başarabilmek. Konuşmalardan Figen'in daha uzlaşmacı, Feryal'inse daha didişken olduğu sonucunu çıkarıyorum. Belli ki, Figen kocasıyla beraberliğinin 50. altın yılını kutlarken, Feryal en az yirmi yıllık bir dul olacak.

İyi bir evlilik için Figen gibi olmak gerektiğini biliyorum. Oysa ben azbuçuk Feryal gibiyim. Feryal gibi biri olup, Figen gibi bir evlilik yapmak mümkün mü? Değil. O halde? Yani ben ne olacağım?

Evliliği bir imkânsızlık olarak düşündüğü halde, şiddetle evlenmek isteyen benim gibi kafası karışık kadınlar için ne denebilir, bilmiyorum. Üstelik gençliğini, Engels'in *Ailenin, Devletin ve Özel Mülkiyetin Kökeni* kitabıyla geçirmiş benim gibi bir kadın için.

Roza'ya dönüp, kocasını soruyorum. Roza'nın kocası iyi bir psikiyatrdır. Bir tarihte, kendi başıma halledemediğim sıkıntılarım olduğunu, psikiyatra gitmek istediğimi söylediğimde, doktorluğuna güvendiği arkadaşlarından birine yollamıştı beni.

"Erkek psikiyatr istemiyorum," demiştim. "Erkeklerin duvarları yüksek oluyor, ben onları aşamam. Beni ya bir kadına gönder, ya da bir 'gay'e."

"Seni, adaşın olan bir kadına göndereceğim," demişti.

Seçimi doğruydu. Dört yıl boyunca devam ettim terapiye.

Roza, ben kocasını sorunca, yarasına dokunmuşum gibi irkiliyor. Sesini alçaltarak, "Sorma durumu çok kötü," diyor. "Terapiye başladı."

"Nasıl yani?" diyorum. "Zaten terapi yapmıyor muydu?"

"Hayır, kendi terapiye gidiyor şimdi."

Saçma bir soru olduğunu bile bile, "Neden?" diyorum. "Terapiye olan inancını kaybetmiş, dolayısıyla mesleğine de; terapiye olan inancını kazanmak için terapiye başladı."

"Artık terapiye inanmıyor ve bunun için terapiye gidiyor, öyle mi?" diye soruyorum.

"Öyle," diyor. "Onun hayatı bu, terapiden başka bir şey bilmiyor ki..."

"Artık kimseye bir yararım olmuyor," diye üzülüyormuş. "Terapi boş, hayat boş, her şey boş," diye yakınıyormuş.

"Ben, Aron'u hiç böyle görmemiştim," diyor Roza. "Kendini alkole verdi. Bence ağır bir bunalımda."

Hastalarından birinin intiharıyla başlamış bu boşunalık duygusu, bir daha da yakasını bırakmamış.

"Bence fazla enformasyondan böyle oldu," diyor. "Onca insanın hayatı hakkındaki bilginin altında ezildi, kaldı. Altından kalkar umarım."

Bunları sakin, yabancı bir sesle söylüyor.

"Peki sen nasıl bu kadar sakin kalabiliyorsun böyle?" diye soruyorum.

"Ne zaman kocam bunalıma girse, ben birdenbire sakinleşirim," diyor Roza. Ardından gülüyor. "Şaka, şaka... Eh, böyle durumlarda birilerinin sakin kalması gerekiyor, değil mi? Evlilik boyle bir şey işte! Benim de bunalıma girdiğimi bir düşünsene, o ev ne hale gelir!"

"'Terapiye olan inancını yitirdiği için, terapiye başladı,' hoş bir cümle," diyorum. "Bu cümleyi kitabıma alabilirim."

"Hangi kitaba?" diyor.

"Bu kitaba," diyorum.

"Aman al," diyor, "Ne istersen al, yeter ki, kocamın terapiye olan inancı geri gelsin!"

Roza, Aron'la evlendiğinde, kızın ailesini yakından tanıyanlar. "Doktora para vermemek için, kızlarını verdiler," demişlerdi. "Tedavi masraflarını bedavaya getiriyorlar." Bunun üzerine başkaları da, bunların, Yahudilerin cimriliği üzerine söylenen yakıştırmalar olduğunu söylüyorlardı. Roza ile Aron'unsa dünya umurlarında değildi. Roza'nın sorunlu zamanlarıydı. Aron, ilkin aylarca tedavi etti kızı, sonra da evlendi. Evliliğin yaradığını gördüğüm ender kadınlardan biridir. Bir kadının psikiyatrıyla evlenmesi! Her şeyinizi her ayrıntısına kadar bilen bir erkekle evlenmek, nasıl bir şeydir? Doğrusu hayal bile edemiyorum. Roza ise durumlarıyla dalga geçmeyi bilir. Belli belirsiz bir kuşkuyla, evliliklerinin nasıl gittiğini soranlara, "Bana kalsa kocamdan çoktan ayrılacağım ama, doktorumdan ayrılamıyorum," der.

Uzun süre hiç ses çıkarmamış, konuşmalara katılmamış olan Hülya, masadaki konu çoktan değiştiği halde, belli ki hâlâ orada kalmış, "Erkeklerle konuşmak iyi ama, erkekler kitaplardaki, filmlerdeki gibi konuşmuyorlar ki," diyor.

"İşte," diye atılıyorum. "İşte bütün mesele bu. Bütün bir kültür hayatı, bizi yıllarca kandırdı. Romanlarda, filmlerde olan şeyler, bizim de başımıza gelecek sandık, olmuyor. Olsa da hep başkalarına oluyor. Kandırıldığımızla kalıyoruz."

"Erkekleri tanımak yeterince zor zaten, bir de filmlerdeki gibilerini hayatta arayınca iyice ümitsizliğe kapılıyor insan," diyor Hülya.

Bakıyorum da Hülya evli bir kadın gibi değil, bekâr bir kadın gibi konuşuyor, hatta çok fazla hayal kırıklığına uğramış bekâr bir kadın gibi...

Aklıma evliliğinin yolunda gitmediğine dair kötü kötü şeyler geliyor. Sinsi bir sevinç parlayışı yalayıp geçiyor içimi. Ne yalan söyleyeyim benim gibi evlenememiş kadınlar, başkalarının evliliğinde yolunda gitmeyen şeylerden karanlık bir keyif duyarlar. İsterseniz, kolayına kaçarak "kıskançlık" deyin buna, ama bence başka bir şey bu, kıskançlıktan daha karmaşık bir duygu, basit tanımlamalara gelmiyor. Mutsuzluğunuza tek başınıza katlanamadığınız zamanlar, başkalarının mutsuzluklarına gerek duyarsınız. O zaman mutsuzluğunuz biraz daha katlanılır bir hale gelir. İçimizin bizden habersiz işleyen orman kanunları vardır ve onların nasıl çalıştıklarını hiçbir zaman tam olarak bilemeyiz. En doğrusu, ne hissediyorsak açıkça söylemek lazım. Söyleyince utanır, mahcup olur ve belki de böylelikle kurtulabiliriz bu çeşit istenmeyen duygulardan. Allahım ne çok akıl veriyorum! Acaba hayatımdaki erkeklerle de böyle mi konuşuyordum? Onun için mi kaçıp kaçıp gittiler?

Erkeklerle konuşmakmış!

O kadar konuşmayla, ben ne kadarını başarabildim ki?

İlişkinizin pürüzlü ve zor bir zamanında sevgiliniz olan erkeğe "gel konuşalım" demek aslında şu anlama gelir:

"Ben konuşacağım. Sen dinleyeceksin."

Erkeklerin konuştuğu görülmüş müdür?

Nitekim bana da her seferinde öyle olmuştur. Ben konuştuğumla kalmışımdır. Onun söyledikleri daha çok "Kafam çok karışık", "Tam olarak bilemiyorum", "Biraz düşünmem lazım", "Bana biraz zaman tanı", "Bunu sonra konuşuruz" şeklindedir. Konuşma konusu futbol olmadığı sürece erkekleri konuşturmanın ne kadar imkânsız olduğunu ben mi öğreteceğim size?

Duygularına, düşüncelerine ad aramaktan hoşlanan kadınlardır, erkekler değil. Erkekleri buna zorlamayın, siz kaybedersiniz. Hele erkeği iç yolculuklara davet eden tutum, davranış ve konuşmalara asla kalkışmayın, o yolculuklardan hiçbir erkeğin geri döndüğü görülmemiştir. Bu aynı zamanda sizin de ayrılık yolculuğunuz anlamına gelir. Ki, şu erkek kıtlığında bunu isteyip istemediğinizi bir kere daha düşünün!

Kimi kadınlar, çeşitli durum değerlendirmelerini didiklemeye vardırarak adamları canından bezdirirler. Açık söylemek gerekirse, kadın-erkek ilişkileri konusunda uzman-bilirkişi sayılabilecek kadar deneyim ve bilgi sahibi değilim ama, gene de sınırlı deneyimlerimden öğrendiğim kadarıyla, erkeğin her davranışına, her duygusuna, attığı her adımına "sözlükte" bir karşılık aramaktan vazgeçin. Yorulduğunuzla kalırsınız.

Erkekler öyle oldukları için öyle davranırlar.

Size verdiğim bu şahane akılların birini olsun uygulamayı başarabildiğim söylenebilir mi peki? Ne gezer, öyle olsaydı en azından şimdi evli-barklı, koca sahibi bir kadın olurdum, değil mi? Eh, kadınlar da böyle oldukları için böyle davranırlar. Unutmayın, hayat derslerinin çoğu boş geçer.

Şimdi, gözünü ağzımın içine dikmiş, erkeklerle konuşmak konusunda benden destek ve akıl bekleyen Hülya'ya, bütün bunları tane tane anlatmak için, en ufak bir istek duymuyorum. Onun, asıl sorununun konuşamamak olduğuna inanmıyorum çünkü; bence kocasından çoktan sıkılmış, şimdi ayıplanmadan diğer kadınlarla paylaşabileceği mazur bir gerekçe arıyor. Halbuki, sıkılmaktan daha iyi, daha anlaşılır bir gerekçe mi olur?

Hülya, okul hayatımız boyunca en çok âşık olan arkadaşımızdı. Başta edebiyat ve müzik öğretmenimiz olmak üzere, sırayla o yaşta bir liseli kızın âşık olabileceği çevresindeki hemen herkese âşık oldu. Eczacının kalfasından, ünlü bir film yıldızına varana dek birçok erkek sureti, "ümitli" ya da "ümitsiz" aşk çeşitleriyle Hülya'nın aşk dağarı zengin kalbinden nasibini aldı. Kadınlardan seri katil çıkmaz belki ama, seri âşık çıkar. Bunlar aşksız duramazlar. Önemli olan âşık olunacak kişi değil, âşık olma halidir. Hülya'nın kalbi de hiç boş kalmazdı. Açılıp kapanan, kalp şeklindeki kolyesinin içindeki resim hep değişir ama içi hiç boş kalmazdı. Çevresindeki herkesi aşktan soğutacak kadar çok âşık olmuş, çektiği aşk acıları, durmadan döktüğü gözyaşları, yazdığı birbirinden kötü aşk şiirleriyle okul hayatı boyunca hepimizi canından ve aşktan bezdirmiştir. Ona okuldayken "Dantel Hülya" adını takmamın nedeni, her ayrılığında gözyaşlarını silmede kullandığı dantelli mendillerinden ötürüdür. Bir gün evlendiğinde, hayatının sonuna kadar mutlu olmayacağı çok belliydi içi dışı aşktan sırılsıklam olmuş bu kızın. Hülya gibi kalbi yalnızca aşk için çarpan, aşkın kendisine âşık olan kadınların, hayatlarının sonuna kadar sevebilecekleri bir erkek henüz yaratılmamıştır. Âşık oldukları her erkeğin bir eksiğini, bir diğeriyle tamamlamanın hayalini kurarlar. Belli ki, şimdiki kocasından sıkılmış, aşkıysa çoktan bitmişti. "Erkeklerle konuşmak, konuşmamak" diye kıvranması bahane! Eskisi gibi kalbi çarpsın, biri için heyecanlansın, soluğu kesilsin, telefonlara, kapılara koştursun istiyordu. Hülya gibi kadınlar, mutlu bir evlilikle biten filmlerin son sahnesinden sonra hep yeniden filmin başına dönmek isterler. Asıl heyecan hep başlardadır çünkü. Evlendikten sonra aşk mı kalır? Hani sonrası, hayat arkadaşlığı, can yoldaşlığı, kader ortaklığı falan!

Ben şu kararmış aklımla evlenip de ne yapacağım? Bir bilsem!

Birdenbire konuşmalara olan bütün hevesimi kaybediyorum. Yüzyıllardır başka durumlar altında başka sözcüklerle konuşulan şeyleri bir de biz tartışıyoruz. Ümitsiz bir durum! Her seferinde birkaç parlak söz buldunuz ya da duygularınızı yepyeni bir biçimde ifade edebildiniz diye sorun değişmiyor.

Sonuçta bir kızlar toplantısı bu.

Her toplantı gibi dağılır, gider. Eve dönerken biraz daha rahatlamış olmak, ötekilerden daha iyi durumda olduğunu hissetmek birçok kadına yetebilir.

Birden beni ağırlaştıran o tanıdık yorgunluğu hissediyorum gene ve buradan kaçıp gitmek istiyorum. İnsan içine karışmanın bana iyi gelmediğini biliyorum. Kalabalıkların ehlileştiremediği yabani yanım, eskisinden de çabuk ortaya çıkmaya, beni kendi kabuğuma çekilmeye zorlamaya başlamıştı. Yalnızlığı, tanıdığım diğer kadınlardan daha kolay kaldırabiliyor olmamı sağlayan bu yabaniliğim aslında.

Masaların üzerine düşen gölgeler koyulaşmaya, yaprakların yeşili kararmaya, gün inmeye başlamıştı. Rüzgâr hoş bir esinti olmaktan çıkmış, omuzları ürpertiyordu artık.

Daha önemlisi bu kadın kalabalığından yorulmaya başlamıştım; çok kadınlı filmlerden de, buram buram kadın sorunu işleyen kitaplardan da çabuk sıkılırım. Hâlâ etrafta hakkında bir araba dolusu laf edecek kadın olduğu halde artık eve dönmek istiyordum. Ne zaman sokağa çıksam, temel duygumun, bir an önce evime dönmek oluşu, beni dünyaya ilişkin olarak daha da ümitsiz kılıyordu. Tuğde'yi çağırdım. Çok eğleniyor göründüğü halde, gitmemiz gerektiğini söylediğimde, nedense zorluk çıkarmadı. Kalkmak üzere toparlanmamıza yakın İris çıkageldi, arabası yokmuş, onu yolda bırakabilir miymişiz, "Neden olmasın, hiç görüşemedik bugün, hiç olmazsa yolda biraz laflarız," dedim. Kitapta bir karakter, bir karakter daha demektir. Dönüş trafiği can sıkıcıydı. Santim santim ilerliyorduk. Onca çocuğun enerjisini tüketemediği Tuğde, çeşitli zaferlerle taçlandırdığı günün özetini veriyor, hatta bazı anlattıklarına bakılacak olursa, bugün bizim de orada olduğumuzu unutuyordu. İris'in yüzünde bir maske gibi taşıdığı meraklı ve ilgili halkla ilişkiler müdiresi ifadesi, Tuğde'yi kışkırtıyor olmalı ki, anlattıklarına her seferinde yeni ayrıntılar eklemekten geri durmuyordu. Kendisiyle çok ilgili olunduğu konusunda İris tarafından yanıltılmış olan Tuğde, günün özetlerini bitirince, İris ablasını, reklamcıların nasıl dikkatini çektiği ve Ömer ağbisi konusunda uzun uzadıya bilgilendirmek gereği duydu. Bu yüzden iki gündür canımı sıkan ne kadar saçmasapan olay varsa hepsini birden hatırlamak zorunda kaldım. Ense kökümde sinsi bir sancı bitivermiş, başım ağrımaya başlamıştı. Şu anda beni rahatlatacak tek şey, epeydir savsakladığım Tibet yogası yapmak olabilirdi. Yol birden gereğinden fazla uzamıştı. Konuyu değiştirmek amacıyla araya girip İris'e birkaç soru sorma girişimim, İris'in benden çok Tuğde ile ilgilenmesi nedeniyle sonuçsuz kaldı. Bu kadın sahiden Tuğde'nin anlattıklarıyla ilgileniyordu galiba. İris'in ilgisini çeken şeyin, olası bir başarı hikâyesi olduğunu sanıyorum. Bazı insanlar için, hayatta en önemli şey, başarı hikâyeleridir. Bütün hayatını başarıya adamış bir kadın olarak belli ki İris için de öyle...

İris'in zayıflığında zarif olmayan bir yan vardır. Kaburgaları ıstakoz sepeti gibi çıkmış kadınlardandır. Üstüne üstlük kendini bilmez Amerikalı kadınlar gibi sürekli sırtı açık elbiseler giyer.

Bu yüzden hayatta sırt kemiklerini en fazla tanıdığım insandır. Hemen hiç görüşmediğimiz halde, sık karşılaşırız. Tiyatro fuayelerinde, resim sergilerinde, kimi hafta sonları AKM'deki klasik müzik konserlerinde karşılaşır, uzaktan uzağa selamlaşırız. Her seferinde yanında benim hoşuma gitmeyen insanlar olur. Bu da beni ondan uzak tutmaya yarar. İris, herkesle iyi geçinen, insanlarla konuşacak konular bulmakta zorluk çekmeyen, hiçbir tartışmada karşı tarafla ters düşmeyen bir uyum abidesidir. Herkeste iyi bir izlenim bırakmayı "şiar" edinmiştir. Tanıdığım kadınlar içinde, Anna ne kadar geçimsizse, İris de o kadar geçimlidir. Bu durum her ikisini de benim gözümde eşit derecede sevimsiz kılmaktan başka bir işe yaramaz.

Dünyada halledilmeyecek hiçbir sorun yokmuş, her şeyin çaresi bulunurmuş gibi davranan, her durumda mutlak anlayış ve sabır göstermek gerekirmiş gibi yapan İris'in kızdığı, öfkelendiği, çileden çıktığı hiçbir durum yoktur. O her şeyin çaresine bakabilen, iş bitirici, halledici bir kadındır. Kısa adı "halledici"dir.

İnsanlara arkadaşlık etmekten çok, halkla ilişkiler kurar gibi yaklaşır. Bu yüzden bütün ilişkilerinde genel bir samimiyetsizlik havası vardır. Her sözü, uzun vadede kendine artı puan olarak geri dönecek büyük bir oyunun parçası gibidir. Hiçbir konuda kendi fikri yoktur; genel olarak paylaşılan fikirler, onun da fikirleridir. Hemen her durumda, önce karşı tarafı dinler, sonra o da katılır. Onun payına düşen, karşı tarafın fikrine katılmaktır yalnızca. Daha okul sıralarında, bu yanını keşfetmiştim onun; en çok da sinema çıkışlarında. Filmden sonra, herkese filmi beğenip beğenmediğini sorar, kendi fikrini, aldığı yanıtlara göre oluştururdu. Bunu anladığım günden sonra daha o sormadan ben sormaya, hatta sıkıştırmaya başlamıştım. Kemküm eder gene de önce senin düşüncelerini anlamaya çalışır, ısrarların karşısında belirtmek zorunda kaldığı düşüncelerine karşı çıkacak olduğunda hemen geri adım atmaya hazırlanırdı.

Bütün bu özellikleri onu bir turizm şirketi sahibi yapmıştır. Tur rehberi olarak çalıştığı çeşitli firmalardan sonra bir arkadaşıyla ortak kendi şirketini kurmuş, turizm sektörünün en krizli zamanlarında bile iş yapmayı, ayakta kalmayı başarmıştır.

Nitekim Tuğde ile bir tur üzerine konuşmaya başlamışlar bile. Antalya'daki bir tatil köyünde, Tuğde'nin "çocuk animatör" olarak çalışabileceği ve bu konuda çok başarılı olabileceği konusunda görüş birliğine varmışlar. Tuğde'nin sevincinde çok yönlü bir yetenek olarak başka bir gösteri sanatında parlak bir çıkış yapmak ümidinin yanı sıra, zannediyorum, kendisini beraberlerinde Antalya'ya götürmeyen anne babasından intikam alabilecek olmanın keyfi de var. Ömer ağbisiyle, İris ablası ona dünyanın kapılarını açacak olan iki melaike şimdiden.

Bana inat trafik iyice kördüğüm olmuş, yol bitmek bilmiyor.

Bu kez de İris, işiyle ilgili olarak Tuğde'yi bilgilendiriyor. İris'in turizmci olarak başarısı, hayatı da gerçekten bir turist gibi yaşamasındadır. Her yerde turisttir o. İnsan ilişkileri bile turistiktir onun için. Turist olmanın doğasında taşıdığı yabancılık, yüzeysellik, hayranlık ve geçicilik gibi özellikleri bünyesinde toplamıştır. Her şeye yabancı gözlerle bakar, seyrettiği şeyler onu içine almaz, bakar, seyreder, hayran olur gider. Durduğu bir yer yoktur. Sanki bir yerlerde bir jüri onu gözlüyor, onun halkla nasıl ilişkiler kurduğunu gözetliyor ve ona puan veriyormuş gibi davranır. Birçok insanda yapmacıklık zamanla doğallaşır, insanın kendi hali olur. İris de bunlardan biridir. Bu yüzden, kendince içtenlik anları bile sizin üzerinizde tur pazarlamaya çalışıyormuş gibi bir etki bırakır.

İris, Türkiye turu yaptırdığı Japon müşterileri için düzenlenmiş bir akşamüstü çayına –daha doğrusu erken bir yemekmiş–, Tuğde'yle birlikte gelip gelemeyeceğimizi soruyor.

Tuğde, İris, ben ve onlarca Japon! Söz konusu bile olamaz! Dememe kalmadan İris ekliyor: "Japonlar karaokeye bayılırlar bilirsin, yarın akşam Tuğde'ye bir de karaoke yaptırırız!"

Kendimi arabadan aşağı atmak istiyorum!

DÖRDÜNCÜ BÖLÜM

XXII

Rüya ve merdiven

SABAH uyandığımda, gördüğüm bulanık rüyanın etkisindeydim. Güya rüyamı karanlıkta görüyormuşum. Zaten rüyamın konusuymuş karanlık. Genellikle rüyalarımı hatırlarım, ama bu kez nedense yalnızca sıkıntılı bir rüya gördüğüm duygusuyla uyanmıştım. Hatırlamaya çalıştıkça, siste görünüp kaybolan kara parçaları ya da zaman zaman su yüzüne vuran batıklar gibi sürekliliği olmayan kopuk görüntüler düşüyordu gözlerimin önüne. Her biri silinmiş rüyamın bir yerini ışığa çıkarıyor, sanki gece gördüğüm karanlığı, gündüzün sisli diline çeviriyordu.

Rüyamda karanlık üzerine bir doktora tezi hazırlıyormuşum. Damıtılmış bir karanlıkmış bu. İşlenmiş bir karanlık. Yalnız tezimi görünmez mürekkeple, geri kazandırılmış malzemeden hazırlanmış el yapımı buruşuk kâğıtlara parça parça denemeler halinde yazarak, ilkin bunları karanlığa dağıtacak, sonra da bulunmalarını sağlayacakmışım. Üzerlerinde hamurunun kaynatıldığı kazanın buharları tüten taze kâğıtlarmış bunlar. Ben yazdıkça yenileri hazırlanıyormuş. Kâğıdın dokusuna zamanı katmak içinmiş bu. Yazanın ve yazılanın zamanını. Bu dağıtılıp bulunma oyununun da kendine göre kuralları varmış ama, ben bu kuralları bilmiyormuşum. İlerledikçe öğrenecekmişim. Ayrıca bu denemelerin hiçbir kopyası yokmuş ve başkalarının eline geçmemesi gerekiyormuş. En ufak hatamda bozulan yeri bir daha okunmaz oluyor, benim onları bulmam büsbütün zorlaşıyormuş. Tezim kabul edildiği takdirde, karanlığın karbon kâğıdı, yazımın şifresini çözerek onu içine alacak ve kendi için çoğaltıp başkaları için görünür kılacakmış. Attığım her adım, aslında yazdığım bir cümleymiş ve boşlukta kaybolmamam için karanlıkta kımıldayan mürekkebin soluk alıp verişini dinleyerek dikkatle ilerlemem gerekiyormuş. Aslına bakarsanız, karanlığın kendi de mürekkebin gövdesiymiş. Hatırlarken bile sıkıntı basıyordu beni. Uyanıkken kendine bunca eziyet eden biri, rüyasında neler etmez, değil mi?

Bir aralar rüyalarımı yazmayı düşünmüştüm. Ama hatırlamaya çalışmanın onlara hasar verdiğini görüp vazgeçtim. Hatırlamaya çalışmak bile rüyaları değiştiriyor. Sualtı batıkları gibi, su yüzüne çıkınca, bütün rüyalar oksitlenip dağılıveriyorlar. Gündüzün kelimeleri, gecenin rüyalarını değiştiriyor. Gördüğünüz bütün o uçuculuklar, belirsizlikler; sözcükler, tanımlar yoluyla kesinleşirken anlam ve derinlik kaybına uğruyor. Gündüz anlattığınız, gece gördüğünüz gibi olmuyor.

Yattığım yerde gördüğüm karanlık rüyayı hatırlamaya çalışırken, sabah sabah rüya üzerine felsefe geliştirirken buluyorum kendimi. Normal bir insan gibi kalkıp, yüzümü yıkayıp güne başlamayalı yıllar oluyor.

Hangi erkek, geceleri böyle rüyalar gören bir kadının yanında uyanmak ister?

Yatağımda doğrulmam, parmak uçlarımla terliklerimi aramamla, rüyamda gördüğüm merdivenin bütün haşmetiyle karşımda yükselivermesi bir oluyor. Yatağın kenarında kalakalıyorum.

O da karanlığın merdiveniymiş. Ama basamakları olduğu için görülebilme özelliğine sahipmiş. İnsan, o merdivenin basamaklarını inip çıkarken zamanla kendini buluyormuş. Bu yüzden çok dikkatli inip çıkmak gerekiyormuş. İnsan her an kendini elden kaçırabilir, bir başkası sandığı kendinin yanından geçip gidebilirmiş. Ben bir yandan merdiven basamaklarını inip çıkmaya çalışıyor, bir yandan da bir koşu gidip dibi tutmasın diye yemeğin altını kısıyor, sonra koşa koşa merdivene geri dönüyormuşum; ama bu kez de aklım ütüyü prizde unutup unutmadığıma takılıyormuş. Bir çatı kaplama firması için hazırladığım amblem ve logonun aynısını bu merdiven için kullanıyor, bu kurnazlığımı kimse anlamasın diye üzerinde ufak değişikliklerle oynayıp duruyormuşum. Bu da bana zaman kaybettiriyormuş. Renkler ve biçimler birbirinin içine geçerek her şeyi çok daha zorlaştırıyor, içinden çıkılmaz hale getiriyormuş.

Gündelik hayatı bana zehir eden her çeşit kâbus ögesi, sıkı çatılmış bir oyun kuralı, bir engel unsuru ya da bir sınav sorusu biçiminde rüyalarımda karşıma çıkar.

Çilem bununla da bitmiyor, bu arada merdiven üzerine de uzun bir deneme yazmam gerekiyormuş. Kompozisyon hocamla terapistim sırtlarında mantolarıyla beni çıkış kapısında bekliyor, ben geciktikçe, sinirli sinirli birbirlerinin eldivenlerini giyip çıkarıyorlarmış. Eğer denemem beğenilmezse, basamaklardan inip çıkmam da yasaklanacak, böylelikle kendimi bulmam engellenecekmiş. Bir başkası olmam için, ben bir başkasına verilecekmişim. Kaygıyla dudaklarımı kemirirken, bir yandan da mikrodalga fırın niye ötüp duruyor, ben onun içine bir şey koymadım ki, herhalde beni merdivenin üzerinde şaşırtarak elemek için böyle yapıyorlar, diye düşünüyorum. Basamaklarında durduğum merdiven sallanıp duruyor. Tırabzan olmadığı için de tutunamıyorum. Bir bakıyorum ayaklarım çıplak. Dahası ayaklarım sudanmış, benden akıp gidiyor. Rüyamın, Kafkaesk düzlemi sayılabilecek o soyut geometrisi, sofistike stüdyo uzamı sulara karışıp kaybolurken, birdenbire her şey süflileşiyor.

Kendimi birden, sırtımda 60'lardan kalma beyaz pullu bir gece elbisesi ile Maksim Gazinosu'nun sahne basamaklarında alkışları karşılarken buluyorum. Vücuduma sımsıkı yapışan elbisenin yağlarımı belli etmesinden hoşnutsuzum. Yüzümde koyu bir makyaj, gözlerimde "eye-liner"la çekilmiş Kleopatra kuyrukları, kirpiklerimden rimel damlıyor, kulaklarımda ışıltılı küre biçiminde küpeler dönüp duruyor.

"İçin için yanıyor, yanıyor bu gönlüm, onu niçin arıyor, arıyor bu gönlüm..." şarkısını söylüyorum. Bir yandan da, "Ben bu şarkıdan nefret ederdim, şimdi niye söylüyorum," diye düşünüyorum. Bu arada arkamdaki saz heyetinde Leonard Cohen ut çalıyor, ama herkes onu Murat Soydan zannediyormuş.

Çalıştığım reklam şirketinin patronu Asım Bey, aslında gazinocular kralıymış. Bir sütuna yaslanmış, purosunu çiğneyerek yüzünde ne anlama geldiğini bilmediğim, ama insanda güven uyandırmayan müstehzi bir ifadeyle beni dinliyor. Birdenbire masaların arasında boynuna astığı tablayla dolaşarak sigara satan Tuğde'yi görünce, onu tamamıyla unutmuş olduğumu fark ederek dehşete kapılıyor, şarkımın sözlerini unutuyorum. Saz heyeti, çatı kaplama malzemesinden yapıldığı için logosu çöken merdivenin altında kalıyor. Herkes ölüyor, ben bağıra bağıra ağlıyor, "Bütün bunlar ben şarkının sözlerini unuttuğum için oldu," diyorum. Asım Bey, yanıma gelip "Bütün bunlar, sen 'bütün bunlar' sözünü fazla kullandığın için oldu, biraz gramerine dikkat et," diyor. "Denemelerinde fazla hata olmaya başladı. Ben seni izlemekle görevlendirildim. Yoksa asla tezini veremezsin." Asım Bey'e "Ama siz Ekrem Bora olmuşsunuz," diyorum. "Merdiven kazasından sonra öyle oldu," diyor. "Herkes değişti, her yer değişti. Memleket çok değişti." Sonra bana enkazdan çıkarılan cesetler arasında Leonard Cohen'i göstererek, "Bu adamı tanıyor musun?" diyor. "Güya saz heyetindeymiş ama, ben ilk defa görüyorum."

Sonra purosunun dumanını yüzüme yüzüme üfleyerek, "Hadi sen de çabuk ol, kostümünü almaya gelecekler," diyor. "Üzerine bir şey dökmeden çıkarıver şunu, biliyorsun kostümün kiralıktı."

"Madem ben o kadar büyük bir starım, kostümüm niye kiralık?" diye itiraz edecek oluyorum.

"Her şeyde mantık aramaktan vazgeç," diyor. "Hep böyle yaparsın. Şarkılarda bile mantık ararsın! Hem üzülme, yarın başka kostüm kiralarız."

Rüyamın geri kalanını hatırlamanın şiddeti ve bundan hiç memnun olmamamın verdiği kızgınlıkla hızla doğrulup kalkıyorum yataktan.

Halalarıma inat Türk filmlerine sık giderdim. Onlar, Türk filmlerine ancak hizmetçi kızların gittiğine inanır, her seferinde "Ne işin var, hizmetçi kızların gittiği filmlerde?" diye beni aşağılamaya çalışır, kimi durumlarda da, "Kime çekmişsin böyle?" diyerek kinaye dozunu artırırlardı. Bunca yıl sonra birçok rüyamda karşıma çıkıp durduklarına bakılırsa, o filmler, sandığımdan çok daha fazla içime işlemiş olmalı. Aklımın bir yanı gene de rüyayı yorumlamaya çalışıyor. En başta gece boyu okuduğum defterin etkisi olmalı. Dönüp gözucuyla komodinin üstünde duran derisi kararmış deftere bakıyorum. Ama o logolu merdiven de neyin nesiydi?

Birçok Türk filminde, herhangi bir şey şerefine verilen çılgın partide, zengin ve şımarık burjuvalar olduklarına inanmamız istenen, oysa üstleri-başlarıyla, çekingen, tutuk halleriyle pek derme çatma duran figüranlarla çekilmiş, başroldeki esas kızın merdivenden ağır ağır indiği ışığı bol tutulmuş görkemli sahneler vardır. Çoğu kez filmin başlarında herkesin burun kıvırdığı, küçük gördüğü, alay ettiği başroldeki kızın, öğrendiği çeşitli kadınlık, giyim-kuşam ve zarafet derslerinden sonra, tepeden tırnağa değişmiş bir halde görünerek, herkese haddini bildirdiği tokat şiddetindeki sahnelerdir bunlar. Herkesin gözü önünde, bir zamanlar kendini küçük görmüş, alay etmiş zengin züppelerden fena halde intikamını alır. Seyircilerin esas kızla birlikte çarpan yüreklerine su serper. Sonrası malum. Hepinizin bildiği gibi, o şen, şakrak ve şuh kahkahalarını atarken, herkes onunla dans etmek ister, sigarasını çıkardığında beş çakmak birden yanar, falan...

Bu filmleri seyreden her kadın, merdivenden inerken herkesin şaşkınlık, hayranlık, kıskançlık gibi çeşitli duygularla baktığı o kadının yerinde olmak ister. Hatta, hayatın her ânında o merdivenden iniyormuş gibi, bütün dikkatler üstünde olsun ister. "Gerçek hayat," denen, aslında kurgusu bu filmlerden pek farklı olmayan içinde yaşadığımız hayatta da, duygular böyle işler, arzular böyle çalışır.

Kadınlar sürekli merdivenden inmek isterler. Çünkü, sürekli bakılmak, seyredilmek isterler.

Herkesin size bakmasının kayıtsız şartsız üstünlüğünü sağlayan işlerin başında şarkıcılık gelir. Bütün gözlerin üzerinde toplandığı "seyredilendir" şarkıcı. Yüksekçe bir yere çıkmış, bütün ışıklar ve yüzler ona dönmüş, üstelik eline bir de mikrofon verilmiştir, daha ne olsun? İktidarsa iktidar. Seyredilmenin iktidarı da bu kadar olur! Kadınlar şarkıcı olduklarında, sonsuza dek seyredileceklermiş hissine kapılarak, ölümsüzlük kazanmışçasına mutlu olurlar. Bu yüzden dünya melodram tarihinde gereğinden fazla şarkıcı filmi yapılmıştır.

Kadınların varoluşlarını en çok hissettikleri anlar, bakıldıkları, seyredildikleri ama farkında değilmiş gibi yaptıkları anlardır. Böyle durumlarda yalnızca karşılarındakilere değil, farkında değilmiş gibi üçüncü kişilerin varlığına da oynarlar. Genç kızların, etraftaki erkeklerin bakışlarını üzerlerine topladıkları durumlardaki yapmacıklığı anımsayın bir kere. Gereğinden yüksek perdeden çıkan sesleri, abartılı mimikleri, geniş el kol hareketleri, en arka sıradaki seyircinin görmesine, duymasına ayarlanan tiyatro oyuncularınınkine benzer.

Bunların erkek karşılıkları da vardır kuşkusuz. Üstelik onlar gerektiğinde kırmızı kazak giyebilen erkeklerdir.

Bakılmayan kadın kendini yeryüzünden silinmiş hisseder. Kadın köleliğinin en zalim bağımlılığı, kadınların seyredilen rolüne bunca mahkûm edilmiş olmasıdır. Bakmamakla, seyretmemekle kadını cezalandırabileceği bilgisi, erkekliğin gizli tehdididir.

Kadın varoluşu seyirlik olmaktan çıkarılmadığı sürece özgür olmak mümkün değildir elbet. Kadınlar ne yazık ki, bütün hayatlarını "seyredilebilirliklerini" korumaya adarlar. Bu, aynı zamanda bütün kozmetik sanayi, giyim kuşam tarihi, vesaire demektir.

Gene de sonuçta onları ışıtan ve parlatan şey, ne yaptıkları makyaj, ne giyim kuşamdır. Onları, erkeklerin hayran, arzulu ya da ısrarcı bakışları ışıtır ancak. Bakan efendi, bakılan köledir. Gerçek anlamıyla özgür olmak zaten boş bir hayal, dünya da gerçekten ümitsiz bir gezegendir. Siz ne derseniz deyin, kendi zulmünden bunamış dünya, eğrilmiş ekseni etrafında bildiği gibi dönmeyi sürdürür. Onca yüzyıl içinde "gelişme" dediğimiz şeyin sonunda geldiğimiz yere bakar mısınız? Burdan öte bir yol var mı, yok mu bilmiyorum! Varsa da, size iyi yolculuklar, ben burada kalıyorum!

Merdiven inecek, merdiven çıkacak halim kalmamış benim.

Mutfak tezgâhının başında durup dalgın dalgın kahvemin olmasını beklerken, rüyamda giydiğim beyaz pullu elbisenin, belimin iki yanında pörtlettiği yağları sabahlığımın üstünden hırsla sıkıp duruyorum.

Bakıyorum, kahve makinesini çalıştırmayı unutmuşum.

Kahvaltı sofrasını hazırlarken, rüyamı kime anlatsam, diye geçiriyorum içimden. Terapiye devam ediyor olsaydım, gider terapistime anlatırdım. Ne zaman, "geçenlerde bir rüya gördüm," diye söze başlasam, heyecanlanır, üstelik heyecanlandığını belli ederdi. Freudçu rüya okuma modellerine duyduğu yakınlığa bağlıyordum bu durumu. Oysa rüyalarım, benim hakkımda kendi söylediklerimden çok daha fazlasını söylüyormuş ona. Entelektüel zihinlerin savunma stratejileri rüyalarda çöküyormuş. (Dün geceki rüyamda çöken merdivenle bir ilgisi olmalı bunun.) Beni hep kapalı bir yüzle dinler, bir tek ben rüyalarımı anlatırken elinde olmadan yüzü canlanır, gözleri parlar, masal dinleyen çocukların merakıyla bakardı. Bunu daha sonra ona söylediğimde, "Rüyalar kişisel masalımızdır," demişti. "Ancak masallarda olanlar olur orada. Ama haklısınız, yüzümdeki ifadeye dikkat etmeliyim bundan böyle."

Bazı kadınlar rüyalarını anlatmaya bayılırlar. Onları dinlerken, nerdeyse anlatmak için rüya gördüklerini düşünürsünüz. Kimilerinin rüyaları bile klişelerden ibarettir, kendilerinden öncekilerin rüyalarını görürler. Ak sakallı bir dede, yeşil bir at, kara bir yılan gibi daha önce başkalarının rüyalarında da aynı rollerde oynamış anonim figürler yer alır onların basmakalıp rüyalarında.

Kimileri, gördükleri gelecekten haber veren, sözde kehanet

kıvamındaki rüyalarla gündelik hayat içinde kendilerine bir tür esrarlı şeylerin kapısını aralayabilen "ermiş kadın" statüsü kazanmak isterler. Tahmin edebileceğiniz gibi, bunlar aynı zamanda "falları çok çıkan kadınlardır".

Kimileriyse, psikolojik simgeleri fazlasıyla açık, bu yüzden bir insanın ancak sırlarını paylaştığı bir dostuna ya da terapistine anlatılabilecek ölçüde mahrem ipuçları içeren rüyalarını uluorta dillendirmekten kaçınmazlar. Onlar, yalnızca bir rüya anlattıklarını sanırken, ruhlarının en gizli yanlarını "faş ettiklerinin" farkında bile değillerdir. Düşündüklerini birebir söylemekten çekinmeyen çocuklar kadar pervasız anlatıp dururlar ortalıkta. Onlar konuştukça, sizin yüzünüzü al basar. Rüyaların gerçekle ilişkisini kuramayanların, bu yüzden gerçeklerinde de rüya eksiktir. Gözünüzün içine baka baka, "Rüyamda güya eniştem bana tecavüz ediyormuş," bile diyebilirler. Bu düzeydeki bir apaçıklık bile onlara kapalıdır. Rüyalarının dokunulmazlığı, onlardaki hakikat uzaklığının bir ölçüsüdür. Bu yalnızca onların fazla okumamış insanlar olmalarıyla, ya da hiç Freud falan gibilerini bilmemişlikleriyle açıklanabilecek bir durum değildir. Rüya diliyle hiç tanışmamış olduklarını gösterir.

Tam da böyle dediğim anda iki örnek birden geliyor aklıma.

Bunların ilki, Cihangir'deki komşumuz Şükran Hanım'dı. Entelektüel olmak şöyle dursun, "Bizim zamanımızda ilkokul üçe kadar gidiliyordu," diyerek gazete bile okumayı reddeden Şükran Hanım.

Birbirinden sıkıcı rüyalarını anlatıp dururdu. Rüyaları bu kadar bilinçaltından yoksun başka bir insan tanımadım. Sabah yaşadığını akşamına birebir rüyasında görür, bu da yetmiyormuş gibi, "Şimdi bu gördüklerim ne anlama geliyor," diye sahici bir samimiyetle sorduğu insanlardan bir de rüyalarını tabir etmelerini beklerdi.

Rüyaların tabiatında olan çeşitli sembollerden, zaman ve mekân kaymalarından, kılık değiştirmelerden ve metaforlardan hiç nasibini almamış bu kupkuru rüyaların artık nesi tabir edilecekse? Rüyalarını dinledikçe kadının gözlerindeki çoraklığa şaşardık. Ancak hiçbir şey görmemiş gözler, bu kadar rüyasız rüyalar görebilirdi. Oysa hiç de öyle bir kadına benzemiyordu. Hani öyle mezarlık dulu kadınlar vardır, üst üste üç-dört koca gömüp, ortalıklarda şen şatır dolaşırlar. Şükran Hanım da işte bu mezarlık dulu kadınlardandı. Hiçbir şey görmemişse bile, şu dünyada birkaç koca görmüştü. Hiçbirinin kadının rüyasına bile uğramadığına bakılırsa, sahiden ölmüşlerdi.

Aklıma gelen ikinci örnekse, Şükran Hanım'ın tersine, okumuş-etmiş, işi gereği psikoloji bilmesi gereken saygın bir yazarımız. Günün birinde bir dergiye birkaç rüyasını yazmıştı. Rüya yazmanın gerçek bir cesaret işi olduğunu düşünürüm. Bir yazarın kalemindeyse rüya ikinci kez görülür. Bu duyguyla okumuştum yazdıklarını. O, belki kendi bilinçaltının zenginliği, yaratıcılığının boyutları hakkında fikir versin, ya da gündelik kaygılarına ışık tutsun niyetiyle kaleme almıştı rüyasını ama, okudukça ter basıyordu beni.

Anlaşılan rüyanın, sahibi hakkında söyleyebileceklerini hiç hesaba katmamıştı. Rüyaların "okunabilirliğini" unutmuşa benziyordu. Rüyası aracılığıyla "çıplak görülebileceğini" düşünmemişti. Okudukça, işi insan ruhu olan bir yazarın, kendi ruhuna nasıl bu denli yabancı kaldığına, kişiliğinin en temel, en ham sorunlarını çözememiş olduğuna şaşırmış kalmıştım. Kaleme aldığı rüyalarında, ergenliğini tamamlamamış yaralı bir cinselliğin, kimliğini halledememiş bir kara düğüm oluşturduğuna; yakınları tarafından uğradığı ya da uğrayabileceği şiddet korkularına; terk ve ret edildiği karanlık bir baba figüründen aynı anda nasıl utanç, öfke ve korku duyduğuna ilişkin çeşitli ipuçları okuyabilmiştim. Ben bu kadarını okuyabiliyorsam, kim bilir, iyi bir psikiyatr daha neler okurdu?

Dahası, yazdığı kitaplar rüya sahnelerinden geçilmeyen bir yazar olarak, nasıl olur da, rüyalar hakkında bu kadar az düşünmüş, az kafa yormuş olabilirdi?

Bu arada metin okumaları konusunda birbirinden iddialı eleştirmenler, "bu rüyaları" niye "okuyamıyorlardı"? Onları Şükran

Hanım'dan ayıran neydi?

İnsanlar, nasıl öğrenmek istemediklerini asla öğrenmiyorlarsa, görmek istemediklerini de asla görmüyorlardı. Kimi zaman onca eğitim birkaç rüyayı bile anlamaya yetmiyordu.

Uygar dünyada herhangi bir yazar gördüğü rüyayı ifade ederken topluma öder bunu, ama bizde hâlâ kendilerine bile ödeyemedikleri rüyalarla yazıyor ve yaşıyorlar.

Rüya, sahibinin kendinden sakladıklarını başkalarına söylemede pervasızdır. Bu yüzden söylenmezler, gündüz niyetine söylenirler, suya söylenirler, rüzgâra söylenirler.

Kâğıda söyleneceklerse, rüyanın sahibi herkesten önce kendi "söylemelidir" rüyasını bize. Çünkü, gerçeğine yabancı duranlar, rüyalarına da yabancı kaldıklarında, kendilerini dünyaya istemedikleri kadar söylemiş olurlar.

Böyle zamanlarda dünya iyice ümitsizleşiyordu gözümde, ıssızlaşıyordu. Kendimize yakın durduğunu varsaydıklarımız bile bu kadar uzaklarsa... Uzak ne kadardı, gerçekten ne kadar uzak?

Hâlâ gündeliğin kaydını bunca tuttuğuma, hâlâ her şeyi kendime bu kadar dert edindiğime bakılırsa, sandığım kadar dünyadan ümidimi kesmemiş olabilir miyim? Ara sıra bunu da düşünmüyor değilim.

Kendimden habersiz gördüğüm bir rüyanın sahibi miyim hâlâ? Olabilir mi? Ya da ben kendi rüyamın nerelerini göremiyorum uyanınca? Kendi rüyamın nerelerinin körüyüm?

Küçük bir olay, sıradan bir tanıklık, okuduğum bir yazı, seyrettiğim bir televizyon programı, bir gazete haberi benim için gündelik cehennemi başlatmaya yetiyor. Belki bu yüzden ne zamandır hiçbir günüm iyi geçmiyor.

Bunlar da, yeniden bulunup okunmaları için gündeliğe savrulmuş bugünün denemeleri olsun. Rüya ve merdiven.

XXIII

Su yeşili, buzul pembe

BANYODAN çıktığımda, Tuğde ortada yoktu, kaygı duymadan önce içimi bir an sevinç kapladı. Belki de beni terk edip gitmişti, hem de sonsuza kadar... Telefonla konuşmuyordu, televizyon seyretmiyordu, tuvalette değildi. Başka nerede olabilirdi ki? Salonda, mutfakta, kendi odasında —düşüncesi bile kötüydü ama gene de bakmadan edemedim, benim yatak odamda bile– yoktu. Seslenmek istemiyor, hangi musibet işin başındaysa, orada yakalamak istiyordum onu. Sonunda yatak odamla bağlantılı giyinme odasındaki ayakkabı dolabımın önünde, ayakkabılara ve hülyalara dalmış olarak buldum onu. Beni fark etmedi bile. Uzun bir duvarı boydan boya kaplayan içeriden aydınlatılmış dolabın, yüzüne vuran tozanlı ışığı altında iyice uzaklara gitmiş görünüyordu. Normalde masaldaki üvey kızlardan birini oynaması gerekirken, kendini "Külkedisi" olarak düşünüyordu herhalde.

"Ne yapıyorsun burada Tuğde?" dedim. (Tabii ne yaptığı ortadaydı ama, "Burada benden habersiz ne işin var," demeye getiriyordum kibarca.)

"Ayakkabılarınıza bakıyordum," dedi. "Bayılıyorum onlara. Hiçbir evde bu kadar güzel bir şey görmedim Nermin ablacığım."

İçini çekti, hislenmiş gibiydi. Arada bir hayranlık duyabileceği bir yanımı keşfediyor da, bu yüzden bana yeterince kızamıyor gibi bir hayıflanma sezdim halinde.

Ses çıkarmadığımı görünce, ekleme ihtiyacı hissetti: "Bana kızmadınız, değil mi?"

Ayakkabılarımı o kadar severim, onlarla öyle özel bir ilişkim vardır ki, Tuğde'nin takdiri bile beni yumuşatmaya yetti.

"Kızmadım," dedim. "Ama burası benim giyinme odam, bakmak istediğin zaman haber ver oldu mu Tuğde? İnsanın kendine ait çok özel şeyleri olabilir bu odada çünkü."

Derdim kızı eğitmek değildi tabii, konuşuyordum işte. Ayrıca, Tuğde gibi kızların, zaten her zaman o çok özel şeylerin peşinde olduklarını ve onların izini sürmeyi her şeyden çok önemsediklerini bildikten sonra, bu tür uyarıların ne yararı olurdu ki?

Ayakkabı dolabımı kendim çizmiştim. Ahşap çevirmelerin eni, metal köşebentlerin ve deri tutamakların modeli, çok hafif renklendirilmiş cam rafların kalınlığı ve dokusu, aydınlatma elemanlarının seçimi hayli zamanımı almıştı. Çok daha temel gereksinimlerim dururken, kendime koskoca bir ayakkabı dolabı yaptırmıştım. En aklı başında görünen bile bir yerinden çatlıyordu işte. Gene Aysel'in bir sözü geliyor aklıma. "O benim çatlak olduğumu biliyordu tabii, ama su sızdırdığımı bilmiyordu," derdi. Benim su sızdırdığım konu da ayakkabılar işte.

Ayakkabı, benim için çok önemlidir. Ne kadar mı?

Ayakkabı söz konusu olduğunda, normalde hiç yapmayacağım şeyleri yaparım. Bunu anlamama neden olan bir olayı her hatırladığımda, hâlâ yüzüm kızarır. İşyerinden bir arkadaşım, karşı tarafta İtalyan ayakkabıları satan yeni bir mağaza keşfetmiş; çeşitleri zengin, fiyatları uygunmuş. Kendisine iki çift ayakkabı almış oradan. Meraklı olduğumu bildiği için, benim de mutlaka gidip görmemi istiyordu. Ayağındakiler gerçekten çok güzeldi. Evdekilerin de çok güzel olduğunu söylüyordu. Ona gittiğim bir akşam, o diğer çifti, ondan habersiz rastlantı sonucu görmüş ve görür görmez ayakkabılara vurulmuştum. O akşam hiç ses çıkarmadığım gibi, ertesi gün koşa koşa gidip o ayakkabıların aynısından aldım ve ayağımda onlar olduğu halde büroya döndüm. Her şeyden habersiz havalarda ayakkabılarımı gösterdiğim arkadaşımın şaşkınlığı karşısında da, bu tamamen bir rastlantıymış ya da zevk benzerliğiymiş gibi yapmıştım. Ben onları uzun süre ayağımdan çıkarmadığım için, kızcağız kendininkini işyerinin dışında giymek zorunda kalmıştı. Böyle bir sinsiliği inanın hayatta başka bir konuda yapmam. Gerçekten çok utanırım. Bu örnek, bilmem ki benim ayakkabı zaafım konusunda yeterince fikir veriyor mu? Ayrıca, benim önü sonu bir çift ayakkabı için yaptığım şu sinsiliği, yakın arkadaşlarının erkeklerini ayartmada kullanan kadınlar düşünüldüğünde, belki bir parça bağışlanırım.

Bence kadınları, önce ayakkabıları ele verir.

Örneğin, büyük şehirlerdeki alçak ökçeli ayakkabılı kadınları görür görmez tanır, hikâyelerini üç aşağı-beş yukarı tahmin edersiniz. Bunlar ekonomik özgürlüğünü kazanmış, iş güç sahibi kadınlardır. Gündeliğin hayhuyunda ordan oraya koşturduklarından ayakkabıları çabuk eskir. Dolayısıyla ayakkabıların yürüyüşü kolay, kendisi rahat ve hafif olmalıdır. Istanbul gibi yedi tepe üzerinde yükselen, sokakları çukur dolu bir şehirde, onca yıl kadınlara kapalı bir hayatın içinde, ayakları üzerinde bir kadın olarak durmak, yürümek, yol almak, mücadele etmek kolay iş değildir. Yüksek topukların zarafeti, şıklığı ve çıtkırıldımlığıyla olacak iş hiç değildir. Bu yüzden gündeliğe dayanıklı, koşuşturmalara elverişli alçak ökçeli ayakkabıları yeğlerler.

Bir heves yüksek topuklu ayakkabı giydiklerindeyse, sanki yalnızca yeni bir ayakkabı değil, başka birinin hayatını giymiş gibi, yürüyüşleri acemileşir, denge tutturmakta zorlanırlar. Lunapark'ta dönme dolaba binmiş gibidirler, yüzlerinde sakar bir gülümsemeyle bir an önce o dolaptan inmek, bildikleri hayata karışmak isterler. Ayrıca hayat içindeki duruşu alçakgönüllü olan kimi kadınlar, yüksek topuklu ayakkabıların, başkalarının dikkatini sivrilten yüksekliğinden rahatsız olurlar. Bunların erkek karşılıkları da, kırmızı kazak giyemeyen erkeklerdir.

Alçak ökçeli kadınlar, akşam eve döndüklerinde ayakkabılarını çabucak çıkarmak ve bir an önce ayaklarını uzatmak isterler; beklenmedik bir durumda, hemen ayaklarına geçirip sokağa fırlayabilmelidirler.

Her ne kadar özel dolap yaptıracak kadar ayakkabı düşkünüysem, yüksek topuklu şık, gösterişli, "abiye" olanlarına özel bir sevgim varsa da, aslında ben de alçak ökçeli giyen kadınlardan sayılırım. Ötekiler benim yalnızca düşümdür. Camlı dolaplarda geleceğini bekleyen düşüm.

Alçak ökçeli kadınlar, birbirlerini ayakkabılarından tanır. Yürüdükleri yollar da, adımları da, yorgunlukları da, ayakkabıları da birbirine benzer. Hayata yetişirken, ayakkabıları da, yürüdükleri yollar da aynı yerden aşınmışlardır.

Alçak ökçeli kadınların ayakkabısından şampanya içilmez. Bunu bilerek yaşarlar. Ya da yaşlanırlar. Açık 37, kapalı 38 giyerler. Bir kadına yüksek topuklu ayakkabı giydiren şey, çoğu kez bir erkeğin varlığıdır.

Yanılıp yüksek topuklu ayakkabı giydiklerindeyse, çoğu kez topuklarından biri kırılır.

Kırılmış bir topuk tekinin hatırası, nice kadını ayaklarına küstürmüştür.

Kendimle ilgili en çok alışverişi ayakkabı konusunda yaparım. Kendime tanıdığım bir şımarıklık hakkı olarak, mutsuz olduğum zamanlar gider bir çift ayakkabı daha alırım. Hayatınızda ayaklarınızı yerden kesecek bir şey olmadığını hissettiğinizde, ayaklarınızı hatırlamanın en iyi yoludur bu. Evin içinde yeni ayakkabılarımla gezer, oturduğum sandalyeden, koltuktan eğilerek ya da bacaklarımı havaya dikerek, uzun uzadıya onları seyreder, yakında her şeyin düzeleceğine inanmak isterim. (Ayak bileklerimi kavradıkları ellerinin baş ve işaretparmaklarını bileğimin etrafında birleştirir, "Bize çekmiş," derdi halalarım. "Ceylan bileği gibi ince. Öyle kalın kalın değil anasınınki gibi." Büyüme yıllarımın korkularından biri, ayak bileklerimin kalınlaşmasıydı.)

Ayakkabı zevkime güvenirim. Ayakkabı zevki olan erkeklere de...

Mehmet'in ayakkabılarını hep ben seçerdim. Bu arada ayakkabı düşkünü olan bir kadını, dünyada en mutlu eden şeyin, erkeğine ayakkabı seçmek olduğunu hatırlatmak isterim. Mehmet'ten ayrıldıktan sonra, erkek ayakkabısı duran vitrinlere uzun süre bakamadım, ne zaman baktıysam canım yandı. Bir başka erkeğin ayağında görüp beğendiğiniz, ya da bir vitrinde rastladığınız ayakkabıyı alacak bir erkeğiniz olmadığını bilmek, insana acı verir. Ayrılıkları, ayrıntılar acıtır. Kadınları mahveden erkekler değil, ayrıntılardır.

Ayakkabı dolabım, ön camları çok hafif buzul pembe tonda özel olarak içeriden aydınlatılmış bir dolap ve su yeşili raflarında onlarca çift ayakkabı duruyor. Dekoltesi olan yüksek topuklu ayakkabılara ise ayrı bir zaafım var, sanki benim henüz yaşamaya hazır olmadığım bir hayatı benden habersiz yaşıyorlar. Gurbet Hanım'ın bunların tozunu almaktan sıkıldığını biliyorum. Sinan' sa, ayakkabı merakımdan ötürü bana, "İmelda Marcos," diye sesleniyor. Ben de ona yeniden yorumlayarak yazdığı "Külkedisi" masalını hatırlatıyorum. Elinde ayakkabı tekiyle kapı kapı gezecek olan prensten de, ayağıma olacak ayakkabı tekinden de ümidimi kestiğim için, zamanı bekletir gibi, cam bir muhafazada tutuyorum onları. Onları bir tek öpücüğüyle uyandıracak bir prensin hayaletiyle geçen gençlik yıllarının uzun süren uykusundan söz ediyorum Sinan'a, beni anlıyor, eh, arkadaşlar da bunun içindir zaten.

"Hadi artık, bakman bittiyse hazırlanmaya başlayalım Tuğde," diyorum. "Zaten benim de giyinmem gerekiyor."

Gönülsüzce yerinden kalkıyor.

Giyinirken içeriden gelen birkaç telefon sesi duyuyorum.

Gül ağacından yapılma Girit işi şifonyerimin başında elim ilkin süslü iç çamaşırlarıma gidiyorsa da, durup kararsızlık geçiriyorum.

Erkeklerle öyle kolay kolay beraber olmayı bilen bir kadın olmadığıma göre, sürekli alıp durduğum bu süslü iç çamaşırları erkeklerden çok kendime bir vaat olsa gerek. İçimde o ipekli, dantelli çamaşırların olduğunu bilmek, erkekler karşısında tuhaf bir güven veriyor bana.

Bir keresinde ne zamandır ilgisini çekmek isteyip de başaramadığım birinin, oturduğum yerde azıcık sıyrılmış eteğimden görünen saten kombinezonumdan gözlerini alamadığını fark ettiğimde, yanılmadığımı anlamıştım. Birdenbire başını kaldırıp beni yeni görüyormuş gibi alıcı gözlerle bakmış, hatta yutkunmuştu. Gene de birçok sutyenimin, külodumun, hiçbir erkeğin gözü bile değmeden eskiyip atıldığını söylemeliyim. O genç adam da kombinezonuma yutkunduğuyla kalmıştı. İç çamaşırları tek başlarına ancak bu kadarını becerir. İşin geri kalanı için biraz da sizin gayret göstermeniz gerekir.

O kızgınlıkla, kendimi ilk bulduğum külotlu çorabın içine tıkıştırıyorum. Utanma duygusu birçok kadını gereğinden fazla kısıtlar. Bu yüzden kadınların içi, gerçekleştirilmemiş eylemler ve fırsatlarla doludur. Gençliğini gönlünce yaşayamamış her kadının mazisi, birkaç ciltlik hayıflanma tarihi eder. Onlar kendilerini hayıflanmalarla zehirler. Öldürmeyen zehirler yaşlandırır.

"İçindeki kadını serbest bırak," der dururdu Aranjman Aysel. İçimdeki kadının serbest kaldığında, üzerinde yalnızca bir saten kombinezonla ortalıklarda dolaşmayacağından hiç emin değilim.

Zaman zaman, Aysel'in verdiği akılları dinlese miydim, diye düşünmekten kendimi alamam. O, birçok konuda olduğu gibi, ilgi duyduğum erkekler konusunda da yanıldığımı düşünür, her seferinde "Yanlış ağaca tırmanıyorsun güzelim," derdi. Aysel içinse bütün ağaçlar, doğru ağaçlardı. Bazı kadınlar için öyledir. Aysel kadınlığını asla tartışma konusu yaptırmaz, kafası attı mı, "Ben kaç erkeğe, sırtımın çukurundan şampanya içirtmiş kadınım," diye kestirip atardı.

Nedenini tahmin etmeniz zor olmasa gerek: Yanında hafif kadın sanılma korkusu yaşamadan rahat rahat iç çamaşırı alışverişine çıktığım tek arkadaşım Aysel'di.

"Dış görünüş aldatıcıdır," derdi. "Aldatıcı olmayan iç çamaşırlarıdır. Hatta o iç çamaşırlarının içindekilerdir. Onlar hiç yalan söylemez."

Aysel bir keresinde, son derece kendine güvenli, bir kaşı havada afralanıp tafralanan "kapılar gibi" bir adamın soyunduğunda içinden çıkan komik görünüşlü miki fare desenli boxer küloda nasıl şaşırdığını anlatmıştı.

"Öyle kapılar gibi, killi kılçıklı adamın donunda miki farelerin şarkı söylemesi boşuna değilmiş meğer; adam alıştıra alıştıra

368

söylüyormuş acı gerçeği. Her miki kadar şeyin sevimli ve şirin olduğunu kim söylemiş?"

Arkadaşlarım bana, sık sık insanlar hakkında önyargılı olduğumu söyler. Ben de onlara "Ben, o önyargı dediğiniz şeyleri kaç yılda kazandım, biliyor musunuz?" derim. Ama bazen bu eleştirilerin etkisi altında kalır, önyargılarımı yıkmaya kalkışırım. İnsanlar hakkında en fazla on beş dakika içinde karar veren biri olduğum halde, tutar gözüme kestirdiğim birine, bu on beş dakikadan fazlasını tanırım. Her seferinde ilk kararımda ne kadar haklı olduğumu anlar, önyargılarımın kıymetini bilmeye karar veririm ama, iş işten geçmiş o kişi hayatıma girmiştir artık.

Tuğde'nin, "Mine abla telefonda, sizi istiyor Nermin ablacığım," demesiyle bunları hatırlıyorum.

"Bu kadar insan söylediğine göre elbet bir bildikleri vardır, yıkayım artık şu önyargılarımı," diyerek yakınlık gösterdiğim, sonunda başıma kalmış insanlardan biri de Minemine'dir. Onu tanısanız, "Mine" adının çok kısa kalacağını, onun yapışkan tekrarcılığına yetmeyeceğini siz de anlarsınız. Benden sonra herkesin ona "Minemine" diye seslendiğine bakılırsa, yanılmamışım.

"Ne var, gene ne istiyorsun?" demek geliyor içimden ama, her zamanki gibi diyemiyorum tabii.

Kime sorsa cevabını alabileceği birkaç manasız şey içinmiş beni araması. Aslında biliyorum tabii beni niye aradığını. Minemine, tam bir ilgi gösterme budalasıdır. Herkesle belli aralarla ilgilenmesi, onları mutlaka arayıp sorması gerektiğini düşünür. Eminim ilkokul arkadaşlarıyla bile hâlâ görüşüyordur. Demek sıram gelmişti. Ne zamandır beni aramadığını düşünüp "çok ayıp oldu kadına," diye geçirmiştir içinden. "Olmaz olmaz. Bana hiç ayıp olmaz. Sen rahatına bak," diyesim geliyor.

Minemine'nin "dâhi" sandığı çok münasebetsiz bir kocası vardır. Geçinebildiği bütün insanları küçük görüp, geçinemedikleriyle de sürekli kavga çıkarmaya bakar. Minemine, geçimsiz kocalarının dünyayla aralarını düzeltmeyi kendine vazife bilmiş hayat hamaratı kadınlardandır. Bunlar, kocalarının yalnızca eşleri değil, aynı zamanda onların sosyal ilişkiler uzmanıdırlar.

Minemine'nin, dâhi olduğu için uyumsuzluk sorunları çektiğini sandığı kocasına, herkesten anlayış ve sabır bekleyen o talepkâr havası sinir bozucudur. "Bizimkinin huyunu biliyorsun," diyerek, kendi idare etmek zorunda olduğu adama, bütün dünyanın da hoşgörü göstermesi gerektiğine yürekten inanır ve onun hep yanlış anlaşıldığını iddia eder.

Herkesin "yanlış anladığı" bir adamı, bir tek kendisinin "doğru anladığından" nasıl bu kadar emin olabilir bir insan?

Minemine'nin kocası, ortak bir arkadaşımızın evine konuk olarak çağrıldığımız bir akşam yemeğinde, onda görmeye alışık olmadığım bir nezaketle beni bir arkadaşıyla tanıştırdı. Sonradan anlaşıldı: Karı-koca, adamla aramızı yapmak isterlermiş meğer. Oscar Wilde'ın ünlü deyişiyle, "Her şeyin fiyatını bilip de değerini bilmeyen" sinik erkeklerden biri olduğu belliydi adamın. Hani, her zevki denediği halde hiçbir zevki olmayan; çok şey görmüş geçirmiş, artık kendine uygun birini bulup durulmak isteyen erkeklerden... Küçümseyici bir alaycılıkla, dünyayı çözmüş atmış bakışlarla her şeye tepeden bakıyordu. Neden bizim dâhinin arkadaşı olduğu anlaşılıyordu tabii. Asıl anlaşılmayan, beni neden bu adama uygun gördükleriydi. Ben, bu adam için tam bir "asla çalınmaması gereken yanlış kapı"ydım. Kendimi yeterince anlatamıyor muydum insanlara, yoksa evlilik konusunda çok mu çaresiz görünüyordum? Bilemeyeceğim.

Arkadaşına ilgi göstermemiş olmamı, kendi yenilgisiymiş gibi yaşayan dâhi koca, akşamın ilerleyen dakikalarında dikenlerini çıkarmaya başladı. Yalnız olmanın normal olmadığını söylemeye çalıştı önce. Kibarca, yalnızlığın birçok çeşidi olduğunu, bazı evliliklerin insanı yalnızlığından kurtarmadığını hatırlattım. Bununla yetinmedi, hayat arkadaşlığı üzerine sıkıcı bir söyleve girişti. Anlattıkları karşısındaki kayıtsızlığım, onu kışkırtmış olmalı ki, bu kez de canımı acıtacağını düşündüğü konulara daldı. Belli bir yaşı geçmiş bekâr kadınlarla "gay" erkeklerin yakın arkadaşlıklarında, her iki tarafın da ailelerinde uyandırdıkları hayal kırıklığı bağının önemine dikkat çekmeye çalışıyor, daha doğrusu benim kimi arkadaşlıklarımı ima ederek, düpedüz laf çarpıyor, benimle kavga çıkartmak istiyordu.

Sonunda bana, "Nermin, sizin eşcinsel olmayan, normal erkek arkadaşınız var mı?" diye sordu.

Adamın niyetini anladığımdan, hiç istifimi bozmadım. Sakin sakin elmamı soymaya devam ettim. O an Greta Garbo bile benim yanımda fazla Akdenizli kalırdı. Kendisini, bu konuları tartışmak için uygun bir partner olarak görmediğimi, bunun için kusura bakmamasını, yalnız küçük bir nokta olarak, karşıcinsel erkeklerin "hışırlıklarının" bunda bir payı olup olmadığını kendisine sorması gerektiğini söyleyip kenara çekildim.

Gecenin gerisinde, o oturduğu yerde, içinde kalmış dökemediği kurtlarıyla kıvranırken, ben ev sahibinin zengin CD koleksiyonunun başında müzik dinlemeyi yeğledim.

Gerçek sadistler, mazohistler öyle istiyor diye onları kırbaçlamazlar. Uzak uzak müzik dinlerler.

Minemine, o akşam bir tatsızlık çıkacak diye o kadar çok dudaklarını kemirmişti ki, eminim uzun süre öpüşememiştir.

Tahmin edilebileceği gibi, Minemine'nin ertesi günkü telefonu kocasını yanlış anladığım üzerineydi. Bazı kadınların kocalarını fazlasıyla hak ettiklerini düşünürüm.

Bıraksam bugün de uzun uzun anlatacaktı; Minemine'nin "en kısa zamanda" görüşme taleplerini, "en kısa" tarafından olumsuz olarak yanıtlayıp yeniden odama döndüm.

Nedense bugün ne giyeceğim konusunda kararsızlık çekiyordum. Bu kararsızlık hali, bana Tuğde'den geçmiş olabilir miydi acaba?

Ben, kendimi hiçbir şeyin içinde beğenmeyip, bir giyip bir çıkarırken, içeride sürekli telefonlar çalıyordu ve Tuğde tarafından çağrılmadığıma bakılırsa, hiçbiri bana değildi.

Sonuncu telefona çağrıldıysam da, gene ona gelmiş bir telefonun parçası olarak, anneannesinin doktoru benimle görüşmek istiyordu.

Anladığım kadarıyla, kadın gene, teknik ayrıntılarını anlamadığım bir çadır sorunu nedeniyle doktorları canından bezdirmiş, doktorlar da, söz geçirebilen bir yakını sandıkları için beni arama ihtiyacı hissetmişlerdi. Ne gaflet! Doktorların çaresizliğini anlayabiliyordum ama, budalalıklarına kızdım doğrusu. O kadına söz geçirebilen, değil herhangi bir insan, herhangi bir canlı türünün dünyada yaşıyor olabileceğini nasıl düşünebiliyorlardı?

Gene de iyilik dolu temiz kalbim, bir çözüm önermeden edemedi: "Anneanneyi diyalize bağlar gibi, bir telefon aletine bağlasanız olmaz mı," dedim. "Anladığım kadarıyla, o kadının herhangi bir oksijen tüpüne ya da serum şişesine değil, doğrudan bir telefon aletine bağlanmaya ihtiyacı var."

Bu sözüme kahkahalarla gülen doktoru, muhabbetim iyice sarmış olmalı ki, lafı uzatıyor, onu güldürecek birkaç şey daha söyleyeyim, diye anneannenin aksiliklerine ait örnekler verip duruyordu. "Ay Naim gibi bir şey bu," dedim içimden. "İki çift yeni espri duyacağım diye yapmayacağı şey yok!" Zaten kendimi uzun süredir tek başıma bir "stand-up komedi" gibi hissediyordum ama, seyirci ya da dinleyici istemiyordum. Doktorun hevesini kursağında bırakıp telefonu kapattım.

Konuşmam bittiğinde Tuğde, az önce kıstığı televizyonun sesini yeniden açıyor. Gene burnuna kadar sokulmuş televizyonun.

Bir insan, bir cümleyi dört gün içinde yüzlerce kez kurmaz ki!

"Gözün bozulacak Tuğde!"

Geri çekiliyormuş gibi yapıyor.

"Sen çok başkasın biliyor musun."

Bu da sesi yükselen televizyondan gelen bir cümle.

"Sen çok başkasın biliyor musun," der bazı erkekler, bazı kadınlara, şimdi televizyondaki manasız filmde olduğu gibi.

Ekrandaki, "başka olan kadına" bakıyorum, adamın söylediğine inanıyor, alçakgönüllü görünmeye çalışarak başını öne eğiyor. Oysa pencereyi açsam bu kadın gibi on tanesiyle yüz yüze geleceğim. Varsın inansın canım, bana ne?

İçeri geçiyorum.

Oysa tuzağı kendinden kurulup çalışan bir cümledir bu. Her kadın, kendisinin çok başka olduğuna ve diğer kadınlara benzemediğine inanır. Bunu nihayet bir erkeğin görmüş olması ve dile getirmesi hoşuna gider. "Ben senin bildiğin kızlardan değilim," lafı durduk yerde çıkmamıştır. Bunu söyleyen bütün kızlar aslında bildiğimiz kızlardır ve bilmediğimiz kızlardan olduklarını sanmamızı isterler. Bu yüzden "Sen çok başkasın biliyor musun," sözü, bütün kadın kulaklarına hoş gelir.

Ancak, çeşitli olasılıkların çoğalttığı sorular ve durumlar barındıran sinsi bir tuzak çalışmaya başlar bu sözün içinde:

Bir: Sahiden "çok başka" bir kadın olmadığınız halde, kendinizi öyle sanıyor, kendiniz hakkında yanılıyor olmayasınız? Bir erkeğin erken yaşta öğrendiği hazır kalıp tavlama cümlesidir bu. Denemiş, işe yaradığını görmüştür. Böyle bakıldığında, ne siz başkasınızdır, ne de o. Siz bildiğimiz kadınlardansınızdır, o da bildiğimiz erkeklerden. Sizi birbirinize yakınlaştıran da, bunun tersini sanmanın sıradanlığıdır aslında.

İki: Siz sahiden başka bir kadınsınızdır, kimselere benzemeyen bir kadın. Ama o, bunu anlamaktan aciz bir erkek olduğu halde, bu tür kalıp tavlama cümlelerinin işe yaradığını bildiği için, sizi böyle kandırmış olabilir. Çünkü, sahiden "başka olan" kadınları tanıyacak erkeklerin de "bir başka" olması gerekmez mi? Siz kendinizin başkalığından emin olduğunuz kadar, ondan da emin misiniz? Bunu bir an önce öğrenmenizde yarar var.

Üçüncü şık, ideal şıktır: Siz "başka" bir kadınsınızdır, o da "başka" bir erkek. Günün birinde bir mucize eseri karşılaşmışsınızdır.

Peki, bu mutlu tesadüfün gerçekleşme olasılığı milyonda kaçtır sanıyorsunuz? Bence burada kendinize sormanız gereken, niye kendinizi o milyonda bire layık şanslı kişi olarak gördüğünüzdür. Şu kibar istatistikleri bir kenara bırakırsak, siz kendinizi ne sanıyorsunuz? Her yılbaşı "Milli Piyango" bileti kaç kişiye çıkıyor, hiç düşündünüz mü? Gönlünüze göre bir kadın ya da bir erkeğin "büyük ikramiyeden" daha kolay bulunduğunu kim söyledi size? Hayat birbirinden acı ve katı gerçeklerle dolu ama, bir de benden duymalısınız: Bütün hayatları en fazla amorti biletlerle geçmiş insanlar, daha gerçekçi hayallerle yetinmek zorundadırlar.

Klişe mi istiyorsunuz? Buyrun: "Beni kimse anlamıyor." Bu kibarca, "Bunu sana söylediğime göre, sen anlıyorsun," demeye gelir. Bir erkek, o âna kadar, "Beni kimse çözemez, sen de çözemezsin," dememişse eğer, hazırlanın, bunu der.

Böyle giz, gizem, ulaşılmazlık vaat eden şaşaalı klişeler, kadınları kendi güçlerini sınayabilecekleri bir yarışa davet eder. Zor görünen erkeklerin kadın tavlama yöntemidir bu.

"Bütün bunlara bakma sen, ben burada, zirvede yalnızım, yapayalnız. Beni kimse anlamıyor," numarasını da unutmamak gerek. Karşısındaki ise, o erkeği anlayan kadının bir tek kendi olabileceğine daha baştan inanmaya hazırdır. Kimselerin anlamadığı ama, hayran olduğu zirvedeki adamı anlayabilen tek kadın olma rolü, yeterince heyecan ve gurur vericidir! Hiçbir kadın bu rolü geri çevirmek istemez.

Biz kadınların hayattaki en büyük yanlışıdır bu: Diğer kadınlarda olmayıp da bir tek bizde olduğuna inandığımız o belirsiz şeye olan sonsuz inancımız!

Ay biri söylesin bana, sende olup da, başka hiçbir kadında olmayan ne var? Sen niye o kadar "başka" oluyorsun?

Erkekleri anlamaya gelince: Erkekler anlaşılmaktan değil, anlaşılmamaktan hoşlanırlar. Onların gözünde anlaşılır olmak, ele geçirilmiş olmak demektir. Bugüne kadar hiçbir kadının onları anlamamış olması, kendi haklarında kurdukları o derinlik felsefesine, o yalnızlık mitolojisine, o yarısı gölgede kalmış loş erkek profiline pek uygundur ve öyle kalmasını isterler.

Kadınlarda bir ısrar, bir kıyamet "İlle de erkeğimi anlayacağım," diye, anlayacaksın da ne olacak? Çekişmek, inatlaşmak, zıtlaşmak dururken...

Erkekler tavlar, kadınlar ele geçirir.

Sahip olunmuş bir kadın, kaderi gereği teslimiyet gününün gelmiş olduğunu kabullenir yalnızca. Ama erkek ele geçirildiğinde, bütün kaleleri düşmüş hisseder. Esir düşmüş bir komutan gibi

yaşar ilişkisini. Unutmayın bütün esirler, günün birinde efendile-
rinden intikam alırlar. Kadınların kocalarından alacakları inti-
kam, ya nafakadır ya da kocalarının ölüp arkalarında bıraktıkları
emekli maaşı. Dünya kocasının bıraktığı emekli maaşıyla geçi-
nen kadınlarla dolu. Siz, hiç karısının bıraktığı emekli maaşıyla
geçinen koca gördünüz mü? Kadın-erkek ilişkisinin emekli maaşı
kuyruğuna kadar uzaması halinde hiçbir romantik yanı kalmıyor.

Bu kadar laf, bana şu Amerika'da pek yaygın olan kadın erkek
ilişkileri üzerine akıl fikir verici kitaplardan yazma düşüncesi il-
ham ediyor. Böyle bir kitabı evde kalmış biri olarak benim yaz-
mam çok hoş olur doğrusu.

Bir gardırop dolusu giysi ile verdiğim mücadele sonunda,
Audrey Hepburn'ün *Tiffany'de Kahvaltı*'da giydiği 60'ların tipik
havasını yansıtan siyah elbiseyi giymeye karar veriyorum. Siyah,
uzun eldivenler de olmayıversin.

Salona giyinmiş olarak dönerken kulağıma, "Tiffany" mü-
cevherlerim olmadığı için, ortası beyaz taşlı klipsli küpelerimi ta-
kıyorum.

Ekrandaki adam, kadına "Biliyor musun, beni kimse çözeme-
di bugüne kadar," diyor. "Sen de çözemezsin."

"Ben dememiş miydim?" diye sevinemiyorum, çünkü kendi-
ni ekrana iyice kaptırmış Tuğde'nin yüzünde, adama "Beni bekle,
sen daha kadın görmemişsin," der gibi iddialı bir hava var. Bu da
bu dizi en az bir üç kuşak daha sürer demek.

Yeniden yatak odama dönüyor, sabah uyandığımdan beri yap-
mak isteyip de geri durduğum şeyi yapıyor, başucumdaki komo-
dinin üzerinde duran, zamanın, kahverengisini iyice yanıklaştır-
dığı deri kaplı defteri, kararlı bir hareketle çantamın içine yerleş-
tiriyorum.

Sinan'ın artık onu okuma zamanının geldiğini düşünüyorum.

XXIV

Çocukluk için defter

ADI "Çocukluğum" olan, adında "çocukluk" sözcüğü geçen, ya da çocukluk anlatan nice kitaptan uzak durdum onca yıl. Kitapçı vitrinlerinde, tezgâhlarında gördüğüm an, daha kapağını açmadan içim sıkılırdı; omuz silker yanlarından geçerdim. Üzerinde fazla düşünmediğim bir şeydi bu. Konunun üzerine biraz vardım mı kendi çocukluğumun pek matah geçmemiş olmasının etkisine bağlıyordum en fazla. Sanki benim çocukluğuma ilişkin anlatacak hiçbir şeyim yokken, başkalarının anlatacaklarına karşı da inançsız ve kayıtsız kalmam gerekiyordu.

Çocukluğum benim karanlığımdı. Bilinmez korkularımdı. Büyüyünce hallederim, diyerek hayatımın rafına kaldırdığım ve bir daha indirmeyi göze alamadığım saklı yükümdü. Oysa, çocukluğumun gözlerinin, nice anıyı benden bile sakladığını yıllar sonra anladım. Hiç hatırlamadan hiç unutmamışım meğer. Utanmanın unutmak sanıldığı yıllarda insan kendi hatıralarıyla bile saklambaç oynayabiliyor.

Belleğin ne zaman başladığını kim bilebilir ki?

Hem büyümek dediğimiz şey, ne kadar bilinebilir?

***

Üç halam, yüzü benim için hep gölgeli bir karanlıkta kalmış bir babaanne ve ölü bir balık gibi gezen baba. Ailem buydu. Bir de annem vardı. Nişantaşı'nın, Teşvikiye'nin, Topağacı'nın çok odalı, geniş pencereli de olsa, güneşi esirgenmiş kasvetli evlerinde, yüzü birbirine yakın duran uzak apartımanların yalnızlığında geçen bir çocukluk. Kapalı, koyu bir çocukluk. Belki de öğrendiği ilk temel duygusu "ümitsizlik" olan bir çocukluk...

Ailemizi bir arada tutan şey bir tür suçluluğa benziyordu; herkesin kendini nedensiz biçimde birbirine karşı suçlu hissettiği esrarengiz bir hava vardı evimizin içinde. Sanki ortak işledikleri ve bir daha asla hatırlamak istemedikleri bir suçun gölgesinde yaşıyor, daha doğrusu çile dolduruyorlardı. İnsanın dünyaya doğuştan suçlu geldiğine inanan dinibütün Hıristiyan evlerine hâkim olan o suskun ve güçlü ümitsizlik havasına benzer bir şey asılı dururdu evimizin sıkıntısı bir türlü dağılmayan kapalı odalarında... (Kurtuluş'ta, Feriköy'de gittiğimiz kimi Ermeni ahbaplarımızın evlerindeki ışığı kıt yağmurlu öğle sonralarını anımsıyorum. İçerideki küçük odada duvardan duvara gerilmiş ipe asılı çamaşırların nemli kokusu, sürekli kaynayan çaydanlığın sesi, masada, ağzı cam kapaklı ahşap tepsi içinde duran, insanda iştah uyandırmayan sert kurabiyeler, suskunluk yemini etmişçesine sonsuza dek kısılmış dudaklarıyla bakışları sönmüş, kendi kederinden bile uzak, başı topuzlu ölgün kadınlar; halalarım ve ahbapları... Neredeyse birbirinin aynı olan kadınlar. Bir köşede sessiz, sedasız oturmam istenirdi. Hanım kız olmam.)

Hiçbir evde saatler geçmek bilmezdi. Çocuklukta zaman geçmez.

Bu yüzden misafirliğe gitmek, benim için bir sevinç kaynağı değil, yalnızca yeni bir sıkıntı demekti.

Evimizin içinde öyle tuhaf, öyle ağır bir hava vardı ki, yıllar sonra bile kimi güçlü anımsayışlar sırasında, oradaymışım gibi içim kararır. Gerçek olamayacak kadar sıkıcıydı ev hayatımız. Renksiz geçen gündelik yaşantımızda bana bunu düşündürecek somut hiçbir şey olmadığı halde, hep bir şey olacak ve bu kasvetli hava aniden dağılıverecek sanırdım. Sanki, tüm çocukluğum boyunca benden gizlenmiş bir sırrın, günün birinde söyleneceğine ve birdenbire her şeyin parlak bir ışığa, neşeli bir aydınlığa dönüşeceğine dair kaynağı belirsiz bir ümitle susuyor, bekliyordum. Derslikten çıkmak için teneffüs zilinin çalmasını bekler gibi; bir başlangıcın, bir bitişin, bir aranın zamanını söyleyen gong sesini bekler gibi; bir parça güneş mutluluğu için yaz tatilini bekler gibi, hayatımızı değiştirecek bir dış gücün sesini bekliyordum. Bu yaşadıklarımın gerçek olduğuna beni inandırmayan bir şey vardı. Hayat bu olmamalıydı. Yaşıma büyük gelen bir bunalımın yönlendirişiyle ya da yaşından erken büyümüş olmanın getirdiği bir farkındalık haliyle hayatı anlamaya, geleceği kestirmeye çalışıyordum. Şimdilik beklemem yeterliydi sanki, bir gün bir şey olacak ve herkesin hayat dediği şey, asıl o zaman başlayacaktı. Oysa her şey kendini tekrar ederek eskitti. O ses hiç duyulmadı. O gün hiç olmadı. Babaannem öldü, annem öldü, halalarım öldü, babam öldü, herkes öldü, ben hayattaydım ve hâlâ kim olduğumu bilmiyordum.

Hiçbir zaman ait olmadığım o Nişantaşı'ndaki ev, yalnızca kâbuslarımın, korkulu rüyalarımın, ateşli hastalığa yakalandığım kimi gecelerin vazgeçilmez dekoru olarak kaldı. Orada yalnızca renksiz, ruhsuz geçmiş bir çocukluğu değil, aynı zamanda kaçırılmış bir hayatın imkânlarını da bırakmış gibiydim. Ne yaparsam yapayım, hayatımın bir daha onaramayacağım temel bir parçası, pencerelerinden, aralıksız yağan yağmurlu öğle sonralarının sokağını derin bir iç sıkıntısıyla seyrettiğim, hava tam kararmadan ışıkları asla açılmayan o kasvetli evde kaldı. Herkes ölüp gittikten sonra, o ev satılırken, içim burkuldu; eve, evi satıyor olmama değil, o evde kaybedilmiş bir hayatım olduğuna yanıyordum. Ruhumu ve dünyamı çocuk yaşta karartmış olan ailemin üyelerini bağışlayacak zamanım bile olmadı. Birdenbire ardı ardına ölmeye başladılar. Bana bu şansı bile tanımadılar. Bana hayaletleri kaldı.

Yaşarken tanımadıklarınızı, öldükten sonra da tanımazsınız. Hayatınız yabancılarla geçmiştir.

***

Çocukluğumu hatırlamam gerektiğini anladığımda, her şey hakkında yeniden düşünmeye başladım. Kendimi yeniden bir çocuk olarak hatırlamak zordu; hele bunca zaman önce şeyi unutmaya çalışmışken... Bir araya getirmekte zorlandığım nice kayıp parçadan oluşan çocukluğuma yabancıydım. Hatıraları bulanık, duyguları uzaktı. Fazla büyümüştüm.

Düşünüyorum da, yalnızca babaannemin yanında masumiyetimi kazanırdım. Tümüyle olmasa bile, bir yanım onun yanında masumlaşır, saflığına kavuşurdu. Kendimi bir tek onun yanında tam bir çocuk gibi hissediyordum. Babaannem erken öldü, onu tanımaya da, sevmeye de zamanım olmadı. Yarı bunamış bir halde olması, ona hoşgörülü bir dokunulmazlık kazandırıyor, sevecenlik duymamı sağlıyordu. İlerki yıllarda hakkında öğrendiklerim bu duygumu değiştirmedi. Nasıl zalim ve kötü ruhlu bir kadın olduğu, zamanında herkese nasıl hayatı zehir ettiği hakkında sayısız hikâye dinlediysem de, anılarımdaki yerini korudu. O anlatılan kadın benim için yabancı biriydi, benim tanımadığım biri...

Ben, onu hep yorgun, dalgın, sevimli; her şeyi birbirine karıştırdığı için ev içinde bir dolu gülünçlüğe yol açan ailenin tek eğlenceli kişisi olarak hatırlıyorum. O öldükten sonra, yanında masumiyetimi yaşayacağım, güven duyarak kendimi çocukluğuma bırakacağım bir büyüğüm olmadı. Bana sürekli dikkatli, temkinli olmam, hanım kız olmam öğütleniyordu. (Bunu her söylediklerinde nedense eteklerimi aşağı doğru çekiştirirlerdi.) Sanki herhangi bir dalgınlık ânında, hayatımı mahvedecek büyük bir hata yapacaktım. Bu yüzden her konuda çok, ama çok dikkatli olmalıydım. Bu konuların ne olduğuysa bana söylenmiyor, bunları benim bulmam isteniyordu. Her yerden gelebilecek, bilmediği tehlikelerin şüphesiyle zorlanmış çocuk aklım, dünyayı, hayatı, insanları anlamaya çalışıyordu.

Halalarımın gözleri her yerde hep üstümdeydi. Sahip çıkma yan ama denetleyen, kollamayan ama cezalandıran gözleri... Herkesin her şeyime karıştığı bir kimsesizlik içinde büyüdüm.

Halalarımın kendi deyişleriyle "bilhassa kıyışık" bıraktıkları o kapıdan bazı geceler annem bir suçlu gibi gizlice odama girer, uyuduğumu sanarak, saçlarımı okşardı, halalarımın görmesini istemezdi, uyuyup uyumadığıma emin olana kadar başımda sessiz ve kımıltısız bekler, sonra davranırdı. Onun hafif ter kokusunu alırdım, boynuna hep kenarı oyalı beyaz bir mendille sürdüğü limon kolonyasının uçucu, hafif kokusunu... Gözlerimi kırpıştıracağım ya da yüreğimin çarpmasını duyacak ve uyumadığımı anlayacak, diye soluğumu düzene sokmaya çalışırdım. Onun gecenin bir vakti odama usulca gelmesini beklerdim. Bana dokunmasını, okşamasını. Saçlarımın okşanması her zaman en güçlü sevgi belirtisi olarak görünmüştür bana. Bugün bile benim için aşk ve beraberlik demek, her şeyden önce geceleri saçlarını okşayan bir el demektir.

***

Tanıdığım çocuklar içinde, annesiyle babasının yatak odaları ayrı olan bir ben vardım. Annem daha sonra, bu eve ilk geldiği zaman yatmış olduğu yerde, arka aydınlığa bakan küçük sandık odasında yatmaya başladı. Halalarımın bütün itirazlarına karşın, odasını oraya taşıdı. Onların itirazları, annemi düşünmekten çok, konu-komşunun ne diyeceğinin hesapları üzerine kuruluydu. Annem belki de hayatında hiçbir zaman göstermediği kararlılığı o zaman gösterdi. Sonunda onun dediği oldu, istediği odaya taşındı. Her zaman kendi dünyasında yaşayan, dalgın bir kadındı ama, bu kadar içine kapanmasının, kabuğuna çekilmesinin hastalığının ilerleme belirtilerinden biri olduğunu çok sonra anladık. O küçücük odaya taşındı ve orada öldü. Annemin ölümü de, benim çocukluğum gibi, herkesin her şeyine karıştığı kimsesiz bir ölümdü. Hepimizin arasında kimsesiz öldü annem.

Bunun suçluluğunu duymam zaman aldı. Açıkça dile getirilmese de, annemin ölümü herkese rahat bir nefes aldırmıştı. Herkesi suçluluklarından, irili ufaklı sıkıntılardan, çeşitli açıklamalar yapma zorunluluğundan kurtarmıştı. Sanki çoktan ölmesi gerekiyordu da, biraz gecikmişti. Sonunda ölüp herkesi dile getirmekten çekindiği büyük bir sıkıntıdan kurtardı. Varlığı yıllardır bu ailenin mahcubiyetiydi; bu yüzden o gün yalnızca onun ölüsünü değil, bu utancı da kaldırmış oldular ortadan. Cenaze sonrasında eve geldiğimizde, halalarım saklamaya bile gerek duymadıkları gözle görülür bir rahatlama içindeydiler. Ailenin, evin ve geçmişin üzerinden bir yük kalkmıştı.

Ruhları yüzlerinden önce kararmış, omuzları vaktinden erken çökmüş halalarım, hayatları boyunca zulmünden yaka silktikleri annelerinin nasıl da silik birer kopyası olduklarını hiçbir zaman anlamadılar. İnsanların büyük çoğunluğu kendindeki kötülüğe kördür; saklayamadığı durumlarda en fazla "huy" diye nitelendirmeyi yeğler. Halalarım, o kadar mutsuzdular ki, kötü olmaktan başka çareleri yoktu. Mutsuzluklarının farkında bile değillerdi; bunu kendilerine ait bir şey olarak değil, herkesin paylaştığı hayatın doğal bir parçası gibi yaşıyorlardı.

Onların burnundan getirmek ilerki yıllarda bana nasip oldu. Ki, bu da fazla uzun sürmedi. Hem ben çabuk sıkıldığım için, hem onlar bu zaman içinde artık hayatta hiçbir şeyin acıtamayacağı kadar bencilleşmiş ve kayıtsızlaşmış oldukları için.

***

Annemle babam karı-koca bile değillerdi, bazı durumlarda yan yana duran iki yabancıydılar yalnızca... Babamla annemin ayrı odalarda yattığını bilirdim, babamın bazı geceler sessiz ve usul adımlarla annemin odasına gittiğini ve orada uzun zaman kaldığını bilirdim. Annemle babamın o odada ne yaptıklarını, ne yapabildiklerini hayal bile edemezdim, hâlâ edemem. Hayatımda birbirine bu kadar yabancı iki insan görmedim.

Hiçbir zaman anne, baba, çocuk olmadık. Olamadık.

Biri babamdı, diğeri annem, ben de çocuktum.

Üçümüz de ayrı ayrı duruyorduk aynı evin içinde.

Hiçbir arkadaşımın anası babası benimkiler gibi değildi. Kimsenin evinde bizimkine benzer tuhaf bir hal olmadığını biliyor, bunun ezikliğini duyuyor ve duygularımı kimseye belli etmemeye çalışarak herkesten gizli büyüyordum. Kimse bana bir şey söylemediği halde, bütün olanlardan kendimi sorumlu tutuyor, nedensiz biçimde tarif edemediğim derinlikte bir yerde köklü bir suçluluk duyuyordum. Bilmediğim bir nedenden ötürü, sanki her şey benim yüzümden mahvolmuştu.

Farklı nedenlerle annemden de, babamdan da utanıyordum.

Kimsenin babası benimki kadar yaşlı değildi.

***

Yalandan da olsa, bende sevinç uyandıran ortak hatıramız yok denecek kadar az. Bir keresinde üçümüz bir fotoğraf stüdyosuna gitmiştik, anne-baba-kız baş başa resim çektirmek için. Bir fotoğraf stüdyosuna birlikte gittiğimiz tek gün, tek resim bu. Benim birlikteliğimize kanıt gösterebileceğim tek hatıramız. Birlikte pek resmimiz yok, olanlar da ya bayram, yılbaşı, nişan-düğün gibi nedenlerle rasgele çekilmiş, ya da evimize özel olarak gelen fotoğrafçı Hayri Bey'in çektiği kalabalık aile resimleri. Kimi ailelerin eve fotoğrafçı çağırıp aile resimleri çektirmek gibi bir âdetleri vardı o zamanlar. Bu fotoğrafların çoğunda annem yok zaten. Halalarım, ben, babam ve kimi aile yakınları yalnızca... Annem çoğu kez hasta yattığı için, ya da onun hastalık zamanlarına denk getirildiğinden onun olmadığı fotoğraflar bunlar...

Sol alt köşesinde "Foto Bella" yazan bu stüdyo fotoğrafında ise ben ortadayım, bir elim annemin, diğer elim babamın omuzunda. İkisini ben birleştiriyorum. Belki bir an için inanmışım onların bir anne, bir baba olarak yan yana durabileceklerine. Omuzlarıma kadar inmiş saçlarımda kalın dişli tarak izleri seçiliyor. Başımda, halalarımın küt parmaklarıyla bağladıkları, fiyongu kabarık tutulmuş, beni azıcık gülünç yapan kurdelem; bebe yaka bir bluz var üzerimde, yakasının kenarları su işi ince dantela... Bir fotoğraf çekimlik süre içinde olsun, mutluluğu yakalamış ve delici bakışlarla bunu sabitlemek isteyen bir halim var. Sanki ailemi bir araya getiren o an, sonsuza dek tek mutluluğum olacakmış gibi. Başka kimse yok, hiç kimse, biz bizeyiz. Yalnızca annem, babam, ben. Yüzümde o yaşta bir çocuğun taşıyamayacağı kadar karmaşık, kararsız, hüzünlü bir mutluluk var. İnanmazlığın gölgelediği bir mutluluk bu... Sanki fotoğraf çekilip bittikten sonra her şey sonsuza dek kaybolacakmış gibi. Ben, küçük yaşta ailemin içinde ailesiz kalmışım. Belki bu yüzden, ilerki yaşlarda, aile kurumu dedikleri o sahte mukaddesatın içyüzünü bütün çıplaklığıyla görebilecektim. Erken yaşta yitirilmiş masumiyetin gözleri, herkesten çok daha fazla şey görür. Görmenin yorgunluğu bir zaman sonra bakışlara yerleşir, kalır. Bu yüzden insanın yorgunluğunu önce bakışları söyler. Fotoğraf çektirmekten hiçbir zaman hoşlanmamamın, hiçbir fotoğrafta kendimi beğenmememin nedeni, her seferinde bu bakışlarla yeniden yüz yüze gelme korkusu olsa gerek. Yıllardır fotoğraflarda hep aynı bakıyorum. Hayatın erken açtığı gözlerim, bakışlarımı kör etmiş.

Fotoğrafta sağda duruyor annem, zaten hiçbir zaman orada olmamış bir yüzle bakıyor, gittiği uzaklardan kolay dönemeyecek bir yüz bu. Aramızdan çoktan ayrılmış aslında. Duygularını belli belirsiz bir mahcubiyetle saklamaya çalışırken, hiçbir duygusu yokmuş gibi görünüyor. İçi kendinden habersiz ıssızlaşmış. Saçlarını halalarım topuz yapmış olmalı. Sıkılanmamış, gevşek tutulmuş bir topuz bu. Sıkı topuzlu kadınların "hafif kadınlar" olduklarını düşünür, küçük görürlerdi. Biraz toplu görünüyor bu resimde annem. Sade dikimli, koyu renk elbisesinin üzerinde bir sıra inci kolye... Belli ki, yalnızca renk versin diye hafif tutulmuş ruju. Gülümsemeye benzesin istediği dudakları hafifçe gerilmiş, o kadar.

Babam, her haliyle tam bir beyefendi. İnce, tel çerçeveli gözlüğünün arkasından her zaman olduğu gibi, söyleyeceği çok şey varmış da, kendine saklıyormuş gibi, hafif müstehzi bir ifadeyle bakıyor. Görgüsünü, sınıf terbiyesini hayatının her ânına yaydığı gibi, bu fotoğrafta da belgeliyor. Her çeşit vazifesini yerine getiren kusursuz bir koca olarak, fedakâr ve emsalsiz bir baba olarak, titiz, mes'uliyet sahibi, vazifelerini müdrik Istanbul beyefendisi bir aile reisi olarak! Kim baksa böyle düşünür; zaten o da böyle düşünülsün istemiş. O hafif gülümsemesinin, istediği an nasıl kıyıcı bir alaycılığa döneceğini, ince, gergin dudaklarının kenarında toplanan buruşuk kıvrımın, kimi durumlarda nasıl yaralayıcı olabileceğini iyi biliyor. Bana öyle bakmaması için yaşadığım tedirginlikler, şimdi bile içimde bir yeri acıtır.

Çocukken babamın en çok kol düğmeleri dikkatimi çekerdi. Her gün birini taktığı, birbirinden güzel kol düğmeleri vardı. Çeşit çeşit kravat iğnesi, ısrarla sürdürdüğü eski alışkanlıklarından biri olarak gömlek yakasına taktığı balinalarla birlikte çekmecelerinden birinde durur ve benim o çekmeceleri karıştırmama asla izin verilmezdi.

Fotoğrafta, dirsekten kırdığı için hafif toplanmış olan ceket kolu ağzından görünen kol düğmesinin ışıltısı bugün bile aynı kuvvetle gözümü alıyor.

Nedense, bütün çocukluğum boyunca, bu donuk fotoğrafta ailemize ait mahrem bir sırrın kilitli olduğunu düşündüm. Ne olduğunu bilmiyordum, öğrendiğimde ne işe yarayacağını da, ama sanki biraz daha dikkatli bakarsam, benim için her şey anlaşılır olacaktı. Ve ben o kadar baktığım halde, bir türlü göremiyordum.

Hayatımda hiçbir fotoğrafa bu kadar çok bakmadım.

Babam da, annem de farklı nedenlerle benimle fazla konuşmazlardı. Bu fotoğrafla kurduğum ısrar ilişkisine bakılacak olursa, gerçek hayatta ulaşamadığım annemle babama, sanırım tek ortak hatıramız olan bu fotoğrafta ulaşmaya çalışıyordum. Gündelik hayatta alamadığım cevapları, o fotoğraftan umuyordum. Kandırılması zor çocukların ısrarları da acıtıcı olur. Ben, kendime dönük ısrarımla yalnızca kendimi acıtıyordum.

Anısı da, bende bıraktığı duygu da, orda burda, bayramda, yılbaşında rasgele çekilmiş dağınık resimlerden çok farklı olan bu fotoğrafın çekim öncesinde, evde uzun uzun hazırlıklar yapılmış; giyinilmiş, taranılmış bir stüdyoya birlikte gidilmiş, güçlü ışıklar altında çeşitli pozlar prova edilmişti. Okula başladığım ilk yılın fotoğrafı. Bana bir armağan aslında!

Kendimi alamıyorum; dönüp dönüp bu resme bakıyor, ayrıntıları yeniden kurcalıyorum.

Nişantaşı evlerinin kasvetli dekorunun sahte bir derinlik kazandırdığı ailemizde her şey gün gibi ortadaydı aslında; bir sır falan da yoktu. Bu fotoğrafın sırrının onlara değil, kendime ait olduğunu anlamam yıllar aldı. Kendime acımayı beceremediğim için, fotoğraftaki kıza acıyordum galiba. Daha o zamanlar bile, bir ben vardım, bir de bir yerlerde kaybolmuş bir çocuk... Hep kendimden uzak tutmaya çalıştığım o çocuğu bulmaktan hayatım boyunca korktum, kaçtım. Sanki ben büyümüşken, o çocuk haliyle ortalıklarda dolanıyor ve beni utandırıyordu. Çok sonra bir psikiyatrist koltuğunda, yeniden karşılaştım o çocukla. İlk başlarda tanımadım. Onun elinden tutmam, ona yeniden sahip çıkmam çok zaman aldı. Mehmet'ten ayrılmıştım. Kötüydüm; her an dünyadan da ayrılacakmış gibi bir halim vardı. Bir an önce beni yeniden hayata bağlayacak birini bulmam gerekiyordu. Bunun çocukluğum olacağı hiç aklıma gelmemişti. Demek hiç ummadığınız bir anda, çocukluğunuz yardımınıza yetişebiliyordu.

Yazarların çocukluklarını anlattıkları kitapları okumaya işte o sıralar başladım. Hatta en "devrimci zamanlarımda" bile onca kitabını okuduğum halde, Gorki'nin okumayı reddettiğim *Çocukluğum*'unu da o sıralar okudum.

***

Hiçbir sergisi birbirine benzemeyen, hemen her sergisini farklı tekniklerle, farklı bağlamlarla yeniden kuran Nalan'ın, eski fotoğrafları "hiper-gerçekçi" bir tutumla birebir yeniden ürettiği bir sergisinin açılışında, galeriye adım attığım anda, beynimden vurulmuşa döndüm.

Benim için anlamını ve önemini çok iyi bildiği bu fotoğrafın, benden izinsiz dev boyutlarda birebir resmini yapmış ve girişe asmıştı. Fotoğrafın aslına tek müdahalesi ise, beni çileden çıkarmaya yetmişti. Resimdeki kızın boynundaki madalyona, şimdiki halimin bir fotoğrafını yerleştirerek, beni çocuk halimle tanımayacak olanların işini kolaylaştıracak bir ipucu vermişti. Bu yaptığına elbette sanatsal bir gerekçe bulmuştu. O, buna "zaman oyunu" diyordu. Bense, bunun, onun karanlığı dinmeyen kötülüğünün bir oyunu olduğunu iyi biliyordum. Nitekim, resimdeki "beni" tanıyan herkes, hemen bana bu resimle ilgili ardı arkası kesilmeyen sorular sormaya başladı.

Nalan'a saklayamadığım bir öfkeyle, benden bunun için izin almaya bile gerek duymadığını, bunu yapmaya hiç hakkı olmadığını, çok incindiğimi anlatmaya kalkıştığımda, hiç oralı olmadığı gibi, bir de sanatçının çevresindeki her şeyi, herkesi özgürce ve serbestçe kullanma hakkı üzerine bir nutuk dinlemek zorunda kalmıştım.

Bunun üzerine kullandığı şeyin yalnızca bir fotoğraf değil, bir yara olduğunu ve onun bunu çok iyi bildiğini söyledim. Arkadaşlığımızın birbirimize kalbimizi açtığımız sıcak zamanlarında kendisine büyük bir içtenlikle emanet edilmiş bu yara, şimdi yakıcı spotların çiğ ışığı altında, herkesin gözlerine açık bir galeri duvarında çarmıha gerilmiş gibi duruyor ve yeniden kanıyordu.

Nalan'la aylarca konuşmadım.

Onunsa tek yanıtı –bu sanki herhangi bir şeyi halledebilirmiş gibi– beni daha fazla üzmemek için, resmi satmamış olduğuydu. İstersem bana hediye edebilirmiş. Ayıbını adeta şantaj nesnesi olarak kullanıyordu. Nalan böyleydi işte. Hep haklı, hep yanlış anlaşılmış, hep fedakâr. Ve gene de anlaşılmayan!

***

Okul sıralarındayken, Nalan'ların evine gitmekten çok hoşlanırdım. Dar gelirli bir aileydiler. Beşiktaş'tan, Valide Çeşme'ye tırmanan ara sokakların birinde, küçük, sevimli, –üzerinde sürekli çaydanlık kaynayan sobalı– bir evleri vardı. Masallardaki fakir ama mutlu ailelere benziyorlardı. Galiba onlara imreniyordum. Birbirleriyle şakalaşıyorlardı ve bu benim ailemde hiç tanımadığım bir şeydi. Girişte ayakkabılar çıkarılır, ayaklarınıza terlikler verilir, hemen limon kolonyası tutulur, kahveyle birlikte mutlaka akide şekeri ikram edilirdi. Ailecek kızlarına çok düşkündüler, hayatlarını onun tahsiline adamışlardı; hiçbir işte dikiş tutturamayan, günlerce eve gelmeyen, bir görünüp bir kaybolan oğulları hayta çıkmış, ailenin bütün hayallerini yıkmış, onlar da ümitlerini kızlarına bağlamışlardı. Annesi, bana karşı her zaman yakın davrandığı halde, zengin kızı olmamı bir türlü affedemiyor, yerli yersiz beni iğnelemekten kendini alamıyordu. Ben, onun her zaman nefret ettiği ve başına gelen her felaketin nedeni olarak gördüğü zengin sınıfın, nihayet eline geçirip işkence yapabileceği bir temsilcisiydim. Bana olan sevecenliği ile sınıfıma olan nefreti arasında bölünmüş bir duygu sarkacında gidip gelerek, bir ânı bir ânını tutmayan davranışlar sergiliyordu.

Neredeyse elinde değildi kadıncağızın, beni iğnelemekten kendini alamıyordu. "Tabii sizin evinizde çok daha iyileri vardır ama, tabii sizin evdekiler gibi değildir ama, tabii sizin evde âlâsı bulunur ama, siz çok daha iyilerini görmüşsünüzdür ama," diye başlayan sonsuz sitem cümlelerine katlanamaz olduğum kimi durumlarda, Nalan duruma el koyuyor gibi olsa da, annesinin genel tutumu değişmiyordu. Ben de zamanla üstünde fazla durmamayı, sitemlerini duymazdan gelmeyi, kadının iyi taraflarıyla oyalanmayı öğrendim.

Hâlâ büyük bir aşkla bağlı olduğu kocasıyla genç yaşta evlenmişler ve kocası okulunu bitirsin diye, sabahlara kadar onun-bunun dikişini dikerek ev geçindirmiş bu kadın, üç-beş kuruş katkısı olsun diye, kendi deyimiyle "hâlâ iğne götü dürterek" yaşıyordu. Kerime Nadir'in *Hıçkırık* romanına pek bayıldığı için, kızının adını "Nalan" koyacak kadar hayalleri olan bu kadın, kendi yaşayamadığı hayatı, ileride kızı yaşasın istiyordu.

Zengin bir aile kızı olduğum için şımaracağıma inanır, hoş bir sözünün arkasından mutlaka bir azar gelirdi. Ben ne yaparsam yapayım, gene de onlara sınıfımın kefaretini ödeyemezdim. Beni seviyor olması, dinmek bilmeyen sınıf kinini unutturmuyordu ona. Aslında aynı duyguya Nalan'ın da sahip olduğunu, benimle bir türlü yenişemediğini yıllar geçtikçe çok daha iyi anlayacaktım. Bir dolu kirli duyguya sahip olmakla birlikte, sınıf kininin ne olduğunu burjuvalar bilemezler. Kin sessizlikte ve aşağıda biriktirilir çünkü.

***

387

O aile neredeyse mutfakta yaşardı. Ocağının bütün gözlerinde sürekli olarak kapağı kıyışık duran küçük bakır tencerelerin usul usul kaynadığı, bu yüzden pencere camları hep buharlı, kışkırtıcı yemek kokularının ilkin salona, koridora, oradan da kapı önüne sızdığı, davlumbaz kenarlığında bakır maşrapaların, bakraçların, sitillerin, bakliyat ve baharat kavanozlarının, kurutulmuş ot demetlerinin durduğu mutluluk verici mutfaklarında az zaman geçirmedim. Her ıslak bezle silindiğinde insanın damağını kamaştıran "gırç! gırç!" diye sesler çıkaran mavi-pembe kare desenli muşamba örtülü dört kişilik mutfak masasında, kendimi aileden biri sanarak, hayatımın en güzel yemeklerini yedim.

Yemeklerine ortak olmamaya çalışsam da, zorla yemeğe alıkoyarlardı beni ve Nalan'ın annesi, alışılmışın dışında, ilkin kızının yemek tabağına servis yapar ve bunu açıkça dillendirmekten sakınmazdı. Kızına yemek koyarken elini daha bol tutar, yemeğin etli tarafını kızına ayırır, hatta sizin tabağınıza istemeden fazla et koymuşsa geri almaktan çekinmez, "Kusura bakma kızım, sizler her gün yiyorsunuzdur, biz eti kolay alamıyoruz. Kızımın iyi beslenmeye ihtiyacı var, bunun ayıbı olmaz," derdi. Böyle zamanlarda, onun adına çok utanıyor, bu utancı hafifletmek için, sanki böyle davranması çok normalmiş gibi anlayış gösteriyordum. Nalan, annesinin bu sözleri karşısında sahiden utanmasa bile, utanması gerektiğini biliyor olmanın gerekliliğiyle mahcup olmuş gibi yaparak, annesinin ayıbını kapatmaya çalışıyor, bütün bunları onun hesapsız içtenliğine, halk kadını olmasının dobralığına yormamı istiyordu. Nalan'ın kendisinin vermek istediği bazı cezaları, başkalarına devretmede usta olduğunu anlamam çok sonradır.

Bense bu ve benzeri çiğ davranışları ayıp bulsam da, onlara sınıfımın kefaretini ödüyor olduğumu düşünerek, avunmaya çalışıyordum. Ne de olsa solcuyduk ve geleceğin sınıfsız toplumuna hazırlanıyorduk. Sonuçta bunlar geçiş döneminin katlanılması gereken zorunlu evreleri olarak değerlendirilerek hoşgörülebilirdi.

Aslında Nalan benim yalnızlığımı, mutsuzluğumu, onların mütevazı hayatlarında, sıcak evlerinde, muşamba örtülü mutfak masalarında ne bulduğumu iyi biliyor ve bu üstünlüğünün tadını çıkarıyordu. Fakir ve mutlu kızın, zengin ve mutsuz kızdan sessiz intikamıydı bu. O zamanlar, bunu az çok hissetsem de, kendime bile, apaçık dillendirmekten çekiniyor, o evden, o mutfaktan kovulmak istemiyor, bu yüzden bazı şeyleri görmezden gelmeye çalışarak sineye çekiyordum.

Hiçbir aile gerçek değildi nasıl olsa... Ama burası bana iyi geliyordu.

***

Ailemle bağlarımı kopardığım, birdenbire beş parasız kalmanın ne demek olduğunu anladığım, gururuma yediremeyip baba evine geri dönemediğim, arkadaş evlerine sığındığım, kapı kapı iş aradığım günlerde, Nalan'ın birdenbire çok zengin bir sevgilisi oldu. Daha önceleri, "fotoroman bebesi" diye küçümseyip alay ettiği tarzda, fazla ütülü, fazla bakımlı, avuç içleriyle sürekli başının iki yanındaki saçları havalı biçimde yatıştıran, hep "aftershave" kokan gösteriş düşkünü, "jönprömiye" kılıklı bir çocuktu. Beş yüz metreden görseniz, zengin çocuğu olduğunu anlarsınız böylelerinin. Bir yere daha adım attıkları anda sınıflarını belli ederler. Elleri ceplerindedir, ayaklarını burnunuza uzatmaktan çekinmezler, girdikleri her yeri kafaları kızarsa satın alabilecekmiş gibi davranırlar. Sol fikirlere yakınlık duyduğunu söyleyerek, Nalan'ı tavladığı söyleniyordu. Nalan'ın tavlanmak için böyle bir şeye ihtiyacı varmış gibi. Nalan'sa çocuğu sevdiğini söylüyordu. O zamanlar bile, Nalan'ın kimseyi sevemeyeceğini biliyordum elbet. Ancak mantık evliliği yapabilecek bir insan olan Nalan için hoşlanıyor olmak bile, gerçek bir kalp yüküydü. Ama Nalan, ilkelerine ters düşüyor görünmemek için, kendini paragöz, fırsatçı ve duygusuz bir kız sanmayalım, diye beraberliğine aşk süsü vermeye çalışıyordu.

Başlangıçta o sıkıntılı günlerimde bana sahip çıktı, yardım elini uzattı. Gittikleri yerlere beni de götürüyor, gerektiğinde para yardımında bile bulunuyor; zamanında onun için çok şeyler yapmışım da, şimdi sıra ondaymış gibi kadirbilir bir tutum sergilemeye çalışıyordu. Bu durum başlangıçta, ilişkimize bir eşitlik havası, bir tazelik getirmiş, ikimizi de yenilemiş, birbirimize kenetlemişti.

Sonraları, ilişkisine, ilişkisinin getirdiği hayat tarzına, o hayat tarzının imkânlarına yerleştikçe, herkesin dikkatini çekecek ölçüde değişmeye, yoksulluğun yıllara yayılmış acısını çıkarırcasına zengin, hoppa, şımarık kızlar gibi davranmaya başladı. Oğlanı kendine benzeteceğini sanırken, kendi, oğlana ve onun çevresine benzemeye başladı. Kendisini gerçekten anadan doğma zengin kızı sanmaya, parasıyla, puluyla, giydikleriyle, gezdikleriyle övünmeye, "markalarla" konuşmaya başladı.

Zengin dost tutmuş sonradan görme gazino şarkıcıları gibi davranıyor, dışarıdan nasıl göründüğünü hiç düşünmüyordu. Para, bütün gerçeklik duygusunu altüst etmişti onun. Bana karşı davranışları da gözle görülür biçimde değişmişti. Beni, artık bir arkadaşı gibi değil de, sanki yardımcısı, hatta "fam dö şambr"ı gibi görüyor, güya bir şey rica ediyormuş gibi yaparak iş buyuruyor, "onu getirir misin, bunu götürür müsün," diye ordan oraya koşturup, "şunu biraz tutar mısın, şuna göz kulak olur musun," diye gizli gizli emirler veriyordu.

Sanki hayat yeni bir rol dağılımı yapmış, bana fakir, ona zengin kız rolü verilmişti ve şimdi benim bu gerçeği artık anlamak ve kabullenmekten başka çarem kalmamıştı. Bu konuda bana yeterince zaman tanımış olduğunu düşünen Nalan, sabrı tükenmiş gibi bana karşı hırçınlaşmıştı.

Oysa ben, Nalan'ın kendindeki değişiklikleri fark etmesini bekliyordum.

***

Üç kız arkadaş kendi başımıza bir eve çıkmaya karar verdiğimizde, o eve ilk eşya olarak, Çukurcuma'daki eskicilerden aldığım ve çok sevdiğim kapısı taş aynalı eski bir Rus gardırobum vardı. Bir ara o kadar parasız kalmıştım ki, elden çıkarmayı düşünebileceğim en son şey o olduğu halde, elimdeki tek para edecek şey olduğu için satmaya karar vermiştim. Nalan duymuş, telefonla aradı. Onu satmak zorunda kalmanın benim için ne anlama geldiğini bildiği için, beni kararımdan caydırmak amacıyla arıyor sandım. Lafı dolaştırmadan konuya girdi. "Hem ucuza gitmesin istedim," dedi, "hem de yabancıya; kaç para istiyorsun o dolaba?" Fakirlerin gururunun ne demek olduğunu anladığım gündür o. Nişantaşı'ndaki baba evinin kapısını çekip çıkarken, bunları hesaplamamıştım elbet. Ama artık her şeyi hesaplama zamanım gelmişti. Gerçekten Nişantaşlı bir zengin kızının kibiriyle değil, gururlarından başka hiçbir şeyi olmayan fakirlerin dikbaşlılığıyla, "Satmaktan vazgeçtim Nalan," dedim. "Gerek kalmadı. Hallettim."

Sonraki günlerde yeni bir iş bulmuştum, çok çalışıyordum, bunu bahane ederek hayatından iyice çekildim. Bu arada benim inadımla yenişemeyeceğini anlayan ailem de, çaresiz beni ve hayatımla ilgili kararlarımı kabul etmiş, ama ben gene de Nişantaş'taki eve geri dönmemiştim.

Nalan'ın "Külkedisi Masalı" fazla uzun sürmedi. Nalan, oğlanı iyice avucunun içine aldığını, onunla artık evleneceğini sanırken, jönprömiye bunu yüzüstü bırakmış! Ama ne bırakmak! Sille, tekme, tokat ve harcadığı her kuruşu burnundan getirip, aldığı her armağanı bir bir geri alarak. Perişan durumdaymış. Beni aramaya yüzü yokmuş, başkalarından öğrendim. Duyar duymaz koştum. Nalan iki gözünde iki koyu morluk, kollarında bacaklarında geniş hareli çürükler, içi göçmüş bir koltuğa büzülmüş, titreyerek oturuyordu gittiğimde. Beni karşısında görür görmez, boynuma sarılıp hıçkıra hıçkıra ağlamaya başladı. Bir yandan da, içini çeke çeke "Ben ne yaptım, ben ne yaptım," diye yineleyip duruyordu. Yüzünde yaptığı her şey için duyduğu sahici bir pişmanlık vardı. Sanki "aydınlanması" için gereken bir deneyim yaşamış, öğreneceklerini öğrenmiş ve hayatının bundan sonrasını kurtarmıştı. Bundan böyle hayatı başka türlü olacaktı. Bambaşka. Değişimin gücüne her zaman inanmışımdır. Mucizelere inananlar, metafiziğe değil, değişime inananlardır aslında. Ben, bu yüzden insanlardan ümidi kesmekte çok zorlandım.

"Her şeyi alıp gitti," dedi. "Düşünebiliyor musun, her şeyi alıp gitti. 'Polise, karakola gidersen sen bilirsin,' diye tehdit etti beni. Nasıl tanımadım onu? Nasıl tanımadım?"

"Onu boş ver! Asıl sen ne yapmak istiyorsun?" dedim. Hiçbir şey yapmak istemiyordu. "Ben öğreneceğimi öğrendim," dedi. "Onun rüyasını kendimin sandım." Bu cümleyi söyleyen biri, artık kendi rüyasını görür, diye düşündü içimin bir yanı; değişime inandığım gibi, sözcüklere de inanıyordum. Sırf bu lafları etti diye, onun artık tamamen değişmiş olabileceğini düşünüyordum. Her zaman saf bir yanım oldu. Ben, kelimelere çok inandığı için, başkalarının yalan söyleyebileceğine de bir türlü inanamayanlardanım. Benim sorunumdur bu. Bu yüzden hayatım boyunca yalanı tanımakta zorlandım.

"Ben de ona vurdum, ama o, ne de olsa erkek," dedi. Benden çok kendiyle konuşuyor, yaşadıklarını tekrar tekrar anlatarak onların gerçekliğine inanmaya çalışıyor gibiydi.

Dımdızlak kalmıştı evin içi. Nalan'a ait benim eskiden bildiğim, yalnızca birkaç parça güdük eşya vardı ortalıkta. Araları boşalmış eşyalar, bu halleriyle görünüşteki yoksulluğu iyice artırıyordu.

Çay yaptım ona.

"Senin çayını çok özlemişim," dedi.

Yanağını okşamak istediysem de, temasım çürüklerini hatırlatacaktır diye vazgeçtim.

"En çok neye üzülüyorum, biliyor musun," dedi. "En çok bana ne koydu?"

"Ne?" diye sorarcasına baktım.

"Müzik setimi aldı," dedi. "Çok matah bir şey değildi ama, işimi görüyordu. Bilirsin, resim yaparken müziksiz yapamam. Şimdi çalışamıyorum, hiç çalışamıyorum."

O ânı yeniden yaşıyormuş gibi ağlamaya başladı. "'Bunu da sana ben almıştım,' diyerek onu da aldı. Fişini prizden bir çıkarışı vardı ki, iğrençti çok iğrenç! Biliyorsun beni işten çıkarmıştı, şimdi beş param yok! Ne yapacağım şimdi?"

392

Yeniden ağlamaya başladı. "Biz varız," dedim. "Arkadaşlığımız az fırtına bora atlatmadı. Merak etme sen, bize hiçbir şey olmaz! Bunu da elbirliğiyle atlatırız. Şimdi yat uyu, bakalım. Yarın her şeyi yoluna koyarız."

"Müziksiz bu evin uğultusuna dayanamıyorum. Beynim uğulduyor. Hiç ses yok bu evde, hiç ses yok!"

Üzeri eprimiş kilimler, tiftiklenmiş heybelerle kaplı, geniş yer minderine çöküp dizlerimde uyuttum onu, başını koyar koymaz sakinleşti, çocuk gibi büzüldü; o uyurken kalkıp evi toparladım biraz, birkaç çeşit yemek yapıp dolabına koydum. Kalın bir battaniyeyle iyice sıkılayıp üzerini örttüm, ışıkları söndürdüm. Ev içindeki varlığım belli ki, iyi gelmişti ona, huzur bulmuş derin derin uyuyordu. Yüzünün kasları iyice gevşemiş, kendini uykusuna emanet etmişti. Saçlarını okşadım o uyurken, sonra bir not yazıp, kapısını çekip çıktım.

Bu beklenmedik ziyaretimin ona iyi geldiğini, aramızda ne geçerse geçsin, zor zamanlarda birbirimizin yanında olacağımızı, hep arkadaş kalacağımızı düşündüm. İçim dayanışma duygusuyla doldu. Sağlam arkadaşlıklar, yalnızca iyi geçinmelerle değil, kimi zaman böyle kötü ayrılıklar, anlaşmazlıklarla da yeniden kuruluyor, böyle zamanlarda zorlu imtihanlar veriyordu. Evden çıkarken, bana yaptıkları için ona ne denli kırılmış olsam da, içimin bir yeri yeniden barıştı onunla, birbirimizde hakkımız vardı. Ne olursa olsun ben bu kötü kızı seviyordum. Kendini kısa bir süre zengin kızı sanmasını, ben dahil herkese kötü ve şımarık davranmasını bağışlıyordum. Belki buna ihtiyacı vardı. Bu yalancı rüyaya. Şimdi her şey eskisinden de iyi olacaktı.

Ertesi gün koşa koşa gidip taksitle küçük bir müzik seti aldım ona. Şu sıra ona iyi gelecek, onu sevindirecek tek şeyin bu olduğunu anlamıştım. Ona sürpriz yapmak istedim. Öğle tatilinde evini aradım, evde olup olmadığını anlamak istiyordum. "Ben alışverişe çıkıyorum," dedim. "Dönüşte sana uğrayacağım, bir şey ister misin?"

"Gel," dedi. "Bir komşum var, onunla boş boş oturuyoruz."

Elimde müzik seti, onu nasıl sevindireceğimin hayaliyle bir

koşu gittim, çarşıya çıkmışken kendime de ufak tefek bir şeyler almıştım. Saç kurutma makinem bozulmuştu, onca beyaz şarap şişesiyle mücadele vermiş tirbuşonum sonunda kırılmıştı, ıvır zıvır işte. Beni karşısında alışveriş dönüşü elim kolum paket dolu öyle kanlı-canlı görmek iyi gelmedi ona. Bana bakışlarında kendi acısının üstüne çıkmış, hainlikle bilenmiş kötücül çakımlar vardı. Ben sanki o soyulmuş, dövülmüş, terk edilmiş bir haldeyken, gidip nispet veriyormuşçasına alışveriş yapmışım gibi, kıskançlık, kızgınlık ve hasetle bakıyordu. Beni nasıl böyle biri sanabilirdi? Beni hiç mi tanımamıştı? Kıskançlıkla bilenmiş duygularını, o an içinde bulunduğu karmaşık ruh haline yormak istediysem de, tutulup kalmış, ona da, duruma da yabancılaşmıştım. Tadım kaçmıştı.

"Hayrola," dedi, sesinde tıslamaya benzeyen bir öfkeyle, "Maşallah! Çarşıyı yüklenmişsin gene! Bir de parasızlıktan yakınır, hep ağlaşır, sızlanırsınız!"

Geç kaldığımı hissediyordum.

"Yok, birkaç parça alışveriş," dedim yalnızca, "Ivır zıvır işte."

Sesim güçsüz ve suçlu çıkıyordu, onun adına daha çok utanmamı sağlayacak bir şey yapmasından korkuyordum.

Komşusu atıldı: "Hayırlı olsun. Şu büyük paket müzik seti galiba, markası ne?"

Komşusunun sözleri üzerine, o ana dek o büyük kutunun içinin ne olduğunu fark etmemiş Nalan'ın gözlerinde, saklamaya gerek duymadığı ya da duymuşsa bile, engel olamadığı ölçüde apaçık bir nefret, hırs, kızgınlık ve öfke duyguları, birbiri ardına volkan püskürmesi gibi yanıp sönmeye başladı. Bana bakışlarından korktum. Ondan ilk kez bu kadar korktum.

Kendini tutmaya çalışarak, "Hayırlı olsun, güle güle kullan," dedi dişlerinin arasından tıslamaya benzer bir sesle.

Sırılsıklam olmuştum. Kapıdan girer girmez niye söylemedim, niye sevincini ağır ağır yaşamasını bekledim onun, diye pişman olmuştum ama, artık her şey için çok geçti.

"Nalan sana aldım," dedim engelleyemediğim kadar alçak bir sesle. "Kendime değil. Çalışırken dinlemen için."

Sanki ben ona ayıp etmişim gibi, yüzüne bakamıyordum. Konuşmanın bundan sonrasında yüzünün alacağı herhangi bir hali görmek istemiyordum. Bana herhangi bir şey söylemesini de, teşekkür etmesini de. Yalnızca bir an önce çekip gitmek istiyordum oradan.

Gözucuyla gördüğüm, yüzünün bir anda çöktüğü, darmadağın olduğuydu. Hiç beklemiyordu bunu. Çocuklaşmıştı. Duygulanmıştı. Ama iyi bir çocuk gibi değildi duygulanışı, foyası ortaya çıkmış kötü bir çocuğun kirli pişmanlığına benziyordu daha çok. Yaptığı hatayı fark etmiş, benim değişen yüzümü ve kırılan sesimi görmüş, geç kaldığını anlamıştı.

Bütün bu karmaşık duyguların ortasında kendini yeniden toplamaya çalışıyordu.

"Benim hemen işe dönmem gerekiyor," dedim. "Çok geciktim. Nasıl kurulacağı konusunda içinde kılavuz var, bilirsin, ben hiç anlamam öyle şeylerden, olmazsa bir elektrikçi çağırırsın, zaten çok basitmiş kurulması."

Bütün bunları çabuk çabuk söylüyordum, sanki hiçbir şey olmamış, her şey yolundaymış ve onun bir şey demesi hiç gerekmiyormuş gibi.

Kaçarcasına ayrıldım oradan.

Bir saat sonra, fazla çalışılmış bir sesle işyerime telefon etti, benim ne kadar ince, ne kadar zarif, ne kadar düşünceli bir insan olduğum konusunda uzun ve süslü cümleler kurarak defalarca teşekkür etti. Önümdeki beyaz kâğıda çabuk çabuk çizilmiş yuvarlak daireler yaparak dinliyor, daha doğrusu dinler görünerek geçiştiriyordum söylediklerini.

Artık bir önemi yoktu.

Gerçekten yoktu.

Ben o zengin piç kurusunun hatasını tamir etmeye çalışırken, Nalan'ın ruhunun dipsiz karanlığını, ne benim, ne kimsenin hiçbir zaman onaramayacağını anlamış bulunuyordum.

Bazı kötülükler sahiplerinin içinde kaybolurlar. Sahipleri bile bulamaz artık onları.

O salonda beni öyle paketlerle gördüğü anda anladığı, benim

başıma böyle bir şey gelseydi, kendisinin bana nasıl davranacağıydı galiba. Beni, kendi davranışıyla tarttığı için yanılmıştı. O gün içim bir kere daha eksildi. Bu kez ona değil, hayata kırılmıştım. Hayat bazı insanların kalbini daha çok kırar.

***

Fotoğraflar... Halalarım fotoğraflara düşkündüler. Özellikle gençliklerinde... Yaşıyor olduğuna inanmak ve gençliğini belgelemek isteyen ve hiç yaşlanmak istemeyen bütün genç kızlar gibi, çok fotoğraf çektirmişlerdi. Çeşitli tarihlerde çekilmiş, köşesinde, "Foto Febüs", "Foto Sabah", "Foto Stil" yazan fotoğraflarla dolu, üzeri kumaş kaplı, kenarı fiyonklu albümleri ve başta cilt cilt "Yıldız", "Yelpaze" olmak üzere mecmua koleksiyonları vardı. İleri yaşlarında bile, "Yıldız" mecmuasının zamanında film yıldızlarına verdiği güzellik notlarını, aralarında yıllardır bir türlü halledemedikleri yılan hikâyesine dönmüş aile içi bir mesele gibi tartışır dururlardı. Ingrid Bergman'a, sırf, bir kadın için fazla uzun boylu olması ve iri kemikli yapısından ötürü düşük numara veren eleştirmenlerden yılların seyreltemediği bir hınçla söz eder, aynı biçimde hafif kadın görünüşlü olduğu için burun kıvırdıkları Lana Turner'a verdikleri numarayı çok yüksek bulur, bir tek Hedy Lamarr'a verilen "tam numara" üzerinde görüşbirliğine varırlardı. Onlar konuşurken, o dergi sayfalarındaki kadınlara bakarak, itirazlarını ya da onaylarını anlamaya çalışır, büyüyünce, benim "10 üzerinden kaç numara" alabilecek bir kadın olacağımı merak ederdim.

Gençliği ne kötü, ne iyi zamanlara denk gelmiş kadınlardı onlar. Sanki kayıp zamanlarda yaşamışlardı. Belki bu yüzden fotoğrafları, tamamlanmamış hikâyeler gibiydi. Saçlarını zamanın modasına göre alagarson kestirmiş, çabuk değişen modaların gençliklerini iyice gülünçleştirdiği zamanlarda yaşamışlardı ve şimdi yıllardır hep aynı biçimde saç kestirmenin, aynı biçimde giyinmenin sakin sularına ermişlerdi ama, hayatları da bir biçimde bitmişti, çoktan bitmiş... Çevrelerindeki kişilerin hayatlarını kurutarak, kendilerini sürdürmeye çalışıyorlardı. Eski bir alışkanlıkla saçlarına permanant yaptırırlardı, hatırlıyorum. Hep aynı kuaföre, aynı terziye gider, aynı yerlerden alışveriş ederlerdi. En çok Rumeli Caddesi'ndeki mağazalardan alışveriş eder, Neyir'den birbirinin aynı olan hırkalar alır, her ay en az bir kez Pilavcı Pasajı'ndaki yabancı mal satan dükkânlara uğrarlardı. "Koket"ten giyinenlere, "Fatih, Nişantaşı'na yürüdü," diye burun kıvırırlardı. Hatırlıyorum. Beyoğlu'nda, "Üç Fil" mağazasına kumaş bakmaya giderdik. Hatırlıyorum. Galatasaray'da Terzi Calibe'nin atölyesine giderdik. Onu da hatırlıyorum. Sonraları Calibe'nin öldürüldüğünü gazetelerde okuduğumda çok şaşırmıştım.

Hiçbiri yaşını göstermezdi ama, daha ben doğduğumda bile yaşlılardı. Hiçbiri evlenmemişti. Normalde yüzüne bakılır, derlitoplu kadınlardı. İçlerinden yalnızca birinin başından geçen bir nişan, sanki hepsinin ortak hikâyesi, ortak küskünlüğü olmuştu. Bence hiçbir biçimde birbirlerinden ayrılamayacaklarını anladıkları için, evlenmeyi reddetmişlerdi. Onların bütün hayatı, birbirlerinin gözlerine ve onaylarına sergilenmeye adanmıştı. Üç kız kardeş olmaları kendi gözlerinde kaderlerini de üçüzlemeye yetmişti. Hepsi bekâr olarak öldü, sözleşmişçesine birbirinin ardı sıra... Hayattayken birbirinden ayrılamayan bu üç kadını, ölüm de ayıramamıştı. İlkinin ölümünden sonra, diğerleri hastalıkları olduğu için değil, istedikleri için ölmüşlerdi. Bunun mümkün olduğunu o zaman anladım.

Benim yerimde hangi çocuk olsa, bu yaşı geçkin kadınların hayallerini yansıttıkları çarpık bir ayna, onların ellerinde kırılmış bir oyuncak olurdu. Onların deyimiyle, annemden devraldığım "domuz inadım", bana kurdukları tuzaklardan erken yaşta kurtarmıştı beni, verdikleri hasarı onaracak kadar erken kurtulmuştum ellerinden. Birbirlerinin ölüsüyle yetinerek öldüler.

***

397

Cihangir'deki evde, biz üç kız, kimi zorlu kış geceleri kendi kendimize tiyatro yapıyorduk, Allahım ne kadar eğlenceli günlerdi onlar, fikir kimden çıkmıştı bilmiyorum ama, birden kendimizi çarşaflara ve örtülere sarınmış bir halde, evde tiyatro yapıyor bulduk, Macbeth'deki üç cadı fikrinden yola çıkarak kurduğumuz bir oyunu, kendimiz sahneliyor, kendimize oynuyorduk.

Aslında fena fikir değildi, Macbeth'in üç cadısı daha sonra, Çehov'un üç kız kardeşi, Genet'nin Hizmetçiler'i ve Hanım'ı, ardından Kral Lear'in üç kızı oluyor, bu oyunlardan kimi bölümleri iç içe geçirerek oynuyorduk. Harika bir dramaturjiydi! Oyunculuk yapmanın nasıl bir şey olduğunu yavaş yavaş anlayabiliyordum. Oynamak, büyüleyici bir deneyimdi. Bir an içinde değişip, kendimizin olmayan gözlerle birbirimize bakıyor olmak bile, beni büyülemeye yetmişti. Oyunsuz geçmiş çocukluğumdan hatırladığım nadir bir-iki oyun anısından biri olan çarşaftan bir tiyatro perdemiz bile vardı. Buluşumuzdan ve başarımızdan o kadar sarhoş olmuştuk ki, mahcubiyetimizi yenip bunu bazı arkadaşlarımıza sahnelemeye karar verdik ve gösterimize konuk seyirci kabul eder olduk. Oyun sırasında sıcak şarap ikram ediyorduk. Uzun kış gecelerimiz, birdenbire renklenmeye başlamış, bizim "ev tiyatromuz" sağda solda duyulur olmaya başlayınca da adımız iyice deliye çıkmıştı.

İlk kez seyreden olmaktan çıkıp seyredilen olmuştum. Oyunumuzu izleyenlerin, beni çok başarılı bulmasının nedeninin, asla benim üstün oyunculuk yeteneğim olmadığını biliyordum. Yıllar yılı üç halamı gözlemiş olmanın bana öğrettiklerini ister istemez oyunuma aktarmıştım ve beni başarılı kılan şey de buydu. Ortaya çıkmış olduğu söylenen oyunculuk yeteneğim, kendimden habersiz birikmiş olan bir özelliğime işaret ediyordu. Görmenin, izlemenin, kaydetmenin, biriktirmenin ve günü gelince kullanmanın yeteneğiydi bu. Bilmeyerek ya da az bilerek, çizerek ya da yazarak, gördüklerimi başkaları için de görünür kılmaya çalışıyordum. Okul sıralarındayken, birkaç yalın çizgiyle tarif ederdim arkadaşlarımı: Kulak arkasına atılmış bir tutam saç Nurcan'dı, dudak kenarındaki birkaç sivilce Berrin'di, kirpiklerinden görülmeyen gözler Selma demekti. O zaman da bunları görenler, kimin kim olduğunu anlardı.

Ben ne kadar hatırlamak istemesem de çocukluğum hep arkamda durmuştu.

Düşünüyorum da, Nalan, yani en yakın arkadaşım bile, benim aslında ressam değil, yazar olmak istediğimi hiçbir zaman anlamadı. Bazı mesafeler asla kapanmaz, en yakınınızdakiyle bile. Hangi mesafe hayatı katetmeyi kolaylaştırır ki?

***

Eşyayla ilişkimiz, hayatla ilişkimiz konusunda ipucu verir.

Salonumuzun bir köşesinde babamın sandalyesi dururdu. Yüksek arkalıklı, ince bacaklı, fazla gösterişli olmayan, aslında rahatsız bir sandalyeydi. Eni dar tutulmuş kolçaklarından sürekli kolunuz kayardı. Oturma yeri de dardı, kaymamak için, belinizi arkalığa iyice yapıştırıp, dimdik oturmanız gerekirdi. Babam, bununla sakat belini koruduğunu iddia ederdi. Koyu hardal rengi bir kumaşı vardı döşemesinin, yüzü her değiştirildiğinde, gene aynı rengin tonu tutturulur, sık sık da cilası yenilenirdi.

Evde babamdan başka kimse oturmazdı o sandalyeye. Daha doğrusu oturamazdı. Konuklardan bile esirgenirdi. Babamın, ev içindeki sessiz, görülmez otoritesinin bir simgesi olarak salonun baş köşesinde durur, boş hali bile bütün evi doldurmaya yeterdi. Halalarım, beni tehdit etmeleri gereken kimi durumlarda, gözucuyla o boş sandalyeye bakar, iç çekerlerdi. Bu, "akşama babamın eve gelmesi ve benim ona şikâyet edilmem" anlamına geliyordu. Ondan başkası oturmasın diye, o sandalyeye, babamdan daha çok sahip çıkarlardı. Birkaç kez oturmaya kalktığımda, babam gelip kendi eliyle kaldırmıştı beni. Ona bu konuda güvenemeyeceğimi anlamıştım. Kızı olmak bana bir ayrıcalık sağlamıyordu. (Sonraki yıllarda da, kızı olmamın bana hiçbir ayrıcalık tanımadığını anladığım nice deneyim yaşayacaktım.) Babamın evdeki yokluğunu fırsat bilip oturacak olduğumdaysa, bu kez halalarım gelir, usulca kolumdan tutar kaldırırlardı. Ayak direyip huysuzluk etti-

399

ğim durumlarda sonuç değişmez, benim çocuk ısrarıyla perçinlenmiş kara inadım bile, halalarımın hastalıklı inatlarıyla başedemezdi. Her seferinde çaresiz kalkardım o sandalyeden; babamdan başkasının oturamayacağı gerçeğini kabullenmekten başka yolu yoktu.

Bu durumun bende yarattığı kırgınlık, küslük zamanla gurura dönüştü, o sandalyeye bir daha oturmak istemediğim gibi, boşken de, doluyken de yok saymayı öğrendim. (Yok saymak, babamın iyi bildiği bir şeydi; onun silahlarını ona karşı kullanmayı öğrendiğimde, bir çocuk için bile yeterince incinmiş, yara almıştım. Bu yüzden, sonraki zamanlara yayılan onun silahlarını kullandığım irili ufaklı hiçbir intikamım, bana ödeştiğim duygusu vermedi.)

Halalarımın ardı ardına ölümü, o sandalyeyi savunmasız bıraktığında bile, oturmaya kalkışmadım.

Babamın ölümünden sonra da...

Yok sayarak kendimi kandırmıyordum, hayatımdan çıkarmak anlamında yok sayıyor, o sandalyenin bir "metafor" olarak hayatımı ele geçirmesine, çocukluğumu anlamlandıran bir simge olmasına izin vermek istemiyordum. Hayatımızdaki bazı şeyleri takıntı konusu haline getirip getirmemek, biraz da bizim elimizdedir. Nasıl bir insan olmak istediğimizle, kendimizden ne yapmak istediğimizle ilgilidir. Onların ölümünden sonra, o sandalyeyi bir eşya olarak, geçmişimi ve babamla ilişkimi anlamlandıran bir simge olarak, hayatımın baş köşesine yerleştirebilir, kendim için dramatik etkisi güçlü psikolojik bir aksesuar yaratabilirdim. Sonuçta, bu da bir tercihtir. Ben öyle yapmadım.

Arandığında, her insanın hayatında üç aşağı beş yukarı psikolojik bağlantısı güçlü böyle bir malzeme bulunabilir. Kimileri bunları görüp kaydedecek gözlerden yoksun olduğu için hiç fark etmez, kimileri mutsuz olmamak için aşıp geçmeye çalışır, kimileriyse bunları, kendi hayatlarında sinematografik değeri yüksek sahneler, durumlar, anlar yaratmak ve yaşamak için canlı tutarlar. 40'lı, 50'li yılların "Amerikan draması"nda çocukluğunun izlerini hayatlarından silememiş, hatta çeşitli takıntılarıyla bu izleri dramatik bir gösterişe dönüştürmüş böyle nice kadın figürü vardır.

Azıcık Freud okumuş biri, o oyunlardaki, filmlerdeki kadın figürlerinin takıntılarını, saplantılarını kolaylıkla çözümleyebilir, geçmişlerindeki karşılıklarını bulabilir. Yazanla, okuyanı çok çabuk buluşturan, anlama eşiği kolay çatılmış düzlemlerdir bunlar. Aslında, adını koyduğumuz sorun, onu aşmamıza da yaramalıdır bence. Bir sorunun adını koyabiliyorsanız, onun üstesinden gelebilmelisiniz de; her zaman sonuç alınamasa bile, bunun için çabalamak gerektiğine inanırım. Ben, o sandalyenin ve temsil ettiklerinin hayatımı ele geçirmesine izin vermek istemedim. O, babamın sandalyesiydi ve onun ölümüyle birlikte o da ölmeliydi. Ölü babaların ardında bıraktıkları diri eşyalar, kendi hayatınızı yaşamanızı engeller çoğu kez, buna izin verip vermemek, eşyanın gücü kadar, sizin de elinizdedir.

Herkes öldükten sonra, hayattan ele geçirilmiş bir ganimet gibi, o sandalyeye oturmak benim için bir şey ifade etmiyordu. Bu çeşit durumlarla hayatlarına vurgu getirmek isteyen dramatik gösterişlere meraklı insanlar için, o sandalyeye kurulup bir sigara tüttürmek, pencereden dışarı bakıp olan biteni yeniden düşünmek, geçmişle hesap kesiyormuş gibi davranmak belki bir şey demektir ama, doğrusu bunların hiçbiri benim umurumda değildi.

Yaşarken vermediklerini, öldükten sonra kimseden alamazsınız. En azından ben öyle biliyorum.

Her zaman cila yapan ustayı çağırdım "Al bu sandalyeyi kime istiyorsan ona ver," dedim. Şaşırdı. Bir şey sormasına da, söylemesine de fırsat tanımadım. Sandalyeyi verdim, o da çekip gitti. Bu kadar. Sandığımdan da kolay oldu. Sandalye gitti. Salondaki boşluğu da çabuk doldu. Nereye gittiğini, artık kimde olduğunu bilmek istemiyordum. Antikacılara ya da eskicilere sattığım diğer eşyalar gibi satmak istemiyordum onu. Olmasın istiyordum. Yalnızca artık olmasın. Ne gözümün önünde, ne hayatımda. Öyle oldu.

Bazı özgürlükler böyle kazanılır.

***

Sevdiğim kadın yazarlardan birinin, yıllar önce intihar etmiş, kendi gibi yazar olan erkek kardeşinin ölüm yıldönümü için düzenlenmiş bir anma gecesine gitmiştim. (Özellikle "kadın yazar" diyorum, çünkü bazı durumlarda "kadın olmak" önemlidir.) Ben de birçok edebiyat sever gibi, yazar olarak adamdan çok, kadını tanıyordum. Hatta başlarda adama duyduğum ilgi, kadından ötürüydü.

Eski Beyoğlu'nun şairlerin, ressamların, gazetecilerin, aktörlerin, seslendirmecilerin müdavimi olduğu barlarında, kulüplerinde, meyhanelerinde, herkesle sorunlu ve kavgalı arkadaşlıklar sürdürmüş, isyankâr bir bohem hayatı yaşamış bu genç adam, günün birinde, ardında söylenceye dönüşmüş bir dolu hatıra ve hikâye bırakarak çekip gitmişti. Hep çok güzel kadınlara âşık olan, fazlasıyla zayıf, kara kuru bir adammış. Sonraları onun hakkında okuduklarımdan, dinlediklerimden edindiğim kadarıyla, Türkiye için erken bir figürdü ve bütün "erkenler" gibi, zamanında değeri yeterince bilinmemişti. Birkaç kez akıl hastanesine yatırılmış, çeşitli tedaviler görmüş, "serseriliği gösterişli, uyumsuzluğu şiirsel" diye nitelenen alkol bağımlısı bu genç adam, zamanına göre yakıcı içtenlikte, edebiyatın zarını zorlayan gözüpek birkaç kitap yazdıktan sonra, tam parlak bir gelecek vaat ettiği sırada aniden intihar etmişti. "Aniden" diyorum, çünkü aniden intihar etmek, benim için bekletilmiş ölüm, biriktirilmiş ecel demektir.

Kardeşinin hayatta olduğu sıralar, ablasıyla aralarının iyi olmadığı, fazla görüşmedikleri, sürgit bir çekişme yaşadıkları söylenirdi. Zamanla ikisinin de yazar olarak ortaya çıkması, aralarında yeni bir rekabet alanı yaratarak bu sürtüşmeyi iyice su yüzüne çıkarmıştı. Hasta ve yoksul düşen kardeşine ablasının hiç sahip çıkmadığı, onun, sıradışı, sorunlu hayatından utandığı için birlikte görünmekten kaçındığı anlatılır; kadının yazar olarak önünün, kardeşinin ölümünden sonra açıldığı, asıl yazarın ise kardeşi olduğu söylenirdi. Üstelik genç adamın trajik intiharı, dolaylı olarak "derin sanatçı aile imajı" ablasına görünmez bir prestij sağlamıştı. Yaşarken hiç sahip çıkmadığı kardeşine, öldükten sonra sırf kendi reklamı için sahip çıktığını söyleyerek kadını suçlayanlar da oluyordu. İki kişi arasındaki her çeşit ilişki, üçüncü gözler için her zaman çok fazla bilinmez içerse de ortalıkta konuşulanlar bunlardı. Çoğu, kadının bir yazar olarak başarısını azımsamaya yönelik kötü niyetli yorumlardı tabii. Griye çalan iri yeşil gözlerindeki gölgeli bakışları, duru teni, sürekli topuz yaparak dolaştığı kehribar sarısı saçlarıyla zamanında hayli can yaktığı anlaşılıyordu ve bu yorumların çoğu kimilerinin geçmişteki kuyruk acılarıyla bağlantılıydı. Bir sinema yıldızı fiziğine sahip olanlar, entelektüel alanlarda varlık göstermeye çalıştıklarında, cezalandırılmaya hazır olmalıdırlar.

Genç adamın intiharından sonra, birçoklarının gözünde, kadının yazarlığı, kardeşinin yarım kalmış macerasıyla tartılıyor, yaşamış olsaydı, onun geleceği yer ile şimdi ablasının gelmiş olduğu nokta karşılaştırılarak, bu gibi durumlarda hep yapıldığı gibi, kıyaslamalar ölenin lehine sonuçlandırılıyordu. Kardeşinin ölümü, bunlar nedeniyle belli ki, kadının hayatında bir kardeşin yokluğundan ötürü duyulabilecek boşluktan çok daha fazlasına yol açmış, kaderinin üzerine düşen ve her adımda onu izleyen büyük bir gölgeye dönüşmüştü.

Ben yalnızca kadının yazdıklarını beğenen bir okurdum, hakkında söylenenlerden çok, yazdıklarıyla ilgileniyordum. Ayrıca değil erkek kardeşim, hiç kardeşim olmamıştı. Benim için tanıdık duygular değildi bunlar. Psikolojik süreçlerin nasıl işlediğini tam olarak kim bilebilir ki? İki kardeş arasında bizim hiçbir zaman bilemeyeceğimiz bir bağ, bütün o yakıştırmalardan, ruh çözümlemelerinden çok daha güçlü, karmaşık ve gerçek bir bağ, hâlâ hepimiz için bir bilinmez olabilir. Gerçeğin bir yüzü olmadığını, hemen her konuda kapıyı biraz aralık tutmak gerektiğini yaşam bana erken öğretmişti.

Anma gecesi Kenter Tiyatrosu'nda yapılmıştı. Gösterişsiz, yalın düzenlenmiş sahnenin ortasında, tam tepeden vuran kısık tutulmuş bir ışığın altında, tarazlanmış kumaşı yalazlanan bir sandalye duruyordu.

Açılış konuşmasını yapmak üzere sahneye çıkan kadın yazar, gelenlere "Hoş geldiniz" deyip birkaç cümle söyledikten sonra, sandalyeyi göstererek, "Bu, onun sandalyesiydi," dedi. "Taa baba evinden kalma bir sandalyedir bu. Bunu çok severdi. Yıllarca bu sandalyede oturdu, yazılarını bu sandalyede yazdı, baba evini terk edip ayrı eve çıktığında, yanında götürdüğü birkaç parça eşyadan biri, gene bu sandalyeydi."

Sözünün burasında duraladı, sesini temizledi, belli ki vurucu cümleyi sona saklamıştı, hem gücünü toparlıyor, hem de seyirciler üzerinde güçlü bir etki yaratmak istiyordu. "Kendini asmak için üzerine çıkıp bir tekmeyle devirdiği sandalye de budur." Salonda belli belirsiz bir uğultu oldu. Sonra, "Böyle bir konuşmayı ayakta yapamayacağım, izin verirseniz oturmak istiyorum," diyerek derin bir soluk alıp yıllardır bu ânı beklemiş gibi sandalyeye kuruldu.

Benim için gece, o an bitmişti.

Babamın sandalyesini cilacıya vermekle, hayatımın önemli bir bölümünü kurtarmış olduğumu, o gece bir kez daha anladım.

***

Halalarımın her birinin, evin içinde kendilerine ait bir şeyleri sakladıkları gizli birer köşesi vardı. Çok odalı, çok dolaplı evin, kim bilir hangi kutusundaki bu köşe, başkaları tarafından keşfedildikten sonra, her seferinde yeni bir yer bulunur, saklı hazineler bu yeni yere taşınırdı. Başkaları için pek bir şey ifade etmese de, kendileri için değerli olan şeyleri gözlerden saklamak, ya da armağan olarak vermeyi beklettikleri şeyleri günü gelmeden ortaya çıkarmamak için güvenilir belledikleri gizli köşelerdi bunlar.

Çoğu zaman bir başkasına sahiden bir şey ifade etmeyen, kendileri için de niye bu kadar önemli olduğuna anlam veremediğiniz, seramiği çatlamış kapı tokmağından, camı çizilmiş tırabzan topuzuna varana dek bir dolu ıvır zıvır: Çeşitli kumaş ve metal parçaları, danteli akmış örtüler, buruşmuş fiyonglar, zamanla kaskatı kesilmiş astarlıklar, yaka iğneleri, defterler, kutular, küçük şişeler ya da ne olduğunu, ne işe yaradığını, bunca zaman ne için saklandığını asla bilemeyeceğiniz tuhaf nesneler olurdu bunlar.

Gizli köşelerinde sakladıkları, büyüyünce bana armağan edeceklerini söyledikleri şeylerden de ima yollu söz eder, bilerek ya da bilmeyerek beni onları bulmaya kışkırtırlardı.

Daha çocuk yaşlarda kalıcı bir biçimde benliğime yerleşmiş olan bir duyguyla, benden hep bir şeylerin saklandığını düşündüğüm için, o gizli köşeleri keşfetmek, o çok odalı ev içinde en büyük oyunumdu. Halalarımın neyi, nereye saklayabileceklerini düşünürken, aslında onların ne tür bir insan olduklarını, kafalarının nasıl işlediğini kestirmeye çalışıyordum farkında olmadan. İnsanları, gösterdikleri, anlattıklarından çok neyi, nasıl, nereye saklayabileceğiyle tanıyordum.

İlerki yıllarda hayatımıza yön veren ya da onu karartan birçok yeteneğimizin, çocukluğun bu çeşit erken maceralarıyla kazanıldığına inanıyorum. Başkalarının gizlerini keşfetmede, görünenin altında yatanı anlamaya çalışmada; tutum ve davranışların nedenlerini kavramada, zamanla doğal bir bakış dikkati, insanların iç dünyalarına nüfuz etme yeteneği kazandığımı sanıyorum. Bütün bunları bir üstünlük gibi yaşadığımın sanılmasını istemem. Bütün bunlar beni yalnızca daha mutsuz, daha uyumsuz bir kadın yaptı. Başlangıçta insana sevinç veren her çeşit bilgi, zamanla bir mutsuzluk kaynağına dönüşüyor; yeni bilgilerle dünyayla aranızı kapattığınızı sanırken, insanlarla aranızdaki uçurum açılıyor. Ondan sonra da başetmekte zorlandığınız sızılı bir yalnızlık, dışına sürüldüğünüz hayatın içinde git git bitmez uzun bir sürgün başlıyor.

Halalarımın ev içindeki köşelerini ve gizli ganimetlerini keşfettiğimde, bu sefer de bulduklarımla cezalandırılırdım. Hiçbir başarımı bir zafer duygusuyla yaşamama izin vermezlerdi. Benim için saklambaç gibi bir oyundu yalnızca, onlar içinse kötü huy! Kalbim kırılırdı.

Yıllar yılı canımı yakan hatıraları unutmuş gibi yaparak yaşadım.

***

405

Yalnızca onların söylemek istedikleri şeyleri merak etmesi gereken bir çocuk olmam gerekirken, ne yazık ki, her şeyi merak eden bir çocuktum ve halalarıma kalırsa, bilmek istediğim her şey yanlıştı.

Neredeyse bütün sorularımı, bastırmaya çalıştıkları dehşet ve şaşkınlık dolu bakışlarla karşılar, sonra hiçbir şey söylemeden başlarını başka bir yöne çevirirlerdi. Onların aynı anda aynı davranışı sergilemeleri beni bir kez daha dışında bırakıldığım bir dünyayla karşı karşıya olduğum duygusuna sürükler, bu da yalnızca yalnızlığımı ve çaresizliğimi artırmaya yarardı. Onların aralarında tek bir söz bile etmeden anlaşabildikleri bir dil ve dünya birliği vardı, ben hep dışarıdaydım ve beni aralarına almıyorlardı.

Ben kimsenin kızı değildim.

Bütün iyi huylarımın kendilerine, bütün kötü huylarımın anneme çektiğini söyler dururlardı. Ne kadar kendilerine çektiğim, ne kadar anneme benzediğim yollu irili ufaklı konuşmalar kalın bir sis gibi bütün çocukluk anılarıma eşlik eder. Hatta, onların benim akıl erdiremediğimi sanarak her şeyi uluorta konuştukları zamanlara kadar gider. "Azıcık salak olması iyi, hiç olmazsa söz dinler," diye işe aldıkları şu kızın eve geldiği güne lanet ederlerdi. İçimin bir yanı neredeyse vahşi bir içgüdüyle annemi onlara karşı savunma gereği hissederken, bir diğer yanı, onlara hiçbir özelliğimin anneme çekmediğini kanıtlamaya uğraşırdı. Bu konuda hem onaylarına gerek duyuyor, hem de bana bu duyguları yaşattıkları, kendimi suçlu hissettirdikleri için onlardan nefret ediyordum. Bu yüzden sevgi ve nefret duyguları bende herkesten daha fazla iç içe gelişti, bu duyguları birbirinden ayırt edebilmem zaman aldı. Kendimi iki yarım parça gibi hissediyordum; bütünlenmesi büyüyünce tamamlanacak olan birbirinden uzak düşmüş iki yarım, kusurlu parça gibi... Ben ne kadar ruhumdan kovmaya çalışsam da, çocukluk bende, eksik, yarım, sakat imgelere sahip, kuşkulu, kusurlu, unutulması gereken, sinsice varlığıma saklanmış bir gölge gibi yaşadı.

Kim gölgesinden kaçabilir ki?

***

Sisler arasında birdenbire ortaya çıkıveren, sonra yeniden kalın bir sis tabakasıyla örtülüveren belirsiz bir duygu. Bir görüntü olarak biçimlenmediğine göre, yalnızca belirsiz bir duygu... beni parklardan uzak tutardı, Maçka Parkı'ndan, Vişnezade Parkı'ndan. Herkesin sevdiği, gitmekten hoşlandığı parklardan hoşlanmaz, uzak dururdum. Yanlarından geçerken bile dönüp bakmamaya çalışırdım. Sanki görmek istemediğim bir şeyi görecektim orada. Dümdüz yürür giderdim parkların yanından. Yaprakların kararmaya yüz tutmuş yeşili, sanki insanın bilinmez yanlarına çağrı çıkarıyor, sonu hataya açılan karşılaşmalara kışkırtıyordu. Belki de, kalın sis tabakasının içinde beliren o adlandırılamaz duygu, böylelikle bir görüntü olarak biçimlenecek, örneğin siste bir kara parçası gibi belirip, kendini tanımlayıp, bellekte yer edecek biçimde görünüp kaybolacaktı ve ben bunu görmek istemiyordum.

Parkların babamla bitişik koyu kıvam bir karanlığı vardı içimde. Bunu başlangıçtan beri biliyordum aslında. Adlandırmamak, en azından adlandırmayı geciktirmek, sözcüklerin ışıklandırdığı tanım alanlarına emanet etmemek, sanki sorunu uzağımda tutmaya yarıyordu. Ev içinde alçak sesli konuşmalar, yakınmalar, utançlar... Ben odaya girdiğimde bıçak gibi kesiliveren hararetli tartışmalar... Beni bir kez daha dünyalarının dışına süren, bana bir yabancı olduğumu hissettiren anlar, sahneler...

Bütün varlıklarını babamı dünyaya karşı savunmaya adamış halalarımın utanç dolu çaresizliklerine hiçbir yakınlık duymazdım. "Bir değil, beş değil," diye yakınırlardı. "Hangi birini örtbas edeceğiz?" Kışın bile parklarda dolaştığı,... içinden gömleğinin yüksek beyaz yakası gözüken, lutr yakası kapanmayan siyah kürklü paltosuyla, elinde bastonu karlara batıp çıkarken parkın ara yollarında... "Aile şerefi! Aile şerefi!" Çocukluğum boyunca en çok duyduğum söz.

Baharın ilk güneşli günleriyle birlikte, park kanepelerinde çocuk bakıcısı kadınlar, beslemeler, hizmetçiler... Size, ailenize hiç yakıştıramıyoruz bu durumu. Koskoca adam çocuk parklarında!

Hem tanınmış ailelerin hizmetçileri bunlar. Kulaklara gidebileceğini nasıl tahmin etmez! Hiç yakışık alıyor mu? İçtimai mevkîiniz. Ailenizin şerefli adı. Bütün Nişantaşı sizi konuşuyor. Parkların yanından dümdüz yürür giderdim. Onunla orada yüz yüze gelmeye gücüm yoktu. Girmemem gereken odalar gibi. Açık havada kapalı odalar.

Uyku tutmayan kimi gecelerin geç saatlerinde, parke döşemenin, babamın sakınan ayaklarının altındaki çıtırdamalarını duyardım. Annemin odasına bile gizli gizli giderdi. Babamın içinde de, benim içimde olduğu gibi başka biri vardı.

Ailemiz karanlık bir saklambaçtı. Hepimiz körebeydik ve aynı evin içinde birbirimizi bulamıyorduk.

***

Anneme değil, onlara çekmiş olduğumu dünyaya kanıtlamanın bütün yollarını, çocuk omuzlarımın kaldırıp kaldırmayacağına bakmaksızın deneyip, zorladılar. Ben, evin bir odasına kapatılıp gözlerden saklanacak bir şey değildim. Hep ortada ve göz önünde olacağıma göre, onları, ancak onların biçimlendirdiği halim doğrulayabilirdi. Bu yüzden sürekli ders aldırıyorlardı bana. Bale derslerini, piyano dersleri, dil dersleri izliyordu. Bütün aile annemden duyduğu utancı yıllar yılı benim üzerimden kapatmaya çalıştı.

O zamanlar böyle adlandırmamış olsam da, kendimi ailemin kızı olmaktan çok, ne olacağı daha sonra belli olacak bir kobay gibi hissediyordum. Sanki ancak bütün bu zorlu sınavları verdikten sonra, benim ne olduğuma, ne olacağıma karar vereceklerdi. Şimdilik yalnızca bakıyorlardı.

Onlara yakışır bir kız çocuğu, iyi bir burjuva olmak için öğrendiğim hemen her şeyi, bir gün gösterişli bir biçimde meydan okuyarak reddedebilmek için kinle öğrenmeye çalışıyordum. Hafızam kinle çalışıyordu. Onları için için küçümsüyordum ama neden küçümsediğimi bilmiyordum. Onları ve onların şahsında burjuva sınıfını aşabilmem, yadsıyabilmem, yok sayabilmem için, onlara ilişkin her şeyi, hatta onların bildiklerinden fazlasını öğrenmem gerektiğine inanıyordum. Eşya, kumaş, çiçek, dönem adları, mobilya stilleri, önemli tarihler, mutlaka bilinmesi gereken tarihteki meşhur şahsiyetler, yabancı adlar, görgü kuralları, yanlış telaffuz edilen sözcükler. Nasıl olsa, bir gün bütün öğrendiklerimi yüzlerine çarpacak ve kullanmayı reddedecektim.

Çalışkanlığımdan ve sebatımdan hoşnut görünüyorlardı. Bense kendimi yetiştirmekten çok, adeta intikam planları yapıyordum. Ansiklopedi gibi konuşan sevimsiz bir kız çocuğu olmaya başlamıştım. Üzerime sinmiş o bilmiş kız çocuğu halinden kurtulmam da zaman aldı. Yeniyetmeliğimi hatırladıkça, neredeyse yeniden sivilce çıkartıyorum. Hayatım, kurtulmam gereken şeylerden kurtulmak için verdiğim uzun mücadelelerle geçti. Varlığıma yapışmış bir dolu şeyden kurtulup iyi kötü kendimi bulduğumda, pek çok şey için geçti. Bunları anımsamak şimdi kötü geliyor bana.

Ya göğüslerinin üzerinde kavuşturdukları kollarıyla, ya karınlarının altında birleştirdikleri elleriyle, içi öldürülmüş bir çocuğun büyümesini beklediler gözümün içine baka baka...

***

İlkokuldayım. Nedense, o gün derslerden sonra okulda kalmamız gerekmiş, evlere haber verilmişti. Bir kış akşamı. Erken inmiş bir kış akşamı. Havanın her zamankinden erken karardığı, erken inmiş bir kış akşamı...

Her yeri kalın bir kar kaplamış, her yer bembeyaz, yollar, ağaçlar, bahçe duvarlarının, çatıların, arabaların üstü; ama havanın soğuk olmadığını anımsıyorum. Hatta, bunu hâlâ aynı şiddetle anımsadığıma bakılırsa, etraftaki karı yalanlayacak kadar yumuşak, duru bir hava var. Kar yağınca soğuğun dindiği İstanbul akşamlarından biri olmalı.

Okuldan beni almaya her zamanki gibi, evimizin çarşı-pazar işlerine bakan Abdullah Efendi ya da halalarımdan biri değil de, annem gelmişti. İlk kez oluyordu bu. Onu okulun kapısında beni beklerken görünce şaşırmıştım. Başını kalın bir eşarpla bağlamıştı, elleri kumlu mantosunun iri ceplerinde, dikkat kesilmiş gözlerle, o gürültücü çocuk kalabalığının içinde beni arıyordu.

Göz göze geldiğimizde, uzun zamandır birbirimizi görmemişiz gibi gülümsemiştik. Annem gözlerini karşı tarafın gözlerinin içinde fazla tutamazdı. Tutmaya kalkıştığında da bakışları boşalır, içini söylemezdi.

Gene de havaya güvenememiş, yanına benim için ikinci bir hırka almıştı, üşüyüp üşümediğimi sordu, üşümüyordum. Elimden sıkıca tuttu. Yüzünde benim görmeye alışık olmadığım bir aydınlık vardı. Dolu dolu gülümsedi. Kar çoktan dinmiş, ortalığa süt mavisi bir aydınlık hâkim olmuştu. Karda yürümeye başladık. Benim gözlerim yerdeydi, ayaklarımızın karda çıkardığı kırt kırt seslerini keyifle dinliyordum. Paylaştığımız anlar, tamamen ikimizin olduğu anlar o kadar azdı ki... Akşamın içinde öyle el ele karda yürürken sanki tuhaf bir mutluluk dalgası yayılıyordu birbirimize...

Evimizin olduğu caddeye geldiğimizde, sokak lambalarının ışığında karın üzerine düşen annemin gölgesini seyretmeye başladım. Gölgelerimiz önümüz sıra bizimle yürüyordu. Hem bizdi, hem değildi. Annemin o geniş gölgesini birdenbire kendime çok yakın hissettim, hatta kendisinden bile yakın. O gölgeyi sevdiğimi fark ettim. Birdenbire içim o güne kadar hiç tanımadığım bir aydınlıkla doldu; daha önce hiç hissetmediğim biçimde sevgiyle, anne sevgisiyle doldu. Yüzü olmayan, gövdesi olmayan kardaki bu geniş gölge, benim annemdi. Beni tutan elini daha sıkı kavradım. Başımı kaldırıp yüzüne bakmak geçti içimden, ama korktum. Yüzüne bakınca, onu görünce, bu sevgi bitecek diye korktum. O yol hiç bitmesin, o gölge hiç gitmesin istedim. Ben annemi ilk gölgesinden sevdim.

Sonraki yıllarda hep benim için kar aydınlığında bir gölge olarak kaldı annem. Tıpkı gündelik yaşantımızda, gözümüzün önünde olduğu halde, hep bir gölge olarak yaşadığı gibi.

Yıllar sonra bile bazı geceler rüyamda o karlı yolda ayaklarımızın çıkardığı sesleri duyar, mavimsi bir ışık altında annemin karda dalgalanan gölgesini görürüm. Başımı kaldırıp bakmaya çalıştığım her seferinde, yüzünü göremeden uyanırım.

O gün başımı kaldırıp annemin yüzüne bakabilseydim, böyle olmayacaktı, annem hayatımda bir gölge olarak kalmayacaktı, her seferinde rüyamın tam orasına geldiğimde içimdeki acı beni uyandırmayacaktı, diye düşünürüm... Bilirim, bunlar pişmanlığın sonradan uydurduğu duygulardır. Ama doğru olup olmadığını kim bilebilir? Sonunda her şey olması gerektiği gibi oluyor.

Şimdi ben bu satırları yazarken dışarıda kar yağıyor.

Lapa lapa kar yağıyor.

O gün beni üşütmeyen kar şimdi üşütüyor.

***

"Annenizi konuşmadan hiçbir şeyi gerçekten konuşmuş olmayız," demişti terapistim.

Bu konudaki yönlendirmelerini görmezden geldiğimi, bunu konuşmaktan kaçındığımı anlamıştı.

Buraya geleceğimizi biliyordum. Bana bir biçimde annemi, babamı, çocukluğumu soracağını. Kendi kendimle bunca yıl konuşmaya cesaret edemediğim şeyleri, onunla konuşmak zorunda kalacağımı biliyordum. Bu konudaki kendimle olan suskunluğumu onunla sürdüremezdim.

Terapinin ne olduğunu biliyordum. Bunun için oradaydım.

Gene de doğrudan kendimden söz etmek yerine, ilkin edebiyattan konuşmaya başlamıştım. Bazı yazarların çocukluklarını anlatırken, kendilerine ya da okurlarına kurdukları oyunlardan, hilelerden, duygusal tuzaklardan... Evet, bu iyi bir geçişti, kendi çocukluğumla köprü kurmak konusunda yumuşak bir geçiş. Yeni yeni okumaya başladığım çocukluk anlatan kitaplar içinde Latin Amerikalı bir yazardan örnek seçerek, "Öyle bir çocukluk anlatıyor ki," demiştim. "Yaşanmış değil, kurulmuş bir çocukluk sanki. Nasıl desem? Büyükleri tavlamak için yazılmış şekerlendirilmiş bir çocukluk hikâyesi. Nasıl anlatılırsa büyüklere ilginç geleceği fazla hesaplanmış bir çocukluk hikâyesi! Güya bir çocuğun gözlerinden yazmış ama okurken anlıyorsunuz, bir büyüğün gözleri bunlar. Sanki hatırladıklarını değil de, nasıl hatırlaması gerektiğini yazmış. Anlatabildim mi?"

"Peki siz bu hikâyenin neresindesiniz?" demişti terapistim.

Zekice verilmiş bir yanıt olsun diye üzerinde hiç düşünmeden, "Başkalarının oyunlarını, hilelerini gören kısmında," demiştim.

Oysa tam da kendimi söylemiştim.

Hayattaki varlığımı mazur göstermek için, başkalarının açıklarını, hatalarını, zaaflarını, sırlarını yakalamaya çalışmakla geçmişti bütün çocukluğum, yeniyetmeliğim, gençliğim.

Sanırım varlığımı kendime ancak böyle bağışlatabiliyordum.

***

Çocukluğum "yedi yanlış" oyunundaki, en kısa zamanda iki resim arasındaki yanlışları bulma başarılarıyla geçti. Babamın, dikkatli, zeki kızıydım.

"Bu iki resim arasında yedi yanlış varmış, bakalım benim akıllı kızım mıymış şu küçük hanım, yoksa ahmak, avanak, alelade bir kız çocuğu muymuş? Görelim."

Kim ikincisi olmak ister ki?

Gözlerim, iki resmi delercesine didikler, babamın yelek cebinden çıkardığı gümüş zincirli, lokomotifli "Serkisof" saatine kuşkulu gözlerle bakıp dakikaları saydığının bilgisi eşliğinde zamanla yarışırdı.

Ben yanlışları çabucak bulup verdikten sonra, babam önce bana tereddütle bakar, kırmızı işaretlerimi neredeyse benim çözme süreme denk bir sürede tek tek gözden geçirir ve sonunda her anlama gelebilecek bir dudak bükmesiyle, "Fena değil, fena değil, maamafih geçen seferkine göre terakki var," derdi.

Süreleri tartışmak olanaksızdı. Birçok "büyüğümüz" gibi saatinin şaşmazlığıyla övünürdü. Salise bile sektirmezmiş! Saatlerin, sahiplerinin karakterini aldığına dair sarsılmaz bir inançları vardı o eski adamların. Babam da bunlardan biriydi.

Yedi yanlış bulmacalarında kendi rekorumu kırdığım birkaç keresinde, artık o bile kendini aşıp, "Aferin, filhakika aferin," demişti. "Yedi yanlış değil, on dört yanlış olsa bulacak benim akıllı, zeki kızım!"

İşte hepsi şu birkaç güzel söz içindi.

Babamın bir zihin cehennemine dönüştürdüğü yedi yanlış oyunu, birkaç yıl önce, bir reklam kampanyası sırasında çok işime yaradı, bu oyundan, dizi kampanya halinde ciddi bir grafik roman yarattım. Ödül bile aldım. Başarının, çocukluk acılarıyla olan ilişkisine yaslanan klasik kuramları çok da yabana atmamalı insan. Biz ne dersek diyelim, yaşam, çoğu kez kendi yarattığı klişeleri kullanıyor.

***

'60'ların modasını sürdürmek adına üstü açık krom kuyruklu Plymouth arabalarla boğaz sefalarına çıkan snop zengin kızlarından ya da Sarıyer'e, Sarayburnu'na giderken olduklarından çok daha neşeli görünmek için çaba harcayan gürültücü yeniyetmelerden biri olmadığım kesindi.

Onların, öğleden sonraları Nişantaşı pastanelerinde buluşmak, alışveriş yapmasalar bile her gün vitrin bakmak gibi âdetleri olan, saçları her zaman yapılı, yüzleri her zaman gergin, her zaman bakımlı anneleri vardı. Çoğu kez, kadınların yaşlarını belli etmemek için yaptıkları her şey, amaçlarının tersine yaşlarını düşünmenizi sağlar. Gayret böyle bir şeydir işte; fazla saklamaya çalışmanın, apaçık söylemek yerine geçtiği durumlar yani.

Aynı zamanda "Bilmiyorum," demeyi bilmeyen, her şeye cevabı olan kadınlardı bunlar. Yaz boyu bronz tenli gezerler, yolda hep gözleri ufukta bir noktaya dikili olarak dimdik yürürler. "Pierre Cardin" ya da "Christian Dior" şeklinde kullandıkları markalarla adlandırılırlar. Yeniyetmeliğim boyunca, karşılarında eziklik duyduğum bu kadınlara aynı zamanda kinlendim.

Günlerim, evdeyken kapısını kilitlediğim odamla, halalarımın deyişiyle "haylaz oğlanlar gibi sürtüp durduğum sokaklar" arasında geçerdi.

Odama kapanır hayallere dalardım. Hep Paris'te olmayı düşlerdim. Bir kafede oturup kahveme kruvasan batırmayı... Yüzüstü uzanıp, dirseklerimin üzerinde doğrulduğum, bacaklarımı çapraz yapıp sallayarak etrafıma serpiştirdiğim Fransızca plakları dinlediğim zamanlar... Sırf siz bildiğiniz için o dilde yazılmış şarkılar, romanlar, olduklarından çok daha güzel ve anlamlı görünür gözünüze. Sokaktaki herkesin bilmediği bir dilde şarkı dinliyor, kitap okuyor, film seyredebiliyor olmanın ayrıcalığından yaratılmış zevk anlarıydı bu sahneler. "Fransızcası kusursuz bu kızın," derlerdi. Gururlanırdım. Hiçbir başarımla yetinmeyi bilmeyen babamsa, "Bakalım asıl Almancayı kıvırabilecek mi?" diye hemen yeni bir imtihan alanı yaratırdı. Bana akıl fikir öğretmek için verdiği kimi nasihatlerin içinde geçen bir dolu Osmanlıca sözcükten o zamanlar nefret ederdim ama, baktım ki zamanla bütün o sözcükler içime yerleşmiş.

Yıllar sonra Paris sokaklarında gezerken, hiç de hayallerim gerçek olmuş gibi bir duyguya kapılmadım. Bir tek kahveye batırılan kruvasan sahnesi hayallerimi doğruladı. Sabahları kahveye kruvasan batırmak, sanki Paris'ten başka bir yerde yapıldığı zaman aynı tadı vermeyecekmiş gibi gelir bana. İnsanın yediğine, içtiğine anıların ve gündelik mitolojilerin tadı karışır.

***

Nalan, yıllardır her gün sokakta gördüğüm halde, hâlâ alışamadığım o bronz tenli, bir kaşı hafif havada, gergin ifadeli, kurulmuş bebek gibi yürüyen Rumeli Caddesi'nin, Vali Konağı'nın kadınlarından biri oldu sonunda.

Nalan'ın, sanki birlikte olduğum her erkeği istediği zaman elimden alabilirmiş de, kendi ahlakından ötürü öyle yapmıyormuş gibi bir havası olmuştur hep. Zamanında Yavuz'a gösterdiği ilgiyi arkadaşlığına yormaya kendimi zorlamışsam da, Bülent'e olan ilgisi görmezden gelinecek gibi değildi. Demek, benim erkek arkadaşlarımı açıkça merak etmeye gelmişti sıra.

414

Bülent'le zaten hayli sorunlu, yürümeyen bir ilişkimiz vardı o sıralar, gene de birbirimizden kopmakta güçlük çekiyorduk. Ben ayrılır ayrılmaz onunla birlikte olmaya başladı. Çevredeki herkese dargınlığımı anlayışla karşıladığından, ama Bülent'in aşırı ısrarlarına karşı koyamadığından söz ederek, kadınlığını kutladığı zafer turları atıyordu. Kısa bir süre sonra Bülent, Nalan'ın bir diğer arkadaşıyla çıkmaya başlamıştı ama, ben Nalan'ı tamamen silmiştim defterimden. Ondan sonra da bir daha hiç görüşmedim.

***

Hayatımıza bir tatil duygusu veren, hep bir olup pazenden minder, şile bezinden perde, yazmadan masa örtüsü yaptığımız, kızlar yatakhanesi gibi koyun koyuna gülüştüğümüz geceler çok sürmedi.

Başlangıçta çok güzel günler geçirmekle birlikte, zamanla başkalarıyla yaşamanın güçlüklerini anladım o evde. İyi tanıdığımı sandığım insanlarla bile, hiç beklemediğin konularda ortaya nasıl ciddi sorunlar çıktığını gördüm. Tadım kaçtı. İşin evcilik oyunu faslı bitip hayatın ağır şartlarıyla yüzleşme kısmı başladığında, anladığım birçok şey aslında hiç anlamak istemediğim şeylerdi.

Asıl tiyatro, Macbeth'in cadıları ya da Lear'in kızları olmak değil, birlikte bir ev hayatı yaşamaya çalışmaktı. Üstelik her şey, önemsiz görünen küçük şeylerden, ayrıntılardan başlamıştı.

"Buzlukları musluktan akan kötü suyla dolduruyorsunuz, çay, kahve neyse de, buzlukları iyi suyla doldurun bari, onlar içkilere konuyor, suyun tadı diye bir şey var çocuklar," dediğimde, tuhaf bakıyorlardı yüzüme. Bu çeşit uyarılarımı, zengin kızı olmanın getirdiği alışkanlıklarıma bağlıyorlardı. Sınırlı bir parayla döndürüyorduk evin geçimini. Aynı evde yaşamak zordu, ortak bir dil tutturmak gerekiyordu. Herkesin gündelik harcamalarda, tasarruf etmek istediği yerlerle, acil, önemli harcama dediği kalemler birbirinden farklıydı.

İyi su-kötü su tartışması daha sonraki ayrılığın ilk habercisiydi aslında. Kimi ortak tanışlarımızın uygunsuz ziyaretleri, içimizden birinin hiç sevmediği birini, diğerinin çok sevmesi, eve gelip gidenler konusunda bir türlü uygulayamadığımız kararlar, başlangıçta birlikte ev tutup bir hayat kurmaya çalışan üç arkadaşın yollarını ayırdı. Zamanla herkesin bencil yanları öne çıkmaya başladı. Birbirimize küsmedik ama, herkesin birbiri hakkında kırıcı hatırası oldu. Yollarımız ayrıldıktan sonra da, içimizden kimse, bir diğeri için konuşmuyor, kötü bir söz etmiyor ama, herkes aramızda hoş olmayan şeyler geçtiğini tahmin edebiliyordu. Hepimiz evimizden ayrılmış ama birlikte yaşamak konusunda "sınıfta kalmıştık".

Melamin tabak görmeye dayanamıyordum sofrada. Ne kadar acelemiz olursa olsun, erkeklerin bekâr evlerinde olduğu gibi, gazete kâğıdı üzerinde yemek yemek istemiyordum. Gece yarısı kalkıp, sucuk-yumurta yapıp evi kokutmalarından hoşlanmıyordum. Bayıla bayıla seyrettikleri halde, "Zihnimizi dağıtmak için seyrediyoruz bu pislikleri," dedikleri televizyon programlarına katlanamıyordum. Daha okumadığım gazetelerin atılmasına, bana ait bir şeyin, sorulmadan kullanılmasına içerliyordum. Burjuvalık suçlamalarıyla üstüme geldiklerinde, uygarlıkla burjuvalığı karıştırdıklarını söyleyerek kırıcı oluyordum. Babamın kızıydım ne de olsa, kırıcı, yaralayıcı olmak istediğimde, alabildiğine zalim olabiliyordum. Böyle zamanlarım için bana, "Abbase Sultan" adını takmışlardı. Zaman zaman "Hürrem", "Kösem" olduğum da oluyordu. Ne yaparsam yapayım, onların gözünde bir türlü Osmanlı sarayından dışarı çıkamayan bir Haseki sultandım.

***

Annemin en sevdiği yemek kapuskaydı. Halalarım, lahana evi fena kokutuyor diye pişirmesine pek izin vermezlerdi. Hizmetçilerle yüzgöz olmasını istemez, ne zaman onlardan biriyle iki çift laf edecek olsa, başında biterlerdi. Hatta eskiden yaptığı ev işlerinden bile uzak tutarlardı onu. "Hanımlığı öğrensin," derlerdi, "Hanım olmak kolay mı?"

Kızların evde olmadığı, evin tamamen bana kaldığı, sessizliğin ve yalnızlığın keyfini sürdüğüm bir gece kalkıp kendime kapuska pişirdim. Yemeğin yanına gitmediğini bildiğim halde, keyfimden tuttum, bir de iyi cins bir şişe şarap açtım. O gece sofrada ikisini de fazla kaçırmış, çabucak sarhoş olmuş ve birdenbire kusmaya başlamıştım. Sabaha kadar gözümde yaşlarla, kırmızı pul biberli kapuskayla iyi cins şarap kusarken, bunların hayatımdaki kaba karşılıklarını ve içimde kusa kusa atamayacağım kadar tortunun birikmiş olduğunu düşündüm.

***

Gençlik yıllarımda, arkadaşlarla kahvelerde "dejenere king" oynarken, puanları yazdığımız kâğıtlara, kendi adımızı değil, bir film adı yazar, oyun süresince de böyle anılırdık.

Ben hep "Ankara Ekspresi"ydim. Ben kazandıkça, arkadaşlarım bunun benim marifetim olmayıp, filmin uğuru olduğunu iddia ederlerdi. Denemek amacıyla başka film adları kullandığım oyunları kaybettiğimdeyse, haklılıklarına iyice inanırlardı.

Bir tren dolusu kadınla, Istanbul'dan Ankara'ya, ülke genelinde feminist bir oluşumu amaçlayan bir kongre nedeniyle giderken, bu ekspresin bu sefer artık bir yere varacağı konusunda ümitliydim.

İçimden bana uğur getiren filmin adını vermiştim bu trene. Bunca yıl sonra, ülkenin dört bir yanından toplanmış kadınlar için, "kalkış düdüğünün" sesi bile önemliydi elbet, ama ne yazık ki o ekspres hiçbir yere varamadı. Neşeli yolcuları, küskün kızlar, kırgın kadınlar olarak döndüler.

Bir kadın olarak, sol fraksiyonlar içinde bizi rahatsız eden ne varsa, orada da karşımıza çıkmıştı. Kişisel tutum benzerliklerinden, örgütlenme ve mücadele anlayışına dek birçok şeyin "kadın versiyonu" ile karşı karşıya kalmıştık. Kendimizi, içinde hiç erkek olmadığı halde, birçok şeyin erkekçe işlediği bir mekanizmanın içinde bulmuştuk. Sol örgütlerin erkek egemen yapısından, otoriter söyleminden, devrimci hareketlerin maço hiyerarşisinden yakınan kadınlar, kendi elleriyle aynı modelin bir benzerini kurmaya çalışıyorlardı sanki.

"Paşalar" yoktu ortada, ama "paşa karıları" vardı. Maskelenmiş çeşitleriyle, sınıf gerçeği, hiyerarşi, ötekilerle fark yaratma telaşı, iktidar tutkusu, geçmişten taşınmış çekişmeler, biriktirilmiş öfke ve kıskançlık, entelektüalize edilmiş kişisel hesaplar, kaba popülizm ile seçkincilik, hepsi bir aradaydı. Büyük kentlerin kadınlarıyla taşralı kadınların arasındaki tutum farkları kolayına kapanmayacak toplumsal ve siyasal uçurumlara işaret ediyordu.

Böyle bir kadın hareketinin, Türkiye'de yeni olması ya da ilk olmasıyla açıklanmayacak kadar eski ve tanıdık bir dolu şey hayatımızı olduğu gibi burayı da kuşatma altına almıştı. Şemsa, Anna ve benzeri güce susamış iktidar düşkünü kadınlar, çevrelerine "nedime" arıyorlardı, yol arkadaşı değil. Onlar, tam ortada "feminist şarkılarını" söylerken, filmin ikinci, üçüncü kızları etraflarında kalabalık yapsın istiyorlardı. Düzen partilerinin delege avına çıkmış ucuz politikacılarının kirli telaşları okunuyordu her hallerinden. Bir kadın hareketinin gerekliliğine inanan, seslerini duyurmak için bunun bir imkân olduğunu düşünen yüreği yeni çiçeklenmiş genç kızlar, bilmedikleri, yeni öğrenmeye başladıkları bir ümit çeşidiyle yüzlerine yeni bir aydınlık vurmuş Anadolu'nun çeşitli yerlerinden gelme kadınlar, şaşkınlık içinde olan biteni anlamaya çalışıyorlardı. Pazar yerine dağılmış elmalar gibiydik.

Bir fırsat daha kaçıyordu.

Benim "Ankara Ekspresi" adını verdiğim bu yolculuk, bu kez uğur getirmemişti.

Bizi en çok kendimize benzediğini düşündüğümüz insanlar üzer.

**

Terapistime açılıp, ona da, kendime de çocukluğumdan söz etmeye başladığım günlerin birinde, bana, "O yaşta bu sözleri biliyor muydunuz?" diye sormuştu.

Kalakalmıştım. Galiba sözleri bilmesek de, duyguları biliyorduk. Sonraları o sözlerle tanıştığımızda, "Evet, işte bu sözler o duyguların sözleri," diyorduk.

Ama çocukken söylediğim bazı sözler vardı ki, onları söylediğimi hatırlıyordum. Kendim bile şaşırmış olmalıyım ki o sözleri söyleyebildiğime, şiddetle saklamışım bunca yıl.

Şimdi bu defteri yazarken, sonradan adlandırılmış duyguları ve olayları birbirinden ayırmada vicdanımın rahat, belleğimin berrak olduğunu hissediyorum.

Ben çocukluğumu kendimden saklamıştım yalnızca, onun hakkında kendime hiç yalan söylememiştim.

Nitekim çocukluk üzerine yazan edebiyatçılardan söz ederek kendime yaklaşmaya çalıştığım ilk zamanlarda terapistime birdenbire aşktan söz etmeye başlamıştım.

"Aşk, çocuklukta uğradığımız bütün haksızlıkları gidermek için bir fırsat değildir," demiştim. "Bunlarla ilişkili olmakla birlikte, bunlardan bağımsızdır. Kadınların aşkında hayatla ilgili bütün açıklarını kapatmanın telaşı var. Bu yüzden aşk büyük bir yer kaplıyor hayatlarında, yalnızca duygularının taşkınlığından değil, şu saydıklarımdan ötürü de..."

"Farkında mısınız, çocukluktan birdenbire aşka geçtiniz," demişti. "Üstelik bu bağı ben değil, kendiniz kurdunuz."

Belli ki, bir şeye dikkatimi çekmek istiyordu, bense Mehmet'le doluydum. Yeni ayrılmıştım. Aslında ondan konuşmak, yalnızca ondan konuşmak istiyordum. Terapistim, çocukluğumla, bense Mehmet'le ilgiliydim. Kimi zaman anlam veremediğim bir biçimde, Mehmet'in gözlerinde ne gördüğümü soruyordu. Farkındayım: Liseli kızlar gibi cevaplar veriyordum ama, bu konuda kendi bildiklerim de bu kadardı: "Koyu yaprak yeşili gözler, çok güzel bakar, bakışlarıyla okşar," falan...

Mehmet'ten ayrıldıktan, hayatım iyice boşalıp yavanlaştıktan, ağladığım geceler azaldıktan, bu yeni duruma iyi-kötü alıştıktan sonra, bir gün, sinemada, daha dün ayrılmışım gibi birdenbire ağlamaya başladım. Filmde Andy Garcia oynuyordu ve yakın çekim bir planda, sevdiği kadına aşkla, arzuyla, özlemle uzun uzun bakıyordu. Epeydir kimse bana böyle bakmamıştı. Bu bakışları özlemiştim. İçim yalnızlaştı. Kavruldum. Issızlaştım. Andy Garcia'nın çelik parıltılı, ıslak bakışlarında bir erkekte aradığım en önemli şeyin, arzuyla, sahiplenmeyle, şefkat ve tutkuyla bana bakması olduğunu anladım. Ben, bir erkekte gözlerdeki arzuyu arıyordum.

On gün içinde dört kez gittim o filme, bir tek o sahnesinde Andy Garcia bana öyle baksın ve ben bir an için yalnızlığımdan sıyrılayım diye. Her seferinde filmin o sahnesinde ağladım.

Kimseye söz etmedim bundan, bir tek terapistime anlattım.

Hiçbir erkek, "görülmediğinde" kendini bu kadar yalnız hissetmez.

***

Annemin hiçbir yere bakmayan dalgın bakışlarıyla, babamın içimin en kuytusunu görmeye ayarlanmış didikleyen bakışları arasında kalakalmış bir çocukluktu benimki.

Annem bakışmazdı. Bunu bilmek, anlamak, kabullenmek bir çocuk için zordu, çok zor. Dahası, bir kız çocuğu için annemi kabullenmek zordu. Beni sevmediğini, istemediğini düşünürdüm önceleri. Öyle değildi. Kendine göre severdi. Halalarımdan çekindiği için benimle yakınlık kurmaktan kaçındığını sanırdım. Bunun bir payı vardı elbet, halalarım bunu ne kadar arzulasa da, ondaki uzaklığın nedeni sadece bu değildi. Sevgisiyle de kimselere benzemiyordu annem.

Annem azdı. Her şeyi azdı annemin. Onu, kendime bunca yabancı hissetmemin nedeni yalnızca bana değil, dünyaya olan uzaklığıydı. Tuhaf, garip bir kadındı. Konuşmazdı. Hiçbir zaman ne hissettiğini tam olarak bilemezdiniz. İçine kapalıydı, ezikti, karşısındakini çaresiz bırakan bir dalgınlığı vardı. Bir türlü ulaşamazdınız. Kimi zaman zihninin bulanıklığıyla, kimi zaman kayıtsızlığıyla, kimi zaman bencilliğiyle açıklayabileceğiniz davranışlar sergiler, kırıldığımı, incindiğimi düşündüğü durumlarda içini çekerek "Senin iyiliğin için ipek kızım, senin iyiliğin için," derdi.

Her yere ilişerek oturur, tutuk gülümser, çekingen davranır;

sizde uyandırdığı acıma duygusu bir süre sonra öfkeye dönüşürdü. Annem hiç kimsenin aşamayacağı bir dalgınlıkta yaşıyordu.

Babamı âşık eden şeyin, annemin bu ulaşılmaz dalgınlığı olduğunu sonraları anladım. Babam gerçekten anneme çok âşıktı. Annem, onun için, ne kadar sahip olsa da asla ulaşamayacağı bir kadındı. Onunla evlenmesinin nedeni, annemin kazara bana hamile kalmış olması değildi. Bunu istese başka türlü halledebilirdi. Kız kardeşleri başta olmak üzere bütün aileyi karşısına alarak onunla evlenmek konusundaki ısrarının ve dayatmasının aşktan başka bir açıklaması yoktu.

Annem öldükten sonra babam bir daha hiç eskisi gibi olmadı.

Bazı geceler gene annemin odasına bu kez çekincesiz adımlarla, parkelerin çıtırdamasına aldırmayarak gittiğini, hıçkırıklarını saklamaya bile gerek duymadan yüksek sesle ağladığını duyduğumda, benim kavrayamayacağım, ama saygı duymam gereken büyük bir aşkla karşı karşıya olduğumu anlamıştım.

Annem, şimdi babamın hiçbir zaman ulaşamayacağı kadar uzaklara çekilmişti.

**

Geçtiğimiz yollarda kaybettiklerimizin bize en büyük kötülüğü, kendilerini tekrar tekrar hatırlatmalarıdır. Bir kere kaybetmekle kurtulamadığımız şeylerdir. Yoklukları hayatımızdaki varlıkları haline gelir. Hep, ama hep hatırlarız. Ne biçim kaybetmektir bu?

**

Hayatınıza giren erkeklerin içinde birinin "hayatınızın sevgilisi" olduğunu bilirsiniz. Onun hatırası diğerlerininkini gölgeler. Bir daha bir araya gelemeyeceğinizi, geçmişi geri getiremeyeceğinizi, yeniden bir araya gelseniz bile, hiçbir şeyin eskisi gibi olamayacağını; her şeyin acımasızca geçip gittiğini ta derinden bilirsiniz.

Ömrünüzün geri kalanında onun gibi birini ve onunla yaşadığınız ilişki gibi bir ilişkiyi hayattan bekledikçe ve bulamadıkça yaranız derinleşir.

Zaman, zamanında elinizden kaçanları size zalimce hatırlatmakta hiçbir fırsatı kaçırmaz.

"Sen insanı gözlerinle dinliyorsun," derdi Mehmet. Onunla ilişkim pürüzsüz değildi elbet, ama unutulmayacak kadar güzeldi, çok güzel. Hatıraları yaşlılığıma arkadaşlık edecek zenginlikte ve renklilikte bir ilişkiydi.

Çok güzel günlerimiz oldu onunla. Mehmet bana kadınlığımı yaşattı. Sıradan bir laf gibi görünüyor belki, ama öyle değil. Bir kadına, kadınlığını yaşatacak erkek bulmak gerçekten zordur. Erkeklerin, erkekliklerini yaşamak için şansları daha fazladır, hem daha fazla kadın ve ilişki deneyebildikleri için, hem de bu konuda kadınlar daha yetenekli oldukları için. Erkekler, erkekliklerinin tadını alabildiğine çıkartırlarken, kadınlar bu konuda da umutsuzdurlar. Çünkü kadınlık, bekler, "öteki"ni bekler. Ummak ve beklemek kadınlığa verilmiş iki cezadır. Mehmet bir kadını her bakımdan mutlu etmesini bilen erkeklerdendi. Onun yanında kendinizi biricik sanırsınız; hem dünyanın geri kalanı vardır, hem siz biriciksinizdir. Mehmet'le kadınlığımın keyfini sürdüm. Bana bedenimi saklısız sevmeyi öğretti, beni cinselliğimle barıştırdı. Bir keresinde bana, "Senin bakışların karşısında insan kendini tam bir erkek gibi hissediyor," dediğinde, bu duygumun karşılıksız olmadığını, birbirimizi hesaplamadığımız kadar tamamladığımızı anlamıştım. Kadınla erkeğin birbirini bütünlemesi çoğu kez adı konmamış nice belirsiz, hesapsız, hazırlıksız parçadan oluşur. Kimi beraberlikler yetinmelerle sürdürülürken, kimi ilişkiler ne yazık ki, değeri hep sonradan anlaşılan nice kayıp hazinelerle kendine gömülür.

Mehmet yanımdayken kendimi hep daha güçlü, daha güvenli hissetmişimdir. Ne olursa olsun, her koşulda dünyayla başedebileceğim duygusu vermiştir bana. Her şeyden önce kendime karşı o güne dek yaşamadığım bir özgüven duymamı sağlamıştır. Bu yüzden onunla ayrılığı, yalnızca bir sevgili kaybı gibi değil, bir kişilik kaybı olarak da yaşamıştım. Mehmet'ten sonra eksildim, azaldım. Açıkça söylemek gerekirse, Mehmet'i hiç unutamadım.

Onun da beni unutamamış olmasını dilemekten başka bir şey gelmiyor elimden şimdi.

Ara ara karşılaştık, bakışları yanılmadığımı gösteriyordu. Ben hâlâ çok özeldim onun için. Benim hatıram hâlâ kalbinin çok özel bir yerinde duruyordu. Daha fazlasına ise hayat izin vermiyordu. Bunu ikimiz de biliyor ve yeniden denemeyi göze alamayacak kadar birbirimizden kaçıyorduk. Galiba ikimiz de geçmişte yaşanmış güzel günlerin ortak hatırasını ne pahasına olursa olsun korumak istiyor, yeni bir denemenin bunu ortadan kaldırabileceği kaygısını taşıyorduk. Bunları hiç konuşmadık onunla, ama gözlerimiz, bakışlarımız birbirinin dilini iyi biliyor, korkularını iyi tanıyordu.

Sonunda ayrılığı hiç hak etmeyen bu beraberlik, ayrılıkla bitti.

Aslında, bütün büyük aşklar gibi, birbirimizi terk ettikten çok sonra ayrılabildik.

Mehmet'in de birçok erkek gibi, benimle değil, kendiyle derdi vardı ve kendi başına halledemediği o derdi, benimleyken çözmesi mümkün değildi. İçindeki karanlık, bilinmez bir güçle boğuşup duruyordu. "Halledip geleyim," dediğinde, halledemeyeceğini de, geri gelemeyeceğini de anlamıştım. Ne zaman bir erkek, "Ben, biraz hava alıp geleyim," derse, o ilişki bitmiştir aslında. Geriye, Mehmet'in deyimiyle "uzatmaları oynamak" kalır. Bu da iki taraf için de uzun, ağrılı, sancılı bir süreçtir.

Ayrılığın hangi çeşidi kolaydır ki?

Mehmet, kendinden, ruhunda derin fırtınalar barındıran, her çeşit maceraya açık asi ruhlu bir edebiyat kahramanı yaratmak istiyordu. Benimle tanışmak, sanki onun bu projesinin yarım kalmasına neden olmuştu. Aynı evde yaşamaya başlamamızla birlikte, birden kendini huzurlu, rahat, güvenli bir ilişkinin içinde bulmuş, bir zaman sonra da hayatının bittiğini düşünmeye başlamıştı. Gözü arkada, yaşayamadığı maceralarda, başından geçmemiş olaylarda, edinmesi gerektiğini düşündüğü eksik hayat tecrübelerinde kalmıştı. Beni seviyor, bensiz olamıyor, benden ayrılamıyor, ama benimle yaşadığı ilişkinin sorumluluklarını da üstlenmek istemiyordu. Kısacası, beni ne yapacağını bilemiyordu.

Ben, her ne kadar onu boğmamaya, üzerine varmamaya çalışıyorsam da, sanırım ilişkimiz onun gözünde çoktan varlığını ve özgürlüğünü tehdit eden bir kapan, sinsi bir tuzak olmaya başlamıştı. Sanki aşk istiyor, beni istiyor, ama beraberlik istemiyordu. Mehmet'in birkaç sene sonrasıyla tanışmış olsaydım eğer, kim bilir belki ilişkimiz hâlâ sürüyor olurdu. Ben, onun hayatına erken girmiştim. Daha hazır değildi bana, onun karşısına, geçmesi gereken yollardan sonra çıkmalıymışım. Ama karşılaşmaları hazırlayan kaderin zamanlama yapmak konusunda adil olduğunu kim söyleyebilir ki? Sevdiklerimizin hayatına ya erken girer, ya geç kalırız. Bütün aşk dramları da bundan doğar zaten. Bize de öyle oldu.

Ne küçük şeylerden hatırlıyor insan koca bir ilişkiyi ve yaşarken üzerinde bile durmadığı nice ayrıntı bir gün nasıl da bir sızı olarak geri dönüyor. Eski evimdeyken, önce merdivende öksürüğünü duyardım Mehmet'in. Bu, birkaç basamak kaldı demekti. Daha o çalmadan kapıya gider, açardım. Şimdi ne zaman apartıman aralığında biri öksürse, bir tuhaf oluyorum.

Zamanla yalnızlığı öğrenirken, artık kimseyle pek öyle uzun uzadıya beraber olamayacağımızı da yavaş yavaş anlamaya başlarız. İçimize oturan taş gibi bir ağırlıktır bu, ama anlarız. Hayat usulca geçmiştir bizden. İkinci şans arayışları, daha yaşanacak çok şey var, ya da daha genç sayılırız avuntuları yerini yetinmelere bırakır.

Beklentisi yüksek kadınların yalnızlığı daha koyu olur. Büyük lafların gölgesinde geçen hayatlar, bir daha iflah olmuyor; geçip gittiğiyle kalıyor zaman, aşk, her şey.

***

Tuhaf şeylere merakı vardı babamın. Enfiye kutusu, zarf açacağı, saat kösteği, deniz kızı biblosu ya da baston koleksiyonu yapmasını anlayabiliyordum ama, sağdan soldan çini soba maşalarını toplamasını, onları zaman zaman çıkarıp aslan ayaklı masanın üzerine yayarak zımpara kâğıdıyla ova ova temizlemesini anlamıyordum.

Tuhaf merakları olmak babam için asil olmanın, halis Istanbullu olmanın, Alpaka kumaş ya da Monty stil elbise giymek gibi Avrupalı olmanın bir gereğiydi. Birbirinin kopyası üç kız kardeş ve bir canavar anne ile geçirilmiş bir hayatın nasıl bir şey olabileceğini ancak yıllar sonra düşünmeye başlamıştım. Babam, benim için artık romanlarda okuduğum adamlar kadar uzak ve yabancı biri olduğunda.

Babamı anlamayı, onun nasıl biri olduğu üzerine kafa yormayı ne zaman reddetmiş olduğumu hatırlamıyorum. Hatırlamakta zorlandığım çocukluğumu yapay anılarla doldurmaya çalışmak istemiyordum. Oysa yapay olan o boşlukmuş aslında. Kendi hafızamla kendime karşı bir oyun oynamıştım. Her şey yerli yerinde duruyor ve ben orada hiçbir şey yokmuş gibi davranıyordum. Bunun bir tür delilik olduğunu anladığımda hatıralarımı kabul etmeyi öğrendim.

Çünkü delirmekten korkuyordum, bu korku bana kabullenmeyi öğretti.

***

Babamın ayıplarını örtmeyi kendilerine hayat seçmiş halalarım, içini iki şişle karıştırırken bulmuşlar annemi. Böylelikle daha önce durup dururken niye birkaç kere merdivenlerden düştüğü de anlaşılmış. Elinden almışlar kan içindeki şişleri. Doktor müdahale için geç kalındığını söylemiş. Böylelikle varlığımdan haberi olmuş herkesin. "Biz kurtarmasaydık, seni öldürecekti," demişlerdi. "Hem seni öldürecek, hem kendi sakat kalacaktı."

Bir tarihte, bir falcı bana "İstemediğin kadar uzun yaşayacaksın," dediğinde çok ürkmüştüm. Sıcak sabunlar, uzun şişler karşısında direnen, hayata tutunan inadım bütün bir ömrüme mi yayılmıştı acaba? Ailemdeki herkes uzun yaşamasıyla ünlüydü. O kadar uzun yaşamayı sahiden istiyor muydum?

"Çocukların hakikatlerle büyümesi gerekir, yalanlarla değil.

Yoksa hayatın çetin imtihanlarında muvaffak olamazlar. Hakikati bütün çıplaklığıyla anlattık sana. Artık çocuk değilsin. Bilmen gerekir. Gönül böyle olsun istemezdi. Ama kader bu. Oldu. O seni istemedi, o kimseyi istemiyor, ona bıraksak köyüne dönecek. Artık aklı eksik bir kadın o. Bu acı hakikatle büyü ve hayat yolunda istikametini buna göre tayin et!" Gözlerim uğulduyordu. Onlar konuşurken, bir masal kitabında gördüğüm resimleri düşünüyordum. Oradaki soluk maviyi, buz mavisini, boya kalemiyle aynısını yapabilir miyim, diye düşünüyordum. Buzdan ev. Eskimolar. Yakası kürklü çekik gözlü adam ve çocuğu, kurt, ayı, beyaz, mavi. Boya kalemim. Ateşli hastalığa yakalanmışım. Günlerce yattım. Buzdan evde. O masal kitabının sayfalarındaki evde günlerce uyuyakalmışım.

***

Acı hakikatle büyümeyi öğrendim. Sonraları annemin hastalığının ilerlediği, ama belleğini tamamıyla yitirmediği son demlerinde odasına girdim bir gün. Ölümü yaklaşan bir hastanın odasına girmek, o güne dek konuşamadıklarınızı konuşabilmek için bir fırsattır sanılır. Değildir. Hem ben daha çocuktum o sıralar. Ama bunun özel bir an olduğunu biliyordum. Her zamanki gibi apartıman aydınlığına saklanmış kumruların gurultusu duyuluyordu. Belli ki bu sesler ona köyünü, çocukluğunu hatırlatıyor, içini yatıştırıyordu. Yatağı, aydınlığa bakan pencere yanına iyice çekildiğinden, bir süredir silinememiş olan camları toz içindeydi. Görünüşüne bir yoksulluk katıyordu bu. Yattığı yerde doğrulmak istedi. Arkasına yastık yerleştirdim. Öleceğini bir biçimde biliyordu herkes. Bana kimse açıkça bir şey söylemese de, ben de biliyordum.

Onun için bir şey yapmak istiyordum. Son bir kez bir şey. Ne olduğunu bilmiyordum. Annesinin doğum gününü bilmeyen tek çocuk bendim okulda. Nüfus kâğıdı, o doğduktan çok sonra çıkarılmış. En basit "Anne sen ne zaman doğdun?" sorumu bile, "Bilmem ki," diye yanıtlardı. "İlk cemre düştüğünde doğmuşum. Var gerisini sen hesapla."

Babam, "Annenin doğum günü, anneler gününe denk geliyor yaptığım hesaba göre, artık ikisini birden kutlarsın," derdi. Beni başından savmak için uydurduğu bir hesap olduğunu o zaman bile anlardım. Ölmeden annem için bir şey yapmak istiyordum. O gün odasına girdiğimde "Bir şey ister misin anne?" dedim. Kendi sesimden etkilenmiştim. Sanki sesim üşüyordu. Düşünmedi bile. Omuz silkti.

"Hiç mi bir şey istemiyorsun anne?"

"Sağlığın," dedi. "Ne isteyeyim ki? Her şey var."

Burada değildi. Hiç olmamıştı zaten. Aklıma da başka bir şey gelmiyordu. Okulda arkadaşlarımızla doldurduğumuz anket defterlerinden bir soru sordum: "Peki şu anda elinde olsaydı, nerede olmak ve ne yapmak isterdin?"

Oralı bile olmadı. Sorumu tekrarladım. Onunla konuşurken bir elimin başparmağını diğer elimin avucuna bastırıp duruyordum. Bu benim çocukken çaresiz kaldığım durumların ifadesiydi.

Gözleri daldı bir süre, benim gidemeyeceğim kadar uzaklara daldı. Sonra gözbebekleri parladı. Bir şey düşündüğü belliydi, bir canlılık gelmişti yüzüne. Gözleri hâlâ dalgındı ama bakışları dirilmişti. Sorumu tekrarladım:

"Şu anda elinde olsaydı, nerede olmak ve ne yapmak isterdin?"

"Keşke şimdi köyümde olsaydım da, ayaklarımı Simav çayına soksaydım," dedi. Yüzü de, sesi de birden gençleşmiş, benim bilmediğim yerlere, zamanlara gitmişti. Birkaç gün sonra şuuru tamamen kapandı, çok geçmeden de öldü.

Onunla son konuşmamızdı bu.

Annem öldükten sonra günlerce uyumuşum.

Unutulmaya çalışılan çocukluk bir gün aşk olarak geri dönüyor.

Aşklarım, arkadaşlarım, yoldaşlarım.

Şimdi dönüp baktığımda çocukluğum kadar uzak hepsi, çocukluğum kadar içimde.

427

XXV

Meşeler Tepesi

DÜN onun telesekreterdeki notunu bulduğumda sevinmiştim. Daha önce defalarca sözünü ettiğim o yazar arkadaşım, Sinan'dı arayan. Ne zamandır görüşmüyorduk. Ev taşımıştı. Hayatında büyük değişikliklere hazırlanıyordu. Onun deyimiyle, "Hayatının ikinci perdesi" başlıyordu.

Bir keresinde, "Daha dur üçüncü perde var," dediğimde, "Ben modern bir yazarım Nermin," demişti. "Biliyorsun, artık oyunlar iki perde yazılıyor. Hem benim hayatım, üçüncü perdeyi kaldıracak hayatlardan değil!"

Taşınmasında hüzünlü bir yan vardı, ya da bana öyle geliyordu. Sanki bana her şeyi söylememişti, hatta belki kendine bile her şeyi söylememişti.

"Hele bir yerleşeyim, kendimi hazır hissedince ararım seni," demişti. "Şehrin gürültü patırtısından kaçacağım artık," diye tutturup sonunda karşı tarafa, Anadolu yakasına taşınmıştı. "Hiç aklına gelir miydi, benim günün birinde karşıya taşınacağım," diye iç geçirmişti. "Bu karara varmam yirmi yılımı aldı. Allahtan her karar bu kadar uzun zaman almıyor."

Karşı taraftan nefret ederdi aslında. Meclisin kurulduğu ilk günleri gören, ilk "Ankara Palas" balolarını bilen, kısacası kökleri Ankara'nın ilk kurulduğu yıllara dayanan bir ailenin çocuğu olarak Ankara'da doğmuş, Ankara'da büyümüş, bütün çocukluğu ve gençliği İstanbul'a kaçmak hayalleriyle geçmiş birinin, bir çeşit Ankara sayılabilecek "karşı tarafa" taşınmak istemesi pek anlaşılır bir şey değildi ama, bu konudaki yanıtı hazırdı: "Karşı taraf dediysem, Göztepe, Bostancı, Beykoz, Üsküdar değil, sırtlara, tepelere; 'Aziz Istanbul'a bir tepeden bakmaya çıkıyorum. Bağ-bahçe içinde, boğaza bakan çift katlı bir ev, ne zamandır böyle bir yer isterdim biliyorsun. Ancak şimdi mümkün olabildi. Bazı hayallerin gerçekleşmesi kırk yıl alıyor."

Telefonu bağlanmış, daha doğrusu bağlanalı epey olmuş ama, o, hazır olunca beni aramak istemiş. Tuğde'nin eğlenip eğlenmeyeceğini bilmiyordum ama, benim çok eğleneceğim kesindi. O da isterse bahçesinde bostanında oynasın evin, çiçek toplasın, ot yolsun, koyunları, kuzuları varsa onlarla meleşsin! Sıkılırsa sıkılsın! Sinan'lara gidiyorduk!

Verdiği numarayı aradım. Her zamanki gibi, yılların en ufak bir taraz eklemediği o neşeli, boğuk oğlan çocuğu sesi!.. (Bazı insanların sesi niye hep aynı kalır?) Evin tarifini aldım, "Yarın geliyoruz," dedim.

"Yemeğe geliyorsun," dedi.

"Olur yemeğe geliriz," dedim.

O da "'Siz' kimsiniz?" dedi. Sürprizi sona saklamıştım.

"Yanımda beş yaşında şahane bir kız çocuğu var," dedim.

Artık nasıl bir sesle tonladıysam, ilkin bir sessizlik oldu. Belli ki, beni ne kadar özlediğini tarttı bu sessizlik boyunca.

"Beş yıldır sakladığın bir kız çocuğu mu bu? Yoksa yolda mı buldun?"

Bir an düşünüp, "Emanet," dedim. "O halde sen de rehine ver," dedi. "Şu aralar iyi para getiriyor."

"Nasıl yani? dedim.

"Hani eski Amerikan filmlerinde müşterilerinin çoğunun zenci olduğu öyle rehinci dükkânları vardır. Düşün: Kapı açılıyor, içeri bedbaht bir halde sen giriyorsun, rehinci dükkânının parmaklıklarla korunan tezgâh penceresine yaklaşıyorsun. Bir yandan yürüyorsun, bir yandan da 'Oscar'a aday olmaya hazırlanıyorsun. Yanında sürekli burnunu çeken beş yaşında şirin bir kız çocuğu var; elinden sıkıca tutmuşsun, kederli gözlerle ağır ağır tezgâha yaklaşıyorsunuz. Önde uzun bir kuyruk var. Halinize acıyan hem şişman, hem zenci, hem de dadı olan bir kadın, acıyıp sırasını size veriyor."

Baktım, senaryoyu uzatacak, "Kes, sululuk etme!" dedim.

"Başrolde oynamak kötü bir şey mi kız? Sen de rol beğenmezsin!"

"Bu kız çocuğunu tanımıyorsun sen," dedim. "Tanısan, asıl onun başrolde olduğunu anlardın."

Sezgileri güçlüdür. Özellikle de tehlikeyi çabuk sezer. Biraz durup, "Sence bu daveti daha ileri bir tarihe ertelememin bir sakıncası var mı?" diye soruyor. "Örneğin, bir beş gün sonrasına!"

"Uzatma, yarın geliyoruz!" diyorum.

Evin yerini, yolunu uzun uzun tarif etti. Sora sora bulurum, diye pek de can kulağıyla dinlemedim doğrusu. Şu pek güvendiğim "sora sora bulma" yönteminin, bir kere olsun sonuç verdiğini görsem bari! Hayattan ders almamak konusunda herkesin inatçı olduğu konular vardır; bu da benimkilerden biri.

"Arabam tamirdeydi, daha yeni aldım, onunla geleceğim," dedim.

"Rengini değiştirmedin, değil mi?" dedi.

"Hayır," dedim.

"İyi," dedi, "Bahçe çitimin rengine yakışacak, kenarda öyle narçiçeği parıldarken arkada yeşil yeşil yapraklar... Bari siyahlar giy sen de... Çit boyunca hüzünlü ve solgun yürüyen bir Alain Delon ya da Romy Schneider iyi gider. Sıkıcı bir Fransız ailesinin taşradaki evinde geçirilen bir hafta sonunda bir araya gelen eski arkadaşları konu alan 'mana mana parmağım gözüne' bir film!.. Mutsuz çiftler, yalnızlıktan bunalan tekler, boşanmak üzere olan bir karı-koca, evin her an zincirlerini kıracakmış gibi kişneyen azgın kızı, emekli olunca ne yapacağını kara kara düşünen bir Michel Piccoli ya da Yves Montand. Mutlaka bir aşk üçgeni. Ha, bir Fransız filminde adamın biri şöyle diyordu: 'Bir Fransız çifti, üç kişiden oluşur. Bu sosyolojidir.' Sonra bir de..."

Bıraksam bütün filmi anlatacak. Sözünü kestim.

Anlıyorsunuz değil mi, niye yakın arkadaş olduğumuzu? Pek gerçekçi tipler geçinsek de, filmlerin ve hayallerin dünyasında yaşıyorduk! Tek farkımız, o hayalleriyle geçinmesini bilen biriydi

–her iki anlamıyla da–, bense geçinemiyordum. O, en azından hayallerini yazarak geçinebildiği için benden daha iyi durumdaydı. Bunlar dün olmuştu.

Bugün, sabah kahvaltısından sonra, Tuğde'nin anneannesine –maalesef hâlâ hayatta, epeydir ondan söz etmiyorum diye, ölmüş olduğunu düşünmüyordunuz, değil mi?– uzun bir açıklama telefonu ettikten ve gereken –bence hiç gerekmeyen ama, artık mesele istemiyorum!– açıklamalar yapıldıktan sonra yola koyulduk. Güzel, güneşli bir havaydı, hiç olmazsa havalar güzel gidiyordu. Yollar açıktı, trafik tıkanmıyordu. Işıklarda sıklıkla yeşile rastgeliyorduk. Hatta Tuğde şarkı söylemiyordu. Üstelik özlediğim, çoktandır görmediğim sevdiğim birinin evine gidiyordum. İnsan daha ne ister?

Telefonda "Meşeler Tepesi" diye bir yerden söz etmişti. "Meşeler Tepesi'ne vardığında sola, aşağıya sapacaksın." Tarif ettiği yolun sonuna geldiğimizde, ne meşeler vardı ortada, ne de tepe!.. Üst üste atılmış düzensiz beton binalar, aralarda derme çatma yarık gibi sokaklar, sinekli bakkallar, falan...

Neden sonra az ilerideki meydanın bir yanında, yolun kenarına çakılmış, bir bacağı hafifçe bükülmüş, üzerinde mavi zemin üzerine beyaz yazılarla "Meşeler Tepesi" yazan küçük bir levha çarptı gözüme.

Şimdi, niye buraların adını böyle koymuşlar, diye eskilerden birini çevirip sorsam, bana eskiden, bilmem kimin zamanında buralarda dalları göğe varan heybetli meşelerden, ufku kapatan güz kızılı tepelerden başlayarak, daha lafının ortasında sıkılacağım upuzun bir hikâye anlatmaya kalkışırdı ki, hiç içim kaldırmaz böyle tefrikaları! Kabahat benim olur tabii, ne diye sormaya kalkışırsın elin adamına! Her neyse, iyi ki sormamışım. Hoş sormadım da ne oldu, güya sormuşum, hatta uzun bir cevap almışım gibi, durduk yerde kendimi sinirlendiriyorum! Yok canım, ben adam olmam! Ay ister misiniz, şimdi de, "Ben adam olmam," lafından kalkarak, "Dildeki erkek egemenliği" konusuna girip kendimi bunaltayım!

Neden hiçbir şey düşünmeden araba süremez insan. Ayrıca

meşesinden, tepesinden sana ne? Dümdüz yoluna devam etsene kadın! Meşeler Tepesi'nin sırrını çözeceksin de, ne olacak? Sürekli Moğol istilası altında yaşayan bir memlekette bu çeşit soruların herhangi bir karşılığı varmış gibi. Ne yazık ki, tek bir gerçek var ortada: Bin yıldır bu topraklarda süren ve hâlâ her ânımızı kuşatan o kadim Moğol istilası!

Aslında en kısa açıklama şu: Anadolu'nun bağrından kopa kopa Istanbul'a göçen, nesli bir türlü tükenmek bilmemiş bir canlı türü, her yeri olduğu gibi buraları da kısa zamanda kemire kemire bu hale getirmişti.

Sinan'ın taşındığı evi bulabilmek için kuyruğunu kovalayan kedi gibi, bir süredir birbirinin aynı olan sokaklarda debelenip duruyoruz. Şimdi yanımızda Çılgın Şebnem olsaydı, şıp diye bulurdu burayı. Benimse yön duygum çok zayıftır. Hoş, hayatta yönünü doğru-dürüst bulamamış biri, yol bulsa ne olacak?

Sonunda buluyoruz. Meydanın oradan tam sol yapacağımıza, yalnızca sol yapmışız. Gerçekten güzel, geniş, bol yapraklı bitkilerle kuşatılmış bakımlı bir bahçe, ağaçlar arasında çok hoş görünen, boyası yenilenmiş iki katlı sevimli bir yapı, eşine az rastlanır enfes bir boğaz manzarası...

Bizi kapıda karşıladılar. Yanında sevgilisi de vardı tabii: Arhan. Bir süredir birlikteler. Arhan, yıldızının pek parlamadığı futbolu bırakmış, şimdi ithalat ihracat ile uğraşıyor. Bugün bizim için evde.

Tuğde, Sinan'ın sevgilisini görür görmez çok heyecanlanmış, daha adım attığımız ilk anda, bu genç ve yakışıklı adamla flört etmeye ve gene aynı anda ve aynı hızla Sinan'dan nefret etmeye karar vermişti. Açık, net ve kararlıydı. Yeşilçam'ın bütün kötü kızlarının, yıllar yılı beyazperde tutuşturan o kıvılcımlı, kısık bakışlarıyla bakıyordu Sinan'a...

Bir süre Tuğde'nin Arhan'la cilveleşmelerini seyrederken gözlerimiz buluştuğunda, "Meraklanma," dedi Sinan. "Ben alışkınım. Bu hep böyle olur, küçük kızlar ona bayılıyor ve benden nefret ediyorlar. Ben de onların aşklarının geçmesi için yılların geçmesini bekliyorum..." Sözlerindeki ironiyi güçlendiren dramatik bir tonda söyledi bunları.

"Görüyorsun, hayat her yaşta çok zor!"

Birden aklım, kaç yıl öncesine, o yaz Mehmet'le birlikte çıktığımız tatile, Gümüşlük'e gidiyor. Orada rastlaştığımız bir arkadaşımın gene böyle küçük kızı Mehmet'e resmen âşık olmuştu. İlk aşkını yaşayan bu küçük kıza, Mehmet de fazladan bir sevecenlik gösteriyordu. Uzaktan onları nasıl izliyorsam artık, bir akşam Mehmet bana ciddi ciddi çıkışmak gereği duymuştu: "Sen delisin, biliyor musun?" demişti. "Gerçekten delisin sen! Beş yaşındaki bir kız çocuğundan bile kıskanıyorsun beni. Senin kıskançlığın işte böyle akıldışı bir kıskançlık!"

Her ne kadar karşı çıktıysam da, sahiden ne hissettiğimi tam olarak bilemiyordum. Mehmet ise bana yalnızca "yüzümden okunanları tercüme ettiğini" söylüyordu. Kendimi bu konuda ciddi olarak terbiye etmem gerektiğine o akşam bir kez daha karar vermiştim. "Leon" filminden hoşlanan erkeklere öfkemin çok da karşılıksız olmadığını düşünüyorum şimdi. Kıskandığım şeyin, beş yaşında bir kız çocuğu olmadığını biliyorum elbet. Kadınlığın nasıl bir rekabet ve tehlike potansiyeli olduğunu, en çok beş yaşındaki kız çocukları hatırlatır insana. Henüz numaraları oturmamış, kartlarını kapatmayı öğrenmemişlerdir. Bir kadının içinin makinesini çalıştıran kablolar, bağlantılar ortadadır. Kadını bütün çıplaklığıyla görmek için en uygun yaştır o.

Mehmet'in bana çıkışması karşısında, gülmeye çalışmış, ama pek becerememiştim. Şimdi Tuğde'nin, Arhan'a hayran bakışları, cilveleri, baştan çıkarma gayreti sayılabilecek davranışları, beni kaç yıl öncesinin bir yaz akşamına taşırken, bazı şeylerin insanın içinde hiç değişmediğini düşünüyorum. O zaman kendime söyleyemediğim şeyi, Mehmet'e de söyleyememiştim. Şimdi Arhan ile Tuğde'ye baktığımda, bunun, içimin belki de büyümeyi reddeden yanına ait, yok saymakla halledilemeyen güçlü bir damar olduğunu görebiliyorum.

Oysa, en az benim kadar kıskanç olduğunu bildiğim Sinan hiç oralı olmuyor, hatta eğleniyor görünüyor.

"Önce evi gezeceğim," diye tutturuyorum.

"Acelen ne? Önce otur bir soluk al," diyor Sinan.

"Hayır," diyorum. "Önce evi gezeceğim. Çok merak ediyorum."

Biz gelmeden önce, onun her odayı, odadaki her eşyayı, her ayrıntıyı tek tek gözden geçirdiğinden ve benim gözlerime hazırladığından eminim. Hayranlığa ve takdire doyamayan birçok sanatçı gibi, o da tam bir aferin budalasıdır. İddialı olduğu konular birbirinden çok farklı olmakla birlikte, o, hepsindeki marifetlerinden dolayı ayrı ayrı aferin bekler. Mükemmel olmaya bu kadar çok çalışması mıdır onu başarılı kılan, yoksa içinde hiçbir mükemmeliyetin dolduramayacağı bir boşluğu taşıması mı, bilemiyorum. Onun hakkında bu kadar zaman sonra bile bazı soru işaretlerine sahip olmam, arkadaşlığımızı benim için ilginç kılmayı sürdürüyor. Belki de bazı soruların yanıtı yoktur ve ağırlıklarını yalnızca soru olmalarından alırlar.

Ben ne kadar beğensem de, o gezdiğimiz her odadaki eksiklere, noksanlara dikkat çekiyor. Kafasında kurduğu, ama gerçekleştirmeye zaman ve fırsat bulamadığı bin bir türlü düzenlemeden söz ediyor.

"Bir ev üç yıldan aşağı döşenmez," diyorum. "Sen de bilirsin bunu, niye mık mık edip duruyorsun? Her şey gayet güzel olmuş işte!"

Tuğde, Sinan ile Arhan'ın aynı yatakta yattıklarını anlayınca, görmek istemediği gerçeklerle yüz yüze geldiğinde, kendini kandıracak yeni bahanelere yönelen kadınlar gibi yukarıdan ve umursamaz davranmaya çalışıyor. Yoksa, Boğaçhan ağbisinin kaş-göz kalemini koşup anasına yetiştirmeyi bilen bir kızın gözünden kaçacak şeyler değil bunlar; besbelli işine gelmiyor. En azından bu durumdaki birçok ana ya da eş gibi, durumu zamanla kendi lehine çevirebileceğine inanıyor olmalı.

Bu sırada üst kattaki koridorun duvarında, Nalan'ın bir tablosunun asılı durduğunu görüyorum. Anımsıyorum, Sinan'a ben hediye etmiştim bu tabloyu. Nalan ve Sinan. İçimde tuhaf bir çapraz kesişme alev alıyor. Kimse, kimseyi hayatından tam olarak eksiltemiyor.

Nalan'ın ilk dönem sergilerinden biri, Ahmet Münib'den, Hikmet Onat'a az bilinen, eski Türk ressamlarının bazı resimlerinin aynını yapması üzerine kurulmuştu. İlk bakışta resimlerin asıllarıyla, bunlar arasında neredeyse hiçbir fark göremiyordunuz. Kopyacı ressamların taklit etme tekniğiyle birebir çoğaltılmış gibiydiler. Oysa, her biri ayrı bir ressama ait olan bu resimlerin hepsinde Nalan, resmini taklit ettiği ressamın temel bir özelliğine işaret eden küçük bir müdahalede bulunmuş, bunun keşfedilmesini de dikkatli gözlere bırakmıştı. Bir bulduğu müdahale etme tekniğini bir diğerinde tekrar etmeyerek, sergisinin içeriğini zenginleştirmişti. Hem parmak ısırtacak bir hüner gösterisiydi, hem de az bilinen bir tarihe, hemen algılanmayacak ölçüde müdahalelerde bulunarak, izleyiciyi, farkın keşfine kışkırtıyor; geçmişi bilmeye, okumaya, gözden geçirmeye çağırıyordu.

Sanat yapıtlarının asılları ile taklitleri arasındaki ilişkilerin ve çoğaltma tekniği tartışmalarının henüz Türkiye gündeminde yer almadığı günlerde yapmış olduğu bu erken atak, bu yüzden tam olarak yerini bulamadı, anlaşılamadı. Nalan, günlerce "Resimlerin neden aynını yaptınız?" gibi beyhude soruları yanıtlamak zorunda kaldı.

Şimdi Sinan'ın duvarında duran Halil Paşa'nın "Han Kapısı" adlı resminin çoğaltması olan bu tablo, işte o sergidendi.

Tablonun önünde fazla duralamış olmalıyım ki, Sinan arkamda, omuzbaşımda bitiyor. "Yeni sergisi varmış, gidecek misin?" diye soruyor. Arkama dönmeden yanıtlıyorum: "Gitmem gerekiyor mu?"

"Bence gitmelisin," diyor. "Sahiden içinde her şeyin tamamen bittiğini anlaman için gitmelisin. İçinin bildiği bu gerçeği kendine söyleyemiyorsun çünkü. Tam bir güvenle söyleyemiyorsun. Git ve gör. Her şeyin bittiğini anla, ya da bitmediğini."

Odaları gezmeyi sürdürüyor, sonra durup pencerelerin birinden bahçeye bakıyoruz. "Bahçe insana her zaman yeni bir görüş kazandırır," diyor Sinan. Sonra sessiz kalıp etrafı seyrediyoruz.

Bahçe çevirmesine tırmanan yaban sarmaşıkları, dikenli dallar, damarlı taşlarla döşenmiş bahçe yolu, ormanda bir kulübeye giden sevimli masal eşiklerini hatırlatıyor insana. Hem yabanıl bir görünüşü var bahçenin, hem sıkı bir biçimde elden geçmiş olduğu belli oluyor. Ham olandan elde edilmiş doğallık! Uzun uzun çalışarak elde edilmiş bir sadelik. Onun, bahçeyle nasıl uğraştığını tahmin edebiliyorum; bence Sinan'ın yazdıklarını da özetliyor bu. "Tepelerdeki katırtırnaklarını yolmuşlar. Bu evi aldığımda arka pencereden onlar görünüyordu," diyor. "Aşağıdan bakıldığında evi çok güzel çerçeveliyordu. Yazık!"

Bahçeye mangal kuran Arhan, başını kaldırıp bizi görünce el sallıyor. Komşu olmuşuz gibi bakışıp gülümsüyoruz. Huzur vaat eden bir serinliği var bahçenin; gür bitkiler, arsız bir yeşillik, çoğu zamansız açmış rengârenk çiçekler, havada asılı kalmış meyve kokusu... Bakışlarım dirilmiş, içim yıkanmış gibi hissediyorum kendimi.

Sinan'ın "Hayatımın ikinci perdesi başlıyor," dediğinde ne demek istediğini bahçesine bakınca daha iyi anlıyorum. Bir tür geri çekilme, kalan zamanı tartma ve hayatı tutumlu kullanma duygusu olmalı bu... Göz göze geliyoruz. Düşüncelerimin etkisiyle elimde olmadan gözlerinin iki yanında derinleşen kırışıklıklara takılan bakışlarımı kaçırıp dikkatimi yeniden bahçeye veriyorum. Bütün hayatı yaşlanmak korkusuyla geçmiş biri olarak Sinan'ın yaşlanmayı nasıl kabulleneceğini düşünerek, onun adına kaygılandığımın anlaşılmasını istemiyorum.

"Bahçe gerçekten çok güzel," diyorum iç çekerek. "Öyle," diyor. "Boğaz'ın rüzgârına karşı korunaklı, güneşe açık. Konumu iyi. Tahminlerimizin aksine toprağı da taşlı çıkmadı."

Bahçeli bir ev sahibi olmak en büyük hayaliydi. "Nobel almak ister misin?" diye soranları, "Aslında 'Oscar' almak isterim," diye yanıtlardı. "Ya 'Oscar'ı neyle değiştirmek istersin?" diyenlere de, "Bahçe içinde bir evle," karşılığını verirdi. "Nobel dedikleri çoktan 'Eurovizyon' şarkı yarışmasına döndü. Kim bu saatten sonra Semiha Yankı olmak ister? 'Oscar' dediğinse seneye unutuluyor, ama Istanbul'da bahçe içinde bir ev, her zaman için bahçe içinde bir evdir!"

Arhan'ın tutuşturmuş olduğu mangaldan buraya kadar yükselen et kokusu, bizi aşağıya çağırıyor.

"Bahçe, sahibinin yıllardır beklettiği hayallerinin karşılığını veriyor," diyorum. "Aferin bahçeye!" Çocuk gibi gülüyor.

Sinan'ı hep şefkatle sevdim. Eğer içimde "annelik duygusu" adını verdikleri şeyin kırıntısı varsa, hayatım boyunca bunu yalnızca iki kişiye karşı duyduğumu söyleyebilirim: Mehmet'e ve Sinan'a.

İnsan olarak birbirlerine hiç benzememekle birlikte, her ikisi de bir biçimde bana birbirlerini hatırlatırlar; hem erken büyümüş birer çocuk, hem hiç büyümemiş birer adamdırlar. Kendilerine en güvendikleri yerde, çocukçasına sakar ve korunmasızdırlar, çocukluklarında ise çok şey görmüş geçirmiş adamların sızılı deneyimleri, saklı hikâyeleri görülür.

Hiç ihtiyacı yokmuş gibi görünse de, sürekli kollanması gereken bir oğlan çocuğu hali, insanda şefkat uyandıran tuhaf bir sakarlığı vardır Sinan'ın. Çok uyanık geçinir, ama istismara müsaittir. Sevdiklerine karşı sevgisinde, sevmediklerine karşı öfkesinde cömerttir. Hiçbir şeyi unutmaz. Zehirli bir dili vardır. İnsan yaralamayı da, gönül almayı da aynı ustalıkla bilir. En korunaklı, en kabuklu insanların bile, zayıf yanlarını bulmada, istediğinde, onları "Aşil topuğu"ndan vurmada ustadır. Bu konuda zalim bir dikkati vardır.

Bunu kötü ruhlu, gaddar bir insan olduğu için değil, sevilmek istediği için yapar. Böylelikle, canavar bir çocuk olarak, eğer onu sevmezseniz, başınıza gelebilecek olan tehlikeleri göstermeye, sizi uyarmaya, size, onunla arkadaş olmaktan başka çare bırakmamaya çalışır. Bir çocuk hırsıyla, onu sevmenizi, onunla arkadaş olmanızı, ona içinizi açmanızı ister. Hem saf ve temiz bir çocuk, hem aman tanımaz bir canavar olmak ister. Aslında bir yanıyla çok açıktır. Onu tanıdıkça anlarsınız: Ne yapacağı, ne yapmayacağı fazlasıyla bellidir. Kendiyle fazla doludur. Belki bütün sanatçılar böyledir bilmiyorum. Bu konuda kendini çok terbiye etmeye çalıştığını biliyorum ama, gene de hep kendinden söz edilsin ister. Onun yanında, onun hakkında güzel birkaç söz söylemeden asla başka birini övemezsiniz. Söz konusu bu kişi, Shakespeare bile olsa fark etmez! Önce onun için birkaç güzel söz söylemeniz gerekir. Yoksa surat asar, huysuzluk çıkarır; mutlaka tadınızı kaçıracak bir şeyler bulup gününüzü ya da gecenizi zehir eder. Sizin onu sevdiğinize inanana, güvenene kadar burnunuzdan getirir. Tam bir paranoyaktır. Sınırlarınızı zorlayan imtihanlara tâbi tutar. Ne kadar eski ve denenmiş bir dostu olursanız olun, yılda en az bir kez, ona hiç ihanet etmeyeceğinize ve onu hâlâ çok sevdiğinize dair bir imtihan vermeye zorlar sizi. Onu sevene kadar bütün huysuzluklarına katlanabilirseniz, sonrası kolaydır. Bencilliğiyle bağdaşmayacak ölçüde özverili biri olup çıkar. Çabuk parlayıp, çabuk söner. Galiba hemen her şeyi biraz çabuktur. Çabuk yemek yer, çabuk içki içer, gittiği yerden çabuk sıkılır. Çabuk çabuk yürür, ona yetişmek için hep soluk soluğa kalırsınız. Ağır ağır yaptığı iki şey varmış hayatta: Yazı yazmak ve seks yapmak. Hayatın diğer alanlarında yavaşlamaya değmezmiş!

Normalde kendi göstermediği her çeşit sabrı ve tahammülü, en doğal hakkıymış gibi karşısındakinden bekler. Ben, sabırlı biri olmasaydım, şimdi yalnızca yazdıklarını beğenerek okuduğum biri olarak kalacaktı. Az kavga etmedik onunla –hele başlarda–, küstüğümüz de oldu. Her ne kadar dışarıdan farklı insanlar olarak görünsek de, birbirimize benziyoruz çünkü. Bilirsiniz, birbirine benzeyen insanların dost olması, sanıldığı kadar kolay değildir. Aşılması gereken bir dolu ince ve sinsi tuzak barındırır. Birbirlerine benzeyen insanların dostlukları da, düşmanlıkları da bu yüzden sağlam ve kalıcı olur. Hangisinin sağlam olmasını istediğinize karar vermek artık size kalmıştır.

Biz dost olmayı seçtik.

Bir de Sinan, insanın başını çok güzel okşar. Sırf saçlarımı okşasın diye, mahsuscuktan hastalanıp omuzuna yaslanarak, az naz yapmadım ona. Kadınların en büyük talihsizliği, karşıcinsel erkeklerden bekledikleri birçok şeyin, eşcinsel erkeklerde fazlasıyla bulunmasıdır. Dünyanın nasıl adaletsiz bir yer olduğu konusunda uzun bir nutuk dinlemek istemiyorsanız, bu konuyu burada kapatalım.

Bilirsiniz, kadınlar bazen bir erkeğin omuzuna sığınmak ister. Ama ne yazık ki, başı dolu kadınlar, erkeğin omuzuna ağır gelir. Böyle zamanlar için mutlaka bir "gay" arkadaşınız olmalı.

Salona döndüğümüzde, balkonu göstererek "Acıkmışsınızdır, biz sofrayı kurduk bile," diyor Sinan. "Buralarda erken kalkılıyor, buraların en iyi tarafı bu, uykularım düzene girdi, günü daha verimli kullanmaya başladım. Biz sofrayı balkona kurduk, üşümezsiniz, değil mi?"

"Yoo, hayır Boğaz seyrederek yemek yemek varken, niye içeri tıkılalım?"

"Bazen poyraz esiyor da," diyor.

Soruları üzerine, Tuğde'nin iştahsız bir kız olmadığı, yemek içmek konusunda hiç sorun çıkarmadığını söylüyorum. Demek, bu kızın da övülecek bir yanı varmış!

Yemekte, şu sıralar neler yaptığını soruyorum. Bir kadının ağzından yazdığı bir roman üzerinde çalışıyormuş.

"İlginç," diyorum. "Biliyorsun bazı kadınlar buna hiç ikna olmaz."

Hınzırca gülümsüyor. "Anna Karenina yoktur, Tolstoy vardır, ya da Madam Bovary benim," diyor.

Merakımdır, hemen kitabın adını soruyorum, "Veranda," diyor.

Bir kadının hayatının üç ayrı döneminde yaptığı üç evlilikten ve üç kocasından söz ediyormuş roman. O sırada içeride çalan telefona bakmaya gidiyor.

Döndüğünde, kendisine soran gözlerle bakan Arhan'a, "Vildan'mış," diyor. "Marmara Adası'na gidiyormuş. Allahaısmarladık demek için aramış. Yazık, bu sefer kesinlikle ayrılmışlar." Arhan, yazık olduğunu belirten bir ifadeyle yüzünü buruşturuyor.

Sonra Sinan bana dönüp "Ben de yeni tanıştım sayılır bu kadınla, çok hoş bir insan, arka arkaya sevgilisini ve kedisini kaybetti. Erkekler ve kediler! Asla aynı anda kaybedilmemeleri gereken iki canlı türü. Bir süreliğine Marmara Adası'na kapanacakmış. Tanısan çok seversin," diyor.

"Ay sen de mi?" diyorum.

Anlamıyor tabii. "Ne ben de mi?" diye soruyor.

"Sen de mi tanısan seversincilerden oldun?" diyorum. "Üstelik anladığım kadarıyla bütün tanırsam seveceklerimin birer adası var."

Haliyle sözlerimden hâlâ bir şey anlamıyor. Bunun üzerine Haberci Cemile'nin söz ettiği Adalı Leyla'dan başlayarak konuya açıklık getiriyorum.

"Biliyor musun hiç fena fikir değil aslında," diyor. "Üçünüzün hikâyesi iyi bir üçleme olur."

XXVI

Asma kat

SOFRA BAŞI sohbetini uzun tuttuk. Temiz havayı içime çekip duruyorum. Ne zamandır bu denli sakinleşmemiştim. İçim huzur dolu. Çiçek ve deniz kokusu, yakmayan güneş, üşütmeyen esinti, yumuşak bir ışık, yaprakların hışıltısı, ara ara duyulan kuş sesleri, bahçede koşuşan köpekler, denizin laciverte durmuş mavisi, gözalabildiğine uzayan karşı sahil... Doğaya yaklaştıkça insan yitirmiş olduğu bütünlüğe, tamlığa yaklaşıyor galiba. İçimde, yalnızca dostlarımı görmenin keyfiyle açıklayamayacağım bir sevinç günümü ışıtıyor.

O kadar keyifliydim ki, "Şimdiden fırına verelim mi?" diye sordukları çikolatalı sufleye bile, hayır diyemiyorum. Bol pudra şekeriyse, bol pudra şekeri! Kremaysa krema!

Bir ara şaka yollu, artık bir kitap yazmak istediğimden söz ettim. Sevinmiş göründülerse de, sanırım Sinan beni pek ciddiye almadı. Ya da bana öyle geldi. Yemekler çok güzeldi; hem kendisi, hem sevgilisi marifetlerini döktürmüşlerdi. Küçük bir kâseye konulmuş olan turşunun ne olduğunu anlamadım. Damağıma uygun kekre bir tadı vardı. "Bu ne?" diye sordum. Menengiç filizi turşusuymuş. "Çitlenbik ağacının sürgünlerinden yapılan bir tür salamura," dedi Sinan. "Kendi ellerimizle topladık. Biz bu tarafa niye taşındık sanıyorsun Nermin abla?" Bana takılmak istediğinde böyle derdi. Semizotunun üzerine dökülen, benim başta süzme yoğurtlu bir şey sandığım sosun içinde meğer rendelenmiş ekşi elma, kırmızı soğan, tahin ve zeytinyağı varmış. Sinan yemeklerle ilgili sorularıma, sırlarını açıklamaya zorlanan sihirbazlar gibi

441

gönülsüz yanıtlar veriyordu. Kırmızı biber salçasının içindeki dövülmüş kişniş tanelerinin tadını ayırınca, hiç olmazsa bir şey bildim, diye sevindim. Kişnişi de bahçelerinde yetiştiriyorlarmış. Azıcık kurumlanarak söyledi bunu. Arhan, hem et hem salata için sos hazırlamakta ustaydı ve kullandığı malzemeyi söylememekte kararlıydı. Az konuşan erkeklerin karşı konulmaz bir çekiciliği olduğu konusundaki eski ve yaygın inanışı anımsadım.

"Soslarımın sırrını veremem," dedi Arhan. "Böylelikle belki daha sık gelirsin bize."

"Her şeyi anlayacaksın da ne olacak Nermin," dedi Sinan. "Tadını çıkarmaya bak!"

Bugün ben de kendimi sıkmamış, bildiğim gibi yemiştim. Tuğde bir süre bahçedeki köpeklerle oynadı, çiçek topladı. Çitin öte yanındaki evin bahçesinde oynayan çocukları mutsuz etti. Ne yapıp ne ettiğini bilmiyorum ama, çitin öte yanındaki çocukların bir süre sonra arkalarına dönüp, "Anne yaaa, anneee yaaa!" diye şikâyetçi bir tonda seslenmeye başlamaları, bana bunu düşündürdü. Hatta çocuklardan biri, kendini alamayıp Tuğde'nin arkasından taş attı. Bunun üzerine Arhan fırlayıp, duruma el koyma gereği duydu. Sonra yeniden bahçedeki köpeklere döndü Tuğde. "Haydut" ve "Cango", Tuğde'nin ilgisinden memnun peşi sıra zıplayıp duruyorlardı. Evin içindeki kediler de "pisi pisiydi" ama, belli ki, onun gözdesi köpeklerdi. Kayıtsız şartsız sadakati seviyordu kızımız.

"Siz gelmeden, biz Arhan'la bir anlaşma yaptık," dedi Sinan. "Tuğde ile o ilgilenecek, seninle de ben! Hadi şimdi içeri geçelim. Söylediğim gibi poyraz çıktı. Sinsi sinsi içinize işler, hastalanmanızı istemem. Hem seninle konuşacak ne çok şeyimiz birikmiş Nermin."

Tuğde'nin, Sinan'a bir lokmacık da olsa yumuşamış bir bakışla baktığı tek andı bu. Ona, Arhan'la baş başa kalma fırsatı ve şansı veriyordu.

Sofrayı birlikte topladık. Tabakları mutfağa taşırken, "Arhan'la nasıl gidiyor?" diye sordum. En merak ettiğim şey buydu. Çünkü, Sinan'ın artık mutlu olmasını istiyordum. Bu kez mutlu olmasını. Geçmişte canını yakan fırtınalı aşklar yaşamış, çok hırpalanmıştı. Kendi kabul etmese de, bana kalırsa hep yanlış insanlarla beraber olmuştu. Aşktan hiç korkmayanlardandı. Aşkı bir din gibi yaşıyor, hiç pes etmiyordu. Artık elli yaşını geçmişti ve hâlâ trajik hikâyeler yaşamaya pek müsaitti. Tennessee Williams'ın oyunlarını iyi biliyor olmak, insanı, onun kahramanlarının sonunu yaşamaktan korumaya yetmeyebilir. Allahtan mizah duygusu vardı Sinan'ın, kendiyle dalga geçmeyi biliyordu. Ben de onun bu yanına güveniyordum zaten. Arhan'ı ise pek az tanıyordum. İçimdeki bir engel nedense ona tam olarak güvenmekten alıkoyuyordu beni. Birçok kişinin dedikodusunu yaptığı aralarındaki ciddi yaş farkına karşın, Sinan'ı sevdiği belli oluyordu. Çekingen, saygılı, temkinli bir hali vardı. Gene de kişiliğinin bir yanı gölgedeydi. Az konuşan, çok susan, kendini fazla ele vermeyip sıkıştığında hınzır hınzır göz altından gülümseyen ketum erkeklerdendi. Bazen hiç beklenmedik zamanlarda tüylerini zarifçe kabartıp, rengini parlatan genç bir kaplan gibi kükrüyor; bu sürpriz çıkışları ona şeytani bir çekicilik kazandırıyordu. Sanırım Sinan'ın tav olduğu şey de buydu. Tok, etkileyici, en önemlisi, konuşurken inandırıcı olmayı bilen bir sesi vardı. Az konuşan erkeklerin, seslerinin tok ve güzel olması başlı başına bir tahrik unsuru değil midir?

Sinan'la mutfakta baş başa kaldığımızda, "Bu ev ikimize de iyi geldi," dedi.

"Hem Istanbul'dayız, hem değil gibi. Bir de onun sık sık yurtdışına çıkmak durumunda olması, ilişkiye soluk alma payı bırakıyor. Kaygılısın biliyorum, ama iyiyiz biz, gerçekten iyiyiz. Şaka maka üç yılı geçtik, epey fırtına bora atlattık, artık derede boğulmayız. Ancak okyanus ayırır bizi."

"Buna sevindim," diyorum. "Gerçekten iyi görünüyorsunuz çünkü. Bir yerde birilerinin iyi olması, üstelik bunların sevdiğin birileri olması çok önemli biliyor musun," diyorum.

"Bilmez miyim," diyor. "Ah bilmez miyim? İnsanı o yaşatır." Birden soran gözlerle yüzüme bakıp, "Sakın sen, kendinin kötü olduğunu söyleme," diyor. "İyisin değil mi?"

"Bilmiyorum," diyorum. "Gerçekten bilmiyorum. Biri çıkıp bana, iyi mi, kötü mü olduğumu söylemeli. Ben kendim karar veremiyorum."

"Kitap yazmaya karar verdiğine göre, iyisin demektir. Geçenlerde Tijen'i gördüm. Bak o bile iyi olmuş," diyor.

"Tijen mi, asla inanmam, o nasıl iyi olur? Mümkün değil!"

Birden havamız değişiyor. Gürültülü kahkahalar eşliğinde, Sinan'ın birçoğunu benden duyduğu Tijen'in "kötü olma" hikâyelerini hatırlıyoruz.

Kim, ne zaman, "Nasılsın," diye sorsa, "Kötüyüm," derdi Tijen. Yıllarca, ama laf olsun diye değil, sahiden "yıllarca", kimseye bir gün olsun, "İyiyim," dediği görülmemiştir. Bu yüzden, arkadaşlar arasında, "Nasılsın," diye sorana, iyi değilsek, "Bugün çok Tijen'im," demeye başlamıştık. Yalnız bir keresinde, Tijen'in, içimizden birinin "Nasılsın," sorusuna, "Bugün daha az kötüyüm," diye verdiği yanıt, aramızda yankı bulmuş, o günden sonra, "daha az kötü olmak" sözü bir kategori olarak dilimize yerleşmişti. Eğer o gün, "Tijen" değilsek, "iyi" de değilsek, "bugün daha az kötüyüm"dük.

Görünüşte Tijen'in kötü olması için bir neden yoktu. Varlıklı bir ailenin yüzüne bakılır, derli-toplu, eğitimli kızıydı. İyi piyano çalmak gibi bir mahareti vardı. Zamanında ailesinin zoruyla baleye de gitmişti. Bana kalırsa, yalnızca canı sıkılıyordu. Hayatta hiçbir merakı, ilgi alanı, amacı yoktu. Kitap okumaktan hoşlanmaz, ama nedense Sartre okurdu; üstelik artık kimseler tarafından pek okunmazken. Sartre, insanın kafasını karıştırabilir elbet, –üstelik bu kafa zaten hayli karışık olan Tijen'in kafasıysa– dünyada başka bir örneği var mıdır bilmem ama, adamın kitapları, Tijen'i hüngür hüngür ağlatıyordu. Kimse, neden Sartre okurken ağlanır, anlamıyordu. Tijen, bu çeşit soruları, alt dudağını ısırıp başını iki yana ümitsizce sallayarak "kimseler bunu anlayamaz" anlamında bir hareketle yanıtlıyor, sonra ateşi varmış gibi bir elini alnına götürüyordu.

Tijen, hiçbir zaman iyi olmadığı gibi, iyi bir ruh halinde olan insanlara da tahammül edemez, mutlaka insanın tadını kaçıracak, en neşeli ânında ona herhangi bir üzüntüsünü hatırlatacak bir şey bulup çıkarırdı. Kara dullar gibi sürekli bir matem havasında yaşıyordu ve ne zaman onun yanında azıcık neşelenecek olsanız, yasına hürmetsizlik ettiğiniz duygusuna kapılıyordunuz. Bu yanıyla biraz Güngör'e benzemekle birlikte, özel uzmanlık alanı ölüm haberleri vermekti. Nedense kim ölse, ilk önce o duyuyor ve bunu herkese duyurmayı görev biliyordu.

Ben, hiç tanımadığı insanların ölüsüne bile onun kadar üzülen başka birini görmedim. Hiçbir üzüntü fırsatını kaçırmıyordu kızcağız. Boş zamanlarında gizli gizli kabristanları ziyaret ettiğini, ölüsünü toprağa veren ailelerin yanına bir uzak akrabaymış gibi sinsice sokularak, onlarla birlikte hıçkıra hıçkıra ağladığını hayal ediyordum.

Onca yıl dersini aldığı piyanosunun başına, parmaklarını gevşetmek için bile geçmediğine bahse girerim. Eğer, Listz'in "Ölüm Marşı"nı çalması gerekmiyorsa tabii...

Bir keresinde, bir cumartesi gecesi, meyhanede kafaları çekecektik, Tijen'i de çağırmışlar ama, tabii o her zamanki gibi reddetmişti. Tam herkes daha yeni kafaları bulmuş, keyfi, neşesi yerine gelmişti ki, gecenin o saati, ta Göztepe'lerden kalkıp, Çiçek Pasajı'na iki göz iki çeşme çıkagelmişti Tijen. Bizi öyle keyifli, eğleniyor görünce, sitem dolu hıçkırıklarla masaya çöküp hüngür hüngür ağlamaya başlamıştı.

Selmin, kendini balkondan atıp intihar etmiş, onu haber vermeye gelmişmiş!

Masadakilerin bir kısmı Selmin'i tanımazdı bile, onu şöyle bir uzaktan tanıyanlar vardı, yalnızca adını duymuş olanlar vardı ve buna sahiden üzülecek olanlar vardı. Onlar da, artık yapacak bir şey olmadığına göre, bu haberi yarın da duysalar olurdu. Sonuçta, bir cumartesi gecesi nice zaman sonra bir araya gelip üç kuruşluk keyif yapacak herkesin tadını kaçırmayı başarmıştı. Çiçek Pasajı'nın cumartesi kalabalığı onu iyice tahrik etmiş olmalı ki, yasını diğer masalara da paylaştırmaya çalışır gibi, gürültülü bir halde ağlıyor, üzüntüsünü bulaştırmak istercesine burnunu onun bunun peçetesine siliyordu.

Ona ilişkin hatırladıklarım, bu Mezar Küreği Suratlı Tijen'i şimdi "iyi" yapan şeyin ne olduğunu iyice merak etmeme yol açıyor tabii. Sinan'a soruyorum: "Ne olmuş, nasıl olmuş da, iyi olmuş Tijen?"

"Hindistan'a, Nepal'e falan gitmiş, Çin'de reiki ustası olmuş, geçmiş bütün reankarnasyonlarını bir bir keşfetmiş. Meğer o, yeryüzünde en fazla ölüp dirilen enkarne vak'asıymış. Bu, önemli bir varlık derecesiymiş. Bunu keşfetmesiyle birlikte ölüm travmasını atlatmış. Zaten aslında bu gezegenden değilmiş, başka bir galaksiden yapılandırılmış varlık ötesi canlılarla kurulan bir ışınım ilişkisiyle insan bedeninde yeniden forme edilmiş bir şeymiş... Daha anlatayım mı, yoksa bu kadarı yeterli mi? Ayrıca bu sefer dünyada çok uzun kalacak, özel bir 'aura'yla donatılmış olarak, ona verilen görevi tamamlayacakmış. Anlayacağın, hepimizin cenaze törenini görmeyi garantilemişe benziyor, hayatından pek memnun bir hali var."

"Nasılsın, diye sordun mu?" diyorum, bir süredir yüzümdeki şaşkınlıkla eğlenen Sinan'a. "Sahiden yalnızca 'Nasılsın,' diye sordun mu?"

"Evet, sordum," diyor. "İyiymiş. Çok iyiymiş."

"İyi o zaman, yarın ilk uçakla Nepal'e gidiyoruz," diyorum. "İtiraz istemem!"

"Nepal'e gitmeden önce, istersen gel şu asma kata çıkalım," diyor. "Yemek sonrası kahve içmek için yaptırdım orayı."

Salonda, ikinci kata bağlantı yapan küçük, şirin bir asma kat var. Alt katta, bahçedeki ağaçların bir kısmını kapattığı manzara burada tamamıyla açılıyor. Karşı kıyı neredeyse boydan boya görünüyor.

Istanbul'un bu yakasından görülen deniz manzarasının daha güzel olduğu hep iddia edilir. Orada yaşayıp, burada manzaraya bakacaksın! Günbatımı bile buradan görülüyor ancak. Karşı kıyının camlarında bir yangın gibi sönen güneş. Istanbul'a siluetini veren bütün tarihi ve eski yapıların hepsi Avrupa yakasında. Asma katın cam kenarına benim sevdiğim tarzda geniş, oturduğunda başını yaslayabileceğin biçimde arkası yüksek, bol minderli koca bir pofuduk kanepe yerleştirip sevimli bir fiskos köşesi yapmış. Oturmamızla birlikte, kanepenin asıl sahiplerinin kendileri olduğunu belli edercesine iki kedi hemen yanımıza zıplayıveriyorlar. Adı "Sürtük" olan sarman, kendini hemen sevdirirken, adı "Islık" olan tekir, temkinli gözlerle bakıp uzaktan ıslık çalmakla yetiniyor. Kanepenin önünde üzeri camlı ham İskandinav ahşabından dev bir sehpa duruyor, camın altından haftanın, ayın dergileriyle kimi albümler, broşürler, kataloglar görülüyor.

Her gittiğim yerde kupalardan, ya da kalın kesim fincanlardan kahve içmekten yılmıştım. Sinan'ın incecik porselen fincanlarından mis gibi kahve içmek, unuttuğum eski bir hazzı hatırlamak gibiydi.

Bazı insanlar her şeyi iyi yaparlar. Marifetleri tükenmez. "Kaç yıllık arkadaşıyım, onca huyunu bilirim," deseniz de, günün birinde bir bakarsınız hiç bilmediğiniz bir yanıyla karşılaşıvermişsiniz. Sinan da, o sürprizli insanlardan biridir. Bunca marifetinin yanı sıra, bir de gerçekten iyi kahve yapar. Çoğu kez gider başında dururum, Bu kahve yaparken ne yapıyor, nasıl yapıyor da öyle oluyor, diye. Her şey bildiğimiz gibidir oysa, eline bir kahve kaşığı alıp, hepimizin bildiği biçimde koyar, ama niye bizim yaptıklarımız bununki gibi olmaz, bilmiyorum! Kahvenin kokusunu içime çekiyorum.

"Evini çok sevdim," diyorum. "Sahiden çok sevdim. Sana çok benziyor."

"Sağ ol," diyor. "Sevdiğine sevindim. Ne güzel söyledin, insanın evi kendisine benzemeli tabii... Biliyor musun ilk defa bu kadar büyük bir çalışma odam oldu. Kaç yıl sonra ancak..."

Sözünün arkasını getirmekten vazgeçiyor.

Ev delisi bir insandır Sinan. Bir yazar için, evi, evine kapanmayı sevmek iyi bir şey olsa gerek.

Bu evi yerleştirirken kimseyi istememişti yanına. Neredeyse her şeyi bir gizlilik içinde halletti. Bu arada eşyalarının çoğunu değiştirdiğini biliyorum. Eski evinden birçok şeyi "anmalık" diye insanlara dağıtmıştı. Her şey hazır olunca insan çağıracaktı evine.

Bir de "yeni ev partisi" falan vermeyecek, herkesi ayrı ayrı ağırlayacaktı. Anladığım kadarıyla öyle yapıyor. Yalnız kaldığım bir ara, oturduğum kanepeden karşı sahile onun gözleriyle bakmayı deneyerek, "Hayatımın ikinci perdesi başlıyor," demekle neyi kastetmiş olduğunu, duygularını anlamaya çalışıyorum. İçim bir tuhaf oluyor.

Bu sırada bahçe kapısından giren Cango, orayı burayı koklayıp, kedileri huzursuz edip, evin içinde bir tur attıktan sonra yeniden bahçeye dönüyor.

Kahvelerimizi içerken bir süre havadan sudan, ortak tanışlardan konuşuyoruz. Onu sandığımdan daha çok özlediğimi fark ediyorum. Aramızdaki dostluğa karşın, hep, çalışırken rahatsız edecekmişim gibi bir çekingenlik duyarım ona karşı. Hep onun beni aramasını beklerim. Yalnızca ona değil, yazarlık uğraşına duyduğum saygının bir sonucudur bu. Onun dostlarının sayısı ise benimkinden fazladır. Bütün huysuzluklarına, geçimsizliklerine, aksiliklerine, alkol tedavisi görmeden önce sağda solda çıkardığı sonu rezaletlerle biten meşhur kavgalarına karşın seveni çoktur. Bense, insanlara sık görüşme arzusu veren biri olmadığımı, birçokları tarafından kibirli ve soğuk bulunduğumu biliyorum. İnsan böyle bir gerçeği kolay kabullenemez; benimki de zaman aldı.

Bundan birkaç yıl önce, kimin hayatında kaçıncı sırada olduğumu anlamanın bir yolunu keşfetmiştim. Biraz tehlikeli, biraz acıklı bir yolunu... Evlerine gittiğimde, insanların telesekreter hafızalarındaki otomatik tuş sıralamasına bakıyor, böylelikle arkadaşlığında kaçıncı sırada olduğumu anlamaya çalışıyordum. Bana göre, telesekreter hafızasındaki sıralamada kaçıncı olduğun, o kişinin kalbinde kaçıncı sırada olduğunu da gösteriyordu. Acı gerçek: Kimsenin birinci sırasında değildim, hiç kimsenin...

Bunu bilmek tuhaf bir yalnızlık verdi bana, gerçi kendi çevremde sevildiğimi, sayıldığımı düşünüyordum ama o kadar; kimsenin birinci sırasında değildim. Çok alıngan, kırılgan günlerimdi. Bunu ciddi ciddi dert edindim kendime. O sıralar zaten yolunda gitmeyen bir dolu şey vardı hayatımda. Kendimi çok kötü hissettiğim bir akşam, fazla beyaz şarap içmiş, hayli sarhoş olmuş-

448

tum. Varlığımı hissedemiyordum. Canım yanıyor, ama etimi hissetmiyordum. Dünyada istenmediğimi, kimsenin hayatında yerim olmadığını düşünüyordum. İnsan böyle zamanlarda, kendine acımak uğruna, başta kendisi olmak üzere herkese haksızlık eder, hastalıklı bir biçimde olayları büyütür, en ufak şeyleri bile varlıkyokluk meselesi haline getirir. Hayatımda böyle zamanlar pek fazla olmamakla birlikte, hepten yabancım değildi. Çoğu kez, ertesi sabaha bir şeyciğiniz kalmayacağını bildiğiniz halde, her duygunuzu ucuna kadar gidilmiş kan kızılı bir melodram gerçekliği olarak yaşamak istersiniz. Kana kana kendinize acır, doya doya ağlarsınız.

O gece, o haldeyken, hiç yapmamam gereken bir şey yaptım; o kadar zaman sonra, tuttum Mehmet'i aradım.

Bunca zaman sonra sesini duymak; bana söyleyeceği birkaç güzel söz, gecemi kurtaracaktı, hatta belki çok daha fazlasını ... Sesimi duyunca şaşırdı. Geç bir saat olduğunun ben de farkındaydım. Ama o geceleri oturanlardandır, bunu biliyordum. Sesinde bir donukluk, bir matlık vardı. Gönülsüz konuşuyordu. Bozulmuştum. O da anlamış olmalı ki, açıklama yapma gereği duydu: "Bak, Nermin, sesini duyduğuma çok sevindim. Fazla coşku gösteremiyorsam, bu seninle ilgili değil." Birden arkada belli belirsiz bir kadın sesi yükseldi, "Sen telefon ettiğinde, sevgilimle tartışıyorduk, seni beklemiyordum." Beni daha sonra arayacağını söyledi. Özür dileyip telefonu çarçabuk kapattım. Çok utanmıştım. Böyle zamanlarda eski sevgililer, kimsenin yarasına merhem olmaz; çok daha kötü olursunuz. Geçmiş kimseyi teselli etmez. Teselli, hep şimdidedir.

Bir ara Tuğde beni banyoya çağırıyor. Halindeki mahcubiyet başta bana tuvaletiyle ilgili bir sorun olduğunu düşündürüyor. Bu düşünceyle gidiyorum ardından. Arhan ağbisi fotoğraflarını çekecekmiş. Onu kıramamışmış! Saçına başına çeki-düzen vermemi istiyor. Bugünkü "performansına" bakılırsa, beni sıktığı, üzdüğü, yorduğu söylenemez. Bunun ödüllendirilmesi gereken bir durum olduğunu düşünerek, onunla daha fazla ilgilenmeye karar veriyorum. Ben banyoda beklerken, o bir koşu gidip kanepenin yanından çantamı getiriyor. Yüzüne biraz renk veriyoruz. Ona kalsa, ciddi ciddi makyaj yapmamı istiyor benden, ama onun tırmanan arzularını dizginlemede artık deneyim sahibi olmuş biri olarak ben bildiğimi okuyorum.

Evin içinde, balkonda, bahçede poz poz resimleri çekiliyor küçük yıldızımızın. "Keşke evden başka kıyafetler de getirseydik Nermin ablacığım," diye hayıflanarak derin derin iç geçiriyor. "Arhan ağbinin fotoğraf makinesi babamınkinden kat kat iyi."

Bunu söylerken gözlerinde beliren ışıma, giderken makineyi de yanımızda götürmemiz gerektiğini söylüyor adeta. İhtirasında daha şimdiden bir star doymazlığı var.

Tuğde, beni çekimlerde hep yanında görmek istiyorsa da, bunun o kadar uzun boylu olmadığını anlamasını sağlıyorum. "Resimler iyi çıkarsa Ömer ağbiye veririz değil mi Nermin ablacığım? Hani onlar da benim resimlerimi çekmek istemişlerdi ya..."

"Onlar da..." derken, sesini yükselterek herkesin duymasını sağlıyor. Sinan'ın yüzünden, Tuğde'nin varlığından hafif hafif sıkılmaya başladığını, ama bunu belli etmemeye çalıştığını anlıyorum.

Az sonra aklına önemli bir şey gelmiş gibi geri dönen Tuğde, "Biz gelirken, Arhan ağbinin fotoğraf makinesi olduğunu biliyor muydunuz Nermin abla?" diyor.

Sinan'la biz kaptırmış konuşurken, aniden böyle araya girmesine bir anlam veremiyorum. Boş bulunup, "Hiç düşünmedim bile Tuğde," diyorum.

"Keşke düşünseydiniz," diyor edepsizlenerek. "O zaman yedek kıyafet getirirdim. Arhan ağbi 'bahçedeki renklere pek uymuyor bu elbise' dedi." Sonra sertçe arkasını dönüp asma katın basamaklarını iniyor, aynı hızla bahçeye, yeniden Arhan ağbisinin yanına gidiyor.

Neye uğradığımı şaşırıyorum. Sesindeki suçlayıcı ton, üstündeki hafif hesap sorma havası, beni sinirlendirmeye yetiyor.

Bunu anlayan Sinan, bu duruma gereğinden fazla gülerek beni yumuşatmaya çalışıyor, "Bu kız Bette Davis'i tanıyor olabilir mi?" diye soruyor.

Aslında istekleri ve kaprisleriyle yetişkin bir kadın gibi davrandığı halde, çocuk olmasının kazandırdığı dokunulmazlığı kullanmasına kızdığımı fark ediyorum. Bildiğimiz kadın, ama beş yaşında! Bu durumda yapacak bir şey yoktur. Sineye çekeceksiniz.

Tuğde'nin, hoşuma gitmeyen birini ya da bir durumu hatırlatmak konusundaki çağrışım ateşleyicisi özelliği devreye giriyor hemen, zihnimde Perili Keriman canlanıyor.

Keriman da bize karşı deliliğini kullanırdı. Ciddi psikolojik sorunları olan –ki kendisi, perileri olduğunu söylerdi–, bu yüzden birkaç kez hastaneye yatırılıp ciddi tedaviler görmüş, normal zamanlarında tatlı, esprili, hoşsohbet bir arkadaşımızdı. İlaçlarını aldığı zamanlar bir sebze kadar sakin olmakla birlikte, bazen nedensiz yere edepsiz ve saldırgan olabiliyordu. Gerçekte sanatçı hamuruna sahip bir insandı, zamanında birçok sanat dalıyla ilgilenmiş, ama hiçbirinde bir varlık gösterememiş, yeteneği, ihtiraslarına ve deliliğine yetmemişti. Hezeyanlarının, paranoya krizlerinin, dizginleyemediği öfkesinin kendisini sanatçı yapmaya yetmediğini anladığındaysa, bütün dünyaya düşman olmuştu. Onu böylesine hastalandıran dünya, karşılığında onu hiç olmazsa iyi bir sanatçı yaparak, kendini bağışlatabilecekken, bunu ondan esirgemişti. Bu durumu kendisine yapılmış büyük bir haksızlık olarak yaşıyor ve yaşatıyordu. Adının altında "Heykeltıraş" yazan gösterişli bir kartvizit bastırıp sağa sola dağıttığında, ortada bir tek heykeli bile yoktu. Sonra da olmadı.

Perili Keriman'ın, yaptıklarının birer sanat yapıtı olmadığını bilecek kadar zekâsı, aklı, zevki ve kültürü vardı. En zor durumdur bu. Benzer durumlarda, birçok erkek, kendini "büyük sanatçı" sanabilirken, tam olarak açıklayamayacağım, en fazla kadın olmanın getirdiği mesafe bilgisi diyebileceğim bir durum gereği Keriman, kendini kandıramıyordu. Herkese sataşmaya, önüne gelene hakaret etmeye, uluorta kavga çıkarmaya başlamıştı. Çevresindeki herkes uzaklaşmaya başlamıştı ondan. Keriman'ın yumuşak, uyumlu, kendilerine dokunmayan hallerine kanıp, diğerlerine, "Siz onu idare edemiyorsunuz, ben ederim," havasındaki kimi iddialı kadınlar, Keriman'ın hışmına uğrama sırası kendilerine geldiğinde, tam bir bozgun yaşıyorlardı.

Perili Keriman, sevdiği herkesten bir süre sonra şiddetle nefret edip düşman oluyor, kendi nefretine katlanamadığı zamanlar büyük kavgalar çıkartarak küsüyor, sonra yeniden sevip, yeniden nefret etmek için ısrarla aynı insanlara dönmek, onlar tarafından bağışlanmak istiyordu. Ruhunun bu hastalıklı döngüsünü, bir ilişki kurma modeline dönüştürmüştü ve bunun için herkesten anlayış bekliyordu.

Nalan'ın bir sergisinde, bu resimlerin aslında kendisine ait olduğunu ve Nalan tarafından çalındığını iddia ederek olay çıkartıp, resimlerden birine zarar vermeye kalkıştığında, Nalan'dan gördüğü şiddetli tepki, onu hemen kendine getirmiş, bize de "Deli deliyi görünce çomağını saklar," atasözünü hatırlamak kalmıştı.

Kısacası deli olmasına deliydi elbet, ama deliliğin nasıl bir olanak olduğunu, kendi şımarıklıklarını yaşamasına nasıl fırsat tanıdığını görecek kadar da kurnazdı. Himayeye ve idare edilmeye muhtaç, korunmasız kadın rolü, gündelik hayat içinde hem etrafına rahat rahat kin ve nefret kusmasına, hem de deli olduğu için her seferinde bağışlanabilmesine olanak sağlasın istiyordu.

Çevresindeki hemen herkes gibi ben de bir-iki kez onu affetmiştim ama, bana niye kızdığını hiç anlamadığım ve kafama şarap şişesi fırlatıp, arabamın bütün camlarını indirdiği akşam, Perili Keriman'ı perileriyle ve şımarıklıklarıyla sonsuza kadar baş başa bırakmaya karar verdim.

Tuğde de tıpkı Perili Keriman gibi, kimi şımarıklıklarının ve kaprislerinin, çocukluğuna verilip hoşgörüleceğine şimdiden uyanmış, bunu da isteklerinin yerine getirilmesinde hayatı kolaylaştıran bir imkân olarak kullanmayı öğrenmişti. Ve galiba ona ilk kez yetişkin bir kadın muamelesi yapan benle birlikte kendiliğinden kurduğu bu denklem altüst olduğu için şaşırmıştı.

Sonuçta ben ne kadar kadınsam, o da o kadar kadın; ben ne kadar çocuksam, o da o kadar çocuktu. Tam olarak böyle düşünmesem de, kaç gündür ona böyle davranıyordum. Bu anlamda bakılacak olursa, ben onun için, değerini büyüyünce anlayacağı harika bir deneyim olmalıyım.

Sinan, son günlerde neler yaptığımı soruyor. Tuğde ile geçen son birkaç günü, gezdiğimiz yerleri, kızlar partisini, karşılaştığım insanları anlatıyorum. Kolaylıkla tahmin edebileceğiniz gibi, en çok postacımla ilgileniyor. Ve onun deyişiyle "çocukcağıza" çektirdiklerim için bana kızıyor. Tuğde'nin bulduğu Boğaçhan ağbisinin g-stringlerinden söz ettiğimde, o da aynı merakla "Nerden bulmuş o g-stringleri?" diye soruyor.

Bir ara içimi ve sesimi toplayıp, "Sinan sana bir şey söyleyeceğim," diyorum.

"Söyle," diyor.

"Ama ciddiye alacaksın," diyorum.

Yüzüme "saçmalama," dercesine bakıyor.

"Sinan, galiba ben kadınları sevmiyorum," diyorum.

"Biliyordum," diyor.

"Ne zamandır biliyordun?" diyorum.

"Hep biliyordum," diyor.

"Ben sevmemekle de kalmıyorum galiba," diyorum.

"Biliyorum, hatta nefret ediyorsun kadınlardan," diyor.

"Peki bana niye hiç söylemedin?" diyorum.

"Kadınlara her şeyin söylenmemesi gerektiğini bildiğim için," diyerek gülüyor. "Merak etme büyütülecek bir şey değil. Aslında akıllı kadınların sorunu bu. Ama söylemek iyidir."

"Neyi?" diyorum.

"Duygularını," diyor. "Düşünsene, hep duygularımızı, düşüncelerimizi söyleyememekten yakınmaz mıyız?"

"Ama ben yıllarca feministtim."

"Sen hâlâ feministsin. Bu bir engel değil," diyor. "Seni kadın düşmanı yapan şey de feminizmin bir parçası. Niye böyle bakmıyorsun meseleye?"

"Ne yani, şimdi ben Albay Şemsa'yla bir miyim?"

"Tabii değilsin. Duygularınızın kaynakları bile çok farklı. Sen kadın sevmediğini söylüyor, bunu anlamaya çalışıyorsun, o ise kadın düşmanı olduğunun farkında bile değil. Sen anlamaya çalışırken, o maskelemeye çalışıyor. O kadın hakları mücadelesi yaptığını sanırken, aslında kendine olan düşmanlığını bastırmaya çalışıyor."

"Pek ben neden kadın sevmiyorum sence?" diyorum.

"Benden çok daha iyi biliyorsun nedenlerini," diyor. "Sözcüklerini kendin bul. İtirafının sorumluluğunu üstlen. Dilini papazına borçlanma."

"Sen kadın seviyor musun peki?" diye soruyorum.

"Konu ne zaman ben oldum?" diye sorarken, gözünden hoşnutsuz bir kıvılcım geçiyor.

"İğnelemek amacıyla sormadım. Acımasız gözlerine ihtiyacım var. Anlamaya çalışıyorum sadece."

Biraz sıkılmış, biraz sitem edercesine, "Bunları seninle ilk kez konuşmuyoruz ki Nermin?" diyor.

"Haklısın ama, kaç gündür şu bacaksız kız yüzünden, içim hallaç pamuğu gibi atıldı. İçimde birçok şey yerinden oynadı. Her şeyi yeniden gözden geçirmek ihtiyacı hissediyorum."

"Şu söylediklerin birkaç günün işi olamaz," diyor.

"Biliyorum," diyorum. "Ama birden fazla konuda kendimden kuşkulanmaya başladım. Sahi açıkça söylesene, eşcinsel erkekler kadın sevebilirler mi, gerçekten bilmek istiyorum," diyorum. "Bunu seninle konuşmayacağım da, kiminle konuşacağım?"

Biraz düşündükten sonra, "Eşcinsellerin kadınlarla ve kadınlıkla ilişkileri çok karmaşık ve renklidir," diyor. "Sevgi ve nefret diye kolayına ikiye ayıramazsın. Bunlar ellili yılların formülleri."

Sonra sesine azıcık alay tonu katarak, "Hem ellili yıllardan bu yana insanlar çok değişti dünyada. Değişmeyen bir tek bizim demode modacı ve tiyatrocu ibnelerimiz kaldı! Bak bu içi boşalmış demode formüller onları açıklamak konusunda işine yarayabilir."

Sinan'ın konuşurken ciddiyetini uzun süre koruyamadığını, daldan dala gezdiğini bilirim; ama ben konuyu kaydırmak istemiyorum.

"Bazen insanları ve duyguları anlamak için kendimi fazla zorladığımı düşünüyorum," diyorum.

Bunun üzerine o da ciddileşiyor. "Senin bütün hayata karşı tavrın bu Nermin. Aklınla ne kadar anlamaya çalışırsan çalış, ruhunla anlayamadığın bir şey eşcinsellik. Bu konuda entelektüel bir dikkatinin ve temkinliliğinin olduğunu biliyorum," diyor ve birden dışarıya, manzaraya dalıyor.

Yüzünü gölgelendiren şey, yalnızca ışık değil, belki konuşmaktan çoktan sıkıldığı bir konuda, onu zorlamış olmam, bazı şeyleri bana bile yeniden açıklamak zorunda kalması. Sinan daldığında gözleri boşalıp çocuklaşanlardandır. Onun dalgın halini seyretmeyi severim. Saçlarını boyatmaktan bir süredir vazgeçtiğinden beri, şakaklarındaki kırlar gözlerinin demir grisini iyice açığa çıkarıyor. "Yaşlılık ona yakışacak," diyorum içimden "Ah bunu bir de kendi kabul etse!"

"Sorunu unutmuş değilim," diyor. "Kadın sevip sevmemek konusunda yeryüzündeki bütün eşcinseller adına konuşamam, ancak kendi hakkımda bir şey söyleyebilirim sana," diyor ve doğru sözcükleri aranırmış gibi çevresine bakınıyor.

"Nedir o?" diyorum.

"Aslında benliğimin bir yerinde kadınlardan hoşlanmadığımı bilirim, ama, bu benim kadınlarla arkadaş olamayacağım anlamına gelmez, onlarla iyi ilişkiler kurmamı engellemez. Bunun en iyi örneği, seninle olan dostluğumuzdur sanıyorum."

Dostluğumuza yaslanıp konuyu kapatmak ister gibi değil, beni bir şeye ikna etmek ister gibi söylüyor bunu. Sözlerinin arasına koyduğu kısa bir sessizlikten sonra sürdürüyor:

"Kadınlık her şeyden önce bir durumdur biliyorsun. Bunların hiçbiri sabit değerler değil. Bütün bu tartışmalar sırasında zaman zaman hepimiz aynı hataya düşüyor, paradoksları kullanmayı ve ironiyi unutuyoruz. Birçok şey bunlarla çok daha anlaşılır olur. Bir gün gelecek aşısı bulunmuş hastalıklardan kurtulduğumuz gibi, bize biçilmiş bütün bu rollerden de kurtulacağız."

Birden durup yenilenmiş gözlerle bakıyorum ona, böyle bir şey daha önce hiç aklıma gelmediğinden değil, konunun bu açıklıkta konuşulmasının getirebileceği fırsatı değerlendirebilmek için, aklıma yeni yeni soruların gelmesini ister gibi bakıyorum.

Akademi'deyken en başarısız olduğum ödevlerden biri, kadın ve erkek tuvaleti kapıları için tanımlama simgeleri bulmaktı. Bu konuda yeni bir şey ararken, daha o zamanlar bile kadın ve erkek rollerinin bütün işaret imkânları tükenmiş gibi gelirdi bana. Bir süre sonra "Benimki kadınlardan nefret değil, belki kadın sevmemek, denebilir," diye ekliyor Sinan. "Öyle ya çok sevsem, erkeklerle değil, kadınlarla yatardım, değil mi? İkiyüzlülüğe gerek yok. Erkekler, diğer erkeklerle, kadınlar diğer kadınlarla rekabet ederken, eşcinseller, farklı nedenlerle hem erkeklerle, hem kadınlarla, hem birbirleriyle rekabet etmek zorunda kalıyorlar. Kolay iş değil, kabul et! Hepimiz alanlarımızı koruma mücadelesi veriyoruz şu hayatta."

Ardından sesine yeniden mizah katarak, Amerikan filmlerinde olduğu gibi, "Görüyorsun ya yapacak fazla bir şey yok. Birbirimizi anlamak ve birbirimize katlanmak zorundayız tatlım," diye ekliyor.

"Kadın sevmezken, kadınlarla nasıl tam bir arkadaşlık kurulabilir ki?" diyorum. Sesimde gene de ikna edilme ihtiyacı var.

"Bak tatlım," diyor. "Benim tanıdığım kadın düşmanı erkeklerin yüzde doksan beşi evli ve onlara sorduğunda, mutlu bir evlilik hayatları olduğunu söyleyeceklerdir. Üstelik, yalan olan, söyledikleri değil, mutluluklarıdır. Daha kendini tanımayan, mutluluğu tanıyabilir mi? İnsan ilişkilerini sert tanımlarla fazla kurcaladığında, elinde gerçek namına bir şey kalmaz."

"Kadınlarla yatıyor olmak, kadın sevmenin bir ölçüsü değilmiş demek ki," diyorum.

"Öyle tabii. Hem de hiç değil. O sadece kendim için verdiğim örnekti. Hiç kadın sevmediği halde, kadınsız yapamayan birçok erkek yok mudur? Örneğin, Bukowski adı sana bir şey söylüyor mu? İnsan çok karmaşık bir makine. Kendine hayran olduğu halde, kendini sevmeyen erkekleri düşün! O yaralı narsistleri! O kadar çok hayran olmak bile, bir parçacık olsun kendilerini sevmelerini sağlamaz."

"Biliyorum, bunların her biri ayrı bir konuşma konusu aslında," diyorum.

"Ya da Amerika'da seri cinayet işleyen, evli barklı, çoluk çocuk sahibi adamları getir gözlerinin önüne. Hangisinin komşusu, onlar için, 'Bu kadın düşmanı' der?"

"Kendimle ve kadınlarla ilgili bildiğim her şeyi unutup her şeyi yeni baştan düşünmek istiyorum, düşmanlık sözü bana fazla geliyor, bunun için seninle gevezeliğe ihtiyacım..."

"Kadın sevmediğini kabullenmek neden bu kadar zor geliyor sana biliyor musun?" diye sözümü kesiyor. "Çünkü hâlâ bir inanç insanısın sen Nermin. Her ne kadar ben her şeyden vazgeçtim, desen de doğrularına karşı gelmekte zorlanıyorsun. Kimliğinden önce vicdanın oluşmuş. Doğrular da vicdanla ilgilidir biliyorsun. Kadın sevmiyorsun, çünkü onlara güvenmiyorsun, onları ve sorunlarını fazlasıyla tanıyorsun; huylarını, yalanlarını, kurnazlıklarını, numaralarını, silahlarını, bütün çaresizliklerini biliyorsun. Karşı karşıya kaldığınızda, birbirinizi kandıramayacağınızı biliyorsunuz. Bütün bunların benden çok daha fazla farkındasın ve bunları bana söyletmek istiyorsun. Eminim kadınlarla ilişkili görüşlerini kendi başınayken daha rahat ifade ediyorsun ama söz kamusal alana çıktığında, 'Politically correct' denilen siyasal doğruluğun kaygıları başlıyor. Entelektüel sansürcünle boğuşuyorsun!"

"Kendimi her konuda tutarlı sanırdım," diyorum. "Duygularımda, düşüncelerimde. Örneğin eşcinsel olan arkadaşlarımla kurduğum çok daha sağlam..."

"Sakın bana eşcinselleri sevdiğini söylemeye kalkma Nermin!" diye sözümü kesiyor.

Yüzümden kırgınlık olarak okunabilecek şaşkınlığım karşısında ekleme gereği duyuyor: "Evet, çağdaş görünmek gereği, 'eşcinselleri sevelim, onlara fıstık atalım,' türü kadınlardan değilsin elbet. Ama sen de yüreğinin derinliklerinde, hiçbir zaman aralarında yerin olmadığını bildiğin bu tuhaf erkeklerden hoşlanmıyorsun, kabul et. Onlar senin için öteki, yabancı. Birbirimize karşı dürüst ve açık olalım. Beni ya da bir başkasını seviyor olman bu gerçeği değiştirmez. Hayatımda, en yakın arkadaşı ibne olan birçok yalnız kadın tanıdım. Hiçbir zaman onların eşcinselleri sahiden sevdiğine inanmadım. İnsan ilişkilerinde hayranlık ve düşmanlık, özdeşlik ve rekabet duygularının birbirinden ayırt edilemeyecek kadar iç içe geçtiği, hatta belirsizleştiği çok karmaşık ruh halleri vardır. Tanımlara böleceğim, diye zorla ayırmaya kalkıştığında, yapışık ikizler gibi ikisi birden ölür. İnsanlar karmaşalarıyla birlikte yaşamayı öğrenmek zorundadır. Hem unutma, en sıkı eşcinsel düşmanları, eşcinsellerin arasından çıkar. Açık ya da kapalı eşcinsellerden. Kim hayatı boyunca unutmaya çalıştığı bir şeyi, sürekli karşısında görmekten hoşlanır ki?"

"Sinan, gene de önemli bir fark var aramızda, " diyorum. "Kadınlar aleyhine bir fark."

"Nedir?" dercesine bakıyor yüzüme.

"İkimiz de kadın sevmemekten söz edebiliyor, ama erkek sevmemekten söz edemiyoruz," diyorum. "Erkeklik hiçbir durumda kaybetmiyor."

Alaycı bir biçimde, "Çünkü, ikimiz de erkek egemenliğine inanıyoruz tatlım," diye gülerek kahveleri tazelemeye gidiyor.

Sinan'ın son söyledikleri ilgisiz olmakla birlikte, bana Gurbet Hanım'ın bir sözünü çağrıştırıyor: "Fakirin kötülüğünü zengin bilmez ki Nerminim, gene fakir bilir," derdi.

Geçmişte de buna benzer konuşmalar geçmişti aramızda, hatta bazıları, can sıkıcı tartışmalara dökülmüştü. Ben, onu eşcinsel de olsa, erkek olmanın toplumsal hayatta ona tanıdığı avantajlardan nasıl yararlandığı konusunda köşeye sıkıştırmaya çalışırken, o da beni, kadın olmanın sorunlarından yakınırken, karşıcinsel olmanın sağladığı avantajları görmezden geldiğim konusunda uyarıyordu.

Erkek ya da kadın olmanın, karşıcinsel ya da eşcinsel olmanın gündelik hayat içinde çapraz işleyen yarar ve zarar durumları vardı. Erkek olmak her durumda bir yarar, eşcinsel olmak her durumda bir zarardı; karşıcinsel olmak her durumda bir yarar, kadın olmak çoğu durumda bir zarardı ve biz, bencil doğamız gereği, bunu hayattan çeşitli örneklerle listelerken kendimizi kayırıyorduk.

Zaman zaman aramızda örtük suçlamalar içerse de, sonunda kafamızı açan sağlıklı tartışmalardı bunlar. En önemlisi dostluğumuz bundan hiç etkilenmiyordu.

Eşcinselleri sevmiyorum, diyemezdim, ama onlardan bir biçimde ürktüğümü itiraf etmeliyim. Olmadığınız bir şeyi anlamaya çalışırken, gene de arada kapanmayan bir mesafe vardır. Orada ne olduğunu bilemezsiniz, tam olarak ne olduğunu. Ve orada size göre bir rol yoktur.

Kadın olmanın sorunlarının tartışıldığı bu çeşit konuşmalar sırasında, ben zaten her durumda, herkesin adalet duygusunu incitecek, dolayısıyla genel bir insancıllık havasında herkesten destek bulacak büyük zulümler içeren örnekler vermekten çok, ilk bakışta önemsiz görünen, sıradan kadınlık hallerinden söz ediyordum. Kimlik politikaları, bence asıl temellerini orada bulur: Olağanlaştırılmış cehennemde. Kazandırılmış alışkanlıklarda. Körleştirilmiş gündelikte.

Bakışlarının yanlışlıkla birine takılacağı, bundan ötürü rahatsız edileceği korkusuyla yolda hep dümdüz yürümek zorunda kalan, bu yüzden etrafını göremeyen kadınlar vardır. Onlara daha çok ev içlerini gözlemek kalır. Örneğin bunlardan söz ediyordum.

O gecelerin birinde Sinan'a, bir kadının sokakta yürürken hep boşluğa bakar gibi yürümek zorunda olmasının ne demek olduğunu erkeklerin bilemeyeceğinden söz etmiştim. Yürürken bakışlarını herkesten kaçırmak zorunda kalışından. Üzerine üzerine yürüyen erkekler karşısında yan yan sıvışmanın nasıl küçültücü bir şey olduğundan. Gece vakti İstiklal Caddesi'nde bir kadın olarak tek başına yürümeye kalktığın anda eğitimin, kültürün, görgün, siyasal görüşün ne olursa olsun, bir anda nasıl sıfırlandığından. Her seferinde mutlaka yanında bir erkek bulundurmak zorunda kalmanın nasıl eksiltici bir duygu olduğundan... Hep bir av gibi yaşamanın iliklerine işleyen ürküntüsünden. Bu ve benzeri çok basitmiş gibi görünen örneklerin, bir kadının gözlerini, dikkatini, belleğini, hayatını nasıl azaltıp kurutabileceğinden.

"Neden örneklerini hep yürümek konusunda veriyorsun?" demişti Sinan.

"Bazı geceler rüyamda kendimi gece vakti İstiklal Caddesi'nde tek başıma yürürken görüyorum," demiştim. "Kimse laf atmıyor bana, kimse omuz atmıyor, kimse üzerime üzerime yürüyüp beni yan yan kaçmaya ya da yol vermeye zorlamıyor. Kimse benimle zorla tanışmayla kalkışmıyor. Yanımdan geçenler nasıl benim yüzüme rahatlıkla bakabiliyorsa, ben de onların yüzüne rahatlıkla bakabiliyorum. Ben bunları ancak rüyamda görebiliyorum. İstiklal Caddesi bizim Avrupamız. Kadınların o caddede biraz olsun rahat edebilmesi ise şunun şurasında kaç yıllık olay?" Sonra Sevgi Soysal'ın "Yürümek" romanını anmış, muasır medeniyete yürüyen kadınların adım tutturmasından söz etmiştim.

Karşılaştırmalı hayat örnekleriyle bir yere varılmayacağı belliydi ama biraz sarhoştuk o gece. Hem de bir arkadaşlığın bazı evrelerinde, risk alarak derinlere inmek, fazla kurcalanmamış şeyleri konuşmak, sonrasının sağlığı için gereklidir.

Sesine ya da yüzüne hiçbir duygu katmaya çalışmadan, dümdüz, gösterişsiz bir biçimde yıllar önce başından geçmiş bir olayı anlatmıştı:

"Vapuru kaçırmış, karşıya geçmek için motor bakıyorduk. Üsküdar Meydanı'ndaydık. Hava yeni kararmaya başlamıştı. Üstelik yalnız değildim; yanımda bir erkek vardı. O sıralar yeni yeni birlikte olduğum sevgilim. Yaprağı bol bir sonbahardı, hiç unutmam, orada durmuş, birdenbire çıkan rüzgârda bayrak gibi uçuşup duran uzun, kırmızı kaşkolumu boynuma dolamaya çalışıyordum. Meydanda kendi aralarında toplanmış delikanlılar, ilkin pis pis baktılar bana, sonra içlerinden birinin 'Galiba ibne lan bu!' demesi üzerine birden vahşice saldırdılar. Her şey bir anda oldu, beni ortalarına alıp tekme tokat giriştiler. Hiçbirini tanımıyordum. O âna kadar onların farkında bile değildim. Rüzgâr fırtınaya dönmeden bir motor bulup dönmekten başka bir düşüncemiz yoktu. O gözüdönmüş grubun elinden, Üsküdar esnafından birkaç kişi kurtardı beni. Dahası ben dayak yerken, yanımdaki erkek de bırakıp kaçmıştı. Ne tuhaf, onun da adı Sinan'dı."

Herkes kendi hayatının deneyimleri ve örnekleriyle haklı ve mağdurdu. Sistem hepimizi farklı yerlerde bir yerinden kıstırıp tutsak almıştı. Uğradığımız haksızlıklıkları, çektiğimiz acıları karşılaştırarak, birbirimiz üzerinde "ezilme derecesi üstünlüğü" kuramayacağımızı biliyorduk elbet. Gözden kaçmış ayrıntıları sınamaktı bizimkisi. Gerisi, sorunlarımızın nerede ortak, nerede farklı olduğunu tanımlamaya kalıyordu. Kimse ötekini kendi mücadelesinin yedek gücü olarak görmemeliydi.

Sonunda bana kendini okşatmaya karar vermiş Islık'ın yanıma gelmesiyle, düşüncelerim yarıda kesildi. Bahçeden gelen seslere bakılırsa Tuğde'nin de keyfi yerindeydi.

Her şeye karşın bütün bu konuşmalar bana iyi gelmişti. Kendimle başedebileceğim duygusu almıştım.

Sinan, kahveleri tazeleyip döndüğünde, geldiğimden beri aklımda olan şeyi yapmaya karar veriyorum. Fazla geciktirerek benim için zaten zor olanı, iyice zorlaştırmak istemiyorum.

Çantamdan çıkardığım deri kaplı, kalın, kahverengi defteri uzatıyorum ona. "Bu ne?" der gibi yüzüme bakıyor ilkin. "Benim defterim," diyorum. "Biliyorum, zamanın hem azdır, hem değerli; ama benim için, bir ara bir boş zaman yaratıp okursan sevinirim. Aklına ihtiyacım var. Hem hep merak etmez miydin yazdıklarımı?"

Onca zaman ondan sakladığım, hatta bucak bucak kaçırdığım yazdıklarımı, birdenbire böyle kucağına bırakmama şaşırıyor haliyle. Bir deftere bir yüzüme bakıyor. Sonra kapağını kaldırıyor defterin, ilk sayfanın üzerinde yazılan "Çocukluk için defter" başlığını gördüğü anda, duygularını saklayamayan dolgun bakışlarla, kucaklar gibi bakıyor bana.

"Çok sevindim Nermin," diyor. "Gerçekten çok sevindim. Yazmak en iyi başlangıçtır. Hem de çocukluktan başlamak. Demek kendini affetmeye karar verdin."

"Ne demek oluyor bu?" anlamında sorarcasına bakıyorum.

"Bana göre yazmak, aynı zamanda affetme isteğidir. İlkin anamızla, babamızı affederiz, sonra sıra bize gelir. Kendimize. Yani affetmesi en zor kişiye."

"Yazıyı affetmek olarak düşünmemiştim hiç."

"Yazıyı her şey olarak düşünebilirsin. Dünyada kaç türlü yazı varsa, o kadar çok şey vardır. Herkes yazısı tanınsın ister. Yazısının tanınması için yazar zaten. Bir yazıyı tanınır kılmak için de, çok şey koymak gerekir içine. Çok şey, derken miktardan söz etmiyorum. En arı, en damıtılmış, en süssüz yazılar için bile, çok şey koymak gerekir."

"Kendini hep çizerek ifade etmiş bir insan, günün birinde yazarak ifade etmeye kalkarsa, nasıl olur, bilmiyorum. Hem kendimi yazıya geç kalmış hissediyorum."

"Kurduğun yazıya göre değişir. Hem iyi bir okursun sen, yıllardır gizli gizli de olsa yazıp duruyorsun. Profesyonel yazarlar bile senin kadar düzenli günlük tutmuyor. Bunlarda yeterince el bilemişsindir merak etme. Hem insan yaza yaza öğrenir. Kaç kitap yazdım, hâlâ yazının benim için keşfedilmemiş alanları olduğunu görüyor, gördükçe de keyifleniyorum. Yoksa böyle zevkleri olmasa, çekilecek dert değil."

"Dün gece duştayken birdenbire kendimi çok kötü hissettim Sinan, gözle görülür bir nedeni yoktu. Sanki görünmez bir el, ne zamandır içinde yüzdüğüm havuzun tıpasını açmış, bütün suyu boşaltmıştı. Soluksuz bir balık gibi kalakalmıştım, birdenbire çok kötü oldum. Kendimi başka biri gibi hissediyordum. Ben, ne zaman başka biri olmuştum, bilmiyorum. Gözümden uyku aktığı halde, yatağa girdikten sonra, uyku tutmadı, kalktım bu defteri açıp okumaya başladım. Ne zamandır kapağını bile kaldırmıyordum oysa. Kendi yazdığım bir şey değilmiş de, başkasının yazdığı bir hikâyeymiş gibi, yabancı gözlerle okumaya başladım. Bu bana daha iyi geldi. Kendim hakkında en doğru kararları kendimi bir başkasıymış gibi düşündüğümde veriyorum hep."

"Çok normal," diyor Sinan. "Her insan bir başkası olmak ister. Yazmak bile bir başkası olma isteğidir. Hep söylüyorum ya, insan dediğin çok karmaşık bir makine. Kendimiz için bile bir bilmeceyiz ya bu yüzden. Sanat ne için var sanıyorsun? Çözüp çözüp sormak için! Ne zaman başladın bu defteri yazmaya?"

"Terapiste gitmeye başladığım sıralardı. Ona açılmakta zorlandığımı fark ettiğimde bulmuştum bu çözümü. Üstüme gelmemeye çalışsa da kurcalıyordu beni. Ona söylemem gerekenleri bari yazıp hazır edeyim diye düşündüm ilkin. Sözlerimi gene de denetim altına alma ihtiyacı yani. Bir de terapistim bana kompozisyon dersi hocamı hatırlatıyordu. Bununla da bir ilgisi olabilir. Kompozisyon hocam 'bir yaz anınızı anlatınız' dediğinde kelimelerimi ona emanet edebilmiştim. Nedense bunu hatırlıyordum. Sonra doktorumun karşısında çözülüp konuşmaya başlayınca, taşkına uğramış gibi oldum. Hatırladıklarımı taşımakta zorlanıyordum. İçimde bir nehir akmaya başladı ve bu nehrin bir denize dökülmesi gerekiyordu. Benim denizim, defter oldu, bu defter. Zamanla sakinleştim, duruldum. Başlarda yalnız kendim için yazıyordum. Doktoruma anlatmak için. Çocukluğumu anlamak, kendimi tanımak için. Defteri yazarken hatırladıklarımı doktoruma anlatıyor, doktorumla konuşurken hatırladıklarımı da dönüp defterime yazıyordum. Sonra sonra yazdıklarımı temize çekmeye başladım, onlarda bir hikâye duygusu buldum, şimdiyse bunun bir kitap olabileceğini düşünüyorum. Bu gözle bir okumanı istiyorum. Kitap olması için bir form bulamıyorum henüz. Öyle içimden geldiği gibi, kâğıda döküp duruyorum."

"Daha iyi, bırak yazı, su gibi kendi akarını bulsun. Bir form bulman gerekmeyebilir. Kendi formunu bulmuştur belki. İş, senin bunu kabullenmene kalmıştır. Yazı bazen kendini dayatır. Yazının tabiatıyla hiç inatlaşmayacaksın. Benden sana ilk tavsiye!"

Genelde kırıcı olmaktan korkmayan biri olarak, sanat söz konusu olduğunda iyice merhametsizdir Sinan. Kendisine göstermediği merhameti, kimseye göstermez. İnsanları, yazmaya ya da sanata yönelteceğim, diye sahte yüreklendirmelere kalkışmaz, yazdıklarına gerekmeyecek ölçüde hoşgörü göstermez, kırıcı ve kaba olmadan açıkça söyler düşüncelerini. Doğrudan davranır. Ben bile, bu zalim berraklığı her zaman kaldıramadığım için, yazılarımı saklamışımdır ondan.

Oysa şimdi benimle, karşısında kendini çoktan kanıtlamış bir meslektaşı varmış gibi konuşuyordu. Bu, bana iyi geldi. Belki de asıl yüreklendirici olan buydu. Attığım adım, onda karşılık bulmuştu. En kısa zamanda defterimi okuyacağını söyledi.

İlle de bir şey söylemem gerekiyormuş gibi, "İmlaya bakma," dedim.

"Bakmam tabii," dedi. "İmlaya bakan kaç Türk yazarı var sanıyorsun? Biz akşama kadar neler okuyoruz?"

"Aslında ilkin bir roman yazmayı düşünüyorum galiba," diyorum. "Belki adını 'Yüksek Topuklar' koyarım, sen dahil herkes olacak içinde."

"Bak bu iyi haber," diyor. "Epeydir kimsenin romanında oynamamıştım."

Yazmak. Bunları söylediğime inanamıyorum. İşimin zor olduğunun farkındaydım. Yeteneklerimi başkalarının gözlerine eşit ölçüde açmamıştım. Bunca yıl, grafik yoluyla başkalarının kendilerini ifade etmesine, yazı yoluyla da kendimi ifade etmeye çalışmıştım. Saklı yazıyla açık çizgi arasında bölünmüştü dünyam. Çizdiklerimi bütün dünyanın gözlerinin önüne sererken, yazdıklarımı herkesten kaçırmıştım.

Düşündüklerimi okumuş gibi, "Değişmekten korkma Nermin," dedi Sinan. "Bana kalırsa, sen kabuk değiştiriyorsun. Bu huzursuzluklar bundan. Gülünç olmaktan korkma, gülünç olmaktan korkmamak, insan olmaya başlamanın ilk adımıdır. Bütün hayatını İngiltere Kraliçesi gibi yaşayamazsın. Azıcık kendine soluk aldır. Biraz sal kendini. Biraz dalgalara bırak. Bakalım o dalgalar seni, hangi sahile çıkaracak? Bak yerinde olsam, kalkar Kütahya'ya gider, annemin köyünü bulur, Simav çayına ayaklarımı sokar gelirdim. Belki o zaman daha iyi yürürsün. Hem de en yüksek topuklu ayakkabılarla..."

"Çok dramatik olmuyor mu bunlar Sinan?" diyorum.

"Olsun, ne zararı var?"

Söylediklerini tartmak için bir an durup başımı öne eğiyorum.

"Belki daha erken yaşta yapmalıydım bunu," diyorum. "Ya da benzeri şeyler."

"Hiç yapmamaktan iyidir," diyor. "Diyelim ki, vakit olmadı. Kimse kendi zamanının efendisi değildir."

"Kendi gözümde gülünç olmaktan korkuyorum," diyorum. Sonra ona imrendiğimi belirten bakışlarla, "Ne güzel! Sen bundan hiç korkmuyorsun," diye ekliyorum.

"İbne olduğunu kabul ettiğin anda bundan korkmazsın," di-

464

yor. "Sokakta ardından nasıl baktıklarını bilirsin. Sen ayrıldığın anda arkandan neler konuşulacağını tahmin edersin. İbne olduğunu kabul etmek, başkaları tarafından gülünç bulunmayı kabul etmek demektir. Ancak ondan sonra eşik atlarsın. Böylelikle, yalnızca kendini değil başkalarını da kabul edersin."

Başımı kaldırıp yüzüne bakıyorum.

"Ne yapalım ki bu böyle," anlamına gelen bir baş hareketi yaparak ellerini iki yana açıyor.

"Bak, biz hayatı filmlerin, romanların üzerinden yaşayan insanlarız. Dramatik olmaktan korkmamalıyız Nermin. Gidersin annenin köyüne. Simav çayına ayaklarını sokar, çıkar gelirsin. Hepsi bu kadar. Evet, bu dramatik bir şey, ama bir o kadar da güzel! O nehir senin annen. Hâlâ annene sahip çıkmaktan korkuyorsun. O nehrin seni yıkamasına izin ver!"

Birden kendimi tutamayıp hıçkıra hıçkıra ağlamaktan korkuyorum.

"Sana sarılabilir miyim Sinan?" diyorum.

"Elbette güzelim," diyor. "Elbette bir tanem!"

Kollarımla doluyorum onu. Başımı alıp göğsüne bastırıyor, alnımı öpüp, usul usul saçlarımı okşuyor. Elleri saçlarımda bir süre öylece kalıyoruz.

Tuğde, bizi öyle sarmaş dolaş görünce, "Hiiii!" diye gösterişli bir çığlık atarak, "Gördün mü?" dercesine arkasında duran Arhan ağbisinin yüzüne bakıyor.

BEŞİNCİ BÖLÜM

XXVII

Vişne

BEŞİNCİ günün sabahı çok erken uyandım. Başucumdaki komodinin üzerindeki saat daha 7'ye bile gelmemişti. Saatin 7 olması, benim için çocukluğumdan beri, günün başlangıcı demektir. 7'den önce uyandığım böyle durumlardaysa, kendimi hep bir gün önceden uyanmış gibi hissederim. İnsan iki dirhem bir çekirdek hazırlandığı yerlere çok erken gidip de daha kimselerin gelmediğini gördüğünde kendini nasıl kötü hissederse öyle...

Gene de nedenini hemen keşfedemediğim içimdeki sevinç parıltısı, bu defa keyfimin kaçmasına izin vermiyordu. Çünkü, yarın Tuğde'nin annesiyle babası gelecek ve nihayet kızlarını benden alacaklardı. Belli ki, bir gün öncesinden saran bekleyiş heyecanı uyutmamıştı beni. Şu birkaç günlük felaketten sonra, bu kadarcık bir "mutlu son"u hak ettiğimi düşünüyor, bir an önce filmin sonunun gelmesi için, zamanın önünde koşuyordum sanki.

Tuğde yarın sabah gidiyordu. Tanrım! Düşüncesi bile, kalbimde "küçük minik çarpıntılara" yol açıyordu. Kim demiş, ayrılıklar kötüdür diye?

Ne zaman, uykusuz bir gece geçirip erkenden kalksam, banyomun aynasında beni Cahit Sıtkı Tarancı karşılar, bu sefer de öyle oldu. Yalnız bu sefer, Tarancı'ya ilaveten yanında iyice kısılmış gözleriyle Yoko Ono da vardı. Yıllar ilerledikçe, uykusuz gecelerimin sabahında yüzümdeki kalabalık çoğalıyor ve yazık ki, o kalabalığın içinde Ava Gardner ya da Sharon Stone gibiler değil, şu saydıklarım yer alıyordu. Yüzümdeki çarşaf, yastık izleri ise yılların izini aratmıyor, gözkapaklarımın kurşun geçirmez kepenklerini açmak için en az bir saat geçmesi gerekiyordu. Normalde eve çağrılmış bir erkek arkadaşın içkisine konması gereken, derin dondurucuda uyuklayan buzlar, ne yazık ki, yalnızca gözlerimin şişini indirmek amacıyla kullanılıyordu.

Tanrım, filmlerde kadınlar ne güzel uyanırlar! Baharda bir çiy tanesi kadar taze ve ferahtırlar. Yüzleri, gözleri şiş değildir, ciltleri gergin, bakışları parlaktır ve en önemlisi birlikte uyandıkları erkek, onlara göğüsten gelen sıcak bir sesle, "Günaydın sevgilim," der. Ve o kadınların ağızları kokmadığı için, sabah sabah şakır şukur öpüşürler. Böyle zamanlarda filmlerin karşısında hayatın bir hiç olduğunu bir kez daha anlar, bize sahte rüyalar yaşatan dünya film endüstrisine lanetler yağdırırsınız; en azından ben öyle yaparım. Kadın-erkek ilişkileri, eminim sinemanın bulunuşundan önce çok daha farklıydı. İnsanlar filmlerde gördükleri o birkaç unutulmaz sahneyi günün birinde kendileri de yaşayacaklar diye ömürlerini heder etmiyorlardı.

Bu düşünceler eşliğinde, yüzümü adeta silmek, hatta kazımak istercesine birkaç kez üst üste yıkayıp kuruladıktan sonra, Tarancı ile Ono'yu aynada baş başa bırakıp banyodan çıkıyorum. Koridorun duvarlarında asılı duran çerçeveleri düzeltiyorum.

Tuğde'nin odasından geçerken, kapısını aralayıp şöyle bir göz atıyorum. Prenses uykusu pozunu almış, çenesinin altında birleştirdiği elleriyle, burnu havada bir kurum, bir kibir içinde uyuyordu gene. Birden, günlerdir neden şu kızın kolasına uyku ilacı katıp uyutmak aklıma gelmedi, diye hayıflandım. Artık çok geçti. Kitabın neredeyse sonuna gelmiştik.

Bugün hiç olmazsa, Tuğde'den önce telefonlara bakayım istiyorum. Bu saatte kim arayacaksa? Daha telefonun başına varmadan çalıyor. İrkiliyorum. Tuğde'nin meşhur anneannesinden gelen günün ilk taciz telefonu olduğunu düşünüyorum. Açıp açmamak konusunda kararsızım. Telesekreterin düşmesini bekliyorum. Telesekreter düşünce karşı taraf konuşmayıp kapatıyor. En kızdığım şeydir bu. Başkaları yaptığında kızıyor olsam da, ben de böyle yaparım. "Kendine yapılmasından hoşlanmadığın şeyi, başkasına yapma" sözünün geçerli olmadığı durumlardan biri daha. Her neyse birkaç kez ısrarla sürüyor bu hal; biri, üst üste telefonu çaldırıyor, telesekreter düşünce de çat diye kapatıyor. Sinir bozucu bir durum yani. Nedense bu telefonların Tuğde ile ilgili değil de, benimle ilgili olduğu konusunda bir önsezi var içimde.

Gene de kahvaltı etmeden, günün ilk kahvesini içmeden hayatla karşılaşmak istemiyorum. Bazı günler hayatla ne kadar geç karşılaşırsanız, o kadar iyi olur.

Hadi benim uykum ağırdır, top patlasa duymam ama Tuğde'nin, bu telefon sesi terörüne rağmen uyanmadığına bakılırsa, kaç gündür yaşadığımız "tempolu hayat" onu yormuş olmalı. Birden şu bacaksız kızı eğlendireceğim diye kaç gündür haldır haldır gezmekten helak olduğumu düşünüyor, üzerimde benim olmayan bir yorgunluk hissediyorum. Kendi kendime hep sorduğum bir sorudur: Benim sorumluluk duygusu sandığım şeyin acaba ne kadarı suçluluk duygusudur? Hem bugün bütün gün evde otursak ne çıkar? Nasıl olsa yarın gidiyor; sıkılırsa sıkılsın! Birden onun sıkılmasının değil, benim ondan sıkılmamın çok daha mümkün olduğunun ayırdına varıyorum. Gene yollara düşmekte yarar var. Sağa sola bakınır, orda burda oyalanırsın, diyorum kendi kendime.

Mutfakta, kahve makinesinin başını beklerken, yüzümün, gözlerimin üstünde bir buz parçası gezdiriyorum. Metalik donukluğuyla gözalan buzdolabımın kapısını birkaç kez açıp, içine boş gözlerle baktıktan sonra kapatıyorum. Yeterince aç değilim. Ama şu cümleden nefret ediyorum:

"Kibrit kutusu kadar yağsız, tuzsuz beyaz peynir."

Kaç kadının hayatını karartmış bir cümledir bu.

Elimde kahve fincanımla salona çıkıp balkon kapısını aralıyor, taze havayı soluyorum. Omuzlarım ürperiyor serinlikten. Puslu bir güneşin insanı yanılttığı diri bir serinlik var dışarıda. Mevsim yanıltan sabahları severim, baharın ilk günleri midir, yazın son günleri mi? Belli değildir. Böyle sabahların huzurlu bir kederi vardır, belirsiz duygularla iç çeker dururum.

Bir ara müzik setine yöneliyorsam da, bu sabah canım kesin bir sessizlik istiyor. Yalnızlığı özlemişim. Hani bazı anlarda yalnızlık neredeyse kendi başına bir tat kazanır, keyfini sürmek için de kesin, dipsiz bir sessizlik... Şu an öyle. Sabahlığımın altından yakasını düzelttiğim geceliğimin süt akı beyazı, sabahın şu dingin havasına, benim içinde bulunduğum ruh haline yakışıyor.

Bir erkeğin omuzuna başımı koymayalı epey oldu. Kaldı ki başı dolu kadınlar erkeğin omuzuna ağır gelir, bilirim. Açıkça söylemek gerekirse, omuzunda ağlayabileceğim bir erkeğe ihtiyacım var şu sıralar. Bunca zaman sonra bir erkek bulmuşum, niye ağlamak için kullanayım ki o omuzu, lafın gelişi işte. Gene de yalnızlığın lükslerine bunca alıştıktan sonra, bir erkekle yeniden ortak bir hayat kurabilecek miyim, artık bundan pek emin değilim. Bunu hem hâlâ çok istiyor, hem alabildiğine korkuyorum. Aynı çatı altında yaşamanın geçmişten tanıdığım sorunlarıyla baş edebilecek kadar güçlü, inançlı, sabırlı görmüyorum kendimi. Halı saha maçından dönmesini beklemek, mutfakta tencerenin üstünden yemek yemesinden yakınmak ya da ikide bir ortalıkta bıraktığı çamaşırlarını kirliye atmasını söylemek için yeterince genç değilim. Geri çekildiğimi duyumsuyorum. Hayatın bize gizli gizli öğrettikleriyle neredeyse farkında bile olmadan zaman içinde bir yerlere doğru geri çekilmişim. Belki de bu yüzden, telaşım son turunu koşan bir atletinkine benziyor.

Sabahları çocukların kahvaltısını hazırlamak, kocasını işe uğurlamak için evde herkesten önce kalkan kadınların kullandığı o serinlik ve sessizlik anlarında düşündüklerini, hissettiklerini anlamaya çalışıyorum. Eskiden evimizin penceresinden görünen bazı ev içlerinden tanıdığım o sabah telaşını... Herkes gittikten sonra sana kalan ev. Sana kalan hayat. Benim gibilerin artık öyle bir hayatı olmayacak. Ekonomik özgürlüğünü kazanmak için çalışan, kimliğini kendi oluşturan kadınlara, hayat bazı kapıları açarken, bazılarını kapattı. İki kapı arasında bir tür boşlukta kaldık. Ne yeterince evli, ne yeterince bekâr; ne yeterince düzeniçi, ne yeterince sıradışı; birtakım aşklarımız, ilişkilerimiz oldu. Geleceksiz, sonuçsuz belirsizlikleri beraberlik diye yaşadık. Kadınlar değişirken, erkekler ve hayat gerektiği ölçüde değişmedi. Özellikle büyük kentlerde otuzunu, kırkını geçmiş, bekâr ya da dul, önemli sayıda bir yalnız kadınlar ordusu oluştu. Onlardan birinin sabahı bu. Dışarıdan bakıldığında, her şey yolundaymış gibi gözüken sabahı...

Elimde fincanımla öyle kalakalmışım, kahvem soğuyor. İçimde sabahın ürperttiği bir hüzün diriliği var. Mutsuz eden bir hüzün değil bu; anlamayı kolaylaştırdıkça insana sabır ve anlayış kazandıran şık bir hüzün. Çok kitap okumuş olmanın, çok film seyretmiş olmanın özel bir derinlik kazandırdığı, azıcık kendini seyreden bir hüzün.

Düşünüyorum da, çocukluğumda sıradan bir merakla baktığımı sandığım pencerelerde, başkalarının bizimkinden çok daha mutlu olduğuna inandığım hayatlarının izlerini ararmışım meğer. Daha o zamanlar, başka evlerde bizimkinden mutlu hayatlar sürdürüldüğüne inanırmışım.

Başkalarının pencerelerini ve hayatlarını görmede, anlamada zamanla bir bakış derinliği, bir görüş keskinliği kazandığımı düşünüyorum. Benden esirgendiğini düşündüğüm hayat, karşılığında bana zalim bir dikkat ve beceri kazandırmış olmalı.

Başımı kaldırıp sokağa, evlere bakıyorum. Karşı apartımanların yüzünde perdesi açık bir pencere arıyor gözlerim. Her yer sımsıkı kapalı.

Bundan korkmuyor da değildim. Sahip olmaya başladığım bu dikkatten ve görme gücünden. Engellenmiş zekânın dönüp kendine zarar vermesi bilinmeyen gerçeklerden değil. Hayat geçit vermediği için kendini ve yeteneklerini gerçekleştirememiş, bu yüzden zamanla içi acımış, zehirleşmiş kadınlar tanımış, onlardan hep çekinmiş, onları hep uzağımda tutmaya çalışmış, dahası onlara benzemekten korkmuşumdur. Yaşamı, günün birinde annesine ya da hoşlanmadığı türde kadınlara benzemek korkusuyla geçmiş birçok kadın tanıdım. Üstelik korkuları da haksız değildi. Zaten kadınlar korkularının çoğunda haksız değildir. Yaşam, onların korkularını haklı çıkarmaya kurulmuş gibi çalışır.

Bunları düşünmemle birlikte, gözlerimin önünden o kadar çok kadın resmi geçiyor ki, hepsini toplayıp koca bir albüme yerleştirmek istiyorum.

Yeteneğin zehirlediği kadınlarla, ihtirasın zehirlediği kadınlar ilk bakışta aynıymış gibi görünseler de farklıdırlar. Yeteneği olduğu halde kendini gerçekleştirme şansı olmamış, bunun için gerekli olanaklara kavuşamamış kadınlar, hayatı kaçırdıklarıyla kalırlar. Hikâye tadındadır yenilgileri. Onların acılaşmasında gene de insani bir yan vardır. En azından anlayışla karşılayabilirsiniz. Diğerleriyse, kendileri ihtirastan kavrulurken, çevrelerini de yakar tutuştururlar. Hiçbir yetenek derecesi onların ihtiraslarını karşılamaya yetmeyeceği için, yeteneklerini konu etmeye bile değmez. Sonuçta hiçbir yetenek akıldışı değilken, birçok ihtiras çeşidi akıldışıdır.

Ben bu düşüncelerim yüzünden, hayat onları ne kadar benzer kılsa da, ihtiraslarının tükettiği kadınlarla, yeteneği tüketilmiş kadınların hırçınlığını aynı kefeye koyamıyorum.

Kadınların iş yaşamına katılmasıyla birlikte, açık bir biçimde ortaya çıkan, ihtiraslarını görünür kılmaktan korkmayan yeni bir kadın profili bu. Kadınların çoğunun çalıştığı yerlerde kadın yönetici istemiyor olmasının nedenlerine dönüp bakmalı. İş hayatına atılmış kadınların büyük çoğunluğu, gene de başlarına kadın değil, erkek yönetici istiyorlar.

Başka birçok kadının hayatına olmuş bitmiş, tükenmiş hayatlar gözüyle bakarken, kendime iltimas yaptığım duygusuna kapılıyorum. Benim önümde daha çok zamanım var sanıyorum.

Bazı geçmiş hesaplaşmaları, ince eleyip sıkı dokumaya gelmez. Hani fasulye, semizotu, ıspanak ayıklarken, başta tane tane iş görüp sonlara doğru yerli yersiz kusur bulur, tutam tutam elemeye başlarsınız ya, bir yaştan sonra yapılan iç hesaplaşmaları da öyledir. Uğruna aylar harcadığınız ayrıntılarla nice zaman yitirdikten sonra, bir bakarsınız ki, hayatınızın önemli bölümlerini blok blok atlamaya başlamışsınız.

Galiba bana olan da buydu. Ayrıntılarla çokça zaman yitirmiştim, geri kalanıyla da baş etmekte zorlanıyordum.

İyimser insanların bardağın dolu tarafını, kötümser olanlarınsa boş tarafını görmesiyle ilgili o ünlü örnekten yola çıkarak, beni çoğu kez bardağın hep boş tarafını görmekle suçlarlar. Ben öyle biri olmadığımı düşünüyorum. Bana kalırsa, benim sorunum, bardağın yarısının dolu, yarısının boş olduğunu aynı anda görmek ve iyimserler için yeterince iyimser, kötümserler için yeterince kötümser olmamak. Bu da her zaman olduğu gibi beni gene herkesin içinde yurtsuz kılıyor.

Bu düşünceler arasında birden kalın bir yorgunluk çöküyor üzerime. Silkelenmek üzere kendime yeni bir kahve koymak için ayaklanırken, bir süredir sesi duyulmayan telefon yeniden çalmaya başlıyor. Bu kez kendimi konuşmaya ve hayata hazır hissediyor, almacı kaldırıyorum. Daha konuşmaya başlamadan, soluğundan tanıyorum, bizim şirketin, özel hatların seks operatörü kızları gibi konuşan sekreteri bu. Hep bir dakika sonra orgazm olacakmış gibi bir hali vardır. Porno film seslendirmelerinden çok daha fazla para kazanacağından eminim. Kendisini tanısaydınız, neden yalnızca seslendirmeyle yetinmesi gerektiğini anlardınız.

Patron benimle görüşmek istiyormuş. Çok acilmiş. Tahmin edebileceğiniz gibi, bir patronun acil olarak sizi araması hiçbir durumda hayırlı bir şey değildir.

Asım Bey, birinden bir şey isteyeceği zaman kullandığı sesiyle konuşuyor benimle. Onun çeşitli durumlar için kullandığı çeşitli sesleri vardır. Bu kadar zamandır iyi tanıyorum onu. Duruma göre bilgisayardan program indirir gibi, kendine ses indirir: "Nasıl, dinleniyor muyuz bakalım?"

Neden biz? Neden birinci çoğul şahıs?

Böyle doktorlar vardır. Revir gezerken, hastalarına "Bugün nasılız bakalım?" diye sorarlar. Hasta olan benim, doktor olan sensin. Niye ikimiz birden hasta ya da iyi oluyoruz ki? Bu sahte hayat bağları niye?

Yüzünü görmemekle birlikte şu an bir mezgit gibi gülümsediğinden emin olduğum Asım Bey, kendince yeterli gördüğü laf dolandırmalarından sonra konuya giriyor. O konuşurken, ben, belli ki şirketle ilgili önemli bir şey oldu, benim iznimi kesip acele şirkete dönmemi isteyecek diye tahmin yürüterek, bir yandan içimi bu yeni duruma hazırlıyor, bir yandan da büroda Tuğde'yi nasıl eğlendirebileceğimi kestirmeye çalışıyorum.

Asım Bey, "Senin elinde bir kız varmış," diyor.

Kendimi, randevu evi sahibesi gibi hissetmeme yol açan bu cümleye ilk anda bir anlam veremiyorum. Benim elimde bir kız! Hatta, ben de "Lüks Nermin" olmalıyım!

"Bizim Gürol çok beğenmiş senin kızı! 'Tam aradığım gibi biri' diyor." (Kız kim, senin Gürol kim? Ne, nasıl, nerede beğenmiş?) Asım Bey böyledir, kendi bildiklerinin karşı tarafça da bilindiğini varsayarak konuşanlardandır, kendi kafasının sıçramalı çalışma modelinin karşı tarafça anlaşılmasını hakkıymış gibi talep eder. Asım Bey'i soğuk ve mesafeli bir sessizlikle kendine getiremeyeceğimi fark etmiş olarak, sonunda ben de bir şey söyleme gereği hissediyorum: "Sizin Gürol Bey'i tanımıyorum efendim, bir yanlışlık olmasın," diyorum. Daha cümlem bitmeden, "Tanıyorsun, tanıyorsun..." diyor. "Ömer tanıştırmış sizi Kapris'te mi falan."

Başıma ilk balyoz iniyor. Adam "Kaktüs" demek istiyor anlaşılan. Birdenbire gözümün önünde canlanıveren o Pavarotti kılıklı adam olmalı Gürol Bey. Adı aklımda bile kalmamış. (Kapris mi falan neymiş?) Kaç kez isim ve marka karıştırdığı için müşteri kaybetme eşiğine gelmiş Asım Bey'in hiçbir adı aklında tutamamak ama, karşı tarafın doğrusunu bir kerede anlamasını beklemek gibi bir huyu daha vardır.

"Gürol benim eski arkadaşımdır, bir şampuan firmasının işlerini yürütüyor. Senin kıza bayılmış, benden rica ettiler, İtalya'dan bir rejisör getirtiyorlarmış bu iş için; iş çok acil, ben gereken talimatları verdim. Adamların fazla vakti yok. Sana zahmet bugün şu işlerle bir ilgileniver kuzum. Ömer'e seni aratayım mı?"

İzinde olduğumu hatırlatan imalı bir cümle kurmaya çalışıyorum: "Asım Bey, biliyorsunuz iznim sırasında yapmam gereken bazı yoğun işlerim..."

"O işler için tatilini bir hafta daha uzatabiliriz," diye benim için önemli bir rüşvetle sözümü kesen Asım Bey, benden bugüne kadar özel bir şey istememiş olduğunu manidar bir biçimde dile getirdikten sonra, az önceki sorusunu daha kesinleştirilmiş bir sesle yineliyor: "Ömer'e seni aratayım mı?"

"Hayır aratmayın, ben kendisini ararım."

İç çeker gibi derin bir soluk alıyorum. Her ne kadar çabuk teslim olduğum duygusu alsam da, yapacak fazla bir şey yok. "Aramam gerekiyorsa tabii."

"Gerekiyor, gerekiyor. İşleri o yürütüyor çünkü."

Konuşmanın gerisini pek hatırlamıyorum. Ben telefonu kapattığım anda, koridorda uykulu gözler ve sırtında üzerinde hilal biçiminde ayların, bir bacağı uzun tombul yıldızların, salkım tozan samanyollarının uçuştuğu mavi eşofmanıyla kaderinin kendini çağıran sesini duymuş gibi Tuğde belirdi. Belli ki, bu kızın kaderi bir zamanlama harikasıydı. O anda kaderin tarifini buldum. Bazı insanların hayatındaki kimi karşılaşmalar ve tesadüfler için doğru yapılmış zamanlamalara kader denir. Bu tarif iyi kaderler için geçerlidir tabii. Bir de kötü kaderler vardır. Yani benimkiler gibi. Ki, sabah sabah bir de onun tarifine kalkışarak daha fazla moral bozmayalım. Sonuçta kader dedikleri de bir hayat dramaturjisidir. Ne yapayım, benim kaderim kötü bir dramaturgun eline düşmüş!

Bozguna uğramış halimden ortalıkta tuhaf bir şeyler döndüğünü sezen Tuğde'nin soru işaretleri uçuşan yüzüne bakarken, daha yarım saat önce "Acaba bugün evde mi otursak" planları yapan beni, nasıl zorlu bir günün beklediğini bütün benliğimle hissediyorum.

Derin bir iç geçirerek, "Bugün çok işimiz var Tuğde," diyorum. "Ama istersen önce kahvaltımızı yapalım."

Ona bu mutlu haberi kahvaltıdan sonra vermek niyetindeyim.

Tuğde, şöhret basamaklarına tırmanmadan önce doğru tuvalete koşuyor, ben de doğru mutfağa!

Daha mutfağa yöneldiğim anda telefon çalıyor. "Sinirlenme Nermin," diyorum içimden. "Bugün her şeye hazırlıklı ol. Bugün zor bir gün. Bugün bir telefon sesine verecek bir tek tel sinirin bile olmamalı senin, demet demet sağlam tutmalısın onları. Dur, daha bu hiçbir şey değil."

Ya bizimkinin anneannesidir, ya tekrar bizim porno sesli sekreter diye düşünerek kaldırıyorum almacı.

"Hele şükür!" diyor Erhan.

O an beynime bin volt elektrik akımı verilmiş gibi oluyor.

"Kusura bakma, izinde biri için erken bir saat biliyorum ama, çıkmadan yakalayayım seni dedim. Kaç gündür neredesin yahu?" Hem Erhan, hem sitem! Hem de sabah sabah!

Derin bir soluk alıp onu yaylım ateşine tutmayı amaçlarken, birden bütün sinirimi Erhan'dan çıkarmanın adil bir şey olmayacağını hissediyorum. Ben o kötü kadınlardan değilim. Vicdan böyle bir şeydir işte. Erhan'ın beni hep en olmadık durumlarda, benim en sinirli zamanlarımda aradığına bakılırsa, o da benim gibi kaderi kötü bir dramaturgun eline düşmüş talihsiz bir adam. Şuncacık şansı olsa bile, onu da bu zamanlama hataları yüzünden kaybedecek bahtsız biri. Israrının hiçbir biçimde tarafımdan ödüllendirilmeyeceğini anlamasını ummaktan başka çare yok.

"Kusura bakma şu anda konuşamayacağım," diyorum.

"Neden?" diyor.

"Postacıma kahvaltı hazırlıyorum," demek geçiyor içimden.

"Konuğum var," demekle yetiniyorum. Yalan da değil. Tuğde'den iyi konuk mu olur? Sabahın o saatindeki konuğu artık o ne sanırsa sansın.

Soğuk bir sessizlik oluyor telefonun öbür ucunda. Kuru birkaç cümleden sonra kapatıyoruz.

"Sabahın yemişi bir tane vişne"
"Sabahın yemişi bir tane vişne"
"Sabahın yemişi..."

Telefonu kapatmamla birlikte, durup dururken beynimin burgacında bu lanet türkü dönmeye başlıyor. Hay Allah! Hiç aklımda fikrimde yokken, nereden de dilime dolandı? Sabah olmasına sabah da, ne vişnesi şimdi? Üstelik, türkünün gerisini de hatırlamıyorum. Bir hatırlasam sanki çekip gidecek aklımdan, ben de kurtulacağım. Zaten türkü sevmem, üstelik beynimin içinde sinir bozucu bir biçimde türkünün bir tek orası dönüp duruyor. Bir keresinde, Metin'e zaman zaman kulaklarımda dönüp duran, ne yaparsam yapayım kurtulamadığım bu çeşit şeylerden söz ettiğimde, beni rahatlatmak için, "Mozart'a da böyle olurmuş," demişti.

478

"Kulaklarında öyle çok bayağı melodiler dönüp dururmuş ki, onlardan kurtulmak için koşar kendi eserlerini bestelermiş."

Mozart örneği ne kadar bir teselli sayılırsa artık! Düşünebiliyor musunuz, bir yanda onca müzik merakıma karşın okuldayken mandolin çalmayı bile öğrenememiş ben, öte yanda Mozart! Mecburen beynimin radyosundan bu vişneli türküyü dinleyip duracağım: "Sabahın yemişi bir tane vişne."

Hay Allah, gerisi neydi bunun?

XXVIII

Cengiz ile Selma

OKUMAYA yazmaya meraklı, entelektüel arkadaşlarımdan biri, o sıralar kitaplarla arası pek iyi olmayan fazla sıradan bir kızla birlikte olmaya başlamıştı. Kız, azıcık alt orta sınıf, eğitimsiz bir aileden gelmeydi; dünyayla arasındaki açık kısa zamanda kapanacağa benzemiyorsa da, öğrenmeye meraklı, gayretli, hoş bir kızdı. Ne zamandır oğlanda gözü olup da şimdi onu bir başkasına kaptırdığı için diş gıcırdatan fettan kızların dışında çevremizdeki herkes ona karşı sabırlı ve anlayışlı olmaya kararlı görünüyordu. Ben bu çeşit konularda, beyaz kepli, beyaz kanatlı, parmağı dudağında bir "Kızılay hemşiresi" kadar gönüllüyümdür.

Oğlan bir yandan aşk yaşıyor, bir yandan da, "My Fair Lady" durumlarında tepeden tırnağa bir kadın yaratmaya çalışıyor, çevresindeki kız arkadaşlarından bu konuda yardım ve destek bekliyordu. Eh bizde de aşka hürmet çoktu. Kızın sevimli, sıcak, insanda şefkat uyandıran bir hali vardı, aramızda ezilmesini istemiyor, yalnız arkadaş hatırına değil, kızın bu içtenliğinden ötürü de elimizden geleni yapıyorduk. Bana kalırsa, oğlan, kızı çoktan kabullenmişti, kız ne yaparsa yapsın fazla umurunda değildi de, çevresindeki çokbilmişlerin tepkisini onlardan yardım isteyerek yumuşatmaya çalışıyordu.

Sonra bir ev tutup birlikte yaşamaya başladılar. Kız, ailesiyle bütün bağlarını koparmış, kendini bütünüyle bizimkine teslim etmiş, evlilik hayalleri kuruyordu. Dünyayla aranızdaki açık hiçbir konuda öyle kolay kapanmaz elbet. Ne kadar görmek istemeseler de, onları bir dolu tuzak bekliyordu. Ama "Eyvah bizimkinin göz-

480

leri açılıp kızdan soğuyacak," dediğimiz nice durumda hiçbir şey olmadığına bakılırsa, iyi gidiyordu.

Yeni taşındıkları evlerinde, işlerin kabasını bitirip, kitap kolilerini açıp, kitaplık raflarını yerleştirmeye çalıştıkları günlerin birinde, kızı da kendi dünyasına ortak etmek için, bizimki "Sen de yerli yazarların kitaplarını yerleştir raflara," diyerek kendince bir iş bölümü yapıyor. Sonra bir bakıyor ki, yerli yazar raflarında, C'de Cengiz Aytmatov, S'de Selma Lagerlöff duruyor. Birdenbire o an kızı küçümsediğini fark ediyor.

"Herkes aynı eve taşınıp birlikte yaşamaya başlamamızla birlikte ayrıldığımızı sanıyor, aslında o an ayrılmıştım," demişti. "Çaresizlikten ayrılmıştım. Yorgunluktan. Anlatması çok zor."

Bir kere görmeye başlarsanız, artık hep görürsünüz. Ona da öyle olmuştu besbelli.

Onları hiç kimse değil, Cengiz Aytmatov ile Selma Lagerlöff ayırmıştı.

Bu hikâyeyi anmamın nedeni, kapıldığım çağrışım sellerinin birinde nicedir yüzünü görmediğim o arkadaşımı, ya da o kızı anımsamam değil. Ne zaman Cengiz Aytmatov dense, aklıma bu hikâye gelir de ondan. Kimsenin durduk yerde Cengiz Aytmatov dediği de yok tabii. Sırf onun bir kitabının adı yüzünden aklıma geldi bütün bunlar. Tuğde ile beşinci günümü her an Cengiz Aytmatov ile birlikte geçirdim:

"Gün Olur Yüzyıl Olur".

Çünkü, beşinci gün, beşinci yüzyıl kadar uzundu.

Beşinci yüzyılın ne kadar uzun olduğunu ben nereden bileceğim? Bu yüzden bir uzunluk ölçüsü olarak ne kadar inandırıcıdır, bilemem. Şu beş günün sonrasında zaten hayat hakkında bildiklerim hepten azaldı. Konuştuklarım çoğalsa da, bildiklerim azaldı. Beşinci gün boyunca karşılaştığım her erkeğe, "Cengiz", her kadına "Selma" demek geldi içimden. Hele her Japon benim için Cengiz Han'ın torunuydu. Beynimin keçeleştiğini, içimin uyuştuğunu hissettim. Artık her denileni yapabilir, her şeyi itiraf edebilirdim. Hatta gerekirse, bütün faili meçhul cinayetleri üstlenebilirdim. Kendimi yeryüzündeki her şeye karşı bir top karnabahar, göbekli bir lahana kadar kayıtsız hissediyordum.

Yirmi dört saat içinde geçen romanlar vardır bilirsiniz. Her şey o yirmi dört saat içinde olup biter. Bu çeşit kitaplarda, yazarlar çoğu kez zaman kullanmak konusunda başarısızdırlar. Zamanın fizik karşılığını unuturlar çünkü. Olaylar, eylemler, durumlar çoğu kez yirmi dört saatlik zaman birimini çoktan aştığı halde, onlar hâlâ bizi her şeyin yirmi dört saat içinde olup bittiğine inandırmaya çalışır. Yazımı aylar süren romanların belki de kaçınılmaz sorunudur bu: Zamanın fizik karşılığını unutmak!

Benim beşinci günüm, o romanların yirmi dört saatlik zaman diliminin nasıl bir cehennem olduğuna dair bıraktığı duyguya çok benziyordu. Onun için anıyorum. Eğer "Kıyamet Günü" değilse, hiçbir "son gün" bu kadar zalim olamaz.

Mutfakta güzel güzel kahvaltımızı ediyorduk, telefonsa bir an olsun susmak bilmiyordu. Telesekreterdeki seslerin hepsi aynı berraklıkta duyulmuyordu buradan. Her telefon çalışında Tuğde'nin içi içini yiyor, koşup bakmamak için kendini güç zaptediyor, ama benim iyice donuklaştırmaya çalıştığım buzul bakışlarım, onu olduğu yere mıhlıyordu. Şu halimle televizyon dizilerinde "üvey anne" rollerinde çok başarılı olabilir, hatta bu alanda bir "kariyer" bile yapabilirdim. (Turgay'ın barının işletmecisi olan o manasız kadınla o diziden bu diziye birlikte gider geliriz artık!)

Kahvaltı sırasında konuyu Tuğde'ye hangi cümlelerle açacağımı kuruyordum. Mümkün olduğu kadar sıradan, önemsiz cümleler kurmalı, fazladan hayallere kapılmamasını sağlamalıydım. Sonrasında mutsuz olabilirdi yavrucak! Dahası, kapılması muhtemel heyecan fırtınasının, gene kapılması çok muhtemel bir histeriye dönüşmesini engellemeli, her şeyin mümkün olduğunca sakin yaşanmasını sağlamalıydım.

Kahvaltıdan sonra, salona çıktığımızda, ilkin telesekreter notlarını dinledik. Birkaçı gene sessiz telefondu. Belli ki, bizim porno sesli sekreter iç gıcıklayıcı soluğunu boşa harcamak istemiyor, beni bulana kadar şansını denemeye kararlı görünüyordu.

Günlerdir anlamadığım bir nedenle beni arayıp duran su tesisatçısı nedense yine arıyordu. Birkaç cikirtili çocuk sesi, Tuğde'ye "Günaydın," diyorlardı.

İris, seslendirme yapar gibi bıraktığı telesekreter notunda, konunun onun için önemli olduğunu, onu ararsam çok sevineceğini söylüyordu, tabii ki, anneannemiz arıyordu ve bunların hepsi bizim mutfakta olduğumuz bir kahvaltı süresi içinde oluyordu!

Salondaki bitkilerin yaprakları bulutlar arasından yükselen puslu güneşe, pencereye doğru yönelmişlerdi. İkebena kurslarımdan kalma bilgimle düzenlediğim çiçeklerim, birkaç bonsai parça cam önündeki mermer tablanın üstünü süslüyordu. Tuğde ile kanepeye yayıldık. Gazetelere bile bakacak halim yoktu aslında. Boğazımı temizleyip konuya girdim. Havadan sudan söz ediyormuş gibi, reklamcıların onunla ilgilendiğini, bazı tecrübe çekimleri yapmak istediklerini sakin bir ses ve serin bir yüzle anlatmaya çalışıyordum ki, daha cümlem tamamlanmadan, baraj kapakları sonuna kadar açılmış bir coşku selinin altında kaldım. Yüzümde, boynumda bıraktığı tükürüklü öpücüklerle beni sevinciyle boğdu!

Her an ağlayacakmış gibi içini çeke çeke, "Bana yaptığınız bu iyilikleri hiçbir zaman unutmayacağım Nermin ablacığım!" diyordu. "Hayatım boyunca unutmayacağım. Sizinkisi büyük insanlık!"

Nicedir aklının bir yerinde böyle anlar için beklettiği bu gibi tumturaklı cümleleri kullanma fırsatı bulduğu için ayrıca seviniyor gibiydi.

Ben, her ne kadar onu sakin olmaya davet ediyorsam da, şu anda beni duyması, dinlemesi, anlaması mümkün değildi. Pek çok heyecanlandığını söyleyerek, her zamankinden fazla sıklıkta işemeye gidip geliyor, her dönüşünde, "Bakın banyodayken aklıma ne geldi," diye seke seke yanıma gelerek, çekimlerle ilgili birbirinden parlak düşüncelerini sıralıyordu.

Hevesini kırmamakla, saçmalamalarına dur demek arasında kıldan ince bir köprüde gidip geliyordum. Sevincinden, coşkusundan, hiç susmayan çenesinden tepe sersemi olmuştum ve düşüncelerimi yoluna koymakta zorluk çekiyordum.

"Bu konuda karar verme hakkını kendimde görmüyorum Tuğde," dedim. "İlk iş olarak önce büyüklerini aramamız, onlardan bunun için izin istememiz gerekir."

Bir an bile düşünmeden, "Benim büyüğüm sizsiniz!" dedi.

Afalladım. Bu uğurda gerekirse annesini, babasını, hatta bütün ailesini feda edebilecek kadar kararlı görünüyor, önünde en küçük bir engel görmek istemiyordu.

"Abartma Tuğde," dedim. "Anneni, babanı cep telefonlarından arayalım önce."

Ondan izin koparmanın daha kolay olacağını düşünmüş olmalı ki, "O halde anneannemi arayalım," dedi.

Duymamış, ya da üzerinde durmamış gibi yaptım. Sırasıyla annesini, babasını aradım. Her ikisinin de telefonları kapsama alanı dışındaydı. Kızlarının bütün hayatımı kapsadığı bir dönemde, onların kapsama alanı dışında olmalarında bir adaletsizlik seziyordum.

Anneannesi bizi duyunca çok sevindi. Tuğde, ilkin kendi konuşmak, bu büyük haberi kendi vermek istediyse de, ben durumu daha iyi anlatabileceğim konusunda onu ikna ettim. Bu konuda ondan yana olduğum duygusuna kapıldığı için fazla ses çıkarmadı.

Konuyu anlattığımda, oksijenci anneannenin ilk lafı, "Kaç para veriyorlar?" oldu.

"Bilmiyorum," dedim.

"Para işini benimle konuşsunlar o halde," dedi. "Kızım da, damadım da para-pul işlerinden anlamazlar, ben olmasam onların hali nice olurdu?"

"Sizinle konuşmaları benim için de kolaylık olur," dedim. "Bakmayın bu işleri yapıyor göründüğüme, aslına bakarsınız ben de hiç anlamam ama, bulaştık bir kere..."

Kendimi eğlendirmek için söylenmiş ironik sözlerdi bunlar. Böyle durumlarda, karşı tarafın bunlardan ne anladığını umursamıyordum bile. Diyalogdaki ümitsizlikten, monolog mizahı çıkartarak, hayata katlanmaya çalışıyordum.

"Zaten bugün yapacakları muhtemelen tecrübe çekimleri olacak. Annesi babası geldiklerinde, ayrıntıları onlar konuşur artık," diyorum.

"Olsun, sen gene de bana işin bir rayicini öğreniver kızım," diyor. "Hem biliyorsun hastane masrafları da var. Gün günden hayat pahalılaşıyor."

Kadının iki dakika içinde bu yeni duruma uyum gösterme ve işi pazarlığa vardırmadaki hızı beni şaşırttı. Dünyada bir gram oksijen kalmasa bile, bu uyum kabiliyetiyle yaşamaya devam eder bu kadın!

İçimden, "Yaşlı, bunak, fırsatçı kadın rolleri için de sizi arayabilirler mi?" demek geçti.

Telefonu kapattığımızda, Tuğde işin önemli bir bölümünü halletmişiz gibi derin bir soluk alıp, sevinç içinde el çırpıyor.

"Ben şimdi bu işle ilgili olarak gereken telefonları ederken, sen de uslu uslu duşunu alacaksın," diyorum. "Kafamı karıştırıp yanlış bir şey yapmamı istemiyorsan, sessiz ol lütfen. Şimdi sakin ve uslu olacağına dair bana söz vermeni istiyorum."

Sözümü tamamlamadan, hatta ne söylediğimi bile anlamadan, "Söz veriyorum!"diye bağırıyor.

"Bağırmadan söz ver," diyorum. "Hani sakin olacaktın?"

"Olamıyorum," diyor. "Yıllardır bu ânı bekledim."

Ay, gene bir televizyon cümlesi! Sinirlerime hâkim olamıyor, gene cevap veriyorum ona.

"Saçmalama Tuğde," diyorum. "Hangi yıllardır? Sen daha beş yaşındasın kızım!"

"Olsun," diyor. "Yaşın ne önemi var? Atatürk benim yaşımdayken kargaları kovalıyordu! Hem okuma yazma biliyorum, dans edebiliyorum, şaıkı söyleyebiliyorum, şiir ezberleyebiliyorum, resim yapabiliyorum, ağız armonikası çalabiliyorum..."

"Tamam tamam yeter!" demesem soluğu tıkana tıkana saymayı sürdürecekti.

"Bakalım banyo da yapabiliyor muymuşsun?" diye koridoru işaret ediyorum.

Uzaktan bana eliyle öpücük göndererek banyoya koşuyor.

Filmin bu sahnesinde tonton dadı, gözden kaybolan haylaz

kızın ardından "Hay deli kız!" diye gülerek başını iki yana sallar. Ben öyle yapamıyorum. Tersine beş karış suratla telefonun başında kalakalıyorum.

Sahi, ben ne yapacağım?

İlkin şirketi arıyorum. Porno sesli sekreter, "Ömer bey burada," diyor. "Sizden telefon bekliyordu. Bağlayayım mı?"

"Bağlayın Nurhan Hanım," diyorum.

Ömer, ikimizin ister istemez yer aldığı bir işte buluşmamızın, ileride ortak çalışabileceğimiz projelere atılacak bir adım olmasında fazla gayretli ve istekli görünerek canımı bir kez daha sıkıyor. Sanki kendisinin birlikte çalışmaktan çok zevk alınan biri olduğuna inanırsam, iş hayatımız için önümüzde yepyeni ufuklar açılacak!

Ben, soğuk, profesyonel, uzak ve oldukça gönülsüz bir sesle, çekim yeri, zamanı, yanımızda getirmemiz gereken giysi ya da aksesuar gibi teknik noktalar üzerinde yoğunlaşarak, zaten canımı yeterince sıkan bu konuşmayı mümkün olduğunca kısa kesmeye çalışırken, Ömer habire laf dolaştırarak eline geçen fırsatın tadını çıkarmaya bakıyor.

Kabalık etmek pahasına sık sık sözünü kesip yer, zaman ve diğer konular üzerinde anlaşarak kapatıyorum telefonu.

"Siz çıkmadan, tekrar bir konuşuruz," diyor. Laf uzamasın diye "Daha ne konuşacağız ki?" demiyorum. Onunla konuşacağım diye dakikalardır elime yapışıp kalmış telefonu kapattıktan sonra, banyoya gidip elimi yıkamak isteği duyuyorum.

Ardından İris'i arıyorum. Onun bağlanmasını beklerken, her sabah 5'te kalkıp, 7'de işbaşı yaptığı geçiyor aklımdan. "Bu da hayat mı," diyorum içimden. O saatte, o kadar taze ve zinde kalkabilmek için kim bilir kaçta yatıyor?

İris, sanki yirmi yıldır tanıdığı biri değilim de, "Fas'a mı gitsem, Bahamalar'a mı?" diye kararsızlık geçiren müşteriymişim gibi bir pazarlamacı tonuyla konuşuyor benimle. O öyle karşımda melodik bir sesle konuşurken, riya, bir insanın sesine bu kadar yerleştikten sonra, içtenlik anlarında ne yapar, acılarını, sevinçlerini sahiden nasıl dile getirir, diye geçiriyorum içimden.

Önceki gün söylediklerini ayrıntılandırarak yineliyor. Bir Japon turist kafilesiyle erken bir akşam yemeği yenilecekmiş bugün. Yeni bir suşi lokantasının açılışı yapılacakmış. Türk-Japon Dostluk Derneği'nin desteklediği çeşitli kültürel etkinlikler de olacakmış. Birkaç Japon çocukla birlikte "karaoke" yapacak Türk çocuklar arıyorlarmış. Aklına hemen Tuğde gelmiş. Zaten önceki günden beri Tuğde kafasını kurcalıyormuş. Bu akşam onların konuğu olur muymuşuz?

"Maalesef imkânsız," diyecek oluyorum. "Bugün çok yoğunuz." (Birinci çoğul şahıs kullanmam, kendimi, birden artist asistanı kızlar gibi hissetmeme neden oluyor.)

Sorun, bizim yoğun olmamız değil de, kendisinin yeterince ikna edici konuşmamış olmasıymış gibi, aynı ısrarlı tonda sürdürüyor İris. Bu tavrı iyi bilirim. "Evet," yanıtı alana kadar ısrarla sürdürenlerdendir o da. Bir-iki cümle söylemeye çalıştığım her durumda, "pardon ama şekerim," diyerek sözümü kesmekte bir "beis" görmüyor.

"Tuğde'nin reklam filmi için tecrübe çekimi var bugün, kaça kadar süreceği de belli değil," gibi laflar geveleyerek hevesini kırmaya çalışıyorsam da, bu durum İris'i iyice kışkırtıyor. Kendi keşfi olduğunu düşündüğü genç bir yıldız adayını, başkalarına kaptırmaya niyetli görünmüyor. "Daha iyi ya, belki çekimleri de burada yaparsınız," diyor. "Bilirsin Japonlar fotoğraflarının, filmlerinin çekilmesinden çok hoşlanırlar. Bir daha nerede bulacaksınız beş otobüs dolusu Japon figüranı?"

Bakıyorum, kadın setini kurmuş, neredeyse senaryosunu yazıp ekibini tamamlıyor! Üstelik daha ne reklamı olduğunu bile bilmediği bir filmde. Niye benim çevremdeki herkes bir pratik zekâ harikası da, ben tam bir budalayım?

"Pek sanmam," diyorum. "Firma kendi reklam konseptini çoktan kurmuştur," diye sözü uzatıp gereksiz mesleki terimlerle, onun anlayamayacağı şeylerden söz ediyormuş gibi yaparak yıldırmaya çalışıyorum. Ne mümkün? Kaç ekonomik kriz dalgasını, üstelik turizm gibi hassas bir sektörde burnu bile kanamadan atlatabilmiş bu ıstakoz sepetini ben mi yıldıracağım? Tanrım, ben gerçekten tam bir budalayım! O benim her itirazım karşısında çözüm üzerine çözüm üretiyor. Sonunda, "Herkesin görüp de, bir benim görmediğim ne var bu Tuğde denen kızda?" diye sahiden düşünmeye başlıyorum. Galiba starları, başkalarının onlar üzerindeki inatları yaratıyor.

Benim inadım, çocukluğumdan beri daha çok "direnen" bir inattır, kendini ve inandıklarını savunma esasına dayanır. Oysa diğerlerinin, yani dünyayı yönetenlerin inadı, "dayatan" inattır. Israr eden, üstüne giden, ele geçiren inat... Biz inat ederek yalnızca arka bahçelerimizi, küçük siperlerimizi koruruz, onlarsa bütün bir dünyayı yönetirler. İnadımız bile marjinal! Boş yere ümitsiz olunmuyor.

Sonunda ağzımdan, "Tamam, çok istiyorsan, ben reklamcılarla bir konuşur, sonra seni ararım," sözünü almayı başarıyor İris. Yoksa bu telefonun asla kapanmayacağını anlamış bulunuyorum, eh hiç olmazsa beni bu konuda ikna etmiş oluyor.

Buna rağmen gene de kapatmıyor telefonu, "Bir dakika beklemeye alabilir miyim seni, önemli bir telefon geldi de..." derken bağlantı kesiliyor. Birkaç saniye bekleyip, isterse kendi arar, diyerek yeniden aramaktan vazgeçiyorum.

Bu arada Tuğde banyodan çıkıyor. Bu kez her zamankinden erken çıkmasının nedeni, çekim heyecanı olsa gerek. Üstelik banyodayken şarkı bile söylemediği şimdi dikkatimi çekiyor. Normal koşullarda Türk pop listesinde ilk 20'yi söylemeden kolay kolay çıkmaz banyodan.

Kurulanmasına yardım ederken, "Hadi şimdi hemen giyiniyorsun Tuğde," diyorum. "Fazla vaktimiz yok."

"Ah sormayın Nermin ablacığım," diyor. "Hep ne giyeceğimi düşündüm banyoda. Çok, ama çok güzel giyinmeliyim bugün."

Giyinip süslenmesi, sokağa çıkarken bile başlı başına bir hadise olan bu kızın, tecrübe filmi çekimine gittiği böyle bir günde başıma neler açabileceğini tahmin etmek bile istemiyorum.

Kendinden geçmiş bir biçimde, beni elimden tutup çekiştirerek odasına sürüklüyor. Eğer duruma el koymazsam, bütün günümüzün bu odada ve ayna karşısında geçeceğini hissediyorum.

"Sana işin sırrını söyleyeyim Tuğde," diyorum. "Gayet rahat ve spor giyineceksin. Reklamcılar insanı ancak öyle beğenir."

İnanmaz gözlerle, hatta, "Şaka mı yapıyor bu," dercesine başını kaldırıp yüzüme bakıyor. Ancak bir şeye şaşırdığında masumlaşabiliyor Tuğde. İşte şimdi o ender anlardan biri. Onda çocukça bir masumiyetin bulunmayışının nedeni, daha şu yaşında şaşıracağı şeylerin azalmış olması galiba. Bu kadar çokbilmişliğin böyle zararları da var tabii.

"Kesinlikle bu böyle," diyorum. "Bana güven. Ben senin tarafındayım. Ne kadar sade olursan o kadar göz doldurursun!"

O tam ikna olmaya hazır görünürken, telefon çalmaya başlıyor. Beni dinlemeden koşup açıyor. Ardından gidiyorum.

Kendi evimde bana telefon geliyor olmasında tuhaf bir yan varmış gibi, sesinde hafif bir hayal kırıklığıyla, "Sizeymiş," diyor. "Sekreteriniz."

"Efendim Nurhan Hanım?"

Telefon bana olsa ne çıkar, konu gene o.

Sekreterin bağladığı Ömer, çekim saatini daha erkene almak istediklerini söylüyor. Ne kadar erken olup biterse o kadar çabuk kurtuluruz bu sıkıntıdan, düşüncesiyle "Bizim için uygun," diyorum.

Tuğde, "Bu kadar kısa zamanda nasıl hazırlanırız Nermin ablacığım?" diyor.

Kızımız ne kadar paniklerse paniklesin, her durumda "Nermin ablacığım," demeyi ve bunu derken her seferinde aynı tonlamayla ses nağmesi yapmayı asla tavsatmıyor.

"Zaten burada hazırlanmayacaksın ki Tuğde," diyorum. "Bazı giysilerini yanımıza alacağız, orada giyinip çıkartacaksın. Asıl hazırlık burada değil, orada!"

"Peki karşılarına böyle mi çıkacağım?"

"Bu hiç önemli değil," diye sözünü kesiyorum. "Seni gördükleri kadar gördüler. Bu işler böyledir. Fazla süslenmek yok. Yoksa onları kandırıyoruz sanırlar. Seni doğal halinle görmeliler. Zaten çekim sırasında seni orada makyajcı kızlar süsleyecek, tamam mı?"

Bu saçma sapan sözlerle ikna edici olmaya çalışan sesimdeki kararlılıktan kendim bile etkileniyorum. Hem onun içi biraz rahatlasın, hem biz bir an önce çekip gidelim diye. Orada en azından bana yardım edecek bir-iki kız çıkar, diye ümit ediyorum.

"Ben şimdi banyoya giriyorum, kendine sade bir şeyler seç, çıktığımda beraber bakarız," diyorum.

"Ah, çok heyecanlıyım," diyor.

"Yakında bir şeyin kalmaz," diyorum. "Elinden geldiğince sakin olmalısın, yoksa seni heyecanlanıp rolünü yapamaz sanırlar. Reklamcılar sakin kızları beğenirler."

"Elimde değil," diyor. "Kalbim çarpıyor."

Son anda arkama dönüp, "Sakın ben banyodayken arkadaşlarına telefon açıp olup bitenleri anlatmaya kalkışma," diyorum.

"Acele etme! Moralini bozmak istemem ama sonuçta bu bir tecrübe filmi çekimi, her şey demek değil, senin şansın yüksek ama, bu işler hiç belli olmaz. Bir şeyler yolunda gitmeyebilir. Arkadaşların şimdilik bilmese de olur. Bilmem anlatabildim mi Tuğde?" diyorum.

Ondan çok zor bir şey istemişim gibi kıvranıyor.

Dudaklarını kemirerek, "Bir tek Didem'e söylesem olmaz mı?" diyor.

"Didem de bir tek Çiğdem'e söylemeye kalkar, böylelikle herkes duyar," diyorum.

"Didem'in Çiğdem diye bir arkadaşı yok," diye sözümü kesiyor.

"Konu bu değil Tuğde," diyorum. "Çiğdem olmazsa, Gülden olur, Gülben olur, Gülten olur."

"Bizim adı 'Gül'lü hiçbir arkadaşımız yok"

"Sinirlendirme beni Tuğde," diyorum. "Ne demek istediğimi bal gibi de anladın. İtişip durma benimle. Birkaç gün sonra söylesen patlamazsın herhalde!"

"Ama o zaman onlar da başkalarından duyarlar."

"Ay sen söylemezsen kimden duyacaklar Allahaşkına?" diyorum. Kız şimdiden şöhret havasına mı girdi, yoksa müzevirci yanı haber atlayacakmış diye mi panikliyor? Üstelik bu kez haberin

490

konusu kendiyken...

Ilık duşun altında yıkanıyor muyum, kendimi mi sakinleştiriyorum? Belli değil. Hayırlısıyla bir yarın olsaydı!

Çıktığımda, Tuğde'yi az buçuk da olsa sözümü dinlemiş, kendine seçtiği daha sade şeylerin başında bir parmağı ağzında, düşünceli bir halde buluyorum. "Sade," dediysem, kendi ölçülerinde sade tabii.

"Bunların hepsini oralara taşıyamayız Tuğde," diyorum. "Hem gerek de yok."

"Ama Ömer ağbi çok getirin, dedi."

"Ne zaman dedi?"

"Az önce..."

Artık yüzüne nasıl baktıysam, önceki günün taze hatıraları canlanmış olmalı. "Valla ben aramadım. Sizin sekreter aradı. Günhan abla. Kimse adını doğru dürüst söyleyemiyormuş. Herkes ona Nurhan diyormuş. O da buna üzülüyormuş. Ben ona hep, 'Günhan abla,' dedim konuşurken. O da bana 'Aferin, sen çok akıllı bir kızsın,' dedi."

"Bizim sekreter seninle bunları mı konuştu Tuğde?" diyorum.

"Evet," diyor niye hırçınlaştığıma bir anlam veremeyerek. "Beni samimi buldu galiba." diyerek kendine övünç payı çıkarıyor. Ardından içini çekerek ekliyor: "Günhan ablanın ne güzel sesi var değil mi Nermin ablacığım? Keşke o da televizyonlara çıksa."

Bütün dünyanın beni delirtmek için birlik olduğuna dair güçlü bir önsezi var içimde.

"Her neyse Ömer giysiden falan anlamaz zaten. Üstelik bu yalnızca bir tecrübe çekimi Tuğde," diyorum. "Asıl film değil ki, iki bilemedin üç giysi yeter onlara. Bunların hepsini götürsek bile hepsine bakmazlar, yorulduğumuzla kalırız."

Yüzüme, geleceğini engelleyecek yanlış bir iş yapmamdan korkar gibi bakıyor. Bu konuda çok hassas olduğu belli. Yatıştırma gereği duyuyor, işin doğası gereği böyle olması gerektiğine inandırmaya çalışıyorum onu. "Üstelik bu kadar çok eşyayla gidersek, bizi görgüsüz zannederler." Bu cümle onun üzerinde etkili oluyor. Duralıyor. "Ama ben öyle kapıcı kızları gibi çıkamam karşılarına," diyor.

"Bak, onlar karşılarında boş, temiz bir beyaz sayfa görmek isterler. Ellerine kalem ve boya alarak kendileri boyayıp süslemek isterler. Bu örnek senin için yeterince anlaşılır mı?"

Türk politik hayatında kimseyi ikna etmemiş olan boş, temiz sayfa benzetmesi, Tuğde üzerinde etkili olmuşa benziyor. Onaylarcasına başını sallıyor.

"Fotoğrafları da hemen aldıracaklar zaten," diyor.

"Hangi fotoğrafları?"

"Dün Arhan ağbinin çektiklerini..."

"Onlar nereden biliyorlar?" sorumu sessizlikle karşılıyor.

"Sen mi söyledin?"

"Ben söyledim. Ömer ağbi, 'Varsa yeni fotoğraflarından yanında getir,' demişti de..."

"Sen de 'Benim yanımda yok, Arhan ağbide var,' dedin."

"Evet."

"Onlar da...?"

"Onlar da 'Araba gönderir aldırırız,' dediler."

"Biliyor musun, aslında senin bana hiç ihtiyacın yok Tuğde," diyorum. "Maşallah her işini kendin gayet güzel görüyorsun. Hem ben banyoda bu kadar uzun kalmış olamam, bütün bunlar sahiden on beş dakika içinde mi oldu?"

Başını sallıyor. "Ama önce İris abla aradı, siz konuşurken telefon kapanmış."

"Niye aramış tekrar peki?"

"Zaten sizinle konuşmuşmuş Japonların yemek olayını... 'Banyodan çıkınca beni arasın,' dedi. Ömer ağbi de 'Japon yemeğinde çekim yapmak iyi fikir olabilir,' dedi."

"O nereden biliyor Tuğde?!"

"Ben anlattım."

"Yeter Tuğde," diyorum. "Yeter! Gerisini Ömer'den dinlesem de olur..."

Ömer sesimi bir kez daha duymaktan hoşnut gevrek gevrek konuşuyor benimle. Hani filmin sonunda, Ayhan Işık ile Belgin

Doruk'un Ayşecik ya da Parla Şenol yüzünden barışmalarına yol açan itişmeli olaylar zinciri vardır, o sahnelerden birinin tam ortasındaymışız gibi halinden pek memnun. Azıcık yüz bulsa, flört etmeye kalkışacağı kesin.

Önce stüdyo çekimleri yapılacakmış, Japonların yemeğinde gelişkin bir video kamera ile bir çalışma yapılabilirmiş, çünkü hoş bir tesadüf eseri zaten bir yemek sahnesi varmış senaryoda, Tuğde'nin koyu kırmızı ve açık mavi giysileri var mıymış?

Tuğde gibi ağzımı eğe eğe "Bütün renklerde zengin çeşitlerimiz mevcuttur efendim," demek geçiyor içimden.

Tuğde, saçlarına binbir şekil vermemi istiyorsa da, ona yeniden bunun bir şampuan reklamı olduğunu, saçlarına orada şekil verileceğini uzun uzun anlatmak, onun "Ama... ama..." diye başlayan bütün itiraz cümlelerini sabırla geri püskürtmek zorunda kalıyorum.

"Dinlemeyi öğrenmezsen, hiçbir şey öğrenemezsin Tuğde," diyorum.

Aynadaki halinden hoşnutsuz dudak büküyor. "Ama ben kendimi böyle beğenmiyorum," diyor

"Bu çok doğal," diyorum. "Çünkü bu halinle normal bir kız çocuğuna benziyorsun da ondan. Ayrıca unutma, senin kendini beğenmen değil, onların seni beğenmesi önemli. Biz oraya sade gideceğiz, anlaşıldı mı küçük hanım? Sade."

"Ama ben dondurmanın bile sadesini sevmem," diyor.

Bu kez sahiden gülüyorum.

Bilirsiniz bu çeşit tartışmalar, terziliğin ve kuaförlüğün tarihi kadar eskidir aslında. Elinde bir fotoğrafla kuaföre gidip başına aynı modelden isteyen kadınlar sonuçtan hiçbir zaman memnun olmaz ve kabahati sürekli kuaförlerinde ararlar. Terziler de öyle. Ömürlerinin büyük bir bölümü, moda dergilerinden beğendikleri modellerin aynısından yaptırdıklarında, niye o fotoğraftaki kadın gibi olmadıklarını anlamayan kadınlara dert anlatmakla geçer. Kendilerinde neyin eksik, nelerin fazla olduğunu asla anlamak istemeyen kadınların hikâyeleriyle doludur terzilik ve kuaförlük tarihi...

Tuğde'nin bir türlü ayna karşısından kopamayan ve hiçbir giysisinden ayrılamayan haline karşı, megafondan konuşur gibi metalik bir tonla sürekli yinelediğim "Geç kalıyoruz, geç kalıyoruz..." şeklindeki uyarı cümleleri sonuç veriyor ve bu kez tam zamanında evden çıkıyoruz.

Elimde bir valiz, valiz olmaya iki karışı kalmış kocaman bir çanta ve şu anda bir kız çocuğundan çok bir imha kalıbını andıran Tuğde ile birlikte yola koyuluyoruz.

Kapıcımız elindeki eşyalarımızı arabaya yerleştirirken, "Hayrola tatile mi çıkıyonuz?" diye soruyor.

"Hayır," diyorum.

"O zaman niye valiz neyim taşıyonuz?"

"Kızımızın reklam filmi çekimi var da, onun için," diyorum.

"Reklam filmini tatilde mi çekiyolar?" diyor.

"Hayır," diyorum.

"Öyleyse niye valiz neyim alıyonuz yanınıza abla?"

Ay, ben ne demeye her sorulana cevap veriyorum?

Hayır, ne olursa olsun sinirlenmeyeceğim. Demet demet sağlam tutacağım sinirlerimi!

494

XXIX

Kartvizit ve gözlük

YOLA çıktıktan az sonra ışıklarda yanımızda bir araba durdu. Direksiyondaki adamla başımızı aynı anda birbirimize çevirdiğimiz için göz göze geldik. Daha doğrusu adam önce gözlüklüydü de, beni görünce işaretparmağıyla burun kemerine aldığı gözlüğünün üzerinden şöyle bir baktı! Ama ne bakmak! Dudaklarının kıyısında beliren gülümsemeye benzer bir kıvrım, yanağında çapkın bir gamze oluşturmuştu. Hem adamın yakışıklılığından, hem de karşılaşmamızın bir film sahnesine benzeyen güçlü mizanseninden etkilenip heyecanlandım. Şakaklarındaki kırlar gözlerinin yeşilini çıkarıyordu ortaya; gergin bir cildi, diri, sportmen bir görünüşü vardı. Açıkçası ne zamandır bu kadar hoş ve yakışıklı bir adamla karşılaşmamıştım. Direksiyonu kavrayan ellerindeki damarlar buradan bile görülebiliyordu. Üstelik adam benimle ilgileniyordu da.

Bir "çıt" sesi duyar gibi oldum. Şeytanın bacağı olabilir miydi bu?

Tuğde, kapıldığı hayaller ve film çekimi coşkusu nedeniyle, değil olan bitenden, arabadaki varlığımdan bile haberdar değildi. Hatta adamla şuracıkta sevişsem, fark edebileceğinden emin değildim.

Adamla bir süre gözlerimizi birbirimizden alamadık. Sonra ben öyle fazla bakarsam, hafif ve kolay kadın sanılır mıyım, kaygısına kapılarak önüme döndüm. Bu çeşit kaygıların kimseye bir yararı olmadığını bilecek yaşlara gelmiştim ama, ilk öğrenmelerin etkisinden kolay kurtulamıyor insan. Erkeklerle bu çeşit sabitlenmiş bakışmalarda, önce kadın gözlerini geri çeker gibi, eski moda bir anlayışa hâlâ inanç ve sadakat duyuyordum. Çaktırmadan hemen dikiz aynasında kendime baktım. Manzara hiç de fena değildi. Kendime güvenim geldi. Yeniden dönüp adama şöyle can yakıcı bir bakışla, konusu açıldığında adlarını saya saya bitiremediğim vamp kadınlar gibi bakmakta bence bir sakınca yoktu. Ama başımı döndürdüğümde, adam da yerinde yoktu. Arkam sıra çalınan kornalar beni kendime getirdi. Allah kahretsin! Yeşil yanmıştı! Fransız Hava Yolları'nın önündeki o menhus kavşaktaki o menhus ışıklar sonsuza dek kırmızı yanarken, buradakiler, hem de böyle bir durumda zırt pırt yeşil yanıyordu. Benim şanssızlığım işte, başka bir şey değil! Benim gözümün dikiz aynasında olduğu sıra, belli ki adamın gözü de yoldaydı. Hayatının sonuna kadar benim kafamın dönmesini bekleyecek değil ya... İlerdeki ışıklarda yakalarım düşüncesiyle hırsla gaz verdim arabaya.

Filmlerde de öyle olur, önce birbirlerini kaybettiklerine üzülür, sonra yeniden bulduklarında şaşırır, sevinirler. Bu hem heyecanı artırır, hem de ilişkilerine, rastlantıları düzenleyen ilahi bir el gizemi katarak kader derinliği kazandırır. Nerede bende o şans? Nerede bende o kader?

Ben de kendini herkesten daha şanssız sanan kadınlardan sayılırım. Benim de herkes kadar kendimi haklı çıkaracak nedenlerim ve sayısız örneklerim vardır. Hoş, kendi şanssızlığınıza inanmak isterseniz, hayat bu konuda çok fazla kanıt sunar size. Birçok şey hep sizin, yalnızca sizin başınıza gelir.

Yolun bundan sonrasında şanssızlık üzerine yaptığım zihin çeşitlemeleriyle, adamı ilerideki trafik ışıklarının birinde yakalamaya çalışıyorum.

Girdiğiniz bir kuyrukta sıra tam size geldiğinde, zaman kaybına yol açan bir sorun çıkıyorsa, bu sizin şanssızlığınızdır. Diyelim, bir bankada tıkır tıkır işleyen bir kuyrukta, kuyruğun en uzun, en karmaşık, en sorunlu işlemi, tam da sıra sizin önünüzdeki o lanet olasıca kişiye geldiğinde yapılıyorsa, bu da tamamen sizin şanssızlığınızdır.

Karaköy-Kadıköy vapuruna hep son anda yetişip, son anda jeton alıp, tam siz kapıya geldiğinizde kapılar kapanıyor, siz de hep bir sonraki vapuru beklemek zorunda kalıyorsanız, bu da sizin şanssızlığınızdır.

Herkesin gazetesi kapısına eksiksiz bırakılırken, bir tek sizinkilerin ekleri noksan çıkıyorsa, hiç mi kendi bahtsızlığınızdan kuşkulanmıyorsunuz?

Uçakta, otobüste yanınıza hep şişman ya da çocuklu insanların düşmesine ne demeli peki? Neyse, gene de aynı yer numarasının, iki kişiye birden satıldığı, öteki kişinin, sizden önce gelip oturduğu, meselenin çözümü için sizin ayakta gergin gergin beklemek zorunda kaldığınız durumların yanında, bu daha az şanssızlık sayılabilir.

Mahallede bütün evlerin ışıkları şakır şakır yanarken, bir tek sizin apartımanınızda elektrikler kesiliyorsa, bu da sizin yüzünüzdendir. Daha fenası, mahallenin tümümün birden karanlıkta kaldığı, elektrikler geldiğindeyse, bir tek sizin apartımanda karanlık halinin sürdüğü durumlar, ancak sizin talihsizliğinizle açıklanabilir.

Herkese şahane dolaplar, kitaplıklar yapan mobilyacı, bir tek size defolu bir iş çıkarmışsa, bu yalnızca bir rastlantı olabilir mi? Kitapçıdan onca kitap içinden özene bezene seçtiğiniz kitabın, gece yarısı heyecanla ortasına geldiğinizde, boş, eksik ya da tekrar basılmış sayfalarla bozuk çıkması, sizin değil de kimin şanssızlığıdır peki?

Plajdaki tek boş şezlonga, bekleme odasındaki tek boş koltuğa yekindiğinizde, her seferinde burun farkıyla başka biri oturuyorsa, bunun tesadüflük bir yanı mı kalmıştır?

Havaalanı gümrüğünde, insanlar önünüzden dörder beşer bavulla şakır şakır geçerken, sıra size geldiğinde, zaten zor açılıp kapanan iki gariban bavulunuzu teker teker açtırıp didik didik ediyorlarsa, bu şanssızlık değil midir?

Evlenebileceğiniz bütün erkeklerin sizden önce başkalarıyla tanışmış olmaları da mı şanssızlık sayılmaz? Çok şanssız biri olduğunuzu kabul edin artık! Görüyor musunuz ne kadar şanssız bir insansınız!

Hem sizin evlenebileceğiniz niteliklerde olup, hem de sizden önce başka bir kadınla tanışmamış olan erkeklerin, eşcinsel olabileceklerini anlamıyorsanız eğer, bu sizin şanssızlığınız değil, düpedüz salaklığınızdır! Bu konuyu ayrı tutmak gerekir.

Bana kalsa örnekleri sonsuza dek çoğaltacağım ama, Tuğde' nin sesi beni kendime getiriyor: "Arabadaki amca bir şey diyor galiba," demesi üzerine şimşek hızıyla sağıma döndüğümde, yeniden göz göze geldik.

O aptal aşk romanlarındaki cümle meğer ne doğruymuş: "Kalbim duracakmış gibi çarpıyordu!"

Güneş aydınlığında bir gülümseyişten sonra, "Ne yazık ki bir yere yetişmem gerekiyor," dedi. Söze nasıl başlayacağını bilemiyor gibi bir hali vardı, gözucuyla tedirgin bir biçimde Tuğde'ye baktığını görünce, panikle atıldım: "Tanıştırayım, yeğenim Tuğde."

Biliyorum, çok manasız oldu ama, artık trafik ışıklarına hiç güvenmiyordum, ışıklar her an yeşerebilir, bu arada adam da Tuğde'yi kızım sanabilirdi. Postacımın ahı tutsun istemiyordum.

"Ben de Emre," dedi. "Siz numaranızı vermek istemeyebilirsiniz," diyerek kartını uzatırken öyle bir göz kırpışı vardı ki, "Numara ne demek, kendimi bile verebilirim," demek geçti içimden. Aklımdan geçenden kendi yüzüm kızardı. Anlaşılan bu mutlu tesadüf, beni fazlasıyla heyecanlandırmıştı. Bu hızı kendime hiç yakıştıramadım.

Stüdyonun bulunduğu binaya girerken, bugüne dayanabileceğim konusunda daha iyimserdim, bunda şu an çantamda bulunan kartvizitin de etkisi vardı tabii, ama daha koridorlardayken burun buruna geldiğim insanlar içimi karartmaya yetti.

Turgay'ın barının işletmecisi olan figüran kadın da oradaydı. Zaten görmesem şaşardım. Yüzünde gene aynı kaygılı ifadeyle ligorin tavukları gibi Makyöz Semra'nın peşinde koşturuyor, yüzündeki o tuhaf makyajı sildirmeye çalışıyordu. "Makyajıyla birlikte yüzünü de silmenin bir imkânı var mı?" diye sormak geldi içimden. Semra, beni görünce, kadını yüzündeki Çeçen-İnguş atası makyajıyla öylece bırakıp bana doğru seğirtti. Bu Semra niye her seferinde beni yıllardır görmemiş de çok özlemiş gibi coşku ve sevinç gösterisi yapar, hiç anlamam. Evet, başlangıçta bir parça ilgi ve dostluk göstermiştim. O kadarını herkese yaparım. Sonrasında, o çok yakın arkadaş olduğumuza kanaat getirip kendine ait bilmek istemediğim bir dolu mahrem şey anlatarak beni kendinden soğutmuştu.

Bazı insanlar böyledir; yeterince yakınlaştıklarına inandıkları anda samimiyet terörüne boğarlar sizi. Semra, yoksulluk ve sefalet içinde geçen çocukluğunu hastalıklı bir zevkle anlatırken, kendini bir roman kahramanı gibi hisseder, bunun için de sizden fazladan bir saygı beklerdi. Eski solculuk günlerimde tanışmış olsaydım onunla, benden çok memnun kalacağı kesindi ama ben artık değişmiştim. Zenginlerin zenginlikleriyle gösteriş yapmalarından ne kadar nefret ediyorsam, yoksulluklarıyla övünenlere de tahammülüm kalmamıştı. Taşıdığınız çeşitli ideolojilere göre, gösterişin nesnesi değişebilir ama, sonuçta gösteriş gösteriştir ve içeriği ne olursa olsun, gösterişe dönüşen her şey çirkindir.

"Bir gün bizim fakirhaneye yemeğe gelin, bizim kurufasulye ve soğanımızdan başka bir şeyimiz yoktur, ama sevgiyle ve emekle yapılmış yemeğin tadını da başka hiçbir yerde bulamazsınız," gibi sözlerin karşısında ezilik duyacağım günler epey geride kalmıştı.

Stüdyolar hıncahınç doluymuş bugün. İşler çok yoğunmuş. Semra'ya bıraksam, çocukluğundan başlayıp bütün hayatını yeniden anlatacak, nihayet Semra'nın insanı şefkatiyle boğan Meduza kollarından sıyrılıp alt kata iniyoruz.

İlkokul sıralarındayken, öğretmeni başında bit bulduğu için arkadaşlarının içinde küçük düşürerek okuldan kovmuş Semra'yı. Eve utanç ve gözyaşları içinde gelmiş. Fakir ama gururlu annesi, komşularından borçla yarım kova gazyağı alıp, Semra'nın saçlarını günlerce gazyağıyla taramış. Bitleri ayıklandıktan sonra bile aylarca kendine gaz kokmuş Semra. Bu olayı hiç unutamıyormuş. Her seferinde aynı yerlerde nemlenen gözleriyle, dün başına gelmiş gibi taze bir kahırla iç çeke çeke anlatır dururdu. Çocukluğunun o yarım kova gazyağı hikâyesinden, kendine öyle bir "efsane hayat" yaratmaya çalışıyordu ki, ona da, bitlerine de kovasına da daha fazla katlanamadım.

İnsanlar kendilerine ait her şeyi uluorta anlatmamalılar bence. Size ait bazı resimler, başkalarının gözünde zamanla sizinle eşleşir ve bir daha silinemez, insanlar sizi öyle hatırlamaya devam ederler. Nasıl hatırlanmak istediğiniz biraz da sizin elinizdedir. Şimdi ne zaman Semra'yı görsem, gözümün önüne bitli bir kafayla yarım kova dolusu gazyağı geliyor. İyi bir şey mi yani şimdi bu?

Ne olacak, ondan sonra benim için adı, "Yarım Kova Semra" kaldı.

Eski işyerimin patronlarından biri olan münasebetsizliğiyle ünlü Ulvi Bey de böyle gereksiz samimiyet buhranlarına kapılır, başkaları hakkında kimsenin bilmek istemeyeceği özel şeyleri uluorta anlatırdı. Kimi günler bizi, kendi elleriyle hazırladığı birbirinden güzel yemeklerle evinin bahçesinde ağırlayan, herkesin pek muhterem bulduğu, hoşsohbet, sevimli bir kayınvalidesi vardı. Kadıncağız damadına destek olmak için, kimi şirket yemeklerinde Yeşilköy'deki evinin ve bahçesinin kapısını açardı.

Bir tanıtım kampanyası sırasında, sinir ve yorgunluk içinde şirketteki büyük toplantı salonunda sabahladığımız gecelerin birinde, bizi eğlendirip gerginliğimizi almak için anlattığı kayınvalidesine ait kötü bir hatırayı Semra'nın yarım kovasıyla birlikte anarım.

Kayınvalidesinin yeni evlendiği zamanlar, evlerinin alaturka tuvaletinden fırlayan koca bir cardon, kadının kukusunu kapıp ısırmış. Kadını kanlar içinde hastaneye yetiştirmişler. Bir süre hastanede yatmak zorunda kalan kadın, her şey kendi suçuymuş gibi mahcubiyetinden kimsenin yüzüne bakamamış.

Ulvi Bey, bizi eğlendireceğini sandığı bu hikâyeyi katıla katıla gülerek anlatırken, toplantı masasındaki birkaç kadının, benim gibi dizlerini bitiştirip bacaklarını kıstırdığını hissetmiştim.

Geçenlerde bir nedenle ansiklopedi karıştırıyorum, bir baktım fareler, cardonlar konusu! Pat aklıma Ulvi Bey'in muhterem kayınvalidesinin kukusu geldi. Şimdi yıllar önce ısırılmış bir kukunun hatırasının, ansiklopedi sayfalarında ne işi var, değil mi? Her neyse, umarım Gönül, Ulvi Bey ve ortakları aleyhine açtığım davayı kazanır da, kayınvalidenin, kendinden habersiz anlatılan hikâyesinin intikamını almış olurum.

Ben neden kendi hakkımda bu kadar az konuşuyorum sanıyorsunuz?

XXX

Çekim hızında

ÖMER ve diğerlerinin bizi beklediği odada nedense çok sayıda insan ve gereğinden fazla bir heyecan havası vardı. Stüdyodaki hazırlıklarsa, tecrübe filmi çekiminden çok, ana çekim hazırlıklarına benziyordu. Bu ölçüde bir titizliğe bir anlam veremediysem de, üzerinde durmadım.

Tuğde, geçtiğimiz koridorlardan, karşılaştığımız insanlardan, stüdyo ışıklarından gördüğü her şeyden fazlasıyla heyecanlanmış, onun bu aşırı heyecanı yüzünden "acele beklenildiğimizin" söylendiği odayı bulamadan, tuvaleti bulmak zorunda kalmıştık. Arhan'ın çektiği Tuğde fotoğrafları bizden önce gelmiş ve odadaki dev duvar panosuna asılmıştı. İçeri girer girmez kendi fotoğraflarını karşısında boy boy asılı görünce fazlasıyla heyecanlanan Tuğde, bir sevinç çığlığı atarak el çırpmaya başladı. Panonun önünde uzun uzadıya durup hayranlıkla fotoğrafları inceledi. Masanın üzerine yayılmış, alelacele çizildiği belli olan "story-board" karelerine şaşkın şaşkın baktı. Şimdiden "çocuk yıldız" muamelesi görmeye başlamıştı ve bundan çok memnun görünüyordu.

Pavarotti kılıklı Gürol Bey, bizi görünce ayağa kalkmaya çalışırken, gene sandalyesini devirdi. Belli ki, sandalye devirmeden bir yere oturup kalkamıyordu bu adam. Üstünde gene aynı yoğun puro kokusu, aynı saldırgan neşe, fakat bu kez yakası aynı yağlılıkta olmakla birlikte başka bir ceket vardı. Terli terli elleriyle elimi sıkmaktan çekinmedi. Çaktırmadan elimi sildim.

Ömer, yıllardır beni bekliyormuş gibi karşıladı. Allah allah, Yarım Kova Semra'dan sonra, Ömer de beni böyle coşkun bir ilgiyle karşıladığına göre, bugün bende bir fevkaladelik olmalı. Birden aklıma çantamdaki kartvizit ve siyah gözlüklü bey gelince yüzümün ışıdığını hissetim. Belki de bugün benim için yıldızların parladığı günlerden biriydi ve bundan böyle her şey çok farklı olacaktı. Direksiyonun başında bana gülümseyen Emre'yi düşünmekten ötürü yüzüme yayılan aydınlığı, Ömer'in kendisine yorması olasılığına karşı, hemen yüzümü toparlayarak ciddi bir havaya büründüm.

Ömer, panodaki fotoğrafları göstererek, "Fotoğraflar profesyonel işi, yüzü çok iyi ışık alıyor Tuğde'nin, ona uygun olduğunu düşündüğüm özel bir ışık ayarı yaptırdım," diyor. Tuğde'nin konu hakkında bir bilgisinin olması gerekmiyor, cümle içinde adının geçmiş olması ve onun için hayırlı bir şeyler yapıldığı duygusu ona yetiyor.

Kendisine Hollywood çalışanı süsü vermeye çalışan genç ve enerjik insanlar ortalıkta rol yapar gibi gösterişli bir gayretle koşuşturuyorlar. Nedense reklam dünyasında çalışanların, en az reklamların kendisi kadar yapmacık bir halleri vardır. Epeydir setlere gitmemiştim. Hiç özlememişim.

Valizimiz, çantamız açılarak içindekiler ortaya döküldü. Tahmin ettiğim gibi, iki asistan kız hemen bize yardım etmekle görevlendirildiler. Tuğde, heyecanlandığı için sık sık bana sarılmak ihtiyacı hissediyordu. Ben de ona sarılıyor, saçlarını okşuyor, heyecanını yatıştırmak için hoş sözler söylüyordum. Sevinci bana da geçmişti. Birden o didişken, çokbilmiş havası gitmiş, lunaparkta kaybolmuş bir kız çocuğuna benzemişti. Çocuk olduğunu hatırlaması için iyice savunmasız kalması, bilmediği bir dünyaya adım atması gerekirmiş meğer. Aramızda kaç gündür kurulamayan bir bağ kendiliğinden kurulmuş, sıcak bir dayanışma havası doğmuştu. Bu durum bana bile iyi geldi. "Demek olabiliyormuş," dedim içimden. Bilseydim ilk gün getirirdim kızı çekimlere. Belki de erken gelişmiş kişiliğinin gereksinimi olan şey, başarı duygusuydu. Başarı, herkesi yumuşatır.

Heyecandan olsa gerek, ağzı iyice kurumuştu, ona kola söyledik, ama ben kulağına eğilerek, bugün fazla içmemesini, bunun çekimleri aksatabileceğini söyledim. Ne ima ettiğimi anlamıştı. Başını salladı. Bugün, ben ne desem onu yapacakmış gibi uysal, söz dinler bir havası vardı. Getirdiğimiz giysilerinin beğenilmesi, gururunu okşadı. Yüzüme, "Ben dememiş miydim," diye azıcık övünçle baktı. Çekim için beğenilip seçilen mavi giysisine kaba ütü vurmak gerekti, ardından Tuğde'yi makyaja aldılar. Her şey yolunda görünüyordu. Giysisine karar verildikten, saçları taranıp makyajı yapıldıktan sonra kendine olan güveni geri geldi. Hatta biraz fazla geri geldi. Bu arada bana evde kafasına sıktıramadığı spreyi burada gönlünce sıktırmaktan hoşnuttu. Bana dönüp doğrusunun bu olduğunu ima eden bakışlarla baktı. Bugün, kızın "mutlu günü" olmasa o an saçını başını dağıtacağım!

Ömer ağbisi sesli çekim yapmak istiyormuş, laflarını ezberleyip ezberleyemeyeceğini sormaya odaya girdi. Zaten çok fazla lafı yokmuş.

"Ben çok güzel şiir ezberlerim," dedi Tuğde.

Gene kafasını kaşıyarak, "Çabuk ezberleyebilir misin?" diye sordu Ömer.

Tuğde'nin yüzündeki iddialı ifadeye bakılacak olursa, şu an "Nibelungen" destanını Fince olarak bile ezberleyebilirdi. Üstü başıyla, kaşındaki çengelli iğneyle New York'un, Greenwich Village'ındanmış havalarında olup, Karagümrük dolaylarından sakız çiğneyen asistan kızlardan biri, Tuğde'nin makyajına son rötuşlar yapılırken, yanına oturup yüksek sesle ezberini tekrarlattı. Tuğde' nin profesyonelliğine ve dikkatine ben bile hayran olmaya başlamıştım.

Bu arada, firmanın tecrübe çekimine çağırmış olduğu iki aday kızın daha varlığından Gürol Bey sayesinde haberdar olduk. Onların bulunduğumuz odaya girmesiyle birlikte, Tuğde'nin bir parça olsun kazanmış olduğu çocuk masumiyeti, bir anda silinip, beş gündür bildiğim Tuğde oldu yeniden. Bakışlarıyla, birinin taş kesilmesini sağlamak gibi bir kudrete sahip olsaydı eğer, şu an elimizde iki adet taş kesilmiş kız çocuğu vardı. Bakışlarıyla öldüremese bile, en azından kendilerine olan güvenlerini sarsabilirdi.

Hain ve küçümser gözlerle süzdü onları. Kızlardan biri, bu çeşit bakışlara pabuç bırakacak bir kıza benzemiyordu pek. Biraz ona, biraz yanındaki anasına baktığınızda anlıyordunuz bunu. Derisi şimdiden kalınlaşmıştı bu kızın. Bunun gibi daha kaç bakıştan omuzuna nazar boncuğu yaparmış havası vardı. Daha saf olanınsa, Tuğde'nin bakışlarından etkilendiği kesindi. Tuğde'yle göz göze gelmesiyle anasının eteklerine sarılması bir oldu. Bu kızın pek fazla bir şansının olmayacağı anasından da belliydi. Kızının elinden sıkı sıkıya tutmuş bu kadın, odaya girdiği andan itibaren herkesle sıcak ve yakın ilişki kurma telaşına düşmüş, bir yandan kızını beğendirmeye, bir yandan ne yararı olacaksa, kendine acındırmaya çalışıyordu. Annesinin şu halinden, kızının daha şimdiden mavholmuş geleceğini görebiliyordunuz.

Aklıma, Visconti'nin "Bellissima" filmi geldi. Oradaki kadınlar ikinci dünya savaşı sonrasının sıkıntılı günlerinde çocuklar arasında düzenlenen bir güzellik yarışmasına kızlarını hazırlarken birbirinden hazin tablolar çizerler.

İkide bir boynundaki uğur kolyesine dokunarak, annesine, bu kolyenin kendisine uğur getireceğini söyleyen kızların bu saf olanı, daha üstünü başını değiştirirken, uğur kolyesini düşürüp kaybetti ve iki gözü iki çeşme ağlamaya başladı. Annesi, bu sefer yalnızca kendisine değil, kızına da acındırmaya çalıştı. Uğur kolyesinin anneannesinin hediyesi olduğunu, o olmadan asla çekimlere başlayamayacağını söyleyerek içli içli ağlıyordu küçük kız. (Herkesin ne çok anneannesi vardı. Bunların hepsi topluca bir oksijen çadırında oturuyor olamazlar, değil mi?)

Sonunda ağlamaktan gözleri o kadar şişti ki, bugün onunla çekim yapılamayacağına karar verildi.

Bu sırada Tuğde de, "Bak kolyeni buraya düşürmüşsün," diyerek bir iyilik meleği havasında kolyesini bulup verdi kızın. Uğuruna yeniden kavuştuğu için çok sevinen kız, bu kez de sevinçten ağlamaya başladı. Kızın annesi, makyaj masasının altındaki o yere defalarca baktığını söylerken şaşkındı. Aklıma Tikli Gülçin'in anlattığı elmas hikâyesi geldiyse de, bu düşünceyi hızla uzaklaştırdım kafamdan.

Diğer kızın, kolyesini kaybedecek ya da şansını bir kolyeye bağlayacak hali yoktu. Olsa da, yanındaki duvar suratlı anasının buna izin vermeyeceği belliydi. Hiçbir eleştiri ya da övgünün kendisine ulaşamayacağı kadınlar vardır. Bu da onlardandı.

Belli ki, Tuğde de dişli bulduğu, kendisi için rakip gördüğü bu kızı, Ömer ağbisinin beğenip beğenmeyeceğini sordu bana. "Asla beğenmez," dedim. "Sen içini ferah tut. Bunları düşünme."

Biraz olsun rahatlamış olmakla birlikte yeterince ikna olmamış bir ifadeyle, içini çekti, aynaya dönüp kendine bir kez daha alıcı gözle baktı. Boynunu iki yana kırıp dudaklarını büzerek kurum yaptı.

Kızın, duvar suratlı annesinin aman vermez gözlerinin denetiminde saçları taranıp, makyajı tamamlandığında, mavi elbisesinin eteklerine bulaşmış koyu lekeler olduğu görüldü. Bu yüzden onun çekimlerine daha geç başlanacağı, gerekirse yarına bırakılacağı söylendi. Makyaj malzemesinin eteğe nasıl bulaşmış olduğu ise anlaşılamadı. Odadaki herkesi suçlayıcı nazarlarla taradığı halde, gene de ikna olmadığını belirten bir dudak büküşüyle çaresizliğini sessizce ifade eden annesi de, kızı da bozguna uğramışlardı. Getirdiklerinin içinde başka mavi elbise yoktu. İlk şaşkınlıkları geçtikten sonra, böyle sessiz sedasız çekip gitmeyi içlerine sindirememiş olacaklar ki, olay çıkartmak ister gibi söylenip durmaya başladılar. Tuğde'yi alıp bir bahaneyle çıktım odadan. Ardımızdan kadının sesi yükselmişti: "Belli, torpilliler çağrılmış buraya!"

Gözlerimi bir an bile Tuğde'nin üzerinden ayırmadığım için biliyorum, o yapmış olamaz. Yalnızca bir an kalkmıştı yerinden. Bu yüzden onun marifeti olduğunu sanmıyorum. Eğer öyle olsaydı, duvar suratlı bu kadının gardiyan dikkatinden kaçmazdı gibi geliyor bana. Günün geri kalanına katlanabilmem için, bütün bunların tesadüf olduğunu düşünmekten başka çarem yoktu.

Ayrıca gerçekten onun bir marifetiyse ve zaten bunları yapabiliyorsa, onu kim, nasıl engelleyebilir?

Sonunda "Ve kamera..." dendi. Çekimler gereğinden fazla

uzun sürüyor, her plan nedense defalarca tekrarlanıyordu. Bir tecrübe çekimi için bu ölçüde bir titizlik pek alışıldık bir şey değildi. Sesli çekim yapılması da kafamı karıştırmıştı. Bunu konuşmak için, yapım görevlisi Simla'yı arıyordu gözlerim. Onun da görünmesiyle kaybolması bir oluyor, rüzgârına bile yetişemiyordunuz. Simla'nın ablasını tanırdım. Bir aralar ben hangi kursa gitsem, ardımdan gelirdi. O, Tai Chi'ye başladığında ben uzakdoğu seferimden dönmüş bulunuyordum artık. Anlaşılan beni ardından koşturmaya niyetli görünen Simla, şimdi ablasının öcünü alıyordu.

Her zaman yarı çıplak bir halde dolaşan Simla'nın, çalışanlar üzerinde nasıl olup da bu kadar otorite kurabildiğine hep şaşırmışımdır. "Kraliçe çıplak!" diyemeyen bir erkekler ordusu, sanki demir leydi karşısındaymışçasına, onun bir el hareketiyle koşturup dururlar. Bazı şeylerin gerçekten hiçbir açıklaması yoktur. Hem Isabelle Huppert gibi şaşıdır memeleri. Biri bu yana, öteki diğer yana bakar. Üstelik, onun gibi büyük bir oyuncu olmanın bağışlatıcı gücüne sahip olmadığı halde, o memelerle en az onun kadar çıplak dolaşabilmesi de cesaret işi doğrusu!

Baştaki heyecanını çabuk yenen Tuğde, gayet iyi götürüyordu işi. Her seferinde, soran gözlerle bakıp benden onay bekliyordu. Bulunduğum yerden "çok iyi,"anlamına gelen çeşitli el ve yüz hareketleriyle destek veriyordum ona.

Durduğum köşeden çekimleri izlerken, Tuğde'ye şöhret kapısı aralandığı takdirde, birtakım olası film senaryoları düşünmeye başladım. Örneğin, Tuğde, parkta rastladığı bir kadına, kendini acındırarak, "Benim annem olur musunuz?" der. Kadın, Tuğde' nin öyle boynubükük, kimsesiz ve çaresiz haline kanar, "Olur," der. Sonra da dediğine diyeceğine bin pişman olacağı olaylar dizisi başlar, ne yaparsa yapsın, yakasını bir türlü kurtaramaz Tuğde' den. Kadın için her şey tam bir kâbusa dönüşür. Kadın kaçar, Tuğde kovalar. Aa, ama bu anlattığım benim!? Şu halimle benim bu kadından bir farkım yok ki? Ben böyle hikâye kuruyorum ya, ister misiniz, bu senaryoyu çok beğenip çekmeye karar versinler, üstelik kadını oynamam için beni ikna etmeyi başarsınlar, ben de, alt tarafı bir film bu, günü gelince biter, derken, film bir türlü bitmek bilmesin, uzasın da uzasın, dahası ben, bu filmin içinde kilitli kalayım, film gerçek hayatla yer değiştirsin, ne peşimdeki Tuğde'den kurtulabileyim, ne de filmden dışarı çıkabileyim, bunun aslında bir film olduğunu bir tek ben bilirken, herkes bunu gerçek hayat sandığı için yaşadığım kâbus ikiye katlansın.

Allahım, ben neden böyleyim? Neden çektiğim çileler yetmiyormuş gibi, her seferinde daha fazlasını hayal ediyorum? Bunun için mi iki yakam bir araya gelmiyor? Acaba terapiyi bırakmakla kötü mü ettim? Ya da doğrudan lobotomi yaptırıp beynimden birkaç lob mu aldırsam?

Kimi zaman gerçek hayat, hayallerden daha insaflı oluyor ve bu kâbustan kurtulmam için nihayet çekime ara veriliyor.

Tuğde, bu ilk uzun çekim arasında sessizce yanımdan uzaklaştı, yaşıtı bir oğlan çocuğuyla bir köşeye çekilip fısır fısır konuşmaya başladı. Bana gözükmemeye, kaçamak bakışlarla onu görüp görmediğimi anlamaya çalışıyordu. Kızacağımı düşünüyordu herhalde. Kızmak ne kelime! O hengâmede, kaşla göz arasında bir de flört edecek bir oğlan çocuğu bulduysa, ancak hayranlık duyardım buna. Çocuğun yanı başında annesi olduğunu sandığım, etek boyu fazla kısa genç bir kadın bitiverdi. Etrafında gördüğü her şeye saygıyla karışık bir hayranlıkla bakarken, aslında kendisini fark edecek bir yetenek avcısının dikkatini çekmek ister gibi bir hali vardı. Kadın beni görünce, tarafından keşfedilmeyi umduğu yetenek avcısı gözlerden vazgeçip, kararlı adımlarla bana yöneldi.

"Merhaba," dedi. "Siz Nermin olmalısınız."

"Evet," dedim nereden tanıdığımı çıkarmaya çalışarak.

Tuğde'yle konuşan topalak oğlan çocuğunu işaret ederek, "Ben, Bora'nın annesiyim," dedi. "Tuğde'nin telefonunu alır almaz atlayıp geldik."

Çok sinirlendiğimde durumu kendim için yumuşatmaya çalışırım. "Oğlunuzun kendisini değil ama, sesini tanıyorum hanımefendi," dedim. "Telefondan."

İyi bir şey söylemişim gibi kahkahalarla güldü. "Çok kalındır," dedi. "Aynı babasınınki gibi."

Yüzümde beliren ifadeyi artık nasıl yorumladıysa, "Sesi yani," dedi. "Yanlış anlamayın da."

Sonra ayıp bir şey söyleyenlerin yaptığı gibi, eliyle ağzını kapatarak gülmesini sürdürdü.

Gerçekten yüzüm kızarmıştı. Bazı kadınların müstehcenliğe yatkınlıkları anlaşılır gibi değil. Tanışalı bir dakika bile olmamıştı ve daha adını bilmiyordum bu münasebetsiz kadının.

Sınıf tavrı koyan en burjuva suratımla, "Ben de öyle anlamıştım zaten hanımefendi," dedim. "Başka türlü anlamam terbiyem gereği mümkün değildir zaten."

"Öyle, öyle," dedi. "Sesi aynı babası."

Hiç dinlemediği belliydi. Bazıları karşı tarafı dinlemeyi zaman kaybı olarak görür. Diş etleri, dişlerinden daha uzun olan insanlardan hoşlanmam. Bu insanların ağızlarına bakmadan bu kadar çok kahkaha atmasından da hoşlanmam. Ama kadının şu bacaklarla etek boyuna, şu diş etleriyle kahkahalarına bakılacak olursa, bir kendiyle barışıklık harikasıydı.

Daha deminki münasebetsizliğinin sinirini üzerimden atamamışken, "Girerken danışmaya sizin adınızı verdik. Sağ olun," dedi. "Bizi çağırmanız büyük incelik!"

"Sizi ben çağırmadım," dedim.

Bir an duraladı. Bir bana, bir yere baktı. Bu hareketi Andie MacDowell'ın filmlerinden kapmış olmalıydı. Sonra "Ha siz, ha Tuğde," dedi. "Ne fark eder ki? Sonunda işte buradayız!" Bunu söylerken, benim de sevinmem gerekirmiş gibi omuzlarını kısarak şirinlik yaptı.

Kadının pişkinliği akıl alır gibi değildi. Söyleyecek söz bulamadım.

Bora'nın annesiyle konuştuğumu gören Tuğde'nin bize uzaktan bakan kaygılı bakışlarından durumdan hoşlanmamış olduğumu anladığı belliydi. Alt dudağını kemirmeye başlamıştı ve göz göze geldiğimizde kabahatli olduğunu hissettiği durumlarda hep yaptığı gibi, başını hemen öne eğiyordu.

Deminki azarımdan sonra duruma açıklık getirmek ister gibi, "Ömer Bey, Bora'yı da deneyeceklerini söyledi. Akşamki karaoke çekimleri için. Ah, o kadar heyecanlıyım ki!"

Şu noktadan sonra artık hiçbir şeye şaşırmamam gerektiğini anlamış bulunuyordum. Ben bu hikâyede her ne kadar kendimin merkezde durduğunu sanıyorsam da, benim dışımda herkes her şeyden haberdardı, kendi aralarında mükemmel bir iletişim ağı kurulmuştu, her şeyi en son ben öğreniyordum ve bu akşamki "olası" Japon şölenindeki "olası" masamız, benim bilgim dışında hayli kalabalıklaşmıştı. Anlaşılan İris'in "beş otobüs dolusu Japon"una karşı, sağdan soldan "beş otobüs dolusu Türk" devşirilmeye başlanmıştı bile. İris'in zamanlaması harikaydı. Tam bu sırada çıkageldi. Kalp kalbe karşı durumu, her zaman iyi bir şey anlamına gelir mi, bilmem! İris, beni görür görmez, telaşla bize yöneldi. Bir yandan da güya çekim varmış da ses çıkarmaması gerekiyormuş gibi, yapmacık bir dikkatle omuzlarını kısıp ayakkabılarının burnuna basarak yürüyordu. Onu gören Tuğde, oturduğu yerden fırlayıp pata pata koşarak bacaklarına sarıldı İris'in. Benimle işlerin kötü gitmesi olasılığına karşı, İris'i yedekte tutmaya niyetli görünüyordu kızımız. Deminki bakışmalarımızdan sonra yanıma tek başına gelme cesareti bulamadığı için, İris'in varlığından destek bulmak istemişti anlaşılan.

Artık durumun benim denetimimden çıktığı kesindi. Bunu mesele yapıp yapmamak konusunda kararsızdım. Kendimi yenilgiye uğramış hissettiğim anlarda, çantamdaki kartviziti hatırlıyor, dünyanın geri kalanına boş veriyordum. Zaten doğrusu da buydu. Beyaz bir kartvizitle siyah bir gözlük, birdenbire dünyayı bambaşka bir yer yapmaya yetiyordu.

Dekor yenilenmiş, yeni ışık ayarları yapılmıştı, setin hazır olduğu duyuruldu, çekimler az sonra yeniden başlayacaktı. Hiçbir şey olmamış gibi yapmanın en doğrusu olduğuna karar verdim. Tuğde, benim kötü bir şey söylemediğimi görünce rahatlamıştı. Bu sırada makyajını tazelemeye çağırdılar. Kaşı çengelli kız, yanıma gelip "Ben ilgileniyorum, isterseniz siz yorulmayın," dedi. Bunun üzerine hiçbir durumda vakit kaybetmekten hoşlanmayan İris atılıp "Hemen bir köşeye çekilip akşamın ayrıntılarını konuşmalıyız," dedi. Bence her yıl üst üste yılın en iyi iş kadını "Oscar"ını ona vermeliydiler.

"Kimse bana hiçbir açıklamada bulunmadı," dedim. Sabah telefonlarındaki çokbilmiş halimden vazgeçmiştim. Kısa zamanda arayı kapattığı gibi, öne bile geçmişti. Haberler ondaydı artık. "Tamamen bilgisizim. Ömer'le ne konuştunuz? Neler oluyor? Bana her şeyi anlatmanı istiyorum."

O sırada gözüme Simla çarptı. Yanıma gelmesi için el ettim. İşi bitince yanıma geleceği anlamına bir işaret yaptı uzaktan.

Oturduğumuz yerde arkama yaslandım. Artık İris'i dinleyebilirdim.

Her şey tahmin ettiğim gibi olmuştu. Tuğde, İris'le Ömer'in tanışmalarını, konuşmalarını sağlamış, onlar da kafa kafaya verip bütün bağlantıları kurmuşlardı. Bora'nın annesine buranın adresini bile onlar vermişti.

"Akşamki yemek gözümü korkutuyor," dedim İris'e. "Hem bu karaoke zor bir şey değil mi kuzum," dedim. "Kızın hiçbir hazırlığı, bilgisi yok ki. Tepe sersemi olacak kız! Bu arada beni merak edip soracak olursan, helak vaziyetteyim."

"Sana bir şey olmaz. Hem senin için de bir değişiklik olur bu akşam. Hem sen merak etme, her şey ayarlandı," dedi. "Çok ciddi bir şey olmayacak ki, filmdeki sahneler de sonradan seslendirilecekmiş zaten. Hem ben bütün Japonları ikna ettim," dedi.

Benim de bu durumda ikna olmuş görünmekten başka çarem yoktu.

Simla, yanıma geldiğinde birçok şey benim için daha anlaşılır olmaya başladı. Ömer, başından beri İtalyan rejisörün ayağını kaydırıp projeyi sahiplenmek istiyormuş. Bunun için tecrübe filmini asıl film gibi çekerek şirketi köşeye kıstırmaya karar vermiş. Bütün bu acele bu yüzdenmiş. Bu titiz çekimler, bu azami dikkat, diğer oyuncuların sette hazır olması hep bunun içinmiş meğer. Kaç yıllık reklamcıyım, benzer bir örneğine daha önceden rastlamadım. Ama söz konusu kişi Ömer olunca, her çeşit üç kâğıtçılığın pekâlâ mümkün olduğunu bilirim. Günün birinde Ömer'e bir hayrım dokunacağını kim söylese, güler geçerdim. Demek büyük konuşmamalıymış! Hadi Ömer'i anladık da, Gürol Bey'in bu işteki rolü neydi? Reklam çevrelerinde, kendisinden "yaralı parmağa bile işemez" diye söz edilen bizim mezgit suratlı patron beni niye bu işle görevlendirmişti? Bir turizmci olan İris'in, o Japonların Tuğde ile birlikte reklam çekmesinden ne çıkarı olabilirdi? Hatta Mars'ta su var mıydı, kansere çare bulunacak mıydı, Shakespeare'in oyunlarını aslında başkası mı yazmıştı? Bunların hiçbiri umurumda bile değildi artık.

Hayırlısıyla bir yarın olsaydı!

XXXI

Japon sıra gecesi

ÇEKİMLER uzadıkça uzadı. Daha şimdiden bir star olduğuna inanmış olan Tuğde, hafiften kapris yapma, settekilerin burnundan getirme alıştırmalarına başlamıştı bile. Şımarıklık yapabileceği hiçbir fırsatı kaçırmak istemiyordu. Her bakımdan hızlı gelişme kaydeden bir kız çocuğu olduğu bir kez daha anlaşılıyordu.

Bir ara uzaktan kaşı çengelli asistanın yanında, giysileri ve takıları onunkilerden daha iddialı olan bir kız belirdi. Saçları mora boyanmış, arasına bir perçem yeşil röfle atılmıştı. Uzaktan beni göstererek aralarında bir şeyler konuştular, onları fark ettiğimi gördüklerinde, gülümseyerek bana yöneldiler. Kızın "rap" dansçılarının giydiği türde geniş, bol bir pantolon vardı üstünde ve yürürken paçalarının birbirine sürtünmesinden çıkan ses, stüdyo boşluğunda umulmadık ölçüde yankı yapıyordu. Burnunda ve alt dudağında "piercing"ler vardı; her iki kulağında sonsuz sayıda halka küpe taşıyor ve yaklaştıkça, göbeğini açıkta bırakan mendil büyüklüğündeki tişörtü nedeniyle, göbek deliğinin üstündeki üçüncü "piercing" de görülüyordu. Çevresi kopkoyu boyanmış kısık gözlerinin altındaki mor halkalar, geçirdiği uykusuz geceler kadar, alkolle yetinmediğinin de bir işareti sayılabilirdi. Kıpkırmızı boyanmış dudaklarını araladığında, o yaşta bir kız için fazla sararmış dişleri çıkıyordu ortaya. Görünüşündeki tuhaflıklara karşın, güzel olduğunu düşündürüyordu insana. Böyle yaparak insanlardan içinin yumuşak yanını saklar gibiydi. Gözlerinde, yaşından çok şey yaşamış insanların yoğunlaşmış bakışı vardı.

"Siz beni hatırlamazsınız belki. Ama ben sizi çok duydum," dedi.

"Nereden olabilir," diye düşünürken, sevecen görünmeye çalışıyordum.

"Siz benim çocukluğumu bilirmişsiniz. Sulhiye annelerden!" İnanmıyorum! Bu o olmalı. Saçı eflatun bağlı kız!

"Aa, Kaye!" diyorum. "Ne tuhaf rastlantı! Daha birkaç gün önce geçmiştiniz aklımdan."

Haklı olarak şaşırıyor tabii. Durduk yerde aklımdan niye geçtiğini hiç anlamadığı gibi, aklımdan geçmesine neden olan üç adım ötedeki Tuğde'yi gösterip kızın canını sıkmak istemiyorum.

"Yani geçmiş günleri düşünüyordum da," falan diye bir şeyler geveledikten sonra, böyle durumlarda hep dendiği gibi, "Annenler ne yapıyorlar Kaye?" diye soruyorum. Birden kıza annesi gibi, "Kaye" dediğimi fark ediyorum. ("Madem söyleyemeyecektin, ne diye kızının adını Gaye koydun?" derdik. Ama anlamını bilmediği yabancı sözcükleri de gönlünce kullanmayı severdi annesi: "Kaye! Koşma kızım. Düşeceksin, bir yerini kamufle edeceksin!" sözleri bugün gibi kulaklarımdadır.)

Gördüğüm kadarıyla kendini zaten yeterince kamufle etmiş olan Kaye, "Annemleri pek görmüyorum," diyor. "Ben arkadaşlarımla kalıyorum. Annemse hep Sulhiye annelerde."

Pek bir şey değişmediğine bakılırsa, belli ki bu kızın anasının kaderi o evde ölmek.

"Sulhiye Hanım nasıl?" diye sorarken, kadının hâlâ hayatta olmasına şaşırmıyor değilim.

"Aynı," diyor. "Hep aynı. Hiç değişmedi. Yalnız kızları annelerine yetişti. Şimdi yaşıt duruyorlar."

Bir kahkaha atıyorum. Birden kanım kaynıyor kıza. Belli zehirli bir zekâsı ve karanlık bir mizahı var. Zaten mizahı aydınlık olanların zekâsının azlığından kuşkulanırım hep.

Diğer stüdyoda çekimdelermiş. Kamera asistanı asistanıymış. Sektörde pek rastlanan bir şey değil bu.

"Nedense tekniği hep erkeklerin ellerine bırakıyorlar," diyor. "Daha önce bir müzik grubunda elektro gitar çaldım. Davulu denedim. Olmadı."

Hafif küçümser havada bir eliyle yanındaki kaşı çengelli kızı göstererek, "Bunlar gibi değilim. Benim gözüm hep 'erkek işi' dedikleri şeylerde."

Annesinin bu asi kızdan ötürü nasıl mutsuz olduğunu, Kızılcık Sopalı Sulhiye'nin, o kurşun geçirmez gözleriyle onun şikâyetlerini dinlerken söyleyebileceği yatıştırıcı sözleri tahmin edebiliyorum. Ama kendi kızları hakkında haklı çıkan Sulhiye'nin bu kez yanılacağını sanıyorum.

"Annenle aran nasıl?" diyorum.

İlkin belirsiz bir hareket yapıp sorumu duymamış gibi yapıyor. Sonra başını kaldırıp gözümün içine bakarak, "Ondan nefret ediyorum," diyor.

"Tahmin etmiştim," diyorum. "Ta o zaman tahmin etmiştim!"

Kız yüzüme bakakalıyor. Bebekliğini bildiğim kendisi hakkında nasıl bu kadar emin olabildiğime şaşkın bakışlarla karşılık veriyor. Niye o kadar sevinmiş göründüğüme de bir anlam verememiştir tabii. Elbette, kızın annesinden nefret ediyor olmasından ötürü duyduğum bir sevinç değil bu, yalnızca bir filmin sonunu bilir gibi tahminimin doğru çıkmış olmasından keyif duymuştum. Ama şimdi bunu ayaküstü nasıl anlatabilirim ki, yıllar öncesinden yalnızca eflatun bir saç bağı olarak hatırladığım bir kıza?

En iyisi, artık hiçbir şey söylemeyip susmak.

"İşle ilgili bir sıkıntım olursa, sizi arayabilir miyim?" diyor.

Böyle pot üstüne pot kırdığım durumlarda hep olduğu gibi, saçmalamayı sürdürüyorum: "Elbette," diyorum. "Böyle yeteneklere yardım etmek vazifemiz."

Şu ayaküstü kısacık konuşmadan bile çıkardığı sonuçla, benim hayli tuhaf biri olduğuma çoktan karar vermiş olması gereken bu kız, "Hangi yeteneğimi gördün ki?" diye sormayacak kadar akıllı birine benziyor.

Pantolon paçalarının çıkardığı aynı hışır hışır sesle uzaklaşıyor yanımdan.

Sonunda çekimlere ara veriliyor.

Eve gidip biraz soluklanacağız. Ben üstümü değiştireceğim. Sonra Beşiktaş'ta yeni açılan Boğaz'a nazır Japon Restoranındaki o erken akşam yemeğine katılacağız, oradan tekrar stüdyoya dönüp, yarım kalmış çekimi tamamlayacağız. Ve ondan sonra hâlâ hayattaysam, hayırlısıyla yarını göreceğim.

"Kaça kadar sürer bu işler?" gibi ısrarlı sorularımın Ömer ya da asistanları tarafından her seferinde ustaca atlatıldığına bakılırsa bu gece buradayız. Her konuda en doğru, en tarafsız bilgiyi alabileceğiniz Simla ise gene ortalıklarda yok. Bu kızı, bir an olsun olduğu yerde durdurabilecek bir şeyin olup olmadığını merak ediyorum.

Başımda belirdiği andan başlayarak şiddetlenmeyen ama varlığını hep hissettiren sinsi ağrılarsa, değil yogasını yapmak, Tibet'in kendisine gitmekle bile geçeceğe benzemiyor. Aklıma, şimdi reiki ustası olmuş Tijen geliyor. O zamanlar uykusunda bile başının ağrıdığından yakınan Tijen'in, artık bişeyciği kalmamıştır herhalde.

En ufak bir yorgunluk belirtisi bile göstermeyen Tuğde'nin şu zinde ve enerjik haline bakılacak olursa, o daha üç tur atar da, asıl ben ne olacağım, onu bilmiyorum.

Uzun süredir kaderimi hiç bu kadar başkalarının ellerine teslim etmemiştim. Bir an önce yarın olmasını dilemekten başka bir şey gelmiyor elimden.

Akşama giyeceği gösterişli kırmızı elbiseyi onlar getireceklermiş. Tuğde o elbiseyi çok merak ediyor. Bir de akşama yeni saç modeli deneyeceklerine seviniyor.

Bana dönüp "Hayat ne güzel diğğ mi, Nermin ablacığım?" diyor.

Sadece bakıyorum.

Dışarı çıktığımızda kendimi uzun ve dertli bir yolculukta ilk büyük dönemeci almışız gibi hissediyor, derin bir soluk alıyorum. Hava hafiften kararmaya, soğumaya başlamış.

Arabaya binip stüdyodan uzaklaşıyoruz. Tuğde, ben bütün gün yanı başında değilmişim gibi, bana sette olan biten her şeyi tek tek anlatmaya kalkışınca, kendini yormamasını, akşamki çekimlerin daha önemli olduğunu söyleyerek sözünü kesiyorum. Ona karşı onun taktiğini kullanmayı öğrendim. Bir şeyi onun iyiliği için söylüyormuşsunuz gibi yaptığınızda, bilmediği bir konuysa söz dinliyor. Ama bilmediği konuların her geçen gün biraz daha azaldığına bakılırsa, bu yöntemin uzun vadede sonuç verici olduğunu söyleyemem. Ben de günü kurtarıyorum zaten. Şunun şurasında cezamın dolmasına ne kaldı?

İlk ışıklarda duruyoruz.

On-on bir yaşlarında esmer tenli, güzel yüzlü bir oğlan çocuğu bitiveriyor ön camda. Kır çiçekleri gibi gülümsüyor. Çekingen bir tavırla ön camı silmeye başlıyor. Gür kirpikli iri gözlerinde tuhaf, uzak bir mahzunluk var. Gururu erken gelişmiş çocuklarda görülen her an kaçmaya hazır kırılgan, mahcup bakışlar... Birdenbire içim sızlıyor. Onun, Sait Faik'in, Orhan Kemal'in yeni düşmüş, kurtarılması gereken çocuklarından biri olduğunu, sokağın yırtıklaştırdığı diğerlerine benzemediğini düşünüyorum. Sızıya benzer bir şefkatle, ona yardım etmek duygusu dolduruyor içimi. Çantamı almak için arka koltuğa döneceğim sırada, bir şey söylemek istediğini belirten tutuk bir hareketle ön camı tıklatıyor. Ben camı açıp tam konuşurken, birdenbire sağ taraftaki arka kapının açıldığını, başka bir oğlan çocuğunun arka koltukta duran çantamı kapıp hızla aşağı doğru koşarak gözden kaybolduğunu görüyorum. O şaşkınlıkla soluma döndüğümde, camı silen çocuğun da yerinde olmadığını, tuzağa düşürüldüğümü anlıyorum.

Istanbul'un göbeğinde soyuldum.

Kimliğim, kredi kartlarım, telefon defterim, param!

Ve kartvizit! Onun kartviziti!

Yeşil yanıyor. Arkamda korna sesleri. Tuğde canhıraş biçimde ağlıyor arabanın içinde. Ne yapacağımı, ne yapmam gerektiğini şaşırmış bir halde, otomatiğe bağlanmış gibi arabayı sürmeye devam ediyorum.

Canımı sıkan şeyin çantamı çaldırmak değil, bir masumiyetin uğrattığı hayal kırıklığı ile o kartvizitin kaybı olduğunu anlıyorum.

Gözlerim doluyor. Çaresizlikten. Hayal kırıklığından. Ne yapacağını, kime kızacağını bilememekten. Geçmişten. Kapanmış bir yara gibi Yavuz'u hatırlıyorum.

Emlakçının kartvizitini bulmuştum salondaki konsolun üstünde. Bir anlam verememiştim. "Bu ne arıyor burada?" diye sormuştum Yavuz'a. İlkin yakalanmış gibi bakmış, önemli bir şey değilmiş gibi yapmaya çalışmıştı. Ardından, beklenmedik bu durumu, konuşmak için uygun bir fırsatmış gibi değerlendirmek istemiş olmalı ki, "Sana söyleyecektim, vaktim olmadı," demişti. Bir şeyler daha söylemesi gerekirmiş gibi kıvrandıktan sonra, "Öyle pek bir acelem yok ama, şimdiden ev bakıyorum, sen de biliyorsun Nermin, olmuyor, yürümüyor," diyerek gözlerime anlayış bekleyen bakışlarla bakmıştı.

Benden ayrılmak istediğini konsolun üstünde tesadüfen unutulmuş bir emlakçı kartviziti sayesinde öğrenmiştim. Beni acıtan, ondan ayrılmaktan çok, onun bu sinsiliğiydi.

Kapandı sanılan nice yara, ilk darbede, kendi hatırasını olmasa bile yılları yeniden kanatır.

Eve geldiğimizde, pek bir şey çıkacağını sanmamakla birlikte, karakolu arayıp şikâyette bulundum. Tuğde nasıl soyulduğumuzu telefonda sağa sola heyecanlı heyecanlı anlatmak için kıvranıyor, ama ben izin vermiyordum. Bütün tadım tuzum kaçmıştı. Gecenin geri kalanını nasıl geçireceğim konusunda en ufak bir bilgim yoktu. Kendimi ölesiye yorgun, bitkin hissediyor, bütün bunların başıma Tuğde yüzünden geldiğini düşünüyordum.

Duşa girdim. Bugünün bir an önce bitmesinden başka bir şey düşünemez olmuştum; öte yandan beş otobüs dolusu Japonun bizi bir yerlerde beklediğini bilmek bana iyi gelmiyordu.

Giyinme odama geçtim. Fazla kararsızlık çekmeden acı yeşili siyaha çalan ipek emprime elbisemi giydim. Sırtının fazla açık, yırtmacının biraz derin olduğunu söylemeliyim. Mutlaka bir şeyler yapmalıydım. Aklıma gelenler arasında, kendime yapabileceğim en iyi şey buydu. Su yeşili, buzul pembe dolabımın önünde alıcı gözlerle durdum, yüksek topuklu ayakkabılarım arasından, o güne dek hiç dışarıya giymediğim en sivri topuklu, en arkası açık, en dekolte olanını seçip ayaklarıma geçirdim. Saçlarımı köpürtüp omuzlarıma salmış, makyajımı koyultmuştum. Maskaranın kirpiklerimde bıraktığı topakları parmak uçlarımla alırken, bir an salkım küpelerim gözüme fazla iddialı göründüyse de üstünde durmadım. Kendimde pek alışık olmadığım bir genişlik gelmişti üzerime. Yerlere kadar dökülen, ucu püsküllü, yalaz yalaz acı mor ham ipek bir şal atmıştım boynuma. Bütün bunları niye yaptığım konusunda hiçbir fikrim yoktu, olmasını da istemiyordum.

Tuğde, beni o halde görünce, filmin başından beri yıllardır arayıp da kavuşamadığı annesine kavuşmuş gibi sevindi. Onun o coşkun sevinci, bana, görünüşümde bir yanlışlık olması gerektiğini düşündürdüyse de, üzerinde durmadım. Yıllar yılı o kadar vamp kadının adını boşu boşuna aklımda tutmuş olmak istemiyordum.

Yüksek bir binanın teras katındaydı restoran, asansör çıkışındaki sahanlık, sağlı sollu mutfağa ve tuvaletlere açılıyor, halı kaplı birkaç basamaktan sonra, geniş bir sekiye çıkıyordunuz. Bütün masalar Boğaz manzarasına göre konumlanmıştı. Bizi kapıda karşılayan İris'in haline bakacak olursanız, tarih, bu kadının kimliğinde "Pearl Harbor" baskınını engelleyecek bir fırsatı kaçırmıştı.

Restoranın dekorasyonunda Japon kültürüne ait bazı temel figürler tutumlu bir biçimde kullanılmış, birçok benzerinin tersine fazla folklorik görünmemesine özen gösterilmişti.

Yalnız biz girdiğimizde, sahne olarak kullanılan sağdaki geniş yükseltide çocuklardan oluşan bir ekibin, "çayda çıra" oynamasına hiçbir anlam veremedim. Bunun, Türk-Japon Dostluğunun bir gereği olduğunu düşündüm. Halkları kaynaşan dünya için Türk usulü Japon sıra gecesi olabilirdi bu.

Bize ayrılan masada, Bora ve annesini gördüğüm yetmiyormuş gibi, bir de Kürşad'ı, yanında Erhan'la bizi beklerken bulmak tam bir sürpriz olmuştu benim için. Kötü sürpriz! Ömer'in konuklarıymış!

Çantası ve kartviziti çalınan Tuğde olsaydı, şimdi masada bizi bekleyen Erhan değil, hoş bir tesadüf eseri, Emre olurdu. (Meğer Kürşad'ın uzak bir arkadaşı değil miymiş!) Kader dramaturjisi dediğim böyle bir şey işte! Yani bana hiç çıkmayan talih oyunları.

Bütün bu dekoltem, saçım başım, süsüm püsüm zaten haftalardır peşimde koştuğu halde yüz vermediğim Erhan için miydi peki?

Masaya oturduğumuzda Erhan yüzüme, dövülüp yağmurda sokağa atılmış köpekler gibi bakıyordu – ki, nefret ederim böyle bakışı rutubetli erkeklerden. Erhan'dan hoşlanmadığımı, telefonlarına çıkmadığımı bildiği halde, Tuğde'nin Erhan'la tanışır tanışmaz ona gösterdiği büyük ilginin ve coşkun sevginin nedeniyse, ancak Erhan gibi birine layık olduğum düşüncesi olabilirdi. Uğruna katlandığım onca fedakârlığa karşı, onun bana yaptığına bakın! Nankör şey!

Ömer, elinde gelişkin bir video kamerayla ortalıkta dolaşmaya başlamış, birbirlerinin fotoğraflarını çekmekten bıkıp usanmamış Japonları bir de o görüntülüyordu. Tuğde kan kırmızısı elbisesinin içinde, ileride cehennem zebanisi olmak üzere yetiştirilen küçük bir cadı gibi karanlık bir gülüşle gülüyordu.

Tuğde, Bora ve birkaç çocuk, Japon çocuklarla birlikte çıkıp karaoke yaptılar. O sahne yükseltisinin üzerindeki mekanik bir ses aleti ve o aletin başında, önemli bir NASA görevlisiymiş ciddiyetiyle duran kişi, onlara gerekli bilgileri veriyor, kulaklarım hiç ihtiyacı olmadığı halde, Türk popundan sonra, Japon popunu da yakından tanıma fırsatı buluyordu. Her şey defalarca tekrarlanıyordu ve gördüğüm kadarıyla, bu durumdan benden başka sıkılan yoktu. Aslında, artık olan biten hiçbir şeyi anlamıyor, hatta artık takip bile etmiyordum.

Gürol Bey, bir okyanus dolusu balığı çiğ çiğ yiyor, Bora'nın annesi çoktan kaynaştığı Japon ailelerle adres alışverişinde bulunuyor, Kürşad bir gecede kaç Japon kadınıyla tanışabileceğini sınıyordu. İki çift laf almak için bütün gün peşinde koşturduğum Simla, işleri asistanlarının üzerine yıkmış, kafilede gördüğüm tek uzun boylu Japonla bara oturmuş, yerinden milim kımıldamadan gülüşüp duruyordu. Onu durduracak şeyin ne olduğunu da öğrenmiş bulunuyordum. Adamın gözlerini Simla'nın şaşı memelerinden alamadığına bakılırsa, bizimki gelecek yıl bu sıralar, herkese Tokyo'dan kart atabilirdi. Hatta belki Tai Chi yapan ablasını da yanına aldırırdı. Yeryüzünde hiçbir kadın, bir erkeğin kaderini baştan aşağı değiştiremez ama, herhangi bir erkek, herhangi bir kadının kaderini baştan aşağı değiştirebilir. Kocaları İslamı seçince, kendileri hiç de aynı akıl ve iman süreçlerinden geçmedikleri halde, bir gecede başlarını örtüp kocalarının yanında saf tutan kadınları düşünün!

Masadaki herkes bir yerlere dağılmışken, Erhan hâlâ karşımda öyle tuzluk gibi duruyordu. Suşiden nefret ederim. Benim için sebzeli suşi bulup getirdi. O yağmurda dövülmüş köpek bakışlarının bana işlemediğini görünce, taktik değiştirmiş, şimdi şirin görünmek için elinden geleni yapıyordu. Oysa ben elinden gelmeyenleri istiyordum.

Reddedilmiş olmak, Erhan'ı yıldırmıyordu. Ne tuhaf! Erkekler reddedilmeyi dışa vurarak yaşayabilirler, kadınlarsa reddedilmek konusunda uçurum ağzı bir dengede dururlar. Bu konuda bilinen kompozisyonların dışına çıkmak, her kadın için mümkün değildir.

Bugün başıma geleceklerin bu kadarla kalmayacağını bilemezdim tabii. Benim için gecenin son sürprizi, kötü bir şaka gibi tuvalete gidip dönerken başıma geldi. Ayakkabımın topuğu, halısı çökünce madeni ızgarasına takılan o lanet olasıca basamaklardan birine sıkıştı. "Bu kadarı olamaz!" diyordum. "Hayır bu kadarı olamaz! En azından kimseyi inandıramam!"

Ama olmuştu işte. İster inanın, ister inanmayın, olmuştu! Yüksek topukların benden intikamıydı bu. Sanatın hayatı, hayatın sanatı taklit ettiği bir noktada ayakkabımın topuğu, ben onu sıkıştığı yerden kurtarmak için zorlayıp dururken kırılmıştı. Hemen koşup yanıma gelen garsonlardan biri, kırılan topuk tekini elime tutuşturdu. Benim bütün hikâyemi biliyormuş gibi hafif alaycı bir hava vardı üzerinde, ya da bana öyle geldi. Herkesin bu kitabı okuduğunu düşünerek, gereksiz bir megalomaniye kapılmak istemem doğrusu.

Elimde tuttuğum bu şeyi ne yapacağımı bilemez bir halde, başıma gelenlere hâlâ inanamamış bir yüz ifadesiyle oturduğumuz masaya topallaya topallaya geri dönerken, bütün havam gitmişti tabii. Bir Ava Gardner iddiasıyla başladığım akşamı, bir Bette Midler komedisi olarak bitirmeyi becermiştim.

Siyaha çalan acı yeşil elbisenin, derin yırtmacın, mor şalın, salkım küpelerin, köpürtülerek omuzlara dökülmüş saçların sonucunda, karşımda, günlerdir kendisinden kaçıp durduğum bir erkek oturuyor, ben de kucağımda kavuşturduğum ellerimde kırılmış bir topuk teki tutuyordum.

Fonda da Türk ve Japon dostluk marşı çalıyordu.

Yardım dileyen gözlerle etrafta İris'i arıyordum. Onun hiçbir şey üzülmeye değmez, her şeyin bir çözümü bulunur, tavrına şu an şiddetle ihtiyacım vardı. "Halledici" İris bakalım bu işi de halledebilecek miydi? Asistan kızlar, Tuğde ile ilgilendiklerini, benim merak etmememi işaret ediyorlardı uzaktan. Yeniden stüdyoya dönülecek, kalan çekimler tamamlanacaktı. Dönüş hazırlıkları başlamıştı.

Birden kırılmış topuğum için aklıma bir fikir geldi. Bu kadar Japon içinde, elbet birinin çantasında bir Japon yapıştırıcısı bulunurdu. O sırada birden ortaya çıkan İris, benim kendisi için yaptıklarım karşısında duyduğu gönül borcuyla olsa gerek, bu işle bizzat kendisini görevlendirdi. O ve yardımcıları masa masa gezip Japon yapıştırıcısı sordular. Sonunda bütün arama tarama gayretlerimiz boşa çıktı. O beş otobüs dolusu Japon içinde, birinin olsun çantasından Japon yapıştırıcısı çıkmadı. Yıllar yılı bizi kandırmış, cami önlerinden vapur iskelelerine varana dek her köşe başında, "Japon mucizesi! Japon mucizesi!" diye avaz avaz kafamızı şişirmeyi bilmişlerdi. Gördüğünüz gibi, daha kendileri inanmıyorlardı mucizelerine.

Japon mucizesiymiş! Al sana Japon mucizesi!

XXXII

Sonraki günler

YARIN dediğiniz şey, o kadar kolay olmuyor. Her yarın hayırlısıyla da olmuyor. Çekimler uzun sürmüş, ancak sabaha karşı saat 04.15'te eve döndüğümüzde yarın olmuştu. Uzun bir yürüyüşten sonra nihayet ayakkabılarımı çıkarmış gibiyim şimdi.

Bir sonraki gün eve döndüğümde, salondaki kanepeye yığılıp kaldım. İçeriye geçecek gücüm bile yoktu. Kendimi bütün kaslarımla bırakmıştım olduğum yere, hatta yerçekimine. Bir dergide okumuştum. Kumlu bir yüzey üzerinde bir deney yapılmış, yeryüzünde yaşayan çeşitli canlılar bu kumlu yüzey üzerinde uyutularak, uyku sırasında kendilerini yerçekimine ne kadar bırakmış oldukları, kaslarını ne ölçüde boşalttıkları, bu kumlu yüzey üzerinde bıraktıkları izlerin derinliğine bakarak ölçülmüş. Bu ölçümlere göre, uyku sırasında kendini en çok yerçekimine bırakan canlının kedi olduğu anlaşılmış. Şimdi o deneyin şu kanepenin üzerinde benimle gerçekleştirilmesini ve kendimi bir kedi kadar yerçekimine bırakmış olduğumun görülmesini ve bunun bütün dünyaya duyurulmasını istiyorum.

Çünkü, Tuğde evden gitmişti!

Bunun derin huzurunu duymak istiyordum ama, nedense o okyanuslar kadar engin olduğunu hayal ettiğim huzur duygusunun bir damlasını bile duymuyordum içimde. Her an kapı çalınacak, Tuğde, "Şunumu, bunumu unutmuşum," ya da "Çok sıkıştım, tuvalete girebilir miyim?" diye geri dönecek ve bir daha hiç gitmeyecek diye korkuyordum. O zaman da, o kumlu yüzeydeki izler azıcık dalgalanıyor, ölçümlerim bozuluyordu. Açıkçası, gittiğine bir türlü inanamıyordum. Kimi mutluluklar hemen idrak edilmez, alışma dönemi gerektirir. Duymam gereken bu mutluluk duygusu için biraz erkendi galiba. Biraz daha Tuğde'siz zaman geçirmeliydim ki, içim ikna olsun.

Tuğde gibiler bir insanın hayatından kolay kolay gider miydi öyle? Kim bilir, şu an pek ayırdında olmadığım kaç sinsi ayrıntı bırakmıştı hayatıma? Tanıdığım kaç boşanmış çift vardır ki, boşandıktan ancak yıllar sonra gerçekten boşanmışlardır.

İznim, pek yakında bitiyor, beni birbirinden yoğun iş günleri bekliyordu. Oysa benim şu anda en çok ihtiyacım olan şey, iyi bir tatil yapmaktı. Perişan olmuştum. Asım Bey'e bir hafta izin sözünü ilk fırsatta hatırlatmalıydım.

Tuğde'nin annesiyle babasının bronzlaşmış yüzlerinden okuduğum, kısa tutulmuş keyifli bir tatilin sıradan huzuruydu yalnızca. Pek evliliklerini kurtarmışa benzemiyorlardı. Önlerindeki birkaç günü, şöhret sarhoşluğuna tutulmuş kızlarının konuşma krizlerini dinlemekle geçirecekleri kesindi. Bense Tuğde'nin önümüzdeki yıllarda yapacağı bütün röportajları satır satır okumuş kadar yorgundum.

O gittikten ancak bir-iki gün sonra gelebildim kendime. Hiçbir telefona çıkmadım. En başta Tuğde'nin telesekreterime bıraktığı notları karşılıksız bırakıyordum. Hâlâ bazen arkadaşlarının yanlışlıkla burayı aradıkları oluyor, mahsus yaptıklarını düşünüyor, onlarla sabırlı konuşmak konusunda artık zorlanıyorum.

Çantam bulunamamıştı. Kredi kartlarımdan alışveriş yapılmış, borçlarını ödemek de bana düşmüştü.

Sahibini unutamasam da, o kartviziti unutmak zorundaydım artık. Trafik ışıklarının bir tanrısı varsa eğer, ona bir adak adamaktan başka yapacak bir şey yoktu artık.

Tuğde'nin çekimleri ilgili firma tarafından onaylanmış, her şey Ömer'in istediği gibi olmuş, İtalyan yönetmen, Galata Kulesi'nde bir gezi, Boğaz'da bir yemek, Kapalı Çarşı'dan bir kilimle geldiği gibi geri uğurlanmıştı. Kürşad'a kalırsa, Perşembe Pazarı'nda gittiği hamamın genç tellakını da beraberinde götürmüştü. Bu arada oksijen çadırındaki cadı, Tuğde'nin reklam işinden benim bir komisyon alıp almadığımı öğrenmek için, Ömer'e varana kadar şirketteki herkesi arayıp beni rezil etmişti. Şimdilerde oksijen çadırından çıkmış, sağlık durumu gün günden iyiye gidiyormuş.

Girdiği herhangi bir yerden ganimet kaldırmadan ayrılamayan Tuğde, giderken benden mineli bir bilezik, üzeri desenli bir teneke kutu, kumaş kaplı küçük bir defter, içinde vapur yüzen bir cam küre, bir kaleydoskop, birkaç kartpostal, iki afiş, bir bez bebek aldı. Bunların bir kısmını ben vermiştim. Bir kısmının yokluğunu sonradan fark ettim.

İçimi dökmek amacıyla, Tuğde'nin çeşitli marifetlerinden ve konuşmalarından söz ettiğim birkaç arkadaşımın, beni inançsız gözlerle dinledikten sonra, beş yaşında bir kızın bütün bunları asla yapamayacağı, söyleyemeyeceği yollu itirazlarına sinirlendiysem de fazla belli etmedim. Herkes kendi yaşam deneyimlerini gerçekliğin kendisi, diğerlerininkini kurmaca ürünü sandığı sürece, iletişim denen şey olanaksız olmaya devam edecekti.

Birkaç gün sonraydı, kapım iki kere çalınıp susunca, eski postacım hasretime dayanamayıp döndü sanarak kendimden bile saklayamadığım bir sevinçle kapıya koştum. Değilmiş, karşımda gene bu sasalak suratlı yeni postacı duruyor, yanlış bir şey yapıyor olmaktan duyduğu çekingenlikle, parmak uçlarında dikkatle tuttuğu "taahhütlü gönderilmiş" bir zarfı bana uzatarak, manidar bir suratla üzerinde kendisine hitaben yazılmış notu gösteriyordu. Okunaklı olsun diye fazla özenli yazılmış bu nota hiçbir anlam veremediği suratından belliydi:

"Sayın yeni postacı bey, bu zarfı lütfen elden veriniz, lütfen kapıyı iki kere çalınız ve lütfen hanımefendinin kendisine teslim ediniz," diye yazıyordu.

Merakını gidermek için, bu yeni postacının yanında açtım zarfı. İçinden gayet süslü, gösterişli bir düğün davetiyesi çıktı, bol bulamaç yaldızlanmış kuyruklu harflerle herkesi avaz avaz düğününe çağırıyordu eski postacım. Bir an için, içim burkuldu. Hayatım boyunca elimden kaçırdığım erkekler listesinde bir postacı eksikti, o da tamam oldu. Herhalde mahallesinden ona bayılan kızlardan biriyle evleniyordur. Yakamdan düşsün diye bunun için dua etmemiş miydim sanki... Dualarım tutmuş demek. Nedense, hep başkaları için ettiğim dualar tutuyor. Hayatımdaki yarım kalmış film sahnelerine, bir de mutfak masasının üzerinde Jessica Lange olamadığımın sahnesi eklenmiş oldu.

Postacı kapıyı kaç kere çalarsa çalsın artık hiçbir önemi yok!

Sonunda Nalan'ın sergisine gittim.

Böyle olacağını içimin bir yanı biliyordu zaten. Bu kadar zaman sonra onunla karşılaşmanın bende uyandıracaklarını merak ediyor, dahası kendimle yüzleşmek istiyordum. Gerisi cesaretimi toparlamaya kalmıştı. Ne tuhaf! Hiçbir şey olmadı. Hiçbir şey hissetmedim. Bu, iyi geldi bana. Her şey içimde bitmişti. Üzerimde hiçbir gücünün kalmamış olduğunu, zamanın onu benden tamamen söküp almış olduğunu fark ettim. O ise, beni görünce çok sevindi, çok heyecanlandı. Sesi titriyordu konuşurken. Fazla zayıflamış, iyice kurumuştu. Bir şeyler eksilmişti yüzünden. Konuşurken elleri titriyor, gözlerinde eskiden olduğu gibi güçlü çakımlar ışımıyordu. Hayat onu bir yerlerde yenmişti ve artık bunu saklama gereği duymuyor gibi bir hali vardı. Benim için ne eskisi kadar güzeldi şimdi, ne eskisi kadar güçlü.

Görüşmediğimiz kayıp zamanlar için ara kapatmak istercesine telaşlı görünüyor, buluşup bir yerlere çıkalım, eskisi gibi görüşelim istiyordu. Üst üste birkaç kez aradı beni, sonra o da vazgeçti. Kapanacak, kapatılacak bir ara kalmamıştı aramızda. Onunla tarihimiz bitmişti. "Ne haber? Nasılsın?" Bu kadar işte. Böyle olmasını ben istememiştim, ama oldu.

Tabii ki, Tuğde'nin evimden gitmiş olmasıyla kurtulamadım ondan; ne zaman televizyonu açsam karşımda saç savurup duruyor. Şimdi bütün Türkiye tanıyor onu ve annesiyle babası, Tuğde' nin evliliklerini kurtardığını söyleyerek bana teşekkür ediyorlar. Neden ben kimseye teşekkür edemiyorum? Neden her şey benim yorgun gücüme kalıyor sonunda?

Kendimle ilgili önemli kararlar aşamasında hissediyorum kendimi. İlkin bu kitabı bitireceğim. Yıllar yılı kelimeleri kendime sakladım. Hayatım içimden geçen cümleler içinde geçti. Sonra, önümüzdeki ay Sinan'ın sözünü dinleyip Kütahya'ya gideceğim. Çocukça da olsa, bir hafta sonu, annemin köyünü arayıp Simav çayına ayaklarımı sokup geleceğim. Mucize beklemiyorum. Belki hiçbir şey olmaz. Ama nedense bunun bana iyi geleceğine inanıyorum.

Ne kadar kötümser olursak olalım, intihar etmediğimiz sürece hayatı zorlamaktan yanayım.

Annemin on iki yaşındayken ardında bıraktığı akarsuyun anısı, bugüne, buraya, bana kadar aktığına göre, aynı suya iki kez girmenin mümkün olmadığını kim söyleyebilir?

Sonra her şeye kaldığım yerden başlamak istiyorum. Birikmiş gazete ve dergileri atmak, beklemiş kitapları okumak, saksıların toprağını değiştirmek, yeniden spora ve diyete başlamak, akşamları meditasyon yapmak, dolap içlerini elden geçirmek, çekmeceleri düzeltmek, giymediklerimi dağıtmak, fotoğrafları albümlere yerleştirmek...

Ve o kayıp kartvizitin sahibinin karşıma çıkacağı ânı beklemek.

Akşamları işten eve dönerken, hep blues çalıyorum arabada, gökyüzünde hep mavi bir ışık oluyor. Sağa sola ağır ağır direksiyon kırarken gözüm hep etrafta sizi arıyor Emre Bey.

Bu kitabı okursanız, beni arar mısınız?

Biliyorsunuz, sizden başka kimsem yok.

1993-2002

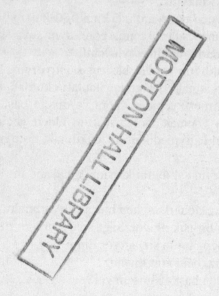